내신

다품

“얘들아,
고등학교 통합사회...
시작해 볼까?”

통합사회

〈다:품 통합사회〉는...

여러분은 이제 고등학생이 되었습니다. 고등학생이 되니 내신 교과 성적이 정말 중요하다는데, 중학교 때와는 다른 학습 부담이 생기죠? 이런 여러분의 고민을 덜어주고자 〈다:품 통합사회〉를 만들었어요. 모든 교과서를 분석하여 핵심 개념을 꼼꼼하게 다:품고, 아주 기초적인 문제부터 학교 내신 시험에 나오는 실제 기출 문제까지 다:풀 수 있도록 구성하였답니다.

핵심 주제 정리

- 교과서의 핵심 개념과 주요 내용을 주제별로 탄탄하게 정리하였습니다.
- 시험에 자주 출제되는 핵심 내용을 ★과 색망으로 강조하였습니다.

자료 Plus

- 시험에 자주 출제되는 교과서 내의 지도, 도표, 사진, 글 자료 등을 수록하였습니다.

핵심 개념 빈칸 채우기

- 빈칸에 직접 핵심 개념을 써 봄으로써 꼭 외워야 할 개념을 짚어 줍니다.

STEP 1 개념 어휘 테스트

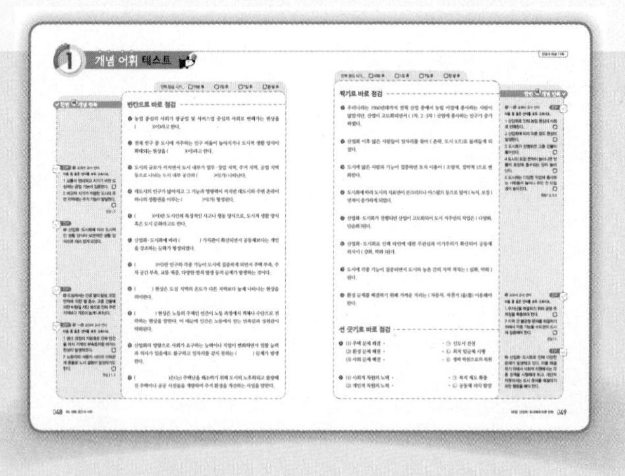

- 꼭 알아야 하는 개념들을 찍기 문제, 선 긋기 문제, 빈칸 채우기 문제 등을 해결하며 자연스럽게 외우도록 하였습니다.
- 한번 더 개념 반복을 통해 교과서 TIP과 교과서 유사 선지 ZIP을 제시하였습니다.

STEP 2 기출 기초 테스트

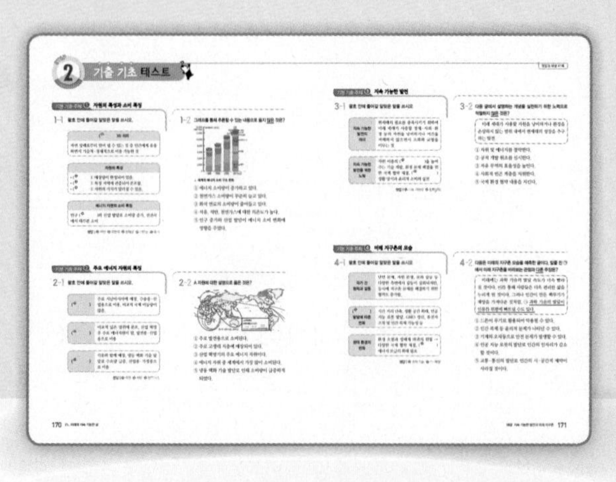

- 내신 시험에 자주 출제되는 기본 기출 주제를 정리하였습니다.
- 기본 기출 주제와 관련하여 내신 시험에 자주 출제되는 유형의 문제를 제시하였습니다.

STRUCTURE

"〈다:품〉이 너를 응원할게!"

STEP 3

교과서 기본 테스트 / 창의력 · 융합형 · 서술형

- 학교 내신 스타일의 문항들로 구성되어 내신 1등급에 대비할 수 있도록 하였습니다.
- 서술형 문제로 자주 출제되는 주제들을 창의력 · 융합형 · 서술형 문제에서 다루었습니다.

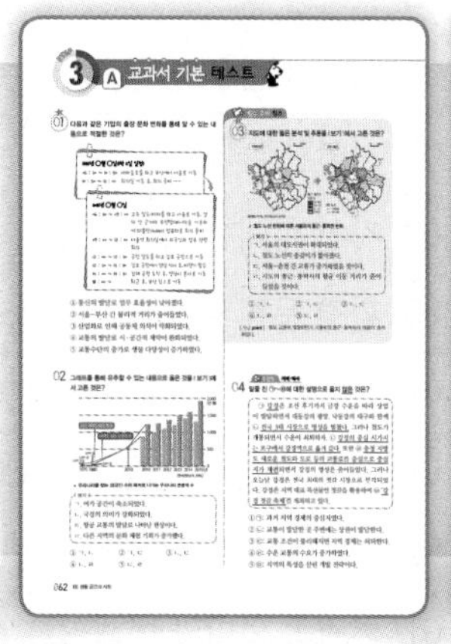

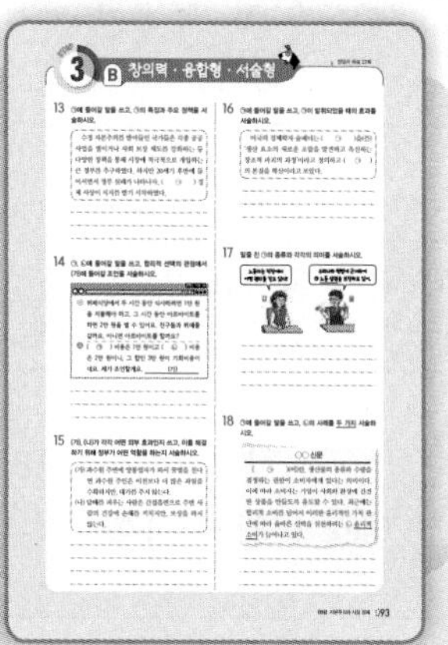

통합사회 모의고사

통합사회 교과 내용을 실제 학교 시험에 맞춰 대비하기 위해 실전 모의 시험지를 4회 제공하였습니다.

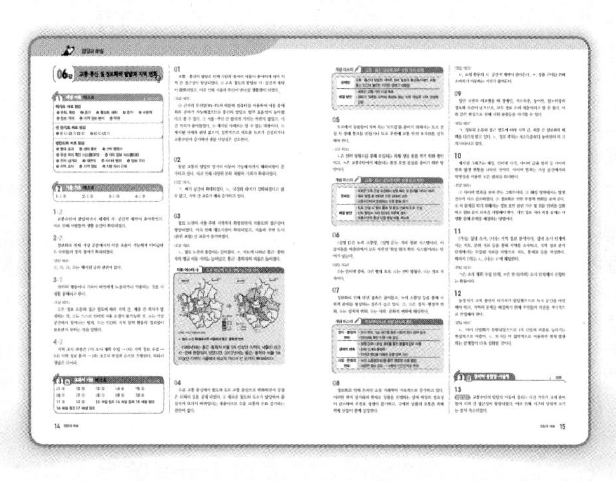

정답과 해설

각 문제의 해설을 상세하게 다루어 문제의 이해를 도왔으며, | 오답 체크 |를 통해 틀린 선지를 다시 검토할 수 있게 하였습니다. 또한 자료 마스터 +, 개념 마스터 를 통해 주요 학습 주제와 자료를 점검할 수 있도록 하였습니다.

교과서별
주요 학습 연계표

통합사회 교과서 목차(천재교육)		다:품 – 강
Ⅰ. 인간, 사회, 환경과 행복	01. 인간, 사회, 환경의 탐구와 통합적 관점	01강
	02. 행복의 의미와 기준	02강
	03. 행복한 삶을 실현하기 위한 조건	
Ⅱ. 자연환경과 인간	01. 자연환경과 인간 생활	03강
	02. 자연에 대한 다양한 관점	04강
	03. 환경 문제 해결을 위한 노력	
Ⅲ. 생활 공간과 사회	01. 산업화·도시화에 따른 변화	05강
	02. 교통·통신의 발달과 정보화에 따른 변화	06강
	03. 내가 사는 지역의 공간 변화	
Ⅳ. 인권 보장과 헌법	01. 인권의 의미와 변화 양상	07강
	02. 인권 보장을 위한 다양한 노력	08강
	03. 국내외 인권 문제와 해결 방안	
Ⅴ. 시장 경제와 금융	01. 자본주의의 발달과 시장 경제	09강
	02. 시장 경제의 발전과 경제 주체의 역할	
	03. 국제 분업 및 무역의 필요성과 그 영향	10강
	04. 안정적인 경제생활과 금융 설계	
Ⅵ. 사회 정의와 불평등	01. 정의의 의미와 실질적 기준	11강
	02. 자유주의와 공동체주의의 정의관	
	03. 사회 및 공간 불평등 현상과 개선 방안	12강
Ⅶ. 문화와 다양성	01. 다양한 문화권의 특징	13강
	02. 문화 변동과 전통문화	
	03. 문화 상대주의와 보편 윤리	14강
	04. 다문화 사회와 문화 다양성 존중	
Ⅷ. 세계화와 평화	01. 세계화에 따른 변화	15강
	02. 국제 사회의 행위 주체와 평화를 위한 노력	16강
	03. 남북 분단과 동아시아의 역사 갈등	
Ⅸ. 미래와 지속 가능한 삶	01. 인구 문제의 양상과 해결 방안	17강
	02. 지속 가능한 발전을 위한 노력	18강
	03. 미래 지구촌의 모습과 우리의 삶	

	다:품 – 쪽수	천재교육	미래엔	비상	지학사	동아
	8 ~ 15	14 ~ 21	12 ~ 17	10 ~ 17	12 ~ 19	14 ~ 17
	16 ~ 25	22 ~ 37	18 ~ 31	18 ~ 33	20 ~ 37	18 ~ 37
	26 ~ 35	42 ~ 53	36 ~ 45	38 ~ 47	42 ~ 51	42 ~ 49
	36 ~ 45	54 ~ 69	46 ~ 59	48 ~ 63	52 ~ 69	50 ~ 65
	46 ~ 55	74 ~ 81	64 ~ 73	68 ~ 77	74 ~ 81	70 ~ 79
	56 ~ 65	82 ~ 99	74 ~ 89	78 ~ 93	82 ~ 99	80 ~ 93
	66 ~ 73	108 ~ 115	94 ~ 103	98 ~ 105	104 ~ 111	100 ~ 107
	74 ~ 83	116 ~ 135	104 ~ 121	106 ~ 123	112 ~ 129	108 ~ 127
	84 ~ 93	140 ~ 155	126 ~ 141	128 ~ 145	134 ~ 149	132 ~ 145
	94 ~ 103	156 ~ 173	142 ~ 159	146 ~ 161	150 ~ 167	146 ~ 159
	104 ~ 113	178 ~ 191	164 ~ 175	166 ~ 181	172 ~ 187	164 ~ 171
	114 ~ 121	192 ~ 199	176 ~ 187	182 ~ 191	188 ~ 197	172 ~ 183
	122 ~ 131	208 ~ 223	192 ~ 209	196 ~ 211	202 ~ 217	190 ~ 201
	132 ~ 139	224 ~ 239	210 ~ 223	212 ~ 227	218 ~ 235	202 ~ 217
	140 ~ 147	244 ~ 251	228 ~ 237	232 ~ 239	240 ~ 247	222 ~ 229
	148 ~ 157	252 ~ 267	238 ~ 253	240 ~ 255	248 ~ 265	230 ~ 245
	158 ~ 165	272 ~ 279	258 ~ 265	260 ~ 269	270 ~ 277	250 ~ 259
	166 ~ 175	280 ~ 295	266 ~ 283	270 ~ 287	278 ~ 295	260 ~ 273

이 책의 차례

CONTENTS

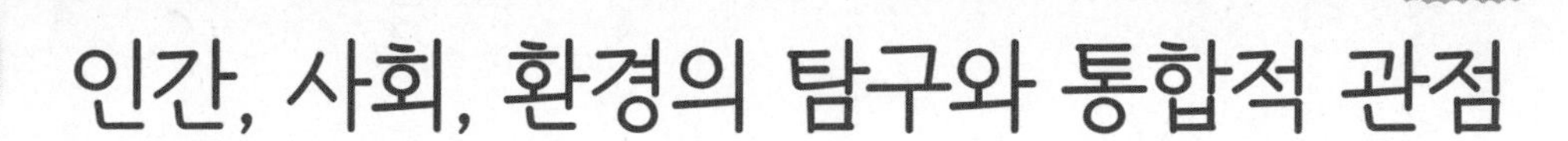

01강 인간, 사회, 환경의 탐구와 통합적 관점

주제 01 인간, 사회, 환경을 바라보는 시간적·공간적 관점

1. ㉠ ( ) 관점 < 자료1

구분	내용
의미	어떤 사회 현상이나 사건의 현재 모습을 있게 한 **시대적 배경과 맥락**을 살펴보는 것 (맥락: 주어진 대상 이외에 그 대상과 함께 제시된 모든 정보)
특징	과거의 사실, 사건, 제도, 가치 등을 통해 현재 나타나고 있는 현상이나 문제를 이해하고 바람직한 해결 방안을 찾는 데 도움을 줌.
탐구 방법	특정 현상과 관련된 과거의 자료를 수집하여 과거와 현재의 관계를 탐구함.

2. ㉡ ( ) 관점 < 자료2

구분	내용
의미	사회 현상이나 인간 생활을 **위치, 장소, 분포 패턴, 영역, 이동, 네트워크 등의 공간적 맥락**에서 살펴보는 것
특징	지역 간의 차이를 이해하고, 인간 생활과 사회 현상에 대한 환경의 영향을 파악하는 데 도움을 줌.
탐구 방법	자연환경 및 인문 환경이 인간의 삶에 미치는 영향을 분석함.

정답 | ㉠ 시간적 ㉡ 공간적

자료 Plus+

자료1 > 기후 변화의 원인

1880년 이후부터 현재까지의 흐름을 보면 산업 혁명 이후 이산화 탄소와 같은 온실가스가 다량으로 배출되었다. 이는 지구 평균 기온을 상승시켜 기후 변화를 초래하였다.

윗글은 기후 변화의 원인을 ❶ ( ) 관점에서 살펴보고 있다.

자료2 > 기후 변화의 영향

기후 변화에 따른 피해는 전 세계 곳곳에서 발생하고 있다. 극지방에서는 빙하가 녹고, 해안 저지대는 침수 위험에 처해 있다.

윗글은 기후 변화의 영향을 ❷ ( ) 관점에서 살펴보고 있다.

정답 | ❶ 시간적 ❷ 공간적

주제 02 인간, 사회, 환경을 바라보는 사회적·윤리적 관점

1. ㉠ ( ) 관점 < 자료3

(사회 구조는 개인이 일정한 행동을 하도록 정형화된 사회적 관계의 틀이고, 사회 제도는 사회 구성원들의 원활한 상호 작용을 가능하게 해 주는 관습화된 절차 및 규범 체계임.)

구분	내용
의미	어떤 사회 현상이나 개인의 행위가 나타나게 된 배경을 사회 구조 및 사회 제도의 측면에서 분석하고 예측하며, 그 대안을 살펴보는 것
특징	**사회의 구조와 법·제도가 사회 현상에 미치는 영향을 파악**하고, 정책 대안을 마련하는 데 도움을 줌.
탐구 방법	개인과 집단의 행위에 영향을 미치는 정치적·경제적·문화적 제도 및 시민의 권리와 의무를 이해하는 데 관심을 가짐.

2. ㉡ ( ) 관점 < 자료4

구분	내용
의미	어떤 인간의 행위가 도덕적 행위인지, 그 기준을 탐색하고 바람직한 삶의 모습을 살펴보는 것
특징	사회 현상을 도덕적 가치에 따라 평가하고 사회가 지향해야 할 **규범적 방향과 가치를 설정하는 데 도움**을 주며, 사회 문제의 바람직한 해결책을 모색하게 해 줌.
탐구 방법	도덕적 가치의 관점에서 다양한 사회 현상을 설명하고 평가함.

정답 | ㉠ 사회적 ㉡ 윤리적

자료 Plus+

자료3 > 기후 변화 해결을 위한 노력

기후 변화를 막기 위해 체결된 파리 협정은 교토 의정서와는 달리, 195개의 협약 당사국들 모두가 감축 목표를 지키도록 한 구속력 있는 협정이다.

윗글은 국제 협약이 국제 사회 구성원의 행동에 미치는 영향을 보여 주므로 문제 해결의 노력을 ❶ ( ) 관점에서 바라본 것이다.

자료4 > 기후 변화의 책임

기후 변화에 대한 책임은 오래전부터 온실가스를 배출한 선진국과 현세대가 더 많이 져야 한다.

윗글은 기후 변화의 책임을 형평성과 관련하여 ❷ ( ) 관점에서 살펴보았다.

정답 | ❶ 사회적 ❷ 윤리적

주제 03 통합적 관점의 필요성

1. 개별적 관점을 통한 탐구의 한계 개별 관점만을 통해 탐구하면 다양한 요인들이 복잡하게 얽혀 나타나는 사회 현상의 다양한 측면을 종합적으로 파악하기 어려움.

★ **2. ㉠ ( ) 관점의 의미** 사회 현상을 탐구할 때 시간적·㉡ ( )·사회적·윤리적 관점을 모두 고려하여 통합적으로 살펴보는 것

★ **3. 통합적 관점의 필요성** < 자료5

(1) 다양한 측면에서 사회 현상을 종합적으로 이해할 수 있어, 인간과 사회에 대한 통찰력을 기를 수 있음.

(2) 복잡한 사회 현상을 정확하고 깊이 있게 이해하고, 이를 바탕으로 문제에 대한 근본적인 해결책을 찾아 인류의 삶을 개선할 수 있음.

정답 | ㉠ 통합적 ㉡ 공간적

자료 Plus+

자료5 > 통합적 관점의 필요성

> 옛날 어떤 왕이 눈이 안 보이는 사람들을 모아 놓고 코끼리를 만져 보게 한 뒤 코끼리가 어떻게 생겼는지 물었다. 그들 중 상아를 만져 본 장님은 무와 같다고 하였고 다리를 만져 본 장님은 나무와 같다고 하였으며, 꼬리를 만져본 장님은 새끼줄과 같다고 하였다.

한 가지 측면에서 코끼리의 모습을 살펴보았기 때문에 코끼리의 모습을 제대로 파악할 수 없었다. 어떤 현상을 제대로 파악하려면 ❶ ( ) 관점이 필요하다.

정답 | ❶ 통합적

주제 04 통합적 관점으로 살펴보는 사회 문제

1. 통합적 관점으로 살펴본 화장장 건설을 둘러싼 갈등 < 자료6

관점	내용
시간적 관점	유교의 효 사상과 풍수 사상의 영향으로 매장을 했던 과거와 달리, 현재는 산업화·도시화로 화장 문화가 확대되어 화장장 건설이 사회적 쟁점이 되고 있음.
㉠ ( ) 관점	화장장 건설의 최적 입지 조건은 무엇이며, 화장장이 들어서면 지역의 공간 이용에 어떤 변화가 나타날 것인지 고려해야 함.
사회적 관점	화장장 건설에 따른 문제를 해결하기 위해 필요한 법과 제도를 정비해야 함.
㉡ ( ) 관점	정부는 화장장 건설로 인한 피해를 지역 주민에게 보상해야 하고, 주민들은 사익뿐만 아니라 공익도 고려해야 함.

2. 통합적 관점으로 살펴본 우리나라의 고령화 현상

관점	내용
㉢ ( ) 관점	1960년 이후 산업화 과정에서 산아 제한 정책이 추진되고 평균 수명이 늘어나면서 노년 인구가 빠르게 증가하여 고령화가 진행되고 있음.
공간적 관점	이촌 향도 현상으로 도시는 청장년층의 비율이 높고, 농촌 지역은 노년층의 비율이 높게 나타남. < 자료7
사회적 관점	고령화 현상으로 사회 복지 부담이 증가함.
윤리적 관점	노인 부양은 가족만이 아니라, 정부와 사회가 함께 노력해야 한다는 가치관이 퍼짐.

정답 | ㉠ 공간적 ㉡ 윤리적 ㉢ 시간적

자료 Plus+

자료6 > 화장장 건설을 둘러싼 갈등

> 화장장은 꼭 필요한 공공시설이지만, 오염 물질을 배출하여 사람들이 기피하는 시설이기도 하다. 따라서 화장장 건설 및 입지 선정을 둘러싸고 갈등이 계속되고 있다.

자료7 > 농촌과 도시의 고령 인구 비율

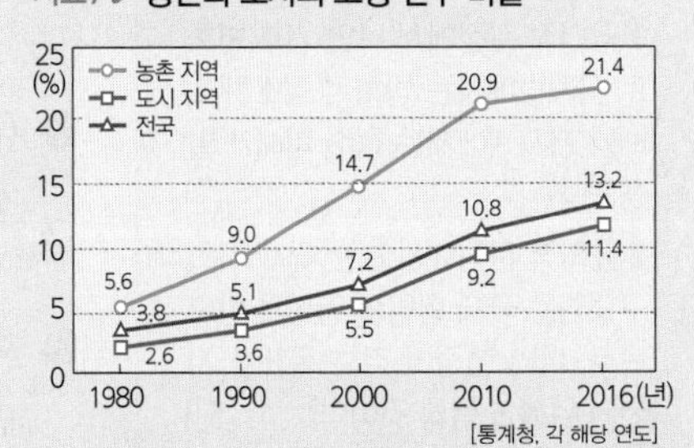

[통계청, 각 해당 연도]

고령화 현상을 단순히 시간적 관점에서만 분석하면, 고령화의 정도가 도시와 농촌이라는 ❶ ( ) 차이에 따라 다르게 나타난다는 사실을 놓칠 수 있다.

정답 | ❶ 공간적

개념 어휘 테스트

정답과 해설 2쪽

반복 점검 시기_ ☐10분 후 ☐1일 후 ☐7일 후 ☐한 달 후

찍기로 바로 점검

❶ 과거의 자취를 따라가며 사회 현상의 시대적 배경과 맥락을 살펴보는 관점을 (시간적, 공간적) 관점이라고 한다.

❷ 인간 생활과 사회 현상을 위치와 장소, 분포 패턴, 이동과 네트워크 등의 맥락에서 살펴보는 것을 (사회적, 공간적) 관점이라고 한다.

❸ (사회적, 윤리적) 관점은 특정 현상의 배경을 사회 구조 및 제도의 측면에서 분석하고 대안을 살펴보는 것이다.

❹ (사회적, 윤리적) 관점은 인간의 행위가 도덕적 차원에서 인정받기 위한 기준을 탐색하고 바람직한 삶의 모습을 살펴보는 것이다.

❺ 인간, 사회, 환경의 상호 작용 속에 담긴 복잡한 의미를 이해하고 문제의 근본적인 해결책을 찾기 위해서는 (개별적, 통합적) 관점이 필요하다.

빈칸으로 바로 점검

❶ 기후 변화의 원인을 지난 100년간의 지구 평균 기온과 이산화 탄소 농도의 변화 그래프를 통해 살펴본다면, 이는 (   ) 관점과 관련 있다.

❷ (   ) 관점에서 보면 우리나라의 고령화 현상은 도시보다 농촌에서 더 심각하게 나타난다.

❸ 화장장 건설에 따른 사회 문제를 해결하기 위해 필요한 법과 제도를 알아본다면, 이는 (   ) 관점과 관련이 있다.

❹ (   ) 관점에서 보면, 오랜 기간 온실가스를 배출한 선진국이 더 큰 책임감을 갖고 개발 도상국의 피해를 배상해 주어야 한다.

❺ 기후 변화와 같이 다양한 측면의 요인들이 서로 얽혀 있는 복잡한 문제는 (   ) 관점에서 살펴보아야 한다.

한번 더 개념 반복

ZIP ❶~❹ 교과서 유사 선지

다음 중 옳은 선지를 모두 고르시오.

1 윤리적 관점으로 보면 과거의 사실, 사건, 제도 등을 통해 오늘날의 사회 현상이 일어나는 이유와 그 결과를 추론할 수 있다. ☐

2 공간적 관점에서는 자연환경 및 인문 환경이 인간의 삶에 미치는 영향을 연구하고 분석한다. ☐

3 사회적 관점에서는 개인이 속한 사회를 분석함으로써 개인의 사고 방식과 행위를 이해할 수 있다고 본다. ☐

4 시간적 관점은 도덕적 가치 판단과 규범을 토대로 사회 현상을 설명하고 판단한다. ☐

정답 | 2, 3

TIP

❺ 통합적 관점이란, 사회 현상을 시간적·공간적·사회적·윤리적 관점에서 통합적으로 살펴보는 것이다.

ZIP ❶~❺ 교과서 유사 선지

다음 중 옳은 선지를 모두 고르시오.

1 공간적 관점에서 보면 기후 변화로 극지방에서는 빙하가 감소하고, 해안 저지대에서는 침수 피해가 발생했다. ☐

2 윤리적 관점에서 보면 국제 사회 구성원은 국제 협약의 영향을 받으므로, 파리 협정의 감축 목표를 지키기 위해 노력할 것이다. ☐

정답 | 1

기출 기초 테스트

정답과 해설 2쪽

기본 기출 주제 ① 인간, 사회, 환경을 바라보는 관점

1-1 괄호 안에 들어갈 알맞은 말을 쓰시오.

(❶)	사회 현상의 시대적 배경과 맥락을 살펴보는 것
(❷)	사회 현상을 위치와 장소, 분포 패턴과 네트워크 등 공간적 맥락에서 살펴보는 것
(❸)	사회 현상이 나타나게 된 배경을 사회 구조 및 사회 제도의 측면에서 살펴보는 것
(❹)	어떤 인간의 행위가 도덕적 행위인지, 그 기준을 탐색하고 바람직한 삶의 모습을 살펴보는 것

정답 | ❶ 시간적 관점 ❷ 공간적 관점 ❸ 사회적 관점 ❹ 윤리적 관점

1-2 다음 질문 및 댓글과 관련된 관점으로 가장 적절한 것은?

> Q 커피는 어느 지역에서 주로 생산되고 소비되나요?
>
> A 커피는 대표적인 열대작물로, 주로 저위도의 개발 도상국에서 생산됩니다. 커피를 주로 소비하는 국가는 대부분 소득 수준이 높은 선진국들입니다.

① 시간적 관점 ② 공간적 관점
③ 사회적 관점 ④ 윤리적 관점
⑤ 개인적 관점

기본 기출 주제 ② 통합적 관점의 의미와 필요성

2-1 괄호 안에 들어갈 알맞은 말을 쓰시오.

통합적 관점의 의미	인간, 사회, 환경을 탐구할 때 시간적·공간적·사회적·윤리적 관점을 모두 고려하여 (❶) 관점으로 살펴보는 것
통합적 관점의 필요성	복잡한 사회 현상을 종합적으로 정확하게 이해하고, 이를 바탕으로 문제에 대한 근본적인 해결책을 찾아 인류의 삶을 개선할 수 있음.

정답 | ❶ 통합적

2-2 다음 글에 나타난 갈등의 원인을 파악하고 이를 해결하기 위해 가장 필요한 관점으로 옳은 것은?

> 경기도 ○○시가 화장장을 만들려고 했는데, 인근의 △△시 주민이 이를 반대하여 심각한 갈등이 나타났다. △△시 주민들이 화장장 건설을 반대하는 이유가 무엇일까? 갈등을 해결하기 위해서는 어떻게 해야 할까?

① 시간적 관점 ② 공간적 관점
③ 사회적 관점 ④ 윤리적 관점
⑤ 통합적 관점

STEP 3 A 교과서 기본 테스트

필수 주제 링크

01 (가), (나) 자료에서 사회 현상을 바라보는 관점을 바르게 연결한 것은?

(가)

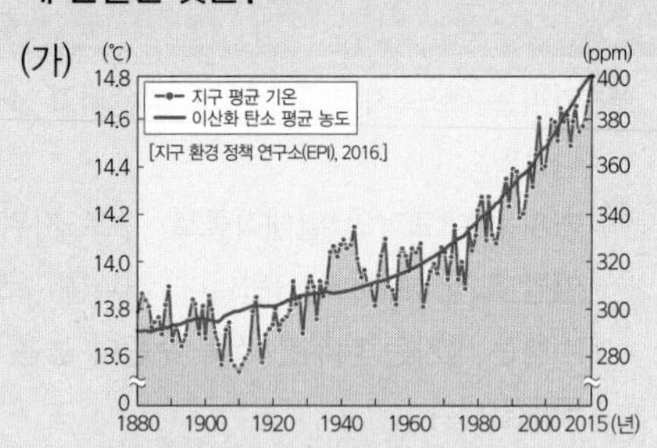

▲ 지구 평균 기온과 이산화 탄소 평균 농도의 변화

(나)

▲ 기후 변화에 따른 주요 지역의 변화

	(가)	(나)
①	시간적 관점	공간적 관점
②	시간적 관점	사회적 관점
③	공간적 관점	사회적 관점
④	공간적 관점	윤리적 관점
⑤	사회적 관점	윤리적 관점

| 핵심 point | 인간, 사회, 환경을 바라보는 관점에는 시간적, 공간적, 사회적, 윤리적 관점이 있다.

02 다음 글에서 설명하는 관점에서 살펴본 탐구 주제로 옳은 것은?

> 인간 생활과 사회 현상을 위치와 장소, 분포 패턴, 이동과 네트워크 등 공간적 맥락에서 살펴본다.

① 농촌 지역의 50년간 인구 구성 변화
② 농촌과 도시 지역의 고령 인구 비율 차이
③ 고령화 현상에 따른 사회 복지 부담 증가
④ 노인들의 경제 활동을 지원하기 위한 다양한 제도
⑤ 가족, 정부, 사회가 함께 노인을 부양해야 한다는 가치관 확산

03 ㉠ 관점에 대한 설명으로 옳은 것은?

> **(㉠) 관점으로 살펴보는 커피의 확산 배경**
>
> 커피의 원산지는 아프리카 에티오피아의 고원 지대이다. 6세기경에 커피가 아라비아반도로 전파된 이후, 술이 금지된 이슬람 국가에서는 커피가 빠른 속도로 퍼져 나갔고, 이후 17세기부터 본격적으로 유럽 각지로 확산되었다. 18세기부터 커피 수요가 급증하자, 유럽인들은 본격적으로 동남아시아나 남아메리카 지역의 식민지에서 플랜테이션 방식으로 커피를 재배하기 시작하였다.
>
> – 이동환 외, 《coffee》 –

① 사회 현상을 정의의 관점에서 평가한다.
② 사회 현상의 시대적 배경과 맥락을 살펴본다.
③ 사회 현상에 영향을 미친 자연환경만 살펴본다.
④ 사회 제도 및 사회 구조의 영향력을 분석하고 예측한다.
⑤ 사회 현상을 규범적 방향성이나 도덕적 가치의 관점에서 살펴본다.

04 다음 사례에서 사회 현상을 바라보는 관점의 특징을 | 보기 |에서 고른 것은?

> 은어 문화는 빠른 속도를 추구하는 정보화 사회, 재미를 중요시하는 대중문화의 모습이 반영된 것일 수 있다. 청소년들은 주위 친구들이 모두 은어를 사용하면 그 집단에 속하기 위해 은어를 쓸 수밖에 없다.

| 보기 |
ㄱ. 현상을 도덕적 가치에 따라 평가한다.
ㄴ. 위치, 장소 등과 같은 공간적 맥락을 살펴본다.
ㄷ. 개인이 속한 사회를 분석하여 개인의 사고방식을 이해한다.
ㄹ. 인간의 행동은 사회 구조의 영향을 받는다는 점을 고려한다.

① ㄱ, ㄴ ② ㄱ, ㄷ ③ ㄴ, ㄷ
④ ㄴ, ㄹ ⑤ ㄷ, ㄹ

05 ㉠~㉤ 중 사회적 관점의 탐구 질문으로 적절한 것은?

※ 탐구 주제: 화장장 건설 갈등

- 화장장 건설 예정지의 공간 정보는 어떠한가? ········ ㉠
- 우리 사회의 장례 문화는 어떻게 바뀌어 왔는가? ········ ㉡
- 화장장이 들어서면 지역의 공간 이용에 어떤 변화가 일어나는가? ········ ㉢
- 화장장 건설 갈등을 해결하기 위해 어떤 법과 사회 제도가 필요한가? ········ ㉣
- 화장장 건설에 따른 공익을 증대하기 위해 지역 주민의 사익을 침해해도 되는가? ········ ㉤

① ㉠ ② ㉡ ③ ㉢ ④ ㉣ ⑤ ㉤

06 다음 신문 기사를 규범적 차원에서 살펴볼 때 가져야 할 관점에 대한 설명으로 가장 적절한 것은?

> 우리가 먹는 초콜릿에는 서아프리카 아이들의 피와 땀이 묻어 있다. 이곳의 카카오 농장주들은 조금이라도 저렴하게 카카오를 생산하기 위해 법을 어기고 싼값에 아동을 고용하고 있으며, 이 과정에서 아동을 납치하거나 사고파는 일도 벌어지고 있다.
>
> -《뉴시스》, 2014. 2. 13.-

① 시대적 배경과 맥락을 살펴본다.
② 자료를 통해 과거와 현재의 관계를 탐구한다.
③ 이동과 네트워크 등 공간적 맥락에서 살펴본다.
④ 사회 현상에 대한 환경의 영향을 파악하여 지역 간의 차이를 이해한다.
⑤ 어떤 인간의 행위가 도덕적 행위인지 탐색하고, 바람직한 삶의 모습을 살펴본다.

07 다음 교사의 질문에 옳은 대답을 한 학생을 고른 것은?

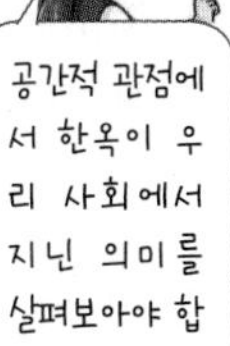
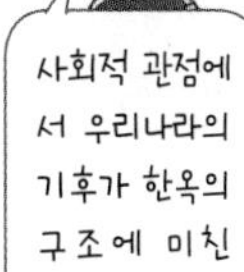

갑: 공간적 관점에서 한옥이 우리 사회에서 지닌 의미를 살펴보아야 합니다.

을: 사회적 관점에서 우리나라의 기후가 한옥의 구조에 미친 영향을 파악해야 합니다.

병: 윤리적 관점에서 전통 윤리가 어떻게 반영되었는지 들여다 보아야 합니다.

정: 시간적 관점에서 한옥의 역사를 살펴보아야 합니다.

① 갑, 을 ② 갑, 병 ③ 을, 병
④ 을, 정 ⑤ 병, 정

08 ㉠~㉣에 대한 옳은 설명을 보기에서 고른 것은?

> 우리나라 지역 축제의 문제점은 [㉠]에서 살펴보아야 한다. 즉, ㉡ 역사적으로 지역 축제가 어떤 의미를 가져왔으며 현재의 지역 축제는 어떤 활동에 초점이 맞춰져 있는지, ㉢ 지역의 공간 정보가 잘 드러나는지, 예산만 낭비되고 실패를 거듭하지는 않는지, ㉣ 축제를 즐기지 못하고 소외되는 이웃은 없는지 등을 종합적으로 살펴보아야 한다.

보기

ㄱ. ㉠에 들어갈 말은 '통합적 관점'이다.
ㄴ. ㉡은 현재의 지역 축제를 있게 한 사회 구조나 제도를 분석하는 것이다.
ㄷ. ㉢에는 지역의 인문 환경 정보만 포함된다.
ㄹ. ㉣은 윤리적 관점에서 축제는 여러 사람이 함께 즐겁게 참여해야 함을 강조하고 있다.

① ㄱ, ㄴ ② ㄱ, ㄹ ③ ㄴ, ㄷ
④ ㄴ, ㄹ ⑤ ㄷ, ㄹ

정답과 해설 2쪽

필수 주제 링크

09 **다음 글에서 설명하는 '통합적 관점'이 필요한 이유로 옳지 않은 것은?**

> 복잡한 사회 현상을 어느 한 가지 관점으로만 바라보고 문제를 해결하려고 하면 한계에 부딪힐 수밖에 없다. 따라서 우리는 사회 현상을 탐구할 때 통합적 관점에서 문제를 바라보고 해결하려는 노력을 해야 한다.

① 개별 관점으로 보는 것이 효율적이기 때문
② 사실 관계를 정확하게 파악할 수 있기 때문
③ 사회 현상은 다양한 측면의 요인이 뒤섞여 나타나기 때문
④ 사회 현상을 바라보는 종합적인 통찰력을 기를 수 있기 때문
⑤ 사회 문제의 복잡하고 다면적인 의미를 파악할 수 있기 때문

| 핵심 point | 통합적 관점은 다양한 측면에서 사회 현상을 정확하게 파악하여 문제에 대한 근본적인 해결책을 찾아 준다.

10 **밑줄 친 ㉠을 잘 활용하기에 가장 적합한 탐구 주제를 |보기|에서 고른 것은?**

> 생물학·화학 같은 자연 과학, 논리학·윤리학 같은 인문학, 정치학·사회학 같은 사회 과학 분야는 모두 아리스토텔레스를 할아버지로 모신다. 아리스토텔레스는 왜 그토록 많은 분야에 손을 대었던 것일까? 인간이 가진 문제가 어느 한 분야의 지식으로 명쾌하게 풀리는 법은 거의 없다. 우리 앞에 놓인 ㉠ <u>복잡한 문제들은 다양한 관점에서 검토할 때 답에 다가갈 실마리를 얻을 수 있다.</u>

|보기|
ㄱ. 쓰레기장 건설 갈등의 원인과 해결
ㄴ. 커피 생두 수출국과 수입국의 분포
ㄷ. 우리나라 고령화 현상에 대한 논의
ㄹ. 우리나라 한옥의 역사에 대한 연구

① ㄱ, ㄴ ② ㄱ, ㄷ ③ ㄴ, ㄷ
④ ㄴ, ㄹ ⑤ ㄷ, ㄹ

11 **다음 글에서 강조하고 있는 내용으로 가장 적절한 것은?**

> ○○ 지역의 화장장 건설이 순조롭게 진행되지 못한 이유를 한 가지로 단정할 수는 없다. ○○ 지역이 화장장 건설로 적절하지 않았다는 점, 법이 정한 절차를 지키지 않는 가운데 일이 추진되었다는 점, 공익을 위한 명분 아래 사익의 희생을 강요한 점 등 여러 요인이 복합적으로 영향을 주었기 때문이다.

① 사회 현상을 통합적 관점에서 보아야 한다.
② 화장장 건설에 따른 가치 갈등을 조정해야 한다.
③ 화장장 건설에는 최적 입지 선정이 가장 중요하다.
④ 화장 문화가 확대된 시대적 배경과 맥락을 고려해야 한다.
⑤ 화장 문화와 관련된 사회 제도와 사회 구조를 분석해야 한다.

창의형

12 **다음 〈게임 방법〉에 따라 나온 최종 도착 지점을 [회전판]의 ㉠~㉤에서 고른 것은?**

〈게임 방법〉
- 진술이 옳으면 회전판의 바늘이 A 방향으로 두 칸, 틀리면 B 방향으로 세 칸 이동한다.
- 진술 1, 2에 따라 순서대로 이동하고, ㉠부터 시작한다.

〈진술〉
1. 사회 현상의 시대적 배경과 맥락을 살펴보는 것은 공간적 관점이다.
2. 복잡한 사회 현상을 정확히 이해하고 문제의 해결책을 찾기 위해서는 통합적 관점이 필요하다.

[회전판]

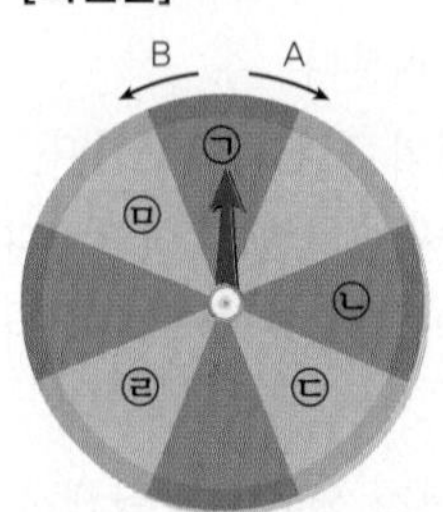

① ㉠ ② ㉡ ③ ㉢ ④ ㉣ ⑤ ㉤

13 (가), (나) 자료가 우리나라 고령화 현상을 어떤 관점에서 바라보는지 쓰고, 각 관점의 의미를 서술하시오.

(가) 1960년대 이후 산업화 과정에서 출산율이 떨어지고, 소득 증가와 의료 기술 발달로 평균 수명이 증가하면서 고령화가 급속히 진행되고 있다.
(나) 청장년층이 더 나은 일자리나 환경 등을 찾아 도시로 이동하면서, 농촌 지역의 고령 인구 비율이 도시 지역보다 매우 높게 나타나고 있다.

14 다음 갑, 을 대화에서 나타난 사회 현상을 바라보는 관점을 쓰고, 그 관점의 탐구 방법을 서술하시오.

커피 생산 과정에서 아동이 노동 착취를 당하거나, 생산자가 얻는 이익이 부당하게 적은 일이 많다고 해.

응. 그래서 나는 공정 무역 커피를 사 먹어. 그리고 커피를 살 때, 다른 한 잔을 더 사서 이웃을 위해 기부할 거야.

15 다음 탐구 보고서의 ㉠~㉣에 들어갈 관점을 채워 완성하고, ㉢ 관점의 특징을 서술하시오.

• 탐구 주제: 쓰레기 매립지 선정
☞ 쓰레기 매립지에 가장 적합한 입지 장소 파악하기 ··················(㉠)
☞ 쓰레기 매립지 선정을 둘러싼 가치관의 대립 분석하기 ················(㉡)
☞ 쓰레기 매립지 선정에 따른 법적, 사회적 제도 조사하기 ················(㉢)
☞ 쓰레기 매립지 선정 문제를 원만하게 해결한 과거 사례 조사하기 ········(㉣)

16 다음 글을 읽고 물음에 답하시오.

《열반경》에 나오는 '군맹무상'은 식견이 좁아 자기 주관대로만 사물을 판단하는 경우를 비유한 한자 성어이다. 군맹무상은 부분만 보고 전체를 본 것으로 착각하는 경우를 빗대어 이르는 말로 "장님 코끼리 만지기 식이다."라는 표현으로 널리 쓰인다. 이와 같은 잘못을 하지 않기 위해서는 상호 간에 의견 대립이 있을 때 상대방을 인정하고 수용하는 실천을 통해 전체를 볼 수 있는 [㉠] 관점을 가져야 한다.

(1) ㉠에 들어갈 알맞은 말을 쓰시오.

(2) ㉠과 같은 관점이 필요한 이유를 아래 제시된 단어를 모두 사용하여 서술하시오.

• 복잡 • 근본

02강 행복의 기준과 실현 조건

주제 01 행복의 다양한 기준

1. 시대에 따른 행복의 기준

(1) 선사 시대 안전한 생존과 식량의 확보, 행운과 같은 의미로 사용됨.

(2) 근대 이후 기본권 보장 및 자유와 평등의 실현

(3) 오늘날 물질적 풍요뿐만 아니라 건강, 인간관계, 사회 복지 등 기준이 다양함, 개인의 (㉠) 만족감을 중시함.

2. 지역에 따른 행복의 기준 < 자료1

(1) 자연환경 여건 기후, 지형 등 주어진 환경에 만족하거나 결핍된 요소를 충족하는 것
- 예 건조 기후 지역에서는 생존에 필요한 안정적인 식수를 확보하는 것이 중요함.

(2) 인문 환경 여건 정치적·경제적 상황이나 지배적인 종교, 문화, 산업 등에 따라 다양함.
- 예 갈등과 분쟁이 심한 지역은 정치적 안정과 평화를 달성하는 것이, 경제적 빈곤 지역은 의식주 충족과 질병 없는 삶이 중요함.

정답 | ㉠ 주관적

자료 Plus

자료1 > 서로 다른 행복관

> 고대 그리스인은 행복을 '아무런 제약이 없는 상태에서 자신의 능력을 최대한 발휘하는 것'이라고 보았지만, 고대 중국인은 행복을 '화목한 인간관계를 맺고 무난하게 사는 것'으로 보았다.

고대 그리스인은 개인의 자율성을, 고대 중국인은 조화로운 인간관계를 중시하였다. 이는 그리스와 중국의 자연 및 인문 (❶)의 차이로 서로 다른 행복관을 지니게 되었기 때문이다.
- 그리스는 농업보다는 사냥 등에 적합하였고, 중국은 벼농사가 발달하여 공동 작업이 필수였음.

정답 | ❶ 환경

주제 02 동서양의 행복론

1. 동양의 행복론

유교	하늘로부터 부여받은 도덕적 본성을 보존하고 함양하면서 다른 사람과 더불어 살아가며 (㉠)을 실현하는 삶
불교	청정한 불성(佛性)을 바탕으로 '나'라는 의식을 벗어 버리기 위한 수행과 고통받는 중생을 구제하는 실천을 통해 (㉡)의 경지에 이르는 삶
(㉢)	타고난 그대로의 본성에 따라, 인위적인 것이 더해지지 않은 자연 그대로의 모습으로 살아가는 삶(무위자연)

- 불성: 부처의 성품
- ㉢: 노자는 물처럼 살아가는 삶을 주장함.
- ㉡: 집착과 탐욕 때문에 일어나는 괴로움에서 벗어난 경지

2. 서양의 행복론

고대 그리스	삶의 궁극적 목적이며, 이성의 기능을 잘 발휘할 때 실현됨. < 자료2
헬레니즘 시대 (정치적으로 혼란했던 시대)	• 전쟁과 사회적 혼란으로부터 벗어나 마음의 평온을 얻는 것 • 에피쿠로스학파: 육체에 고통이 없고, 마음에 불안이 없는 평온한 삶 (기본적인 욕구를 충족하는 소박한 삶을 추구) • 스토아학파: 정념에 방해받지 않는 초연한 태도로 (㉣)의 질서를 따르는 삶 (정념: 감정에 따라 일어나는 억누르기 어려운 생각)
중세	유한한 인간이 신앙을 통해 영원하고 완전한 존재인 (㉤)과 하나가 되는 것
근대 < 자료3	• 칸트: 자신의 복지와 처지에 관해 만족하는 것 • 벤담, 밀: 쾌락을 행복으로 봄.

정답 | ㉠ 인(仁) ㉡ 해탈 ㉢ 도가 ㉣ 자연 ㉤ 신

자료 Plus

자료2 > 아리스토텔레스의 행복론

> 행복은 최고의 선이다. 인간의 기능을 훌륭하게 수행한다는 것은 인간만이 지닌 정신의 이성적 활동을 잘 수행한다는 뜻이다. 따라서 선이란 덕(德, 탁월성)과 일치하는 정신(영혼)의 활동이며, 이것이 행복이다. 참된 행복은 (❶)을 아주 잘 발휘하고 실현할 때 이루어진다.

자료3 > 근대의 행복론

칸트의 (❷)	인간으로서 지켜야 할 도덕 법칙을 실천하는 사람은 행복을 누릴 자격이 있다고 봄.
벤담, 밀의 (❸)	최대 다수에게 최대 행복을 가져다주는 행위를 해야 한다고 봄.

정답 | ❶ 이성 ❷ 의무론 ❸ 공리주의

주제 03 행복의 의미

1. 행복의 의미 삶에서 충분한 만족감과 기쁨을 느끼는 상태

2. 진정한 행복 일시적이고 감각적인 즐거움이라기보다, 비교적 장기간에 걸쳐 삶 전체를 통해 느끼는 지속적이고 정신적인 즐거움임.

3. 삶의 목적으로서 행복을 추구할 때 고려할 점 < 자료4

(1) 물질적·정신적 가치의 조화 물질적 욕망을 인정하고 절제하면서 ㉠ ( ) 가치를 함께 추구해야 함.

행복을 위한 객관적 기준으로 소득·고용·수명 등을, 주관적 기준으로 삶의 만족도나 즐거움을 제시하기도 함.

(2) 의미 있는 목표의 설정과 추구 자신에게 의미 있는 목표를 설정하고, 이를 위해 노력하는 ㉡ ( ) 과정이 중요함.

(3) 개인적·사회적 측면 고려 개인이 느끼는 주관적 만족감과 사회 구성원으로서 누리는 사회적 여건을 함께 중시해야 함.

정답 | ㉠ 정신적 ㉡ 자아실현

자료 Plus

자료4 > 다양한 행복 측정법

행복 지수	주요 항목
인간 개발 지수	1인당 국민 소득, 교육 수준, 평균 수명 등
더 나은 삶 지수	주거, 소득, 직업, 공동체, 시민 참여, 건강, 삶의 만족 등 11개 지표
세계 행복 지수	객관적 지표(1인당 국내 총생산, 건강 기대 수명), 주관적 삶의 만족감(사회적 지원, 자신의 인생을 결정할 자유 등)

최근 행복 지수들은 객관적·❶ ( ) 요소들을 모두 고려하여 측정하고 있다.

정답 | ❶ 주관적

주제 04 행복한 삶을 실현하기 위한 조건

1. 행복한 삶을 위한 다양한 조건

(1) 질 높은 ㉠ ( ) < 자료5

인간이 자리 잡고 살아가는 주거지와 다양한 주변 환경

필요성	생존의 위협을 받지 않고, 안전하고 쾌적한 환경에서 살아가기 위함.
요소	• 자연환경: 깨끗한 물, 대기, 토양 등 • 인문 환경: 발달된 교통·통신 및 치안·보건·위생·교육 시설 등

(2) 경제적 안정 < 자료6

필요성	기본적인 생계를 유지하고 자아실현을 하기 위함.
요소	• ㉡ ( ): 일자리 확대, 최저 임금 보장 • 사회 복지 제도: 경제적 불평등을 해소하고 질병, 실직 등 갑작스러운 상황에 대처해 줌. ㉥ 실업 급여, 사회 보험 등

(3) ㉢ ( )의 실현

필요성	시민의 자유와 권리를 보장받고 행복하기 위함.
요소	• 민주적 제도: 의회 제도, 권력 분립 제도 등 • 시민의 정치 참여: 선거, 정당이나 시민 단체 활동 등

(4) 도덕적 실천

필요성	개인과 사회 구성원 모두의 행복 실현을 위함.
요소	• 도덕적 삶: 도덕적으로 사고하고 느끼며 행동하는 것 → 선하게 살고자 하는 의지로써 도덕적 사고와 감정을 실천에 옮겨야 함. • 도덕적 ㉣ ( ): 자신의 언행과 삶에 잘못이 없는지 반성하고 살펴서 바로잡는 것 → 삶에 대한 성찰을 바탕으로 한 도덕적 실천을 하는 과정에서 개인은 삶의 만족감과 행복감을 얻을 수 있고, 사회 구성원 간에 사회적 신뢰가 형성되어 사회 전체의 행복 수준도 높아질 수 있음.

도덕적 삶과 성찰을 위해서는 역지사지의 자세가 필요함.

2. 이상 사회에 나타난 행복의 조건

(1) 대동 사회(공자) 모든 구성원이 보호받는 도덕적인 사회

(2) 유토피아(토마스 모어) 빈부 격차 없이 소유와 생산에서 평등한 사회

정답 | ㉠ 정주 환경 ㉡ 고용 안정 ㉢ 민주주의 ㉣ 성찰

자료 Plus

자료5 > 택리지

사람이 살 터로는 첫째로 지리(풍수지리적 명당)가 좋아야 하고, 둘째는 생리(풍부한 산물)가 좋아야 하며, 셋째는 ❶ ( )(넉넉하고 좋은 이웃 간의 정)이 좋아야 하며, 넷째로 산수(빼어난 경치)가 좋아야 한다.

조선 후기 실학자인 이중환이 저술한 《택리지》에는 가거지, 즉 사람이 살기에 적합하여 살기 좋은 곳의 조건들이 서술되어 있다.

자료6 > 맹자의 항산(恒産)과 항심(恒心)

맹자는 "일반 백성은 항산(일정한 생업)이 있어야 항심(도덕적인 마음)이 있을 수 있다."라고 하였다.

맹자는 ❷ ( ) 안정이 궁극적으로 백성의 도덕성을 유지하는 토대가 된다고 보았으며, 통치자는 백성의 행복을 위해 기본적인 생업을 보장해 주어야 한다고 하였다.

정답 | ❶ 인심 ❷ 항산

개념 어휘 테스트

반복 점검 시기_ ☐10분 후 ☐1일 후 ☐7일 후 ☐한 달 후

한번 더 개념 반복

ZIP ❶ 교과서 유사 선지

다음 중 옳은 선지를 모두 고르시오.

1 선사 시대에는 안전한 생존과 식량의 확보가 가장 중요한 행복의 기준이었다. ☐

2 건조 기후 지역에서는 종교의 교리에 따라 사는 것이 행복의 기준이다. ☐

정답 | 1

ZIP ❸ 교과서 유사 선지

다음 중 옳은 선지를 모두 고르시오.

1 유교는 인간의 도덕적 본성을 강조한다. ☐

2 불교는 인간의 청정한 불성을 강조한다. ☐

3 도가는 인간의 자연적 본성에 따르는 삶을 강조한다. ☐

정답 | 1, 2, 3

ZIP ❷ 교과서 유사 선지

다음 중 옳은 선지를 모두 고르시오.

1 국민들의 삶의 질을 높이려면 일정 수준 이상의 부(富)가 필요하다. ☐

2 행복한 삶을 실현하려면 도덕적으로 행동하고 성찰하며 살아야 한다. ☐

정답 | 1, 2

찍기로 바로 점검

❶ 행복에 대한 기준은 시대와 지역마다 (동일, 다양)하다.

❷ 갈등과 분쟁이 심한 지역에서는 (평화, 문화 생활)이(가) 중요한 행복의 기준이다.

❸ (불교, 도가)에서는 무위자연(無爲自然)의 삶을 행복이라고 보았다.

❹ 스토아학파는 정념에 의해 방해받지 않는 초연한 태도로 (자연, 인위)적 질서에 따르는 삶을 행복으로 보았다.

❺ 서양의 중세 시대에는 신앙을 통해 절대자인 (자연, 신)과 하나가 되는 것을 행복으로 여겼다.

❻ 진정한 행복은 비교적 (단기간, 장기간)에 걸쳐 삶 전체를 통해 느끼는 지속적이고 (육체적, 정신적)인 즐거움이다.

❼ 진정한 행복을 위해서는 소득, 고용 등의 요소도 중요하지만, 삶의 만족도와 같은 (객관적, 주관적) 기준도 충족되어야 한다.

❽ 맹자는 (정치적, 경제적) 안정이 백성의 도덕성을 유지하는 토대라고 보았다.

❾ 시민의 인권이 존중되고 자유와 권리를 최대한 보장받으려면 (민주주의, 독재)의 실현이 필요하다.

선 긋기로 바로 점검

❶ (1) '정념에 의해 방해받지 않는 삶이 곧 행복이다.' • • ㉠ 스토아학파

(2) '육체와 마음에 고통이 없는 삶이 곧 행복이다.' • • ㉡ 에피쿠로스학파

❷ (1) 쾌적한 환경과 낮은 범죄율 • • ㉠ 경제적 안정

(2) 일자리 확대와 최저 임금 보장 • • ㉡ 민주주의의 실현

(3) 선거, 정당이나 시민 단체 활동 • • ㉢ 질 높은 정주 환경

정답과 해설 4쪽

반복 점검 시기_ ☐10분 후 ☐1일 후 ☐7일 후 ☐한 달 후

빈칸으로 바로 점검

❶ 행복의 기준은 다양하지만, 일반적으로 삶 속에서 충분한 (   )와(과) 기쁨을 느끼는 상태를 행복으로 여기는 점은 공통적이다.

❷ 유교에서는 하늘로부터 부여받은 (   )적 본성을 보존하고 함양하면서 (   )을(를) 실현하는 것을 행복이라고 보았다.

❸ 불교에서는 청정한 (   )을(를) 바탕으로 한 수행과 중생을 구제하는 실천을 통해 (   )의 경지에 이르는 것을 행복이라고 보았다.

❹ 아리스토텔레스는 행복을 삶의 궁극적 목적으로 보았으며, 이것은 (   )의 기능을 잘 발휘할 때 실현된다고 보았다.

❺ 서양의 (   ) 시대에는 정치적으로 혼란했으므로, 마음의 평온을 얻는 것을 중시했다.

❻ 벤담과 밀은 행복을 (   )(으)로 여겼다.

❼ 행복에 이르기 위해서는 물질적 욕망을 인정하고 절제하면서 (   )적 가치를 함께 추구해야 한다.

❽ 국제 연합(UN)이 발표하는 세계 행복 지수는 1인당 국내 총생산 등의 객관적 지표뿐만 아니라, (   ) 삶의 만족도 점수를 합산하여 조사한다.

❾ 이중환은 《택리지》에서 사람이 살기에 적합한 곳의 조건을 서술하였는데, 첫째는 풍수지리적인 명당인 (   ), 둘째는 풍부한 산물인 (   ), 셋째는 이웃 간의 정인 (   ), 넷째는 빼어난 경치인 (   )이다.

❿ 일자리 확대, 최저 임금 보장, 실업 급여 등은 (   ) 안정을 위해 필요한 요소이다.

⓫ 민주주의의 실현을 위해서는 시민이 정치에 활발하게 (   )하여 자신의 정치적 의사를 적극적으로 표현해야 한다.

⓬ 행복한 삶을 위해서는 자신의 언행에 잘못이 없는지 반성하고 바로잡는 도덕적 (   )이(가) 필요하다.

한번 더 개념 반복

❺ 교과서 유사 선지 ZIP

다음 중 옳은 선지를 모두 고르시오.

1 에피쿠로스학파는 신과 하나가 되는 것을 행복이라고 보았다. ☐

2 스토아학파는 자연의 질서에 따르는 초연한 삶을 강조한다. ☐

정답 | 2

❻ 교과서 유사 선지 ZIP

다음 중 옳은 선지를 모두 고르시오.

1 의무론 사상가인 칸트는 인간으로서 지켜야 할 도덕 법칙을 실천하는 사람은 행복을 누릴 만한 자격이 있다고 보았다. ☐

2 공리주의에서는 최대 다수의 최대 행복을 강조했다. ☐

정답 | 1, 2

❾~❿ 교과서 유사 선지 ZIP

다음 중 옳은 선지를 모두 고르시오.

1 질 높은 정주 환경을 조성하기 위해서는 안전하고 쾌적한 환경이 중요하다. ☐

2 국민 소득이 높으면 반드시 구성원의 삶의 질이 높다. ☐

정답 | 1

TIP

❿ 경제학자인 이스털린은 소득이 행복과 관련 있는 것은 맞지만, 소득이 일정 수준에 도달하고 기본적 욕구가 충족되면 소득이 증가해도 행복에 큰 영향을 미치지 않는다고 주장했다.

기출 기초 테스트

기본 기출 주제 ① 행복의 다양한 기준

1-1 괄호 안에 들어갈 알맞은 말을 쓰시오.

시대에 따른 행복의 기준

- 선사 시대: 안전한 (❶)과 식량 확보
- 서양의 중세 시대: 신앙을 통해 (❷)과 하나가 되는 것
- 근대 이후: 기본권 보장, 자유와 평등 실현
- 오늘날: 물질적 풍요와 삶에 대한 주관적 만족감

지역에 따른 행복의 기준

주어진 환경에 만족하거나 결핍된 요소를 충족하는 것

예 • 경제적 빈곤 지역: 의식주 충족과 질병 없는 삶
- 정치적 갈등 지역: 정치적 안정과 (❸)
- 물이 부족한 지역: 안정적인 식수 확보

정답 | ❶ 생존 ❷ 신 ❸ 평화

1-2 다음 글의 주제로 가장 적절한 것은?

행복한 삶과 관련하여 건조한 지역에서는 안정적인 식수의 확보를, 경제적으로 빈곤한 지역에서는 최소한의 의식주 충족을, 차별이나 구속이 있는 지역에서는 자유를 가장 중요한 기준으로 본다. 그리고 선사 시대에는 안전한 생존과 식량 확보를, 서양의 중세 시대에는 신과 하나가 되는 것을 가장 중요한 행복의 기준으로 간주하였다.

① 행복을 위해 경제적 안정보다 자유가 중요하다.
② 행복을 위해 계층 간 소득 격차를 줄여야만 한다.
③ 행복을 위해 자유보다 유일신과의 합일이 중요하다.
④ 행복의 기준은 시대와 지역적 여건에 따라 다양하다.
⑤ 행복의 기준에서 삶의 질은 경제적 안정보다 중요하다.

기본 기출 주제 ② 동양의 행복론

2-1 괄호 안에 들어갈 알맞은 말을 쓰시오.

(❶)의 행복	도덕적 본성을 보존하고 함양하면서 다른 사람과 더불어 살아가며 인(仁)을 실현하는 삶
(❷)의 행복	청정한 불성을 바탕으로 '나'를 잊는 수행과 고통받는 중생을 구제하는 실천을 통해 해탈의 경지에 이르는 삶
(❸)의 행복	타고난 그대로의 본성에 따라, 인위적인 것을 더하지 않은 자연 그대로의 모습으로 살아가는 삶

정답 | ❶ 유교 ❷ 불교 ❸ 도가

2-2 다음 동양 사상이 바라보는 행복한 삶으로 옳은 것은?

참된 사람[진인(眞人)]은 부족하다고 억지 부리지 않고, 일이 이루어졌다고 우쭐거리지도 않는다. 또 삶은 즐겁고 죽음은 슬픈 것이라는 것도 모른다. 그는 자연스럽게 갔다가 자연스럽게 올 뿐이다.

① 괴로움에서 벗어난 해탈에 이르는 삶이다.
② 쾌락을 향유하고 고통으로부터 안전한 삶이다.
③ 인위를 부정하고 자연적인 질서를 따르는 삶이다.
④ 신앙을 통해 영원한 존재인 신으로부터 은총을 받는 삶이다.
⑤ 하늘이 부여한 선한 도덕적 본성을 보존하고 함양하는 삶이다.

정답과 해설 4쪽

기본 기출 주제 ③ 서양의 행복론

3-1 괄호 안에 들어갈 알맞은 말을 보기에서 고르시오.

보기
㉠ 벤담과 밀　㉡ 스토아학파
㉢ 에피쿠로스학파　㉣ 아리스토텔레스

(❶)	행복은 최고의 선이며 삶의 궁극적 목적이고, 이성의 기능을 발휘할 때 실현됨.
(❷)	행복은 육체와 정신에 고통이 없는 평온한 삶
(❸)	행복은 정념에 지배되지 않고 초연한 태도로 자연적 질서를 따르는 삶
(❹)	행복은 쾌락

정답 | ❶ ㉣ ❷ ㉢ ❸ ㉡ ❹ ㉠

3-2 다음 고대 서양 사상가가 생각하는 참된 행복의 의미로 옳은 것은?

> 식물은 생명의 기능만을, 동물은 생명과 감각, 운동 기능을 갖고 있다. 동물이나 식물과 달리 인간만이 지닌 특별한 기능은 이성적 활동이다. 그러므로 인간이 기능을 훌륭하게 수행한다는 것은 바로 이 이성적 활동을 잘 수행한다는 것이다. 그런데 사람의 이성적 활동은 덕을 가지고 수행할 때 더 잘할 수 있다.

① 물질적으로 풍요로운 삶이다.
② 감각적이며 육체적인 쾌락을 경험하는 삶이다.
③ 인위적 욕망이 아닌 자연적 질서를 따르는 삶이다.
④ 신앙을 통해 완전한 존재인 신과 하나가 되는 삶이다.
⑤ 탁월성의 덕과 일치하는 정신의 활동을 따르는 삶이다.

기본 기출 주제 ④ 행복한 삶을 위한 다양한 조건

4-1 괄호 안에 들어갈 알맞은 말을 쓰시오.

질 높은 (❶)	깨끗한 물, 대기, 토양 등의 자연환경과 발달된 교통·통신 및 보건·치안·문화 시설 등의 인문 환경
경제적 안정	일자리 확대, 최저 임금 보장을 통한 (❷) 안정과 경제적 불평등을 해소하는 사회 복지 제도
(❸)의 실현	민주적 제도와 시민의 활발한 정치 참여
도덕적 실천	도덕적 삶, 도덕적 성찰

정답 | ❶ 정주 환경 ❷ 고용 ❸ 민주주의

4-2 다음 글이 행복한 삶을 위해 강조하고 있는 내용으로 가장 적절한 것은?

> '저 거지를 보라. 그는 지위도 명예도 없지만, 거짓 또한 없다. 그에 비해 나는 인상적인 행위로 사람들의 환심을 사려고 했기에 기쁨을 빼앗겨 버리지 않았는가?' 거짓 행복에 매달려 살아온 내 삶은 거지보다 조금도 나을 게 없었다.
>
> – 아우구스티누스, 《고백록》 –

① 경제적 안정이 중요하다.
② 깨끗한 자연환경이 필요하다.
③ 질 높은 정주 환경이 중요하다.
④ 바람직한 삶에 대한 성찰이 중요하다.
⑤ 인권을 존중하는 정치 체제가 필요하다.

STEP 3 A 교과서 기본 테스트

필수 주제 링크

01 밑줄 친 ㉠~㉤에 대한 설명으로 옳지 않은 것은?

> ㉠ 행복에 대한 구체적인 기준은 지역의 ㉡ 자연 환경 및 ㉢ 인문 환경의 여건과 ㉣ 시대적 상황 등에 따라 다르게 나타난다. 오늘날에는 행복에 있어서 ㉤ 주관적 기준을 중요한 기준으로 삼는다.

① ㉠: 삶에서 만족감과 기쁨을 느끼는 상태이다.
② ㉡: 건조 기후 지역 주민에게는 충분한 식수를 확보하는 것이 행복의 기준이 될 수 있다.
③ ㉢: 종교의 교리를 따르는 삶도 행복의 기준이다.
④ ㉣: 과거보다 오늘날의 행복 기준이 더 단순하다.
⑤ ㉤: 삶의 만족도나 일상에서 느끼는 행복감 등을 들 수 있다.

| 핵심 point | 행복의 기준은 시대적 상황과 지역적 여건(자연환경 및 인문 환경)에 따라 매우 다양하게 나타난다.

코딩형

02 (가)의 갑, 을 입장을 (나) 그림으로 탐구할 때, A~C에 들어갈 질문으로 옳은 것은?

(가)	갑: 고대 그리스인에게 행복이란 '제약 없이 자신의 능력을 최대한 발휘하는 것'이었다. 을: 고대 중국인에게 행복이란 '화목한 인간관계를 맺고 무난하게 사는 것'이었다.
(나)	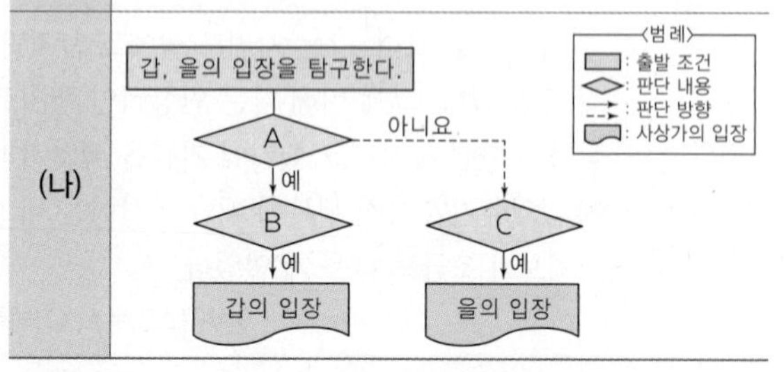

① A: 행복은 인간이 추구해야 할 목적인가?
② A: 행복한 삶을 위해서는 '조화로움'이 중요한가?
③ B: 행복은 자율성이 아닌 인간관계에서 찾아야 하는가?
④ C: 행복은 욕망을 갖지 않는 무욕의 삶인가?
⑤ C: 행복을 위해 집단 구성원으로서의 삶이 중요한가?

03 다음 글의 내용을 주장한 사상가의 입장에서 갑의 질문에 대답할 때, (A)에 들어갈 말로 가장 적절한 것은?

> 인간은 맑고 깨끗한 마음의 불성(佛性)을 바탕으로 '나'를 버리는 수행을 하고, 고통받는 중생을 구제하는 실천을 통해 해탈의 경지에 이르러야 한다.

① 경제적 안정을 삶의 목적으로 추구해야 합니다.
② 신앙을 통해 절대자인 신과 하나가 되어야 합니다.
③ 고통을 일으키는 집착과 탐욕에서 벗어나야 합니다.
④ 공동체의 행복을 위해 항상 자신을 희생해야 합니다.
⑤ 주관적인 만족감을 위해 세상과 거리를 두어야 합니다.

필수 주제 링크

04 다음 동양 사상가의 행복에 대한 입장으로 옳은 것은?

> • 억지로 꾸미지 않은 자연스러움에 삶을 맡기고 사는 무위자연(無爲自然)의 삶을 사는 것이 세상을 사는 바른 이치이다.
> • 과욕보다 더 큰 죄악은 없다. 탐욕보다 더 큰 결점은 없다. 가장 훌륭한 삶은 경쟁과 대립, 명예를 부정하는 물의 덕(德)을 본받는 삶이다.

① 도덕적인 삶을 통해 인격을 완성하는 삶이다.
② '나'를 고집하지 않고 중생을 구제하는 삶이다.
③ 세속적 욕망의 충족이 아닌 자연의 질서를 따르는 삶이다.
④ 각자의 능력과 업적에 따라 공정한 분배를 받는 삶이다.
⑤ 신앙을 통해 영원한 존재인 신의 은총을 구하는 삶이다.

| 핵심 point | 무위자연의 삶과 물의 덕(德)을 강조한 사상가는 도가 사상가인 노자이다.

05 다음 갑, 을 사상가의 행복에 대한 옳은 주장을 **보기**에서 고른 것은?

갑: 가장 좋은 삶은 물처럼 사는 것이다. 물은 남을 이롭게 하면서도 남과 다투지 않고, 여러 사람이 싫어하는 낮은 곳으로 기꺼이 가기 때문이다.
을: 철학의 목적은 육체에 고통이 없고 마음에 불안이 없는 평온한 삶을 얻는 데 있다.

보기
ㄱ. 갑: 자연의 흐름을 따르는 것이 행복한 삶이다.
ㄴ. 갑: 도덕적인 착한 본성을 따르는 것이 행복한 삶이다.
ㄷ. 을: 이성의 기능을 탁월하게 발휘하는 것만이 행복한 삶이다.
ㄹ. 갑, 을: 단순하고 소박한 삶을 사는 것이 행복한 삶이다.

① ㄱ, ㄴ ② ㄱ, ㄹ ③ ㄴ, ㄷ
④ ㄴ, ㄹ ⑤ ㄷ, ㄹ

융합형 윤리·역사

06 다음 글이 설명하는 시대에 나타났던 행복에 대한 입장을 이야기한 학생만을 있는 대로 고른 것은?

기원전 4세기 알렉산드로스는 동방 원정을 단행한다. 그리고 그의 동서 융합 정책과 더불어 헬레니즘 문화가 탄생한다.

① 갑, 을 ② 갑, 정 ③ 병, 정
④ 갑, 을, 병 ⑤ 을, 병, 정

필수 주제 링크

07 다음은 세계 ㉠ 지수의 산출 지표를 나타낸 것이다. 이 자료에 대한 분석으로 옳지 않은 것은?

※ 세계 (㉠) 지수(UN)

(㉡)	• 1인당 국내 총생산(GDP) • 건강 기대 수명
(㉢)	• 어려울 때 사회로부터 도움을 받을 수 있는가? • 자유가 충분한가? • 정부와 기업이 부패했는가? • 기부를 실천하고 있는가?

① ㉠에 들어갈 말은 '행복'이다.
② ㉠을 추구할 때는 개인의 주관적 만족감과 함께 사회 구성원으로서 누리는 사회적 여건도 중시해야 한다.
③ ㉢은 주관적 삶의 만족감과 관련된 항목이다.
④ ㉡만으로는 정확하게 ㉠의 정도를 측정하기 어렵다.
⑤ ㉡의 국가별 1인당 국내 총생산 순위는 ㉠ 지수 순위와 동일할 것이다.

| 핵심 point | 자료는 국제 연합(UN)의 세계 행복 지수로, 객관적 지표와 주관적 삶의 만족감 점수를 합산하여 각 국가의 국민 행복도를 조사한다.

08 다음 신문 기사를 읽고, 부탄 정부가 행복에 관해 주장할 내용만을 **보기**에서 있는 대로 고른 것은?

○○ 신문

부탄 정부는 GNH(국민 총행복) 개념을 도입하여 행복을 위해 필요한 다양한 가치들 간의 균형을 중시하는 정책을 펴고 있다. 즉, 삶에 대한 즐거운 감정, 건강, 문자 해독, 다양한 전통문화의 이해, 기초 생활 서비스와 기본권, 소속감과 신뢰, 환경적 책임, 주거와 소득 등이 균형 있게 조화를 이루도록 노력하고 있다.

보기
ㄱ. 심리적 만족감이 중요하다.
ㄴ. 단일한 문화의 형성이 필요하다.
ㄷ. 인권을 보장하는 제도가 필요하다.
ㄹ. 공동체에 대한 소속감이 중요하다.

① ㄱ, ㄴ ② ㄱ, ㄷ ③ ㄴ, ㄹ
④ ㄱ, ㄷ, ㄹ ⑤ ㄴ, ㄷ, ㄹ

09 다음 사상적 관점에서 강조할 행복의 조건으로 가장 적절한 것은?

> 맹자는 "무항산(無恒産)이면, 무항심(無恒心)이다."라고 주장했다. 이것은 일정한 생업이 없으면 타고난 도덕적인 마음도 안정적으로 보존할 수 없다는 말이다. 따라서 지혜로운 군주라면, 마땅히 부모와 가족을 부양할 충분한 생업이 있도록 왕도를 실천해야 한다.

① 시민에 의한 대표자 선출이 중요하다.
② 종교적 삶에 의한 정서적 안정이 중요하다.
③ 오염되지 않은 질 높은 자연환경이 중요하다.
④ 경제적·물질적 조건의 안정적인 충족이 필요하다.
⑤ 정치 참여를 보장하는 여러 민주적 제도가 필요하다.

필수 주제 링크

10 다음 자료를 통해 추론할 수 있는 행복의 조건에 대한 설명으로 가장 적절한 것은?

지수 / 국가	노르웨이	아이슬란드	덴마크	스위스
세계 민주주의 지수 순위	1위	2위	5위	6위
세계 행복 지수 순위	4위	3위	1위	2위

[이코노미스트 / 국제 연합(UN), 2016.]

① 분배 정의의 실현보다 경제 성장이 중요하다.
② 경제 성장이 시민의 도덕적 의식보다 중요하다.
③ 사회 복지를 위해서 시민의 권리를 제한해야 한다.
④ 사회적 정주 환경이 자연적 정주 환경보다 중요하다.
⑤ 시민의 정치적 의사가 잘 반영되는지 여부가 중요하다.

| 핵심 point | 민주주의 지수 순위가 높은 나라들이 대체로 행복 지수에서도 높은 순위를 차지하고 있다.

신유형

11 학생이 표시한 답이 옳은 것을 ㉠~㉣ 중에서 고른 것은?

〈형성 평가〉

1학년 ○반 ○번 ○○○

* 글쓴이가 지지할 주장으로 옳으면 '예', 틀리면 '아니요'에 '✓'를 표시하시오.

> 행복한 삶을 위해서는 최소한의 삶의 조건을 충족하는 일정 수준 이상의 소득이 있어야 한다. 또한 정책 결정 과정에 시민이 자신의 의사를 적극적으로 반영할 수 있는 제도를 시행해야 한다. 아울러 공동체가 유지되기 위해 사회 구성원이 올바른 가치관을 가지고 실천하는 풍토가 조성되어야 한다.

[주장 1] 행복한 삶을 위해서는 시민의 정치 참여를 제한해야 한다. 예( ) 아니요(✓) ………… ㉠
[주장 2] 행복한 삶을 위해서는 경제적 안정과 복지 정책이 필요하다. 예( ) 아니요(✓) ………… ㉡
[주장 3] 공동체의 행복을 위해서 도덕적 가치를 실천해야 한다. 예(✓) 아니요( ) ………… ㉢
[주장 4] 국민의 소득 수준과 삶의 질은 서로 관계가 없다. 예(✓) 아니요( ) ………… ㉣

① ㉠, ㉡　② ㉠, ㉢　③ ㉡, ㉢
④ ㉡, ㉣　⑤ ㉢, ㉣

12 (가), (나)의 행복에 대한 입장으로 옳은 것은?

> (가) 선사 시대에는 생존을 위한 식량을 확보하고, 외부의 위협으로부터 안전하게 보호받는 삶을 행복으로 여겼다. 반면, 오늘날에는 물질적인 풍요는 물론, 일과 건강, 사회 복지와 인간관계를 행복의 기준으로 생각한다.
> (나) 국민 소득이 높다고 해서 구성원들이 반드시 행복한 것은 아니지만, 기본적인 소득이 안정적으로 보장되어야 한다는 점은 행복을 위한 핵심 요소이다.

① (가)는 어느 시대이든 행복의 기준이 같다고 본다.
② (가)는 물질적 안정은 행복의 기준이 아니라고 본다.
③ (나)는 경제적 안정보다 주관적 만족감이 행복의 기준으로 더 중요하다고 본다.
④ (가)는 (나)와 달리 물질적 욕구의 충족만이 행복의 기준이라고 본다.
⑤ (가), (나)는 기본적인 삶의 조건의 충족이 행복의 기준이 될 수 있다고 본다.

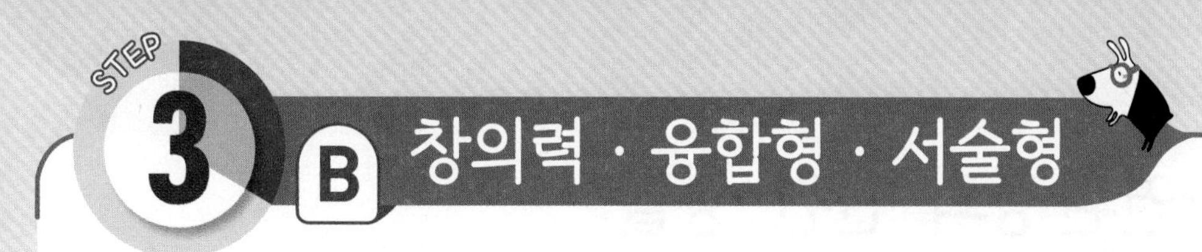

정답과 해설 6쪽

13 다음 ㉠, ㉡에 들어갈 말을 쓰고, 갑, 을의 행복에 대한 입장이 어떤 사상(사상가)과 관련이 있는지 서술하시오.

14 다음 글을 읽고 물음에 답하시오.

> 전쟁과 사회적 혼란이 이어졌던 헬레니즘 시대에는 평화의 시기와 다른 행복관이 등장했다. 이 시기를 대표했던 (㉠)와(과) ㉡ 에피쿠로스학파는 공통적으로 사회적 혼란에 따른 불안에서 벗어나는 삶이 곧 행복한 삶이라고 가르쳤다.

(1) ㉠에 들어갈 말을 쓰시오.

(2) ㉡의 행복에 대한 입장을 서술하시오.

15 다음 글을 읽고 물음에 답하시오.

> (가) 사람이 살 터로는 첫째로 (㉠)(풍수지리적 명당)이(가) 좋아야 하고, 둘째로 (㉡)(그 땅에서 생산되는 풍부한 산물)이(가) 좋아야 하며, 셋째로 (㉢)(넉넉하고 좋은 이웃 간의 정)이(가) 좋아야 하며, 넷째로 (㉣)(빼어난 경치)이(가) 좋아야 한다. 이 네 가지에서 하나라도 모자라면 살기 좋은 땅이 아니다.
>
> (나) 최근 여론 조사에 의하면, 사람들은 거주지를 선택할 때 대중교통의 편리성, 은행이나 병원, 공공시설 등 편의 시설과의 접근성, 공원 및 녹지 면적, 적당한 주택 가격과 주거비용, 교육 여건, 직장과의 근접성 등을 중요하게 여긴다고 한다.

(1) ㉠~㉣에 들어갈 말을 쓰시오.

(2) (가), (나)에 나타난 이상적인 정주 환경의 공통점과 차이점을 서술하시오.

16 ㉠에 들어갈 말을 쓰고, 행복에 있어서 ㉠, ㉡이 중요한 이유를 서술하시오.

> 어느 고대 그리스의 철학자는 "(㉠)을(를) 하지 않는 삶은 살 가치가 없다."라고 하였다. 도덕적 (㉠)은(는) 자신의 언행에 부족함이나 잘못이 없는지 반성하고 살펴서 바로잡는 것이다. 행복한 삶을 위해서는 바람직한 삶에 대한 (㉠)을(를) 바탕으로 한 ㉡ 도덕적 실천이 중요하다.

03강 자연환경과 인간 생활

주제 01 기후와 인간 생활

1. 세계의 기후 지역

(1) ㉠ ( )과 강수 특성에 따라 구분됨. < 자료1

(2) 세계의 기후는 대체로 저위도에서 고위도로 가면서 열대, 건조, 온대, 냉대, 한대 기후가 나타남.

★ 2. 기후에 따른 생활 양식의 차이 < 자료2

지역	특징
열대 기후 지역	• 의복: 얇고 간편한 옷차림, 다양한 장신구 사용 • 음식: 기름에 볶는 요리가 발달, ㉡ ( ) 사용 (부패를 방지하기 위함.) • 주거: 개방적인 구조, 지면에서 띄운 고상 가옥을 지음. (습기와 해충을 막기 위함.)
건조 기후 지역	• 의복: 사막은 온몸을 감싸는 옷, 초원은 가죽으로 만든 옷 (유목이 발달했기 때문) • 음식: 사막은 대추야자나 밀, 초원은 고기를 주로 먹음. • 주거: 사막은 ㉢ ( ), 초원은 이동식 가옥에서 거주
온대 기후 지역	• 연중 습윤한 지역: 모자나 비옷 착용 • 여름철이 건조한 지역: 올리브, 포도 등을 재배(수목 농업), 외벽이 하얗고 창문이 작은 가옥 발달 (주로 지중해 연안에 나타남.) • 여름철에 강수량이 많은 지역: 벼농사 발달
냉대 기후 지역	• 더위와 추위에 적응한 생활 양식이 나타남. • 침엽수를 이용한 통나무집 발달 (온대 기후 지역의 특징이기도 함.)
한대 기후 지역	• 의복: 동물의 가죽, 털로 만든 두꺼운 옷차림 (농경이 어려워 순록을 유목하기 때문) • 음식: 육류 위주, 저장 음식이 발달함. (불을 피울 연료가 부족하여 날고기를 많이 먹음.) • 주거: 동물의 가죽, 눈과 얼음을 이용하여 ㉣ ( )으로 지음.

정답 | ㉠ 기온 ㉡ 향신료 ㉢ 흙벽돌집 ㉣ 폐쇄적

자료 Plus

자료1 > 세계의 기후 구분

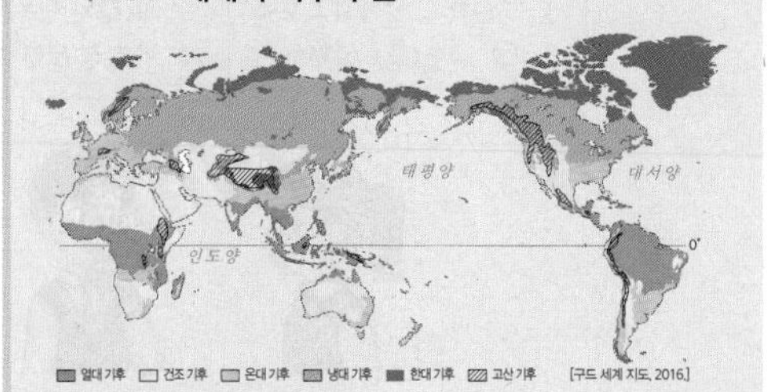

자료2 > 기후와 전통 가옥

▲ 열대 기후 지역

▲ 건조 기후 지역

강수량이 많은 열대 기후 지역의 가옥은 지붕의 경사가 ❶ ( )하고 바닥이 지면과 떨어진 고상 가옥이다. 강수량이 적은 사막의 가옥은 지붕이 ❷ ( )한 흙벽돌집이다.

정답 | ❶ 급 ❷ 평평

주제 02 지형과 인간 생활

1. 세계의 다양한 지형

산지, 평야, 해안, 화산, 빙하 등 다양한 지형 발달

2. 지형에 따른 생활 양식의 차이

지역	특징
산지 지역	• 해발 고도가 높고 경사가 급함. → 인간 거주에 불리 • 밭농사 발달, 고산 지대에서 가축 사육, 관광업 발달
㉠ ( ) 지역	• 해발 고도가 낮고, 경사가 완만함. → 인간 생활에 유리 • 넓은 경지를 이용한 농업 발달, 도시 발달
㉡ ( ) 지역	• 육지와 바다가 만나는 곳 → 인간 거주에 유리 • 농업 및 어업 발달, 항구와 산업 단지 발달
독특한 지형	화산 지형, 카르스트 지형, 빙하 지형 등 독특한 경관은 관광 자원으로 활용됨. < 자료3

정답 | ㉠ 평야 ㉡ 해안

자료 Plus

자료3 > 세계의 독특한 지형 경관

▲ 탑 카르스트(베트남)

▲ 간헐천(뉴질랜드)

탑 카르스트는 ❶ ( )이 녹는 과정에서 형성된 뾰족한 탑 모양의 지형이고, 간헐천은 화산 지대에서 증기의 압력으로 인해 주기적으로 분출하는 ❷ ( )이다. 이처럼 독특한 지형은 관광 자원으로 활용된다.

정답 | ❶ 석회암 ❷ 온천

주제 03 인간의 삶을 위협하는 자연재해

1. 자연재해의 의미와 특징

(1) 의미 기후, 지형 등의 자연환경 요소들이 인간의 안전한 생활을 위협하면서 피해를 주는 현상

(2) 피해 특징 인명 및 재산상의 막대한 피해가 발생하고, 특정 지역에서 반복적으로 피해 발생

2. 자연재해의 유형

기상 재해 기후 변화로 인해 자연재해의 발생이 증가함.	• 홍수: 일시에 많은 비가 내릴 때 → 시가지와 농경지의 침수를 유발해 인명 및 재산 피해를 줌. • 폭설: 눈이 단시간에 집중해서 내릴 때 → 교통 마비와 구조물 붕괴를 유발함. • ㉠ ( ): 오랫동안 비가 내리지 않을 때 → 농작물을 말라 죽게 하고, 식수와 각종 용수의 부족을 초래함. • 열대 저기압: 강한 바람과 많은 강수를 동반 → 풍수해를 유발함.
지질 또는 지형 재해 < 자료4	• 화산 활동: 용암, 화산 가스, 화산재 등이 분출 → 농작물과 주거지의 매몰, 화재를 유발함. • 지진: 땅이 갈라지고 흔들림. → 건축물과 도로 등의 붕괴를 유발하고, 인명 피해가 발생함. • ㉡ ( )(쓰나미): 바다 밑에서 발생한 지진이나 화산 활동으로 인한 거대한 파도 발생 → 해안 지역 피해

정답 | ㉠ 가뭄 ㉡ 지진 해일

자료 Plus+

자료4 > 지진과 화산 활동이 자주 발생하는 지역

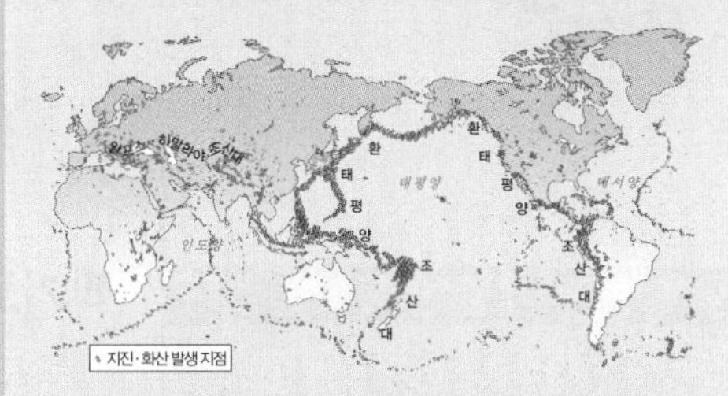

지구 표면의 여러 지각판들이 서서히 이동하면서 부딪히거나 갈라지기 때문에 ❶ (   )의 경계에서는 지각이 불안정하며, 지진이나 화산 활동이 자주 발생한다. ❷ (   ) 조산대와 알프스-히말라야 조산대가 대표적이다.

정답 | ❶ 판 ❷ 환태평양

주제 04 안전하고 쾌적한 환경에서 살아갈 시민의 권리

1. 시민의 권리 확보를 위한 국가적 차원의 노력 < 자료5

(1) 법적 장치 마련 ㉠ (   )을 제정하여 국민의 생명과 재산을 보호

(2) 사전 대비책 마련 내진 설계 의무화, 정확한 조기 경보 체계 구축, 대피 요령 마련 등
(내진 설계: 지진에 견딜 수 있도록 건축물의 기초를 설계하는 방식임.)

(3) 복구 체계 구축 재난 관리 시스템 구축, 재해민에 대한 보상과 지원 대책 마련

2. 스스로 권리를 확보하기 위한 ㉡ (   ) 차원의 노력

(1) 사전에 국가에 안전 조치를 요청하고, 재해 대비 안전 교육에 참여함.

(2) 재해 발생 시 행동 요령에 따라 대응하고, 피해 발생 시 신속한 복구와 보상을 신청함.

(3) 재해 발생 시 공동체의 빠른 회복을 위해 노력하는 성숙한 시민 의식을 함양함.

정답 | ㉠ 법률 ㉡ 개인적

자료 Plus+

자료5 > 자연재해와 관련된 헌법 조항

헌법 제34조
① 모든 국민은 인간다운 생활을 할 권리를 가진다.
⑥ 국가는 재해를 예방하고 그 위험으로부터 국민을 보호하기 위하여 노력하여야 한다.
헌법 제35조
① 모든 국민은 건강하고 쾌적한 환경에서 생활할 권리를 가지며, 국가와 국민은 환경 보전을 위하여 노력하여야 한다.

우리나라의 헌법에는 국민이 재해로부터 보호받을 ❶ (   )과 쾌적한 환경에서 생활할 ❷ (   )을 보장하고 있다.

정답 | ❶ 안전권 ❷ 환경권

개념 어휘 테스트

반복 점검 시기_ □10분 후 □1일 후 □7일 후 □한 달 후

✔ 한번 더 개념 반복

TIP
❷ 날고기 섭취 문화는 음식이 잘 상하지 않고, 불을 피울 연료가 부족한 지역에서 발달하였다.

ZIP ❼~❾ 교과서 유사 선지
다음 중 옳은 선지를 모두 고르시오.
1 기상 재해에는 화산 활동, 지진, 지진 해일 등이 있다. □
2 기후 변화로 인해 자연재해의 발생이 감소하고 있다. □
3 지진으로 인해 땅이 갈라지고 흔들리면 건축물의 붕괴 피해를 입을 수 있다. □
정답 | 3

ZIP ❶ 교과서 유사 선지
다음 중 옳은 선지를 모두 고르시오.
1 한대 기후 기역에서는 체온을 유지할 수 있는 얇은 옷을 주로 입는다. □
2 사막에서는 모래바람과 강한 햇빛을 막기 위해 온몸을 감싸는 헐렁한 옷을 입는다. □
3 초원에서는 가축의 가죽으로 만든 옷을 입는다. □
정답 | 2, 3

찍기로 바로 점검

❶ 연중 기온이 높고 강수량이 많은 열대 기후 지역에는 (개방적, 폐쇄적) 가옥이 나타난다.

❷ (열대, 한대) 기후 지역에서는 자연환경의 영향으로 날고기를 주로 먹는다.

❸ 우리나라와 같이 여름철에 강수량이 많은 온대 기후 지역에서는 (벼농사, 밀 농사)가 발달했다.

❹ 냉대 기후 지역에서는 주변에 침엽수림이 발달해 있기 때문에 (통나무집, 흙벽돌집)이 많다.

❺ (산지, 평야) 지역은 해발 고도가 높아 인간 거주에 불리하지만, 이를 극복하고 살아가는 주민들이 있다.

❻ (화산, 카르스트) 지형인 간헐천은 증기의 압력으로 인해 뜨거운 물과 수증기가 분출하는 온천이다.

❼ (기상, 지질) 재해에는 홍수, 폭설, 가뭄, 열대 저기압 등이 있다.

❽ (가뭄, 열대 저기압)은 강한 바람과 많은 강수를 동반하여 풍수해를 유발하는 자연재해이다.

❾ (지진, 화산 활동)은 용암을 분출하여 농작물과 주거지의 매몰 피해를 유발한다.

선 긋기로 바로 점검

❶ (1) 건조 기후 지역 · · ㉠ 얇은 천으로 온몸을 감싸는 옷
(2) 한대 기후 지역 · · ㉡ 순록의 가죽으로 만든 두꺼운 옷

❷ (1) 산지 지역 · · ㉠ 항구 발달
(2) 평야 지역 · · ㉡ 넓은 경지에서 농사
(3) 해안 지역 · · ㉢ 고산 지대에서 가축 사육

정답과 해설 6쪽

반복 점검 시기_ ☐10분 후 ☐1일 후 ☐7일 후 ☐한 달 후

빈칸으로 바로 점검

❶ 열대 기후 지역에서는 부패 방지를 위해 기름에 볶는 요리가 발달하였고, (　　　　)을(를) 많이 사용한다.

❷ 열대 기후 지역에서는 열기와 습기를 피하기 위해 가옥의 바닥을 지면에서 띄운 (　　　　) 가옥이 나타난다.

❸ 건조 기후 지역 중 사막에서는 흙벽돌집이, 초원에서는 (　　　　) 가옥이 나타난다.

❹ 여름이 뚜렷하게 건조한 온대 기후 지역에서는 올리브, 포도 등을 재배하는 (　　　　) 농업이 발달하였다.

❺ 지중해 연안의 주민들은 여름철 따가운 햇빛을 반사시키기 위해 건물의 외벽을 (　　　　)색으로 칠한다.

❻ 한대 기후 지역에서는 낮은 기온을 극복하기 위한 (　　　　)적 구조의 가옥이 나타난다.

❼ 화산, 빙하 지형이 발달한 지역은 수려한 자연 경관을 이용하여 (　　　　) 산업이 발달하였다.

❽ (　　　　　)은(는) 석회암이 녹는 과정에서 단단한 부분이 남아 형성된 뾰족한 탑 모양의 지형이다.

❾ (　　　　)(이)란, 자연환경 요소들이 인간의 안전한 생활을 위협하면서 피해를 주는 현상을 말한다.

❿ (　　　　)은(는) 바다 밑에서 발생한 지진이나 화산 활동으로 인한 거대한 파도가 해안을 덮치는 현상을 말한다.

⓫ 우리나라의 헌법에는 국민이 재해로부터 보호받을 (　　　　)이(가) 보장되어 있다.

⓬ (　　　　)은(는) 지진에 견딜 수 있도록 건축물의 기초를 설계함으로써 지진의 위험을 사전에 대비하는 것이다.

한번 더 개념 반복

TIP
❸ 초원 지역에서는 양이나 염소 등에게 줄 물과 풀을 찾아 이동하기 위해 조립과 분해가 쉬운 가옥에 거주한다.

❹~❺ 교과서 유사 선지 ZIP

다음 중 옳은 선지를 모두 고르시오.

1 온대 기후 지역에서는 더위와 추위에 모두 적응한 생활 양식이 나타난다. ☐

2 여름이 뚜렷하게 건조한 온대 기후 지역에서는 여름철 강한 태양빛을 차단하기 위해 창문을 크게 만든다. ☐

3 연중 습윤한 온대 기후 지역에서는 모자를 자주 착용한다. ☐

정답 | 1, 3

TIP
❼ 경관이 아름다운 지형에는 이를 보기 위한 관광객이 몰려든다. 뉴질랜드나 일본의 간헐천, 노르웨이의 피오르 등이 대표적이다.

기출 기초 테스트

기본 기출 주제 ① 기후와 인간 생활

1-1 괄호 안에 들어갈 알맞은 말에 ○표 하시오.

의복	❶(열대, 냉대) 기후 지역은 얇고 간편한 옷차림, 한대 기후 지역은 가죽으로 만든 두꺼운 옷차림
음식	❷(열대, 건조) 기후 지역은 기름에 볶은 음식, 한대 기후 지역은 육류 위주의 음식이 발달
주거	• 열대 기후 지역: 개방적 구조 • 사막: ❸(흙벽돌집, 통나무집) • 한대 기후 지역: 폐쇄적 구조

정답 | ❶ 열대 ❷ 열대 ❸ 흙벽돌집

1-2 A~E 기후 지역에 대한 설명으로 옳지 않은 것은?

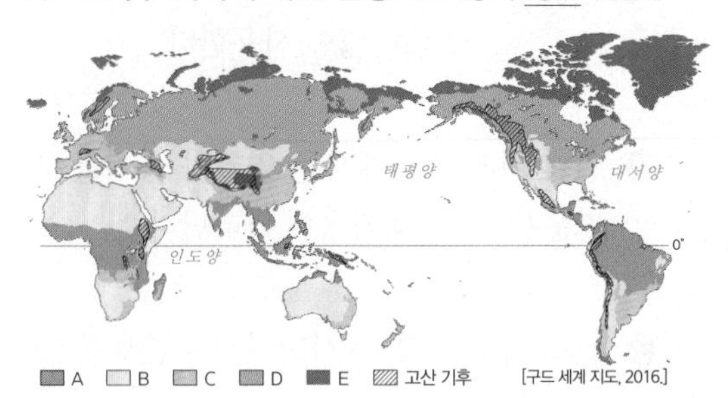

[구드 세계 지도, 2016]

① A: 얇고 간편한 옷을 주로 입는다.
② B: 사막에서는 집을 지을 때 흙을 이용한다.
③ C: 더위와 추위에 적응한 생활 양식이 나타난다.
④ D: 침엽수림이 발달해 있다.
⑤ E: 주민들은 주식으로 곡물을 먹는다.

기본 기출 주제 ② 지형과 인간 생활

2-1 괄호 안에 들어갈 알맞은 말을 | 보기 |에서 고르시오.

| 보기 |
㉠ 산지 지역　　㉡ 평야 지역

(❶　　)	넓은 경지를 이용한 농업이 발달하여 인간 생활에 유리해 큰 도시가 발달하기도 함.
(❷　　)	인간 거주에 불리하지만, 밭농사, 임업, 가축 사육 등을 하며 불리한 점을 극복함.

정답 | ❶ ㉡ ❷ ㉠

2-2 다음 글에 해당하는 지역에 대한 옳은 설명을 | 보기 |에서 고른 것은?

해발 고도가 낮고, 농경지가 발달하여 인간 생활에 유리한 지역이다.

| 보기 |
ㄱ. 고산 지대에서 가축을 기른다.
ㄴ. 사람이 모여 도시가 발달한다.
ㄷ. 벼농사, 밀 농사 등이 발달한다.
ㄹ. 화산 활동으로 지형 경관이 매우 독특하여 관광지가 발달한다.

① ㄱ, ㄴ　② ㄱ, ㄷ　③ ㄴ, ㄷ
④ ㄴ, ㄹ　⑤ ㄷ, ㄹ

정답과 해설 6쪽

기본 기출 주제 ③ 자연재해와 인간의 삶

3-1 괄호 안에 들어갈 알맞은 말을 쓰시오.

기상 재해	• 홍수: 침수 피해 • 폭설: 교통 마비, 구조물 붕괴 • 가뭄: 식수 및 용수 부족 • (❶): 풍수해 유발
(❷) 재해	• 화산 활동: 주거지 매몰 • 지진: 건물 및 도로 붕괴 • 지진 해일: 거대한 파도에 의한 해안가 침수

정답 | ❶ 열대 저기압 ❷ 지질 또는 지형

3-2 자연재해에 대한 옳은 설명을 ▮보기▮에서 고른 것은?

▮ 보기 ▮
ㄱ. 지진, 화산 활동은 기상 재해이다.
ㄴ. 폭설로 인해 농작물이 말라 죽고 식수가 부족해진다.
ㄷ. 홍수가 일어나면 시가지와 농경지는 침수 피해를 입는다.
ㄹ. 지진 해일이 나타나면 거대한 파도에 의해 해안가가 침수된다.

① ㄱ, ㄴ ② ㄱ, ㄷ ③ ㄴ, ㄷ
④ ㄴ, ㄹ ⑤ ㄷ, ㄹ

기본 기출 주제 ④ 시민의 안전할 권리

4-1 괄호 안에 들어갈 알맞은 말을 쓰시오.

(❶) 차원	• 법적 장치 마련 • 내진 설계, 조기 경보 체계 등 사전 대비책 마련 • 복구 체계 구축
개인적 차원	• 국가에 안전 조치 요청 • 안전 교육 참여 • 피해 발생 시 복구와 보상 신청 • 성숙한 (❷) 함양

정답 | ❶ 국가적 ❷ 시민 의식

4-2 시민이 안전하고 쾌적한 환경에서 살아갈 권리를 보장받기 위한 방안으로 적절하지 않은 것은?

① 국가는 조기 경보 체계를 마련한다.
② 국가는 시민의 안전보다 자연 보호를 우선시한다.
③ 시민들은 사전에 재해 대비 안전 교육에 참여한다.
④ 재해 발생 시 신속한 복구를 위해 국가와 시민 모두 노력해야 한다.
⑤ 재해 발생 시 공동체의 회복을 위한 성숙한 시민 의식이 필요하다.

STEP 3 A 교과서 기본 테스트

필수 주제 링크

01 (가), (나)에 해당하는 지역을 지도의 A~E에서 골라 바르게 연결한 것은?

> (가) 지역: 주민들은 전통적으로 초원 지대에서 유목을 하거나, 오아시스 주변에서 농업을 한다.
> (나) 지역: 타이가라고 불리는 침엽수림 지대가 분포하여 임업이 발달하였으며, 주로 통나무를 이용하여 집을 짓는다.

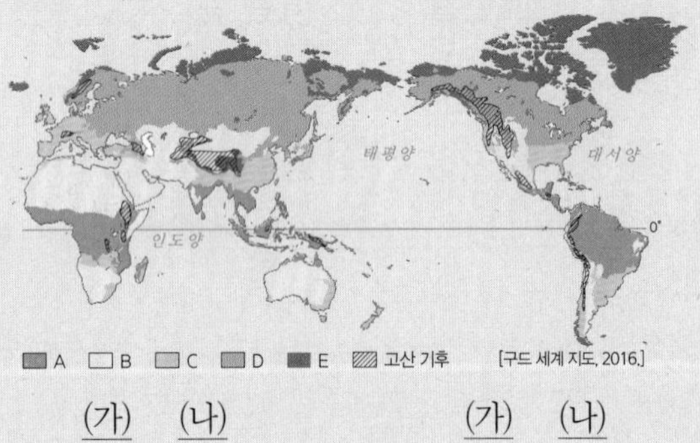

[구드 세계 지도, 2016.]

	(가)	(나)		(가)	(나)
①	A	B	②	A	C
③	B	D	④	B	E
⑤	C	E			

| 핵심 point | 기후는 인간의 의식주를 비롯한 인간 생활에 커다란 영향을 미쳐 지역마다 주민들의 생활 모습이 다르게 나타난다.

02 사진과 같은 생활 모습이 나타나는 기후 지역의 특징으로 옳은 것은?

① 수목 농업이 발달했다.
② 주로 순록을 유목한다.
③ 쌀을 이용한 요리가 발달했다.
④ 대추야자와 밀 등을 주로 재배한다.
⑤ 기름에 볶거나 튀기는 요리가 발달하였다.

03 (가) 지역에 대한 (나) 지역의 상대적 특성을 | 보기 |에서 고른 것은?

(가)

(나)

| 보기 |
ㄱ. 연중 기온이 높다.
ㄴ. 여름철이 건조하다.
ㄷ. 계절 변화가 뚜렷하다.
ㄹ. 적도와의 평균 거리가 가깝다.

① ㄱ, ㄴ ② ㄱ, ㄷ ③ ㄴ, ㄷ
④ ㄴ, ㄹ ⑤ ㄷ, ㄹ

창의형

04 다음과 같은 전통 음식이 발달한 기후 지역의 특징으로 옳은 것은?

이 음식의 명칭은 '나시 고렝'이다. 나시 고렝은 쌀을 주재료로 하여 각종 해산물이나 채소를 넣어 만든 볶음밥으로, 독특한 향신료를 사용한다.

① 계절의 변화가 뚜렷하다.
② 농작물이 자라기에 기온이 낮다.
③ 적도 주변의 해발 고도가 높은 지역이다.
④ 고온 다습하여 음식의 부패 위험성이 크다.
⑤ 강수량이 매우 적어 곡식이 자라지 않는다.

05 (가), (나) 지역에 대한 설명으로 옳은 것은?

(가) 사면의 경사가 급하고 해발 고도가 높으므로 인간이 거주하기에 불리하다. 그러나 이 지역 사람들은 자연환경의 불리한 점을 극복하고 살아간다.
(나) 경지를 개간하기에 유리하므로, 넓은 경지를 이용하여 농사를 짓는다. 아시아 지역의 벼농사나 유럽과 아메리카 지역의 밀 농사는 대부분 이 지역에서 이루어진다.

① (가) 지역은 평야 지역, (나) 지역은 산지 지역이다.
② (가) 지역에는 대도시가 발달하는 경우가 많다.
③ (나) 지역에서는 어업 및 양식업이 발달하였다.
④ (가) 지역은 (나) 지역보다 교통로를 건설하기에 유리하다.
⑤ (나) 지역은 (가) 지역보다 산업 시설이 더 잘 발달한다.

06 다음 자료에서 설명하는 지역을 지도의 A~E에서 고른 것은?

이 지역에는 일정한 간격을 두고 주기적으로 뜨거운 물, 수증기, 가스 등이 분출하는 간헐천이 있어, 이 경관을 보려고 전 세계에서 관광객들이 몰려든다.

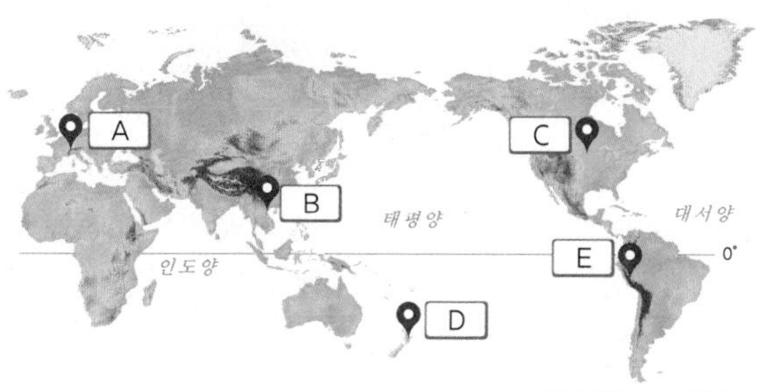

[구드 세계 지도, 2016.]

① A ② B ③ C ④ D ⑤ E

필수 주제 링크

07 다음은 은지의 여행기이다. (가) 지형에 대한 옳은 설명을 보기에서 고른 것은?

은지님의 게시물
5월 20일

베트남을 여행하면서 제일 신기했던 것은 수많은 봉우리가 바다에서 섬을 이루는 관광지였다. 우리는 (가) 지형을 보기 위해 배를 타고 다니면서 관광을 했는데, 자연이 만들어낸 독특한 지형에 매료되었다.

보기
ㄱ. 탑 카르스트에 해당한다.
ㄴ. 빙하에 의해 깎여 형성되었다.
ㄷ. 석회암이 녹는 과정에서 형성되었다.
ㄹ. 용암이 식으면서 수축되어 형성되었다.

① ㄱ, ㄴ ② ㄱ, ㄷ ③ ㄴ, ㄷ
④ ㄴ, ㄹ ⑤ ㄷ, ㄹ

| 핵심 point | 화산 지형, 카르스트 지형, 빙하 지형과 같은 독특한 지형 경관은 관광 자원으로 활용된다.

08 자연재해에 대한 설명으로 옳지 않은 것은?

① 기상 재해와 지질 재해로 구분할 수 있다.
② 막대한 인명 및 재산상의 피해를 가져온다.
③ 기상 재해에는 지진 해일과 화산 활동이 있다.
④ 특정 지역에서 반복적으로 발생하는 경향이 있다.
⑤ 자연환경 요소들이 인간의 안전한 삶을 위협하고 피해를 주는 것이다.

정답과 해설 7쪽

09 다음은 학생이 작성한 형성 평가지이다. 질문에 대해 옳게 표시된 답을 고른 것은?

주제: 자연재해와 인간의 삶
※ 옳은 진술이면, '예'에, 틀린 진술이면, '아니요'에 ✓표 하시오.
(가) 눈이 단시간에 집중해서 내리면 교통 마비와 구조물 붕괴를 유발한다. 예 □ 아니요 ☑
(나) 열대 저기압은 강한 바람과 많은 강수를 동반하여 풍수해를 유발한다. 예 □ 아니요 ☑
(다) 화산 폭발로 인해 용암이 분출하면 농작물과 주거지는 매몰될 수 있다. 예 ☑ 아니요 □
(라) 바다 밑에서 지진이나 화산 활동이 발생하면 거대한 파도가 일어나 해안 지역이 피해를 입을 수 있다. 예 ☑ 아니요 □

① (가), (나) ② (가), (다) ③ (나), (다)
④ (나), (라) ⑤ (다), (라)

10 다음 글은 어떤 자연재해에 대한 대비 요령을 나타낸 것이다. 이 자연재해에 대한 설명으로 옳은 것은?

- 건물은 내진 설계를 하고, 수시로 점검하여 보수한다.
- 가구나 가전제품이 흔들릴 때 넘어지지 않도록 고정한다.
- 재해 발생 시 안전한 공간으로 대피한다.

① 많은 비와 강한 바람을 동반한다.
② 여름철보다 겨울철에 주로 발생한다.
③ 높은 기온으로 전력 소비량이 늘어난다.
④ 지질 또는 지형의 변화로 땅이 갈라진다.
⑤ 용암과 화산재의 분출로 주변 지역이 매몰되기 쉽다.

필수 주제 링크

11 안전하고 쾌적한 환경에서 살아갈 시민의 권리에 관한 옳은 내용을 보기에서 고른 것은?

보기
ㄱ. 시민은 재난 대응 훈련에 참여해야 한다.
ㄴ. 재해 복구에 대한 책임은 시민에게만 있다.
ㄷ. 정부는 법적 장치를 마련하여 시민의 생명을 보호해야 한다.
ㄹ. 자연재해는 사전 예측이 어려우므로 신속한 복구 대책만 수립하면 된다.

① ㄱ, ㄴ ② ㄱ, ㄷ ③ ㄴ, ㄷ
④ ㄴ, ㄹ ⑤ ㄷ, ㄹ

핵심 point | 안전하고 쾌적한 환경에서 살아가기 위한 시민의 권리가 있으며 정부는 이를 위해 노력해야 한다.

융합형 지리·일반사회

12 다음 헌법 조항에 대한 분석으로 옳지 않은 것은?

헌법 제34조
① 모든 국민은 인간다운 생활을 할 권리를 가진다.
⑥ 국가는 재해를 예방하고 그 위험으로부터 국민을 보호하기 위하여 노력하여야 한다.
헌법 제35조
① 모든 국민은 건강하고 쾌적한 환경에서 생활할 권리를 가지며, 국가와 국민은 환경 보전을 위하여 노력하여야 한다.

① 국민의 안전권 보장에 대한 조항이 있다.
② 환경에 대한 국민의 책임도 다루고 있다.
③ 국가가 국민의 생명과 재산을 법적으로 보호하고 있다.
④ 국민이 쾌적한 환경에서 생활할 환경권을 보장하고 있다.
⑤ 자연재해의 피해를 막기 위해서는 국가보다 개인의 노력이 더 중요하다고 본다.

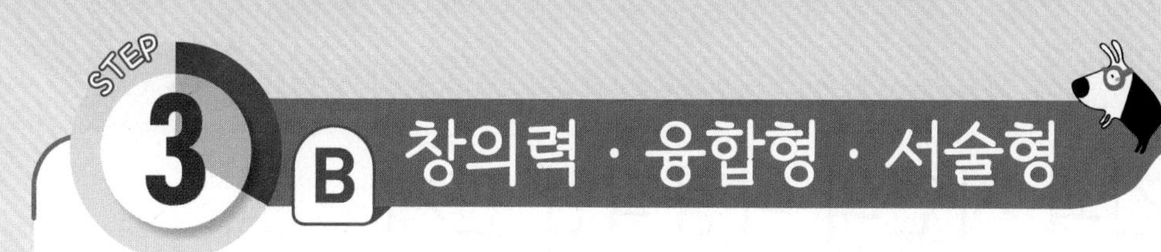

13 사진을 보고 물음에 답하시오.

(가)

(1) (가), (나)의 가옥 특징을 아래 내용을 포함하여 서술하시오.

• 지붕의 경사	• 창문의 크기

(2) (가), (나) 가옥의 지붕 경사가 다른 이유를 기후적 차원에서 서술하시오.

14 사진을 보고 물음에 답하시오.

(가)

(1) (가), (나)와 같은 전통 의복을 볼 수 있는 지역의 기후를 쓰시오.

(2) (가), (나)와 같은 의복이 나타난 원인을 기후와 관련하여 서술하시오.

15 ㉠에 들어갈 알맞은 말을 쓰고, ㉠ 지역의 생활 방식을 한 가지만 서술하시오. (단, ㉠은 평야, 해안, 산지 중 하나이다.)

> [㉠] 지역은 사면의 경사가 급하고 해발 고도가 높으므로 인간이 거주하기에 불리하다. 그러나 [㉠] 지역의 주민들은 자연환경의 불리한 점을 극복하고 살아간다.

16 지도를 보고 물음에 답하시오.

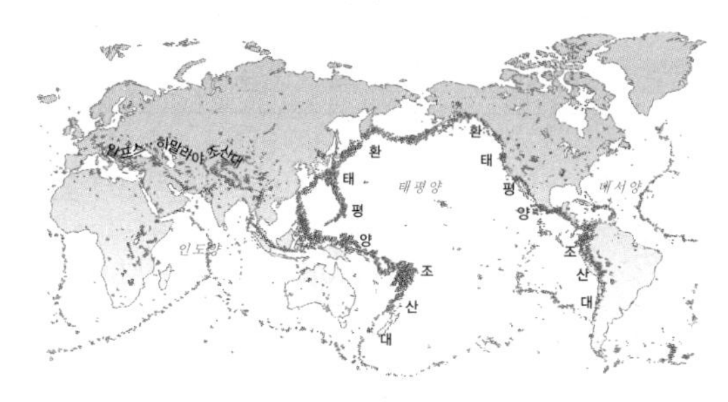

(1) 지도에 표시된 지역에서 자주 발생하는 자연재해를 두 가지 쓰시오.

(2) (1)의 자연재해로 인해 발생하는 피해를 각각 한 가지씩 서술하시오.

17 다음과 같은 자연재해를 예방하기 위한 방안을 A국의 차원과 A국 국민의 차원으로 나누어 서술하시오.

> 2004년 A국에서 지각판의 충돌로 발생한 지진의 여파로 초대형 쓰나미가 발생했다. 이로 인해 25만 명이 목숨을 잃고 200만 명에 달하는 이재민이 발생했다.

04강 인간과 자연의 바람직한 관계

주제 01 인간 중심주의와 생태 중심주의

1. 인간 중심주의 인간만이 이성을 지닌 존재라는 점에서 인간에게만 본래적 가치를 인정하고, 자연을 인간의 필요에 따라 평가하는 관점 < 자료1

(본래적 가치: 다른 어떤 것의 수단이 아닌 그 자체가 목적인 가치)

구분	내용
특징	• ㉠ (　　　) 관점: 인간과 자연을 구별 → 인간을 자연으로부터 독립된 존재이자 우월한 존재로 봄. • 도구적 자연관: 인간의 욕구 충족을 위한 도구로서 자연이 지닌 유용성 강조 (유용성: 쓰이는 바에 알맞은 성질을 지님.)
의의	과학 기술의 발전과 경제 성장을 이루어 인간의 삶을 풍요롭게 함.
한계	자원 고갈, 생태계 파괴 등 환경 위기를 초래함.

2. 생태 중심주의 자연이 인간에게 주는 유용성과 상관없이 그 자체로 존중받을 가치가 있다고 여기는 관점 < 자료2

(그 자체로 존중받을 가치: 자연의 내재적 가치를 강조함.)

구분	내용
특징	• ㉡ (　　　) 관점: 인간을 포함한 자연 전체를 하나로 인식 → 생태계 전체를 도덕적으로 대우하고자 함. • 인간과 자연은 서로 영향을 주고받는 상호 보완적 관계로서 서로 조화와 균형을 이루어야 함을 강조함.
의의	인간이 생태계를 보전해야 할 의무가 있음을 일깨움.
한계	• 생태계의 가치 실현을 위해 인간의 개입을 허용하지 않는다는 비현실적 측면이 있음. • 개별 생명체보다 생태계 전체의 이익을 우선하는 환경 파시즘적 성격이 있음. (환경 파시즘: 생태계 전체의 선(善)을 위해 개체의 선을 희생할 수 있다고 보는 생태 중심주의 입장을 비판적으로 가리키는 용어)

정답 | ㉠ 이분법적 ㉡ 전일론적

자료 Plus

자료1 > 인간 중심주의의 대표 사상가

- 베이컨: "자연을 사냥해서 노예로 만들어 인간의 이익에 봉사하도록 해야 한다."
- 데카르트: "우리는 자연의 주인이자 소유자가 될 수 있다."

인간 중심주의에는 자연을 인간의 행복과 욕구 충족을 위한 ❶ (　　　) 존재로 간주하는 특징이 있다.

자료2 > 레오폴드의 '대지 윤리'

> 바람직한 대지 이용을 오직 경제적 문제로만 생각하지 마라. 모든 물음을 경제적으로 무엇이 유리한가 하는 관점뿐만 아니라 윤리적, 심미적으로 무엇이 옳은가의 관점에서도 검토하라. 생명 공동체의 통합성과 안정성 그리고 아름다움의 보전에 이바지한다면, 그것은 옳다. 그렇지 않다면 그르다.
>
> – 레오폴드, 《모래 군의 열두 달》 –

레오폴드는 생명 공동체 내에서 ❷ (　　　)의 지위를 자연을 지배하는 위치가 아니라 평범한 구성원으로 규정하였다.

정답 | ❶ 수단적 ❷ 인간

주제 02 인간과 자연의 바람직한 관계

1. 인간과 자연의 관계

(1) 인간과 자연의 관계 변화

시기	내용
과거	인간은 자연을 두려워하고, 자연에 순응하면서 살아옴.
근대 이후	인간 중심적 사고를 바탕으로 자연을 이용의 대상으로 인식함.
오늘날	친환경적인 삶과 지속 가능한 발전을 강조함.

(2) 인간과 자연의 유기적 관계 인간은 생태계의 구성원으로서 자연 속의 다른 존재들과 ㉠ (　　　) 관계를 맺으며 살아감.

(유기적 관계: 전체를 이루고 있는 각 부분이 서로 밀접하게 관련이 있어 뗄 수 없는 관계임.)

2. 인간과 자연의 공존을 위한 노력

(1) 인간은 생태계의 한 구성원임을 깨닫고, ㉡ (　　　) 가치관 함양

(2) 모든 문제를 과학 기술로 해결할 수 있다는 과학 기술 만능주의 경계

(3) 동양의 자연관을 계승하여 인간과 자연 간의 조화를 회복하는 사고방식 확립 < 자료3

정답 | ㉠ 유기적 ㉡ 환경친화적

자료 Plus

자료3 > 동양의 자연관이 주는 교훈

사상	내용
❶ (　　　)	만물이 본래적 가치를 지닌다고 보며, 인간과 자연이 조화를 이루는 천인합일(天人合一)의 경지를 지향함.
❷ (　　　)	만물이 독립적으로 존재할 수 없으며 서로 연결되어 상호 의존하고 있다는 연기(緣起)를 깨닫고, 모든 생명을 소중히 여기며 자비를 베풀 것을 강조함.
도가	사람의 힘이 더해지지 않은 자연 그대로의 질서를 따르는 무위자연(無爲自然)을 추구하며, 자연의 한 부분인 인간이 자연과 조화를 이루어야 한다고 봄.

정답 | ❶ 유교 ❷ 불교

주제 03 환경 문제의 발생

1. 환경 문제의 원인 인구 증가 및 과학 기술의 발전에 따라 자원 소비량과 폐기물의 양이 급증 → 지구의 ㉠(　　　)이 상실하여 발생함.

2. 환경 문제의 특징

(1) 분포의 광범위성 국가의 경계를 벗어나 전 세계에 영향을 미침.

(2) 피해의 심각성 피해 복구에 많은 비용과 오랜 시간이 필요함.

3. 환경 문제의 종류

지구 온난화	• 원인: 화석 연료 사용과 삼림 파괴로 인한 ㉡(　　　) 배출 증가 • 영향: 빙하 면적 감소, 해수면 상승, 이상 기후 발생, 동식물의 서식 환경 변화 등 < 자료4
사막화	• 원인: 장기간의 가뭄과 인간의 과도한 개발 • 영향: 식량 생산량 감소, 황사 심화 등
열대림 파괴	• 원인: 무분별한 벌목과 개간, 목축 • 영향: 동식물의 서식지 파괴 → 생물 종 감소
오존층 파괴	• 원인: 염화 플루오린화 탄소 사용 (냉장고나 에어컨의 냉매제, 분사제 등으로 사용됨.) • 영향: 피부암, 안과 질환 유발 등
산성비	• 원인: 대기 오염 물질과 빗물의 결합 • 영향: 건축물 부식, 삼림 파괴 등

정답 | ㉠ 자정 능력 ㉡ 온실가스

자료 Plus+

자료4 > 지구 온난화로 인한 영향

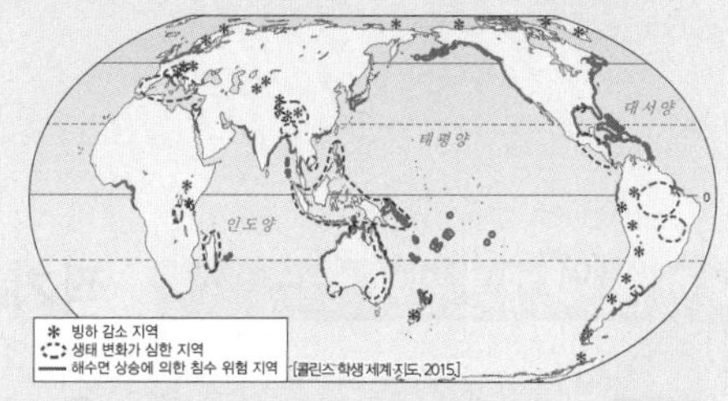

지구의 평균 기온이 점점 ❶(　　　)하면서 세계 곳곳에서 이상 현상이 나타나고 있다. 극지방이나 고산 지역의 빙하가 녹아 해수면이 상승함에 따라 일부 해안 저지대가 ❷(　　　) 피해를 입고 있다. 또한, 동식물의 서식 환경이 변하면서 생태계에도 많은 영향을 미치고 있다.

정답 | ❶ 상승 ❷ 침수

주제 04 환경 문제 해결을 위한 노력

1. 정부의 노력

(1) 환경 관련 제도 및 정책 강화 오염 물질 배출 부담금 부과, 탄소 배출권 거래 제도 시행 (환경 오염 규제), 친환경 사업자 국가 보조금 지급, 환경 영향 평가 실시 (환경 오염 예방), 친환경 산업 육성 등

(2) 국제 사회와 공동 대응 다양한 ㉠(　　　)을 체결하여 전 지구적 차원의 환경 문제에 공동 대응 < 자료5

2. ㉡(　　　)의 노력 환경 문제의 사회적 쟁점화, 시민의 관심과 참여를 촉구하는 시민운동 전개, 정부의 정책과 기업의 활동을 감시 및 비판 등

3. 기업의 노력 오염 물질 배출 최소화, 환경친화적 제품 개발, 신·재생 에너지 사용 확대 노력 등

4. 개인의 노력

(1) 환경친화적인 생활 방식 실천 자원과 에너지 절약, 재사용과 재활용의 생활화, 환경을 고려한 녹색 소비 실천 등 (제품을 구매하고 사용한 후 버릴 때까지 전 과정에서 친환경적 행동을 하는 것)

(2) 환경 정책 참여 환경 관련 법을 준수하고, 시민 단체에 가입하여 환경 감시 활동을 함.

(3) 환경 윤리 의식 함양 인간과 자연의 관계를 바르게 인식하고 생활 속에서 환경의 중요성 인식

정답 | ㉠ 환경 협약 ㉡ 시민 단체

자료 Plus+

자료5 > 주요 국제 환경 협약

❶(　　　) 협약	국제적으로 중요한 습지 보호
몬트리올 의정서	염화 플루오린화 탄소의 생산·사용 규제
바젤 협약	유해 폐기물의 국가 간 이동·처리 통제
❷(　　　) 협약	온실가스의 배출량 규제
생물 다양성 협약	생물 종 보호
사막화 방지 협약	사막화 방지

환경 문제는 개별 국가의 노력만으로 해결하기 어렵기 때문에 국제 사회의 협력이 필요하다. 이러한 이유로 국제 사회는 다양한 환경 협약을 체결하여 이행하고 있다. 2015년 12월에는 2020년 이후 새로운 기후 변화 체제 수립을 위한 최종 합의문인 파리 협정을 채택하였다.

정답 | ❶ 람사르 ❷ 기후 변화

개념 어휘 테스트

반복 점검 시기_ ▢10분 후 ▢1일 후 ▢7일 후 ▢한 달 후

찍기로 바로 점검

❶ 자연을 인간의 욕구 충족을 위한 수단으로 보며, 자연이 지닌 유용성을 중시하는 관점을 (도구적, 목적적) 자연관이라고 한다.

❷ (인간, 생태) 중심주의 자연관은 근대 이후 자연에 대한 탐구와 과학 기술 발전, 그리고 경제 성장에 크게 기여했다.

❸ 자연이 인간에게 제공하는 유용성과 무관하게 그 자체로 존중받을 가치가 있다고 여기는 관점은 (인간, 생태) 중심주의이다.

❹ 생태 중심주의에서는 생태계의 중요한 가치 실현을 위해 인간의 개입을 (허용한다, 허용하지 않는다).

❺ 인간과 자연의 공생을 중시하는 (동양, 서양)의 자연관은 오늘날 환경 문제를 해결하는 데에 많은 시사점을 준다.

❻ (유교, 도가)에서는 만물이 본래적 가치를 지닌다고 보며, 천인합일(天人合一)의 경지를 추구할 것을 강조한다.

❼ (오존층 파괴, 지구 온난화)는 냉장고의 냉매제로 쓰이는 염화 플루오린화 탄소의 사용 증가로 인해 발생한 환경 문제이다.

❽ (기업, 시민 단체)은(는) 환경 문제를 사회적으로 쟁점화하고, 시민의 관심과 참여를 촉구하는 캠페인 활동을 펼친다.

선 긋기로 바로 점검

❶ (1) 근대 이전 •   • ㉠ 자연을 두려워하고 자연에 순응함.
(2) 근대 이후 •   • ㉡ 자연을 이용과 지배의 대상으로 인식함.
(3) 오늘날 •   • ㉢ 친환경적인 삶과 지속 가능한 발전을 강조함.

❷ (1) 정부 •   • ㉠ 환경 관련 제도 마련
(2) 기업 •   • ㉡ 환경 관련 시민운동 전개
(3) 시민 단체 •   • ㉢ 환경친화적인 제품의 개발

한번 더 개념 반복

TIP
❶ 인간 중심주의적 자연관은 인간과 자연을 분리하는 이분법적 자연관이며, 인간의 자연 지배를 정당화하는 자연관이다.

ZIP ❶~❷ 교과서 유사 선지
다음 중 옳은 선지를 모두 고르시오.
1 인간 중심주의는 인간의 행복과 이익을 우선적으로 고려한다. ▢
2 인간 중심주의는 인간을 자연으로부터 독립된 존재로 본다. ▢
정답 | 1, 2

TIP
❸ 생태 중심주의는 인간만의 이익보다 자연 전체의 균형과 안정을 먼저 고려한다.

ZIP ❸~❹ 교과서 유사 선지
다음 중 옳은 선지를 모두 고르시오.
1 생태 중심주의는 자연의 내재적 가치를 강조한다. ▢
2 생태 중심주의에 따르면 인간은 자연을 수단으로 이용할 수 있다. ▢
정답 | 1

반복 점검 시기_ □10분 후 □1일 후 □7일 후 □한 달 후

빈칸으로 바로 점검

❶ 인간 중심주의는 오직 인간만이 이성을 지니고 있는 존재라는 점에 근거하여 (   ) 가치를 인간에게만 인정한다.

❷ 인간 중심주의는 인간을 자연과 구별하여 독립된 존재로 인식하는 (   ) 관점이다.

❸ 생태 중심주의는 인간을 자연의 한 구성원으로 인식하는 (   ) 관점이다.

❹ 생태 중심주의는 생태계 전체의 이익을 우선하여 개별 구성원의 희생을 정당화할 수 있다는 점에서 (   )적 성격이 있다고 비판받는다.

❺ 도가에서는 자연 그대로의 질서를 추구하는 (   )의 삶을 살 것을 강조한다.

❻ 불교에서는 만물이 서로 연결되어 상호 의존하고 있다는 (   )에 근거해 생명을 존중하고, 자비를 베풀 것을 강조한다.

❼ (   )은(는) 온실가스 배출량이 늘어나면서 지구의 평균 기온이 점점 상승하는 현상이다.

❽ (   )은(는) 공장과 자동차 등에서 배출되는 대기 오염 물질이 섞여 내리는 비를 의미한다.

❾ 정부는 국제 (   )을(를) 체결하여 환경 문제에 대해 전 지구적 차원에서 대응해야 한다.

❿ 기업은 환경 문제를 해결하기 위해 화석 에너지 사용은 줄이고 (   ) 에너지 사용을 확대해야 한다.

⓫ 개인은 제품을 구매하고 사용한 후 버릴 때까지의 전 과정에서 친환경적 행동을 하는 (   ) 소비를 실천해야 한다.

⓬ 개인은 인간과 자연의 관계를 바르게 인식하고 생활 속에서 환경의 중요성을 인식하는 환경 (   ) 의식을 함양해야 한다.

한번 더 개념 반복

TIP

❹ 생태 중심주의에서는 생태계 전체의 선을 위해 개체의 선을 희생할 수 있다고 본다.

❼~❽ 교과서 유사 선지 ZIP

다음 중 옳은 선지를 모두 고르시오.

1 장기간의 가뭄과 인간의 과도한 개발로 사막화 현상이 심화되고 있다. □

2 열대림이 파괴되면 생물 종 다양성이 감소한다. □

정답 | 1, 2

❾~⓬ 교과서 유사 선지 ZIP

다음 중 옳은 선지를 모두 고르시오.

1 환경 문제는 피해를 입은 개별 국가의 노력만으로 해결해야 한다. □

2 기업은 제품을 생산하는 과정에서 친환경 경영을 추구해야 한다. □

3 개인은 일회용품의 사용을 자제하고 쓰레기를 재활용해야 한다. □

정답 | 2, 3

기출 기초 테스트

기본 기출 주제 ① 인간 중심주의

1-1 괄호 안에 들어갈 알맞은 말을 쓰시오.

의미	인간에게만 본래적 가치를 인정하고, 자연을 인간의 이익이나 필요에 따라 평가하는 관점
주요 사상가	• (❶): "방황하고 있는 자연을 사냥해서 노예로 만들어 인간의 이익에 봉사하도록 해야 한다." • (❷): "우리는 자연의 주인이자 소유자가 될 수 있다."
특징	• 이분법적 관점: 인간을 자연으로부터 독립된 존재이자 우월한 존재로 인식 • 도구적 자연관: 자연의 유용성 강조 • 인간의 삶을 풍요롭게 했지만, 환경 문제를 초래함.

정답 | ❶ 베이컨 ❷ 데카르트

1-2 근대 서양 사상가 갑, 을의 자연관에 대한 설명으로 적절한 것만을 ▮보기▮에서 있는 대로 고른 것은?

갑: 방황하고 있는 자연을 사냥해서 노예로 만들어 인간의 이익에 봉사하도록 해야 한다.
을: 우리는 자연의 주인이자 소유자가 될 수 있다. 인간은 정신을 소유한 존엄한 존재지만, 자연은 의식이 없는 물질이다.

▮보기▮
ㄱ. 갑은 자연을 인간의 필요 충족을 위한 수단으로 본다.
ㄴ. 을은 인간만이 절대적 가치를 지닌다고 본다.
ㄷ. 을은 갑과 달리 인간의 자연 지배를 정당한 것으로 본다.
ㄹ. 갑, 을은 도구적 자연관에 근거해 자연의 유용성을 강조한다.

① ㄱ, ㄴ ② ㄱ, ㄷ ③ ㄷ, ㄹ
④ ㄱ, ㄴ, ㄹ ⑤ ㄴ, ㄷ, ㄹ

기본 기출 주제 ② 생태 중심주의

2-1 괄호 안에 들어갈 알맞은 말을 쓰시오.

의미	자연이 인간에게 주는 유용성과 관계없이 자연 그 자체로 존중받을 가치가 있다고 여기는 관점
(❶)	생태계 전체를 하나의 유기체로 보고, 생명 공동체의 범위를 인간에서 동식물을 포함한 대지까지 확대함.
특징	• 전일론적 관점: 인간을 포함한 자연을 하나로 인식 • 인간과 자연의 (❷)적 관계를 강조 • 환경 파시즘적 성격이 있다고 비판을 받음.

정답 | ❶ 레오폴드 ❷ 상호 보완

2-2 다음 사상가의 입장으로 옳은 것은?

바람직한 대지 이용을 오직 경제적 문제로만 생각하지 마라. 모든 물음을 경제적으로 무엇이 유리한가 하는 관점뿐만 아니라 윤리적, 심미적으로 무엇이 옳은가의 관점에서도 검토하라. 생명 공동체의 통합성과 안정성 그리고 아름다움의 보전에 이바지한다면, 그것은 옳다. 그렇지 않다면 그르다.

① 이성적 존재인 인간은 자연보다 우월한 존재이다.
② 공동체의 범위를 인간이 아닌 대지로 확장해야 한다.
③ 생명 공동체는 내재적 가치가 아닌 경제적 가치를 지닌다.
④ 생명 공동체 내에서 가장 중요한 가치는 인간의 선(善)이다.
⑤ 인간의 풍요로운 삶은 생명 공동체의 안정성보다 중요하다.

기본 기출 주제 ③ 동양의 자연관

3-1 괄호 안에 들어갈 알맞은 말을 쓰시오.

유교	• 만물은 본래적 가치를 지닌다고 봄. • 인간과 자연이 조화를 이루는 (❶) 의 경지를 지향함.
불교	• 만물은 독립적으로 존재할 수 없다고 봄. • 연기를 깨닫고 모든 생명에 대해 (❷) 를 베푸는 삶 강조
도가	• 자연 그대로의 질서를 따르는 (❸) 을 추구 • 자연과 조화를 이루는 삶 강조

정답 | ❶ 천인합일 ❷ 자비 ❸ 무위자연

3-2 (가), (나)에 대한 옳은 설명을 보기에서 고른 것은?

(가) 만물은 서로 연결되어 상호 의존하고 있다는 연기를 깨닫고 모든 생명을 소중히 여겨야 한다.
(나) 자연 그대로의 질서를 따르는 무위자연의 삶이 인간에게 가장 이상적인 삶이다.

보기
ㄱ. (가)는 인간이 자비를 실천할 것을 강조한다.
ㄴ. (나)는 인간과 자연이 조화로운 관계임을 강조한다.
ㄷ. (가)는 (나)와 달리 천인합일의 경지를 지향한다.
ㄹ. (가), (나)는 인간이 자연의 질서에 적극 개입할 때 이상적인 조화가 이루어진다고 본다.

① ㄱ, ㄴ ② ㄱ, ㄷ ③ ㄴ, ㄷ
④ ㄴ, ㄹ ⑤ ㄷ, ㄹ

기본 기출 주제 ④ 환경 문제 해결을 위한 노력

4-1 괄호 안에 들어갈 알맞은 말을 쓰시오.

(❶)	• 환경 관련 제도 및 정책 시행 • 국제 협약 체결 및 이행
시민 단체	• 환경 문제에 대한 시민의 관심 촉구 • 정부 정책과 기업의 활동 감시 및 비판
(❷)	• 오염 물질 배출 최소화 • 환경친화적 제품 개발
개인	• 환경친화적인 생활 실천 • 환경 윤리 의식 함양

정답 | ❶ 정부 ❷ 기업

4-2 환경 문제 해결을 위한 ㉠~㉣의 역할에 대한 설명으로 옳지 않은 것은?

환경 문제가 심각해지면서 ㉠ 정부, ㉡ 시민 단체, ㉢ 기업, ㉣ 개인 등 우리 삶의 모든 영역에 걸쳐 다양한 노력들이 전개되고 있다. 이는 환경 문제가 한 개인, 한 국가만의 문제가 아니라 전 지구적인 문제이기 때문이다.

① ㉠: 환경 관련 법률을 제정한다.
② ㉠: 국제 사회와의 협력을 강화한다.
③ ㉡: ㉠과 ㉢의 활동을 감시하고 비판한다.
④ ㉢: 환경 오염 물질을 배출하는 개인과 단체에 대해 부담금을 부과한다.
⑤ ㉣: 자원을 절약하고 에너지 절약을 생활화한다.

STEP 3 A 교과서 기본 테스트

01 다음은 인터넷에서 A를 검색한 결과이다. A에 대한 설명으로 가장 적절한 것은?

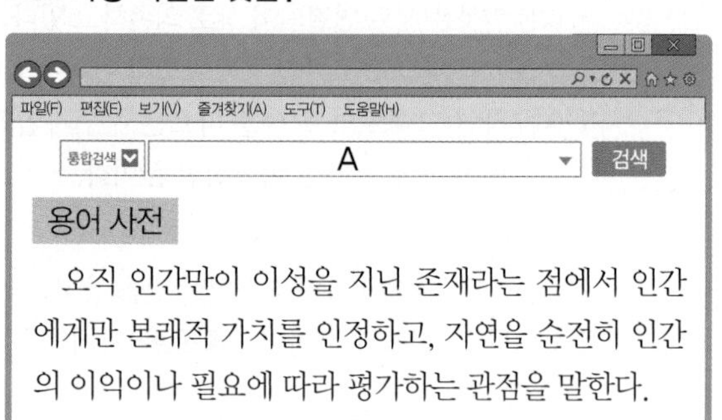

용어 사전

오직 인간만이 이성을 지닌 존재라는 점에서 인간에게만 본래적 가치를 인정하고, 자연을 순전히 인간의 이익이나 필요에 따라 평가하는 관점을 말한다.

연관 검색어

#이분법적 관점 #도구적 자연관

① 인간과 자연을 동등하게 대우한다.
② 인간을 자연의 구성원이라고 여긴다.
③ 자연을 인간보다 더 소중하다고 여긴다.
④ 자연이 인간에게 주는 유용성을 중시한다.
⑤ 인간을 포함한 생태계 전체를 하나의 유기체로 본다.

02 갑, 을 모두가 긍정의 대답을 할 질문으로 옳은 것은?

> 갑: 아는 것이 힘이다. 자연이 인간에게 이롭도록 지식을 활용해야 한다. 방황하고 있는 자연을 사냥해서 노예로 만들어 인간의 이익에 봉사하도록 해야 한다.
> 을: 우리는 자연의 주인이자 소유자가 될 수 있다. 인간은 정신을 소유한 존엄한 존재지만, 자연은 의식이 없는 물질이다.

① 인간과 자연은 서로 동등한 가치를 지니는가?
② 자연 생태계는 그 자체로서 내재적 가치를 지니는가?
③ 자연은 인간의 편리와 풍요를 위한 유익한 수단인가?
④ 인간과 자연은 생명체처럼 유기적 관계를 형성하는가?
⑤ 인간의 지식은 생태계 그 자체의 아름다움을 위해 사용되어야 하는가?

필수 주제 링크

03 갑, 을의 입장에 대한 설명으로 옳지 않은 것은?

> 갑: 인간은 다른 모든 존재와 구분되는 유일하고 우월한 존재이다. 인간 이외의 다른 모든 존재는 인간의 행복과 복지를 위해 이용할 수 있는 도구적 대상이다.
> 을: 모든 생명체는 자연의 일부이며, 인간도 자연으로부터 독립된 존재가 아니라 자연을 구성하는 일부이다. 자연의 가치를 자연이 인간에게 주는 유용성에 따라 평가해서는 안된다.

① 갑은 인간 중심주의적 관점을 갖고 있다.
② 갑은 자연을 인간의 필요와 욕구 충족을 위한 존재로 인식한다.
③ 을은 자연 그 자체의 가치를 존중한다.
④ 갑과 을은 자연의 참된 가치를 인간에 대한 효용 가치로 판단한다.
⑤ 을은 갑에 비해 인간과 자연의 조화를 중시한다.

| 핵심 point | 갑은 인간 중심주의, 을은 생태 중심주의의 자연관을 가지고 있다.

04 다음 글에 나타난 자연에 대한 견해를 보기에서 고른 것은?

> 바람직한 대지 이용을 오직 경제적 문제로만 생각하지 마라. 모든 물음을 경제적으로 무엇이 유리한가 하는 관점뿐만 아니라 윤리적, 심미적으로 무엇이 옳은가의 관점에서도 검토하라. 생명 공동체의 통합성과 안정성 그리고 아름다움의 보전에 이바지한다면, 그것은 옳다. 그렇지 않다면 그르다.

보기

ㄱ. 인간과 자연은 상호 독립된 존재이다.
ㄴ. 자연은 인간에게 무한정의 기회를 제공한다.
ㄷ. 인간은 생명 공동체를 이루는 평범한 구성원이다.
ㄹ. 인간은 생태계의 균형을 파괴하는 무분별한 개입을 자제해야 한다.

① ㄱ, ㄴ ② ㄱ, ㄷ ③ ㄴ, ㄷ
④ ㄴ, ㄹ ⑤ ㄷ, ㄹ

05 다음 사례에서 엿볼 수 있는 자연을 바라보는 관점의 한계는?

> 미국의 국립 공원 정책은 자연을 있는 그대로 보전하는 데 초점이 맞춰져 있다. 따라서 국립 공원에서 산불이 나도 자연 현상으로 일어난 불일 경우 웬만해서는 인간이 나서서 끄지 않는다. 인간이 개입할 일이 아니라고 판단하기 때문이다.

① 자연의 본래적 가치를 인정하지 않는다.
② 자연을 남용하고 훼손하여 환경 위기를 초래했다.
③ 자연을 인간의 욕구 충족의 대상으로만 바라본다.
④ 생태계를 도덕적으로 대우해야 할 대상으로 보지 않는다.
⑤ 생태계 전체를 위해 개별 생명체의 가치가 경시될 수 있다.

06 다음은 학생이 작성한 형성 평가지이다. 질문에 대해 옳게 표시된 답을 고른 것은?

> 주제: 인간과 자연의 관계 변화
> ※ 옳은 진술이면, '예', 틀린 진술이면, '아니요'에 ✓표 하시오.
> (가) 근대 이전에는 자연을 이용과 지배의 대상으로 인식하였다. 예 ☑ 아니요 ☐
> (나) 근대 이후 과학 기술이 발달하면서 인간은 자연에 순응하게 되었다. 예 ☑ 아니요 ☐
> (다) 오늘날에는 환경 문제를 해결하기 위한 지속 가능한 발전을 강조한다. 예 ☑ 아니요 ☐
> (라) 현대에 들어 인간과 자연의 바람직한 관계를 회복하기 위해서 환경친화적 가치관이 확산되고 있다. 예 ☑ 아니요 ☐

① (가), (나) ② (가), (다) ③ (나), (다)
④ (나), (라) ⑤ (다), (라)

신유형

07 (가)의 갑, 을의 입장을 (나) 그림으로 표현할 때, A~C에 해당하는 진술로 옳은 것은?

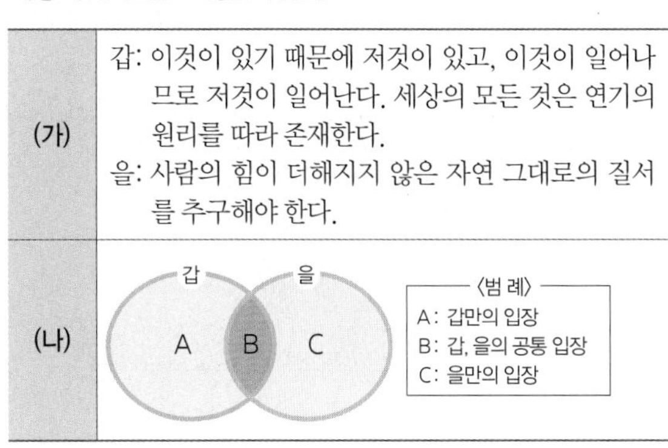

(가)	갑: 이것이 있기 때문에 저것이 있고, 이것이 일어나므로 저것이 일어난다. 세상의 모든 것은 연기의 원리를 따라 존재한다. 을: 사람의 힘이 더해지지 않은 자연 그대로의 질서를 추구해야 한다.
(나)	갑 / 을 — A B C 〈범례〉 A: 갑만의 입장 B: 갑, 을의 공통 입장 C: 을만의 입장

① A: 인간의 이상적인 삶의 기준을 무위자연에 두어야 한다.
② A: 인간과 자연이 하나가 되는 천인합일을 지향해야 한다.
③ B: 자연과 인간은 서로 분리될 수 없는 유기적 관계이다.
④ C: 모든 생명을 소중히 여기며 자비를 베풀어야 한다.
⑤ C: 인간이 자연을 본받아 인(仁)을 실현해야 한다고 여긴다.

08 다음은 세계의 환경 문제에 관한 수업 장면이다. 발표한 내용이 옳지 않은 학생은?

갑: 대체로 개발 도상국에서만 나타나요.

을: 지구 자정 능력의 초과와 관련이 있어요.

병: 인간 중심주의 자연관으로 인해 심화되었어요.

정: 자원 소비량과 폐기물 양의 급증이 원인이에요.

무: 문제 해결을 위해 많은 비용과 시간이 필요합니다.

① 갑 ② 을 ③ 병 ④ 정 ⑤ 무

정답과 해설 9쪽

09 지도는 어떤 환경 문제의 영향을 나타낸 것이다. 이 환경 문제의 원인으로 적절한 것은?

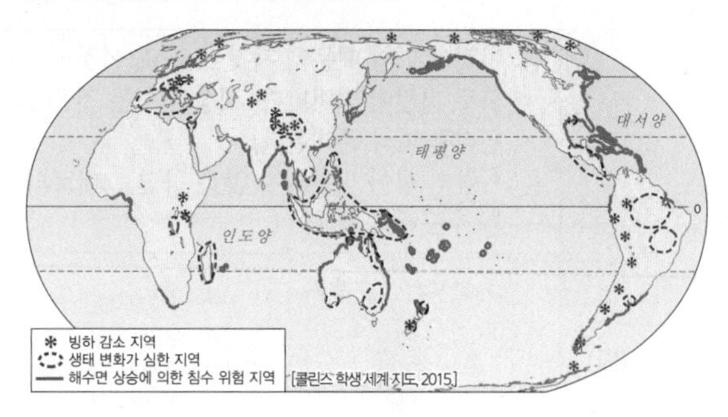

① 황사의 심화
② 온실가스의 과도한 배출
③ 동식물의 서식 환경 변화
④ 염화 플루오린화 탄소 사용의 중단
⑤ 장기간의 가뭄과 인간의 과도한 개발

융합형 지리·윤리

10 다음 환경 문제를 해결하기 위한 공통적인 해결 방안으로 적절한 것을 ▮보기▮에서 고른 것은?

- 냉장고나 에어컨의 냉매제로 주로 쓰이는 화학 물질로 인해 오존층이 파괴되고 있다. 이로 인해 피부암, 안과 질환 등의 문제가 발생한다.
- 화석 연료의 과도한 사용과 무분별한 삼림 파괴로 인해 지구의 평균 기온이 올라가고 있다. 이로 인해 빙하 면적의 감소, 해수면의 상승, 해안 저지대 침수, 이상 기후 현상 등 다양한 피해가 나타나고 있다.

▮보기▮
ㄱ. 막대한 피해 보상금은 선진국에만 부과한다.
ㄴ. 전 지구적 차원의 공동 대응과 협력이 요구된다.
ㄷ. 인간과 자연 간의 조화를 회복하는 사고방식을 확립한다.
ㄹ. 개인은 과학 기술로 모든 환경 문제를 해결할 수 있다는 믿음을 갖는다.

① ㄱ, ㄴ ② ㄱ, ㄷ ③ ㄴ, ㄷ
④ ㄴ, ㄹ ⑤ ㄷ, ㄹ

11 지도의 ㉠~㉤에 대한 설명으로 적절하지 않은 것은?

① ㉠은 심각한 가뭄과 사막화를 방지하기 위한 협약이다.
② ㉡과 ㉢은 기후 변화 문제를 해결하기 위해 체결되었다.
③ ㉣은 생물 종을 보호하여 생태계를 지키려는 협약이다.
④ ㉤의 목적은 국제적으로 중요한 습지를 보호하기 위함이다.
⑤ ㉠~㉤은 모두 환경 문제 해결을 위한 국제 사회의 협력 모습이다.

필수 주제 링크

12 다음은 환경 문제 해결을 위한 노력에 대한 수업 장면이다. 교사의 질문에 답한 내용이 옳은 학생을 고른 것은?

환경 문제 해결을 위한 노력의 주체인 (가), (나)에 대해 설명해 볼까요?

〈환경 문제 해결을 위한 노력〉
1. (가)의 노력: 환경 관련 시민운동 전개, 환경 문제 유발 행위에 대한 감시
2. (나)의 노력: 환경친화적 제품 개발

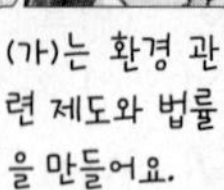

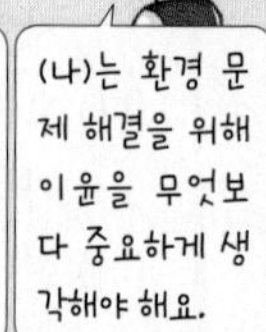

갑: (가)는 환경 관련 제도와 법률을 만들어요.
을: (가)는 (나)의 행위를 감시하고 비판해요.
병: (나)는 제품 생산 과정에서 오염 물질 배출 최소화를 위해 노력해요.
정: (나)는 환경 문제 해결을 위해 이윤을 무엇보다 중요하게 생각해야 해요.

① 갑, 을 ② 갑, 병 ③ 을, 병
④ 을, 정 ⑤ 병, 정

▮핵심 point▮ 환경 문제 해결을 위한 노력의 주체에는 정부, 시민 단체, 기업, 개인 등이 있다.

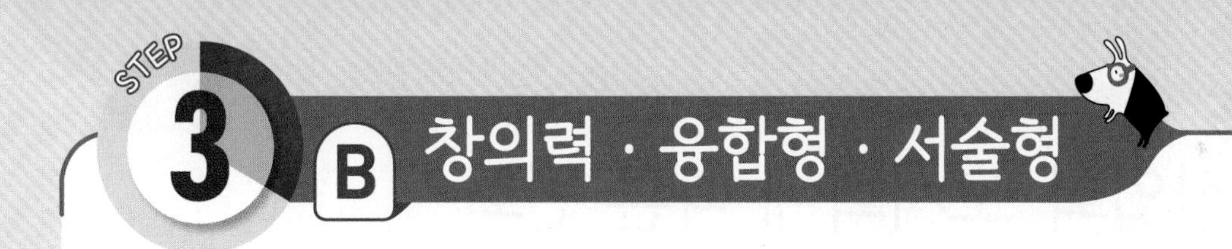

13 다음 글을 읽고 물음에 답하시오.

> 근대 이후 서구에서 자연에 관한 지배적인 관점으로 자리 잡은 [㉠] 자연관은 자연을 탐구하고 개발함으로써 과학 기술의 발전과 경제 성장을 이루어 인간의 삶의 질을 크게 향상시켰다.

(1) ㉠에 들어갈 용어를 쓰시오.

(2) ㉠의 관점이 가진 한계를 서술하시오.

14 다음 글을 읽고 물음에 답하시오.

> 자연이 인간에게 주는 유용성과 관계없이 그 자체로 존중받을 가치가 있다고 여기는 입장을 [㉠](이)라고 한다. 이에 따르면, 인간은 자연으로부터 독립된 우월한 지배자가 아니라 자연의 한 구성원일 뿐이기 때문에 생태계를 이루는 모든 구성 요소는 도덕적으로 대우받아야 한다.

(1) ㉠에 들어갈 용어를 쓰시오.

(2) ㉠의 관점이 가진 한계를 서술하시오.

15 밑줄 친 ㉠ 사상이 공통으로 강조하는 자연에 대한 입장을 서술하시오.

> 인간의 지나친 욕심에서 비롯된 환경 문제는 인류의 생존과 행복을 위협하는 수준에까지 이르고 있다. 이제 인간의 사고와 삶의 방식을 바꾸는 전환이 필요한데, 우리는 이를 위한 지혜를 동양의 ㉠ 유교, 불교, 도가의 자연관에서 발견할 수 있다.

16 다음 글을 읽고 물음에 답하시오.

> 화석 에너지의 사용 증가, 삼림 파괴 등 인위적 요인으로 인해 ㉠ 지구의 평균 기온이 점점 상승하는 현상이 나타나고 있다. 이에 따라 세계 곳곳에서 이상 현상이 나타나고 있다.

(1) ㉠의 환경 문제가 무엇인지 쓰시오.

(2) ㉠의 영향을 아래 세 가지 측면에서 서술하시오.

• 빙하	• 해수면	• 해안 저지대

17 환경 문제를 해결하기 위한 방안을 정부 차원과 개인 차원으로 나누어 각각 두 가지씩 서술하시오.

05강 산업화·도시화에 따른 변화

주제 01 산업화·도시화에 따른 생활 공간의 변화

1. 산업화와 도시화의 의미 < 자료1

(1) **산업화** 농업 중심의 사회가 광공업과 서비스업 중심의 사회로 변화해 가는 현상

(2) **도시화** 한 국가 내에서 도시에 거주하는 인구의 비율이 높아지는 현상, 또는 도시적 삶의 방식이 확대되어 가는 현상 ─ 도시화는 일반적으로 산업화와 함께 나타남.

2. 산업화·도시화에 따른 거주 공간의 변화

집약적 토지 이용	도시에 많은 사람과 기능이 집중함. → 제한된 공간을 효율적으로 이용하기 위해 고층 건물이 들어섬.
도시 내부 공간의 분화	도시의 규모가 커지면서 동일한 기능끼리 모여 도시 내부가 업무·상업, 주거, 공업 지역 등으로 나뉨. < 자료2
㉠ ______ 형성	• 대도시의 인구가 많아지고, 그 기능과 영향력이 커지면서 대도시와 주변 촌락이 하나의 생활권을 이룸. • 대도시 주변의 촌락에는 도시의 주택 부족 문제를 해결하고자 대규모 주택 단지가 들어서거나 공업 지역이 형성되어 도시적 경관이 나타남.

3. 산업화·도시화에 따른 생태 환경의 변화

㉡ ______ 의 감소	• 도시의 지표면이 콘크리트나 아스팔트 등으로 포장되어 녹지 면적이 감소함. → 생물 종 다양성 감소 • 포장된 지표에 빗물이 흡수되지 못해 홍수 발생 위험도가 증가함.
환경 오염	다양한 경제 활동으로 인한 과도한 오염 물질 배출 → 쓰레기 문제, 대기 오염, 수질 오염 등이 나타나면서 생활 환경이 악화됨.

정답 | ㉠ 대도시권 ㉡ 녹지 면적

자료 Plus

자료1 > 우리나라의 산업화와 도시화

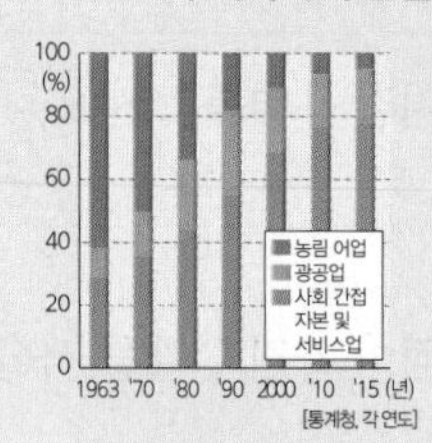

▲ 우리나라 산업 구조의 변화

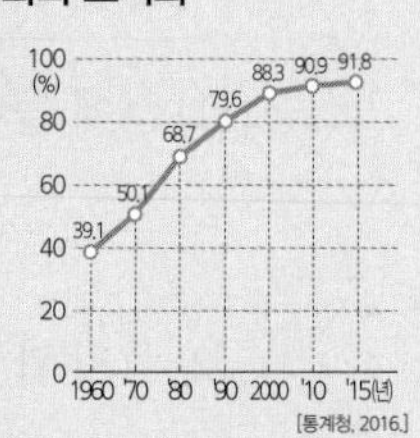

▲ 우리나라 도시화율의 변화

우리나라는 1960년대까지 1차 산업 중심의 사회였으나, 이후 산업화로 인해 2·3차 산업 종사자의 비중이 증가하였다. 이 과정에서 촌락의 인구가 일자리를 찾아 도시로 이동하는 ❶ ______ 현상이 나타났다.

자료2 > 서울로 본 도시 내부 공간의 분화

▲ 도심(중구 명동)

▲ 주변 지역(노원구 상계동)

접근성이 높고 지가가 비싼 ❷ ______ 에는 업무와 상업 기능이 집중하고, 비교적 지가가 저렴한 ❸ ______ 에는 주거와 공업 기능이 발달한다.

정답 | ❶ 이촌 향도 ❷ 도심 ❸ 주변 지역

주제 02 산업화·도시화에 따른 생활 양식의 변화

1. 도시성의 확산

(1) ㉠ ______ 의 의미 도시인의 특징적인 사고나 행동 양식

(2) 특징 효율성과 합리성 추구, 자율성과 다양성 존중, 이질적 주민 구성, 사회적 유대감 약화, 익명성을 띤 2차적 인간관계 확대 ─ 특정한 목적 의식을 가지고 모인 수단적·간접적인 인간관계

2. 직업의 분화 2·3차 산업이 발달하면서 직업이 분화되고 전문성이 증가함. → 도시 거주민의 직업이 다양화됨. < 자료3

3. ㉡ ______ 가치관의 확산 공동체보다 개인을 강조하는 경향이 커짐, 핵가족과 1인 가구의 증가

4. 물질적 풍요 산업화로 대량 생산과 대량 소비가 가능해지면서 소득 증대 → 생활 수준 향상

정답 | ㉠ 도시성 ㉡ 개인주의

자료 Plus

자료3 > 직업의 분화

(개) 16,000 / 14,000 / 12,000 / 10,000 / 8,000 / 6,000 / 4,000 / 2,000 / 0

1969: 3,260 · 1986: 10,600 · 1995: 12,600 · 2003: 9,426 · 2012: 11,655 · 2016: 15,537 (년)

[한국고용정보원, 2016]

▲ 우리나라 직업 수의 변화

우리나라 직업의 수는 2003년을 제외하고는 지속적으로 ❶ ______ 하고 있다. 이는 산업화로 인해 직업이 ❷ ______ 되었기 때문이다.

정답 | ❶ 증가 ❷ 분화

주제 03 산업화·도시화에 따른 문제점

1. ㉠ ( ) 문제

(1) 원인 인구와 각종 기능이 도시로 과도하게 집중하여 도시 기반 시설이 부족하게 됨.

도시 기반 시설: 도시인의 생활이나 도시 기능의 유지에 필요한 물리적인 요소를 말함. 예 도로, 시장, 공원 등

(2) 종류

주택 문제	한정된 공간에 많은 인구가 밀집하면서 주택 부족 및 불량 주택 지역 형성 등의 문제 발생
교통 문제	교통량의 증가로 교통 체증 및 주차난 등의 문제 발생 < 자료4
범죄 발생	사람들 간의 이질성이 커져 다양한 범죄가 발생함.
환경 문제 < 자료5	• 산업 폐수나 생활 하수로 인한 수질 오염 • 공장 매연이나 자동차 배기가스의 배출로 인한 대기 오염 • 산업 폐기물과 생활 쓰레기 등의 증가로 인한 토양 오염 • 자동차, 공장 등에서 발생하는 인공 열, 포장 면적에 의한 열 흡수, 고층 건물에 의한 바람길 차단 등으로 인해 열섬 현상이 발생함.

열섬 현상: 도심 지역의 온도가 주변 지역보다 높게 나타나는 현상

2. 노동 문제 실업 문제, 노동자와 사용자 사이의 이해관계 충돌로 인한 노사 갈등이 발생함.

3. 공동체 의식 약화 타인에 대한 무관심과 이기주의 확산 등으로 개인 중심의 생활이 확대됨.

4. ㉡ ( ) 현상 생산 과정의 자동화로 인해 인간을 마치 기계의 부속품처럼 여기게 되어 인간이 노동에서 얻는 만족감과 성취감이 약화됨.

5. 지역 간 불균형 도시에 각종 기능이 집중되면서 도시와 농촌 간의 지역 격차가 심화됨.

정답 | ㉠ 도시 ㉡ 인간 소외

자료 Plus

자료4 > 우리나라의 교통 혼잡 비용

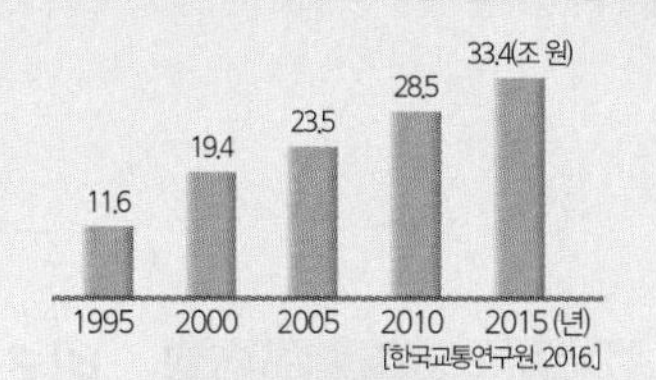

우리나라는 도시화로 인한 교통량 증가로 인해 교통 혼잡 비용이 빠르게 ❶ ( )하고 있다.

자료5 > 열섬 현상

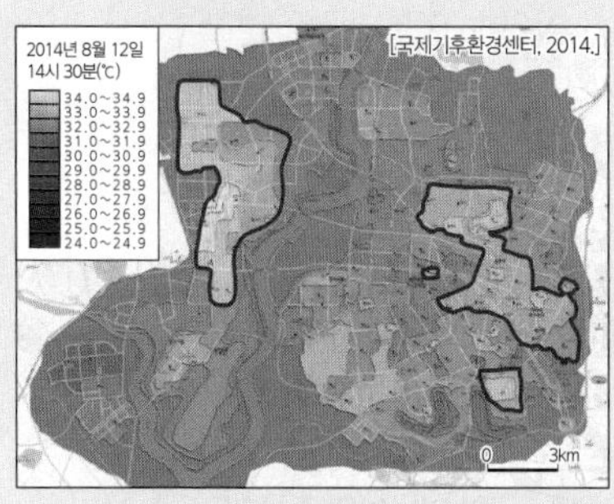

▲ 광주광역시 여름 열섬 지도(2014년)

광주광역시의 여름날 기온 분포에서 높은 기온을 기록한 지역(노란색)은 아파트 밀집 지역이나 교통량이 많은 곳이다. ❷ ( )은 지면이 포장되어 있고 바람길이 막혀 있어 태양열과 인공 열 등을 그대로 가두어 놓기 때문에 주변 지역보다 기온이 높다.

정답 | ❶ 증가 ❷ 도심

주제 04 산업화·도시화에 따른 문제의 해결 방안

1. 사회적 차원의 해결 방안 < 자료6

주택 문제 해결	도시 재개발 사업 및 신도시 건설로 주택난 해결
교통 문제 해결	• 대중교통 수단 확충 • 공영 주차장 확대 추진
㉠ ( ) 해결	• 공원이나 생태 하천 등의 녹지 공간을 확대함. • 오염 물질 배출을 규제함.
사회 문제 해결	• 소외 계층을 위한 사회 복지 제도 확충 • 최저 임금제, 비정규직 보호법 등 노동자를 위한 제도 마련 • 마을 공동체 운영, 공동체 주택 건설 등을 통해 지역 공동체를 회복함.
지역 격차 해결	도시 기능 분산, 지방 도시 육성을 통한 인구의 지방 정착 유도

2. 개인적 차원의 해결 방안

(1) ㉡ ( ) 행동 실천 쓰레기 분리 배출, 대중교통 이용, 자원 절약 등

(2) 공동체 의식 함양 인간의 존엄성 중시 및 타인 존중

정답 | ㉠ 환경 문제 ㉡ 환경친화적

자료 Plus

자료6 > 산업화·도시화에 따른 문제의 해결 방안

▲ 옥상 정원

▲ 마을 공동체

도시에서는 옥상 정원을 가꾸어 도시에 부족한 녹지를 보충하며, ❶ ( ) 현상을 완화한다. 그리고 도시 내 소통을 증진시키기 위해 ❷ ( )를 운영함으로써 주민 간 결속력을 강화한다.

정답 | ❶ 열섬 ❷ 마을 공동체

개념 어휘 테스트

반복 점검 시기_ ▢10분 후 ▢1일 후 ▢7일 후 ▢한 달 후

빈칸으로 바로 점검

❶ 농업 중심의 사회가 광공업 및 서비스업 중심의 사회로 변해가는 현상을 (   )(이)라고 한다.

❷ 전체 인구 중 도시에 거주하는 인구 비율이 높아지거나 도시적 생활 양식이 확대되는 현상을 (   )(이)라고 한다.

❸ 도시의 규모가 커지면서 도시 내부가 업무·상업 지역, 주거 지역, 공업 지역 등으로 나뉘는 도시 내부 공간의 (   )이(가) 나타난다.

❹ 대도시의 인구가 많아지고 그 기능과 영향력이 커지면 대도시와 주변 촌락이 하나의 생활권을 이루는 (   )이(가) 형성된다.

❺ (   )(이)란 도시인의 특징적인 사고나 행동 양식으로, 도시적 생활 양식 혹은 도시 문화라고도 한다.

❻ 산업화·도시화에 따라 (   ) 가치관이 확산되면서 공동체보다는 개인을 강조하는 문화가 형성되었다.

❼ (   )(이)란 인구와 각종 기능이 도시에 집중하게 되면서 주택 부족, 주차 공간 부족, 교통 체증, 다양한 범죄 발생 등의 문제가 발생하는 것이다.

❽ (   ) 현상은 도심 지역의 온도가 다른 지역보다 높게 나타나는 현상을 의미한다.

❾ (   ) 현상은 노동의 주체인 인간이 노동 과정에서 객체나 수단으로 전락하는 현상을 말한다. 이 때문에 인간은 노동에서 얻는 만족감과 성취감이 약화된다.

❿ 산업화의 영향으로 사회가 요구하는 능력이나 직업이 변화하면서 일할 능력과 의사가 있음에도 불구하고 일자리를 갖지 못하는 (   ) 문제가 발생한다.

⓫ (   )은(는) 주택난을 해소하기 위해 도시의 노후화되고 불량해진 주택이나 공공 시설물을 개량하여 주거 환경을 개선하는 사업을 말한다.

한번 더 개념 반복

ZIP ❸ 교과서 유사 선지

다음 중 옳은 선지를 모두 고르시오.

1 교통이 편리하고 지가가 비싼 도심에는 공업 기능이 집중한다. ▢

2 비교적 지가가 저렴한 도시의 주변 지역에는 주거 기능이 발달한다. ▢

정답 | 2

TIP

❺ 산업화·도시화에 따라 도시적인 생활 양식이 보편적인 생활 양식으로 자리 잡게 되었다.

TIP

❽ 도심에서는 인공 열의 발생, 포장 면적에 의한 열 흡수, 고층 건물에 의한 바람길 차단 등으로 인해 주변 지역보다 기온이 높게 나타난다.

ZIP ❾~❿ 교과서 유사 선지

다음 중 옳은 선지를 모두 고르시오.

1 생산 과정의 자동화로 인해 인간을 마치 기계의 부속품처럼 여기는 현상이 발생하였다. ▢

2 노동자와 사용자 사이의 이해관계 충돌로 노사 갈등이 발생하기도 한다. ▢

정답 | 1, 2

정답과 해설 11쪽

반복 점검 시기_ ☐10분 후 ☐1일 후 ☐7일 후 ☐한 달 후

찍기로 바로 점검

❶ 우리나라는 1960년대까지 전체 산업 중에서 농림 어업에 종사하는 사람이 많았지만, 산업이 고도화되면서 (1차, 2·3차) 산업에 종사하는 인구가 증가하였다.

❷ 산업화 이후 많은 사람들이 일자리를 찾아 (촌락, 도시)(으)로 몰려들게 되었다.

❸ 도시에 많은 사람과 기능이 집중하면 토지 이용이 (조방적, 집약적)으로 변화한다.

❹ 도시화에 따라 도시의 지표면이 콘크리트나 아스팔트 등으로 덮여 (녹지, 포장) 면적이 증가하게 되었다.

❺ 산업화·도시화가 진행되면 산업이 고도화되어 도시 거주민의 직업은 (다양화, 단순화)된다.

❻ 산업화·도시화로 인해 타인에 대한 무관심과 이기주의가 확산되어 공동체 의식이 (강화, 약화)된다.

❼ 도시에 각종 기능이 집중되면서 도시와 농촌 간의 지역 격차는 (심화, 약화) 된다.

❽ 환경 문제를 해결하기 위해 가까운 거리는 (자동차, 자전거)을(를) 이용해야 한다.

선 긋기로 바로 점검

❶ (1) 주택 문제 해결 • • ㉠ 신도시 건설
(2) 환경 문제 해결 • • ㉡ 최저 임금제 시행
(3) 사회 문제 해결 • • ㉢ 생태 하천으로의 복원

❷ (1) 사회적 차원의 노력 • • ㉠ 복지 제도 확충
(2) 개인적 차원의 노력 • • ㉡ 공동체 의식 함양

한번 더 개념 반복

❶~❺ 교과서 유사 선지 ZIP
다음 중 옳은 선지를 모두 고르시오.

1 산업화로 인해 농업 중심의 사회로 변화한다. ☐
2 산업화에 따라 이촌 향도 현상이 발생한다. ☐
3 도시화가 진행되면 고층 건물이 들어선다. ☐
4 도시의 포장 면적이 늘어나면 빗물이 토양에 흡수되는 양이 늘어난다. ☐
5 도시에는 다양한 직업에 종사하는 사람들이 늘어나 주민 간 이질성이 높아진다. ☐

정답 | 2, 3, 5

❶ 교과서 유사 선지 ZIP
다음 중 옳은 선지를 모두 고르시오.

1 주차난을 해결하기 위해 공영 주차장을 확충해야 한다. ☐
2 지역 간 불균형 문제를 해결하기 위해서 각종 기능을 수도권의 도시에 집중해야 한다. ☐

정답 | 1

TIP
❷ 산업화·도시화로 인해 다양한 문제가 발생하고 있다. 이를 해결하기 위해서 사회적 차원에서는 각종 정책을 시행해야 하고, 개인적 차원에서는 도시 문제를 해결하기 위한 행동을 해야 한다.

기출 기초 테스트

기본 기출 주제 ① 산업화·도시화에 따른 생활 공간 변화

1-1 괄호 안에 들어갈 알맞은 말을 쓰시오.

(❶) 토지 이용
제한된 공간을 효율적으로 이용하기 위해 고층 건물 밀집

도시 내부 공간의 (❷)
업무와 상업 기능은 도심에 집중되고, 주거와 공업 기능은 주변 지역으로 이동

(❸)의 형성
대도시의 기능과 영향력이 커지면서 대도시와 주변 촌락이 하나의 생활권을 이룸.

생태 환경의 변화
도시 내 녹지 면적이 감소하여 생물 종 다양성이 감소하고, 다양한 경제 활동으로 환경이 오염됨.

정답 | ❶ 집약적 ❷ 분화 ❸ 대도시권

1-2 밑줄 친 ㉠~㉤에 대한 설명으로 옳지 않은 것은?

㉠ 산업화로 인해 도시화가 빠르게 진행되었고, 그 과정에서 ㉡ 이촌 향도 현상이 나타났다. 도시의 인구 밀도가 높아지면서 ㉢ 토지 이용 방식의 변화와 ㉣ 생활 공간의 변화가 있었다. 그 외에 ㉤ 생태 환경에도 많은 변화가 나타났다.

① ㉠은 1차 산업 중심에서 2·3차 산업 중심의 사회로 변화하는 현상이다.
② ㉡은 촌락에서 도시로 인구가 이동하는 현상이다.
③ ㉢의 결과 토지 이용의 집약도가 높아졌다.
④ ㉣의 사례로는 '대도시권의 형성'이 있다.
⑤ ㉤의 사례로 '생물 종 다양성 증가'를 들 수 있다.

기본 기출 주제 ② 산업화·도시화에 따른 생활 양식 변화

2-1 괄호 안에 들어갈 알맞은 말을 쓰시오.

(❶)의 확산	효율성과 합리성 추구, 자율성과 다양성 존중, 사회적 유대감 약화, 익명성을 띤 2차적 인간관계 확대
직업의 분화	직업이 분화되고 전문성이 증가하면서 도시 거주민의 직업이 다양화됨.
개인주의 가치관의 확산	공동체보다 (❷)을 강조하는 경향이 커짐.

정답 | ❶ 도시성 ❷ 개인

2-2 밑줄 친 ㉠~㉤ 중 옳지 않은 것은?

도시에 사는 사람들은 ㉠ 촌락과 구별되는 독특한 생활 양식인 도시성이 있다. 좁은 지역에 많은 인구가 조밀하게 거주하는 ㉡ 도시에서는 구성원들이 매우 이질적이고, 이들 간의 ㉢ 사회적 관계도 이해타산에 기초하여 맺어진다. 산업화를 겪으면서 서로 다른 특성을 가진 사람들이 도시로 모여들어 ㉣ 인간관계의 양상이 변한 것이다. 그리고 ㉤ 개인의 목표보다는 집단의 목표를 중요시하는 가치관이 퍼졌다.

① ㉠ ② ㉡ ③ ㉢ ④ ㉣ ⑤ ㉤

정답과 해설 11쪽

기본 기출 주제 ③ 산업화·도시화에 따른 문제점

3-1 괄호 안에 들어갈 알맞은 말을 쓰시오.

도시 문제	인구의 과도한 집중으로 주택 부족, 교통 문제, 환경 문제 등 발생
노동 문제	실업 문제, 노사 간 갈등 발생
(❶) 약화	타인에 의한 무관심과 이기주의 확산
(❷) 현상	생산 과정에서 인간을 부속품처럼 여겨 노동에서 얻는 성취감과 만족감이 약화됨.
지역 불균형	도시와 농촌 간의 지역 격차가 심화됨.

정답 | ❶ 공동체 의식 ❷ 인간 소외

3-2 (가), (나)에 나타난 문제점을 바르게 짝지은 것은?

(가) 인구와 각종 기능이 도시로 과도하게 집중하여 도시 기반 시설이 부족하게 되어 주택 및 교통 문제, 환경 오염 등이 발생하는 현상이다.
(나) 생산 과정의 자동화로 인해 인간을 마치 기계의 부속품처럼 여기게 되어 인간이 노동에서 얻는 만족감과 성취감이 약화되는 현상이다.

	(가)	(나)
①	노동 문제	도시 문제
②	노동 문제	인간 소외 현상
③	도시 문제	인간 소외 현상
④	도시 문제	공동체 의식 약화
⑤	인간 소외 현상	공동체 의식 약화

기본 기출 주제 ④ 산업화·도시화에 따른 문제의 해결 방안

4-1 괄호 안에 들어갈 알맞은 말을 쓰시오.

사회적 차원	• 도시 재개발 및 신도시 개발로 주택난 해결 • 대중교통 수단 확대를 통한 (❶) 문제 해결 • 오염 물질 배출 규제를 통한 (❷) 오염 문제 해결
개인적 차원	• 쓰레기 분리수거 배출, 대중교통 이용 등 환경친화적 행동 실천 • 타인을 존중하고 인간존엄성을 중시하는 공동체 의식 함양

정답 | ❶ 교통 ❷ 환경

4-2 (가)에 들어갈 내용으로 가장 적절한 것은?

미국의 로스앤젤레스시는 과거 스모그 도시라는 별명이 붙을 정도로 대기 오염이 심각했다. 이의 해결을 위해 로스앤젤레스시 정부는 (가) 정책을 실시하여 다시 파란 하늘을 되찾을 수 있었다.

① 도시 재개발을 추진하는
② 공영 주차장을 확대하는
③ 공공 주택 분양을 확대하는
④ 도시의 녹지 면적을 축소하는
⑤ 자동차 배기가스의 배출 기준을 강화하는

STEP 3 A 교과서 기본 테스트

필수 주제 링크

01 그래프를 통해 추론할 수 있는 내용으로 옳지 않은 것은?

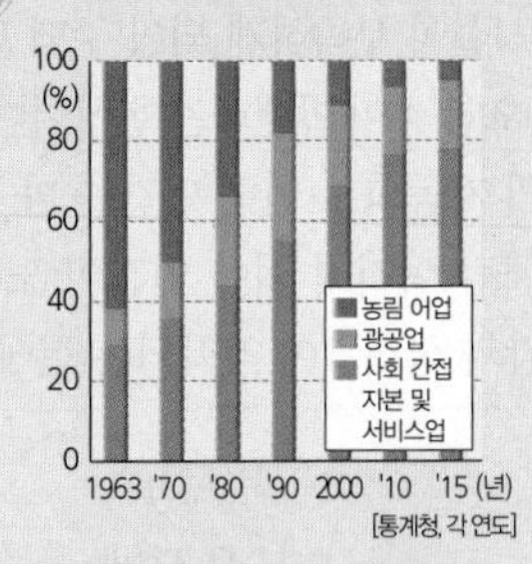

[통계청, 각 연도]

▲ 우리나라 산업 구조의 변화

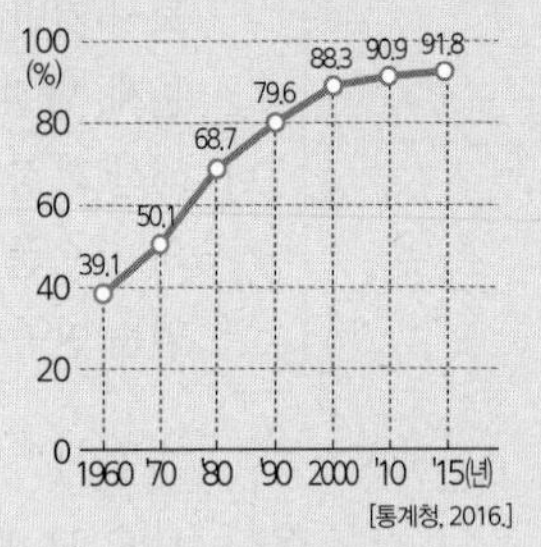

[통계청, 2016.]

▲ 우리나라 도시화율의 변화

① 농가 수가 감소했다.
② 도시화 수준이 높아졌다.
③ 산업 구조가 고도화되었다.
④ 3차 산업 종사자의 비중이 증가했다.
⑤ 촌락에 거주하는 인구 비율이 높아졌다.

| 핵심 point | 산업화와 도시화가 진행되면 농업 중심의 사회가 광공업 및 서비스업 중심의 사회가 되고, 도시 거주 인구가 증가한다.

02 (가), (나) 시기에 대한 설명 및 추론으로 옳은 것을 | 보기 |에서 고른 것은?

	(가)	(나)	
임야	66,128km²	64,003km²	감소
논밭	22,099km²	19,108km²	감소
*대지	1,721km²	2,983km²	증가
도로	1,399km²	3,144km²	증가

*대지: 건축을 할 수 있는 땅 [국토교통부, 2016.]

▲ 우리나라 토지 이용의 변화

| 보기 |
ㄱ. (가)는 (나)보다 도시화율이 낮다.
ㄴ. (가)는 (나)보다 경지 면적이 넓다.
ㄷ. (나)는 (가)보다 생물 종이 다양하다.
ㄹ. (나)는 (가)보다 녹지 면적의 비율이 높다.

① ㄱ, ㄴ ② ㄱ, ㄷ ③ ㄴ, ㄷ
④ ㄴ, ㄹ ⑤ ㄷ, ㄹ

03 (가), (나) 지역에 대한 옳은 설명을 | 보기 |에서 고른 것은?

(가)

(나)

| 보기 |
ㄱ. (가)는 주변 지역, (나)는 도심이다.
ㄴ. (가)는 (나)보다 고층 건물이 많다.
ㄷ. (나)는 (가)보다 지가가 비싸다.
ㄹ. (가)와 (나)는 도시 내부 공간 분화의 결과이다.

① ㄱ, ㄴ ② ㄱ, ㄷ ③ ㄴ, ㄷ
④ ㄴ, ㄹ ⑤ ㄷ, ㄹ

04 다음 소설에 나타난 생활 공간의 변화에 대한 설명으로 옳지 않은 것은?

지금 괭이부리말이 있는 자리는 원래 땅보다 갯벌이 더 많은 바닷가였다. 그 바닷가에 '고양이섬'이라는 작은 섬이 있었다. 호랑이까지 살 만큼 숲이 우거진 곳이었다던 고양이섬은 바다가 메워지면서 흔적도 없어졌고, 오랜 세월이 지나면서 그곳은 소나무 숲 대신 공장 굴뚝과 판잣집들만 빼곡히 들어찬 공장 지대가 되었다. …… 일자리를 찾아 도시로 올라온 이농민들은 돈도 없고 마땅한 기술도 없어 괭이부리말 같은 빈민 지역에 둥지를 틀었다. …… 집 지을 땅이 없으면 시궁창 위에도 다락집을 짓고, 기찻길 바로 옆에도 집을 지었다.

-김중미, 『괭이부리말 아이들』-

① 환경 오염이 증가하였다.
② 간척 사업이 이루어졌다.
③ 도시적 경관이 증가하였다.
④ 자연 상태의 토지 면적이 감소하였다.
⑤ 모든 인구를 수용할 만큼 도시 기반 시설이 증가하였다.

05 그래프의 A, B에 들어갈 항목을 바르게 연결한 것은?

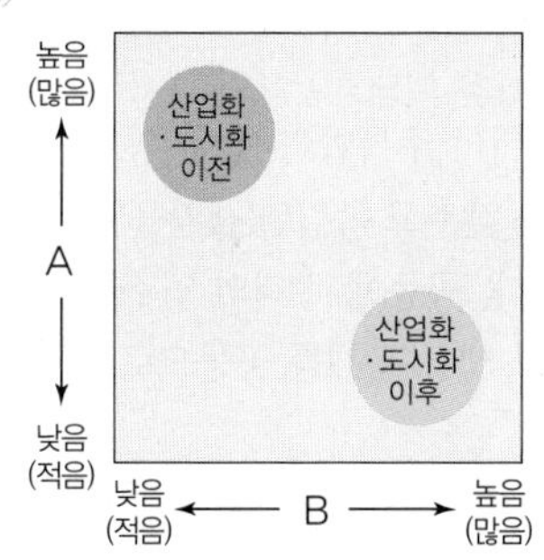

	A	B
①	직업의 수	도시성 확산 정도
②	공동체 의식	물질적 풍요도
③	물질적 풍요도	평균 가구원 수
④	평균 가구원 수	공동체 의식
⑤	도시성 확산 정도	직업의 수

신유형

06 두 시기의 일기를 통해 추론할 수 있는 생활 양식의 변화로 가장 적절한 것은?

1968년 ○월 ○일	2018년 ○월 ○일
아침 일찍부터 할머니가 나를 깨우셨다. 열심히 키운 벼를 수확하러 나가시는 어른들과 함께 아침을 먹으라고 하셨다. 오늘 밤에는 마을 사람들이 다 같이 추수를 기념하여 잔치를 벌인다고 한다.	주말 아침이라 늦잠을 자고 있는데 시끄러운 소리에 잠에서 깼다. 우리 아파트의 누군가가 이사를 가는지 사다리차 소리가 요란했다. 그러나 누가 살았는지, 또 누가 새로 이사를 오는지는 나는 알 수가 없다.

① 직업이 다양해졌다.
② 공동체 의식이 증가했다.
③ 사회적 유대감이 증대되었다.
④ 개인주의 가치관이 확산되었다.
⑤ 거주 공간 변화로 생활 수준이 향상되었다.

07 다음 노랫말을 통해 알 수 있는 인간의 생활 양식을 ▌보기▌에서 고른 것은?

> 아침에는 우유 한 잔, 점심에는 패스트 푸드
> 쫓기는 사람처럼 시곗바늘 보면서
> 거리를 가득 메운 자동차 경적 소리
> …(중략)…
> 아무런 말 없이 어디로 가는가
> 함께 있지만 외로운 사람들

▌보기▌
ㄱ. '느림'의 가치를 중시한다.
ㄴ. 도시적 생활 양식이 나타난다.
ㄷ. 사람들 간의 유대감이 약하다.
ㄹ. 개인보다 공동체를 강조하는 경향이 있다.

① ㄱ, ㄴ ② ㄱ, ㄷ ③ ㄴ, ㄷ
④ ㄴ, ㄹ ⑤ ㄷ, ㄹ

필수 주제 링크

08 다음 항공 사진 속 지역이 (가)에서 (나)로 변화하면서 나타날 수 있는 문제점 및 변화로 옳지 않은 것은?

(가)

(나)

① 수질이 오염되었다.
② 교통량이 증가하였다.
③ 녹지 면적이 감소하였다.
④ 도시의 기능이 한곳에 혼재되어 있다.
⑤ 생태계 생물 종의 다양성이 감소하였다.

▌핵심 point▌ 산업화·도시화에 따라 인구와 각종 기능이 도시로 몰려들면서 도시 문제, 환경 문제 등이 나타나고 있다.

정답과 해설 11쪽

09 지도는 광주광역시의 여름철 어느 날의 기온 분포를 나타낸 것이다. (가) 지역의 기온이 높은 이유로 옳지 않은 것은?

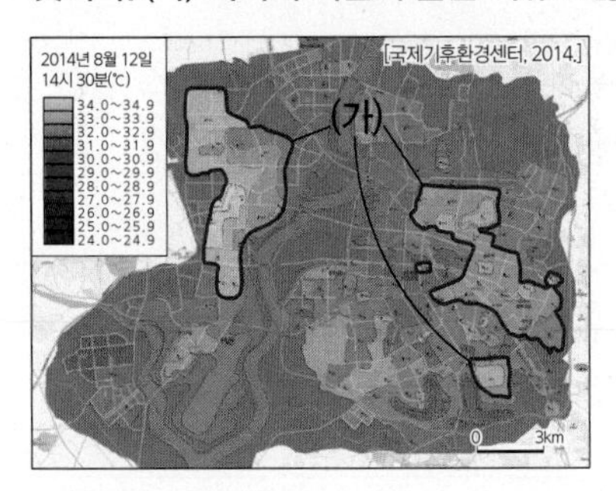

① 녹지 면적의 감소
② 콘크리트 건물의 증가
③ 바람길을 고려한 건물 배치
④ 아스팔트 등 포장 면적의 확대
⑤ 자동차와 공장에서 발생하는 인공 열

코딩형

10 다음 〈게임 방법〉에 따라 나온 최종 도착 지점을 [회전판]의 ㉠~㉤에서 고른 것은?

〈게임 방법〉
- 진술이 옳으면 회전판의 바늘이 A 방향으로 두 칸, 틀리면 B 방향으로 세 칸 이동한다.
- 〈진술〉 1~2에 따라 순서대로 이동하고, ㉠부터 시작한다.

〈진술〉
1. 도시에 각종 기능이 집중되면 도시와 농촌 간의 지역 격차가 완화된다.
2. 노동의 주체인 인간이 노동 과정에서 객체나 수단으로 전락하여 소외되는 현상을 인간 소외 현상이라고 한다.

[회전판]

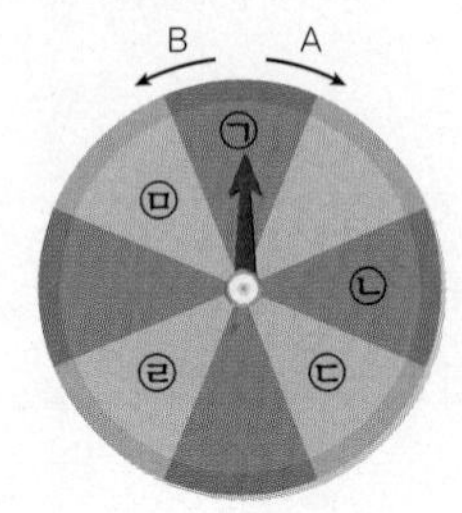

① ㉠
② ㉡
③ ㉢
④ ㉣
⑤ ㉤

11 밑줄 친 ㉠을 통해서 해결하고자 하는 산업화·도시화의 문제점으로 옳은 것은?

최근 ㉠ 공동체 주택이 주목받고 있다. 공동체 주택이란 커뮤니티 공간을 갖추고 독립된 생활을 하는 새로운 주거 형태를 말한다. 공동체 주택의 입주자들은 공동의 규약을 마련하고 생활 문제를 공동으로 해결하며 살아간다.

① 노사 갈등 문제
② 지역 간 불균형
③ 공동체 의식의 부족
④ 생물 종의 다양성 감소
⑤ 환경 오염 문제의 심각성

12 다음 글은 서울의 도시 문제를 해결하기 위한 방법에 관한 것이다. 이에 대한 설명으로 적절한 것을 ▮보기▮에서 고른 것은?

서울시에서는 도시 농업을 장려하는 정책을 펼치고 있다. 도시 농업이란 주택이나 학교, 회사 등의 내·외부, 옥상, 발코니 등을 활용하여 농산물을 생산하는 농업이다. 서울시에 따르면 서울의 도시 텃밭 면적은 2011년 29ha에서 2016년 상반기 143ha로 약 5배 증가했다고 한다.

▮보기▮
ㄱ. 개인적 차원의 해결 방안이다.
ㄴ. 도시에 부족한 녹지를 보충한다.
ㄷ. 열섬 현상을 완화시키는 방안이다.
ㄹ. 빗물이 토양에 흡수되는 것을 최소화시킨다.

① ㄱ, ㄴ ② ㄱ, ㄷ ③ ㄴ, ㄷ
④ ㄴ, ㄹ ⑤ ㄷ, ㄹ

정답과 해설 13쪽

13 그래프는 우리나라의 산업별 취업자 변화를 나타낸 것이다. 1965년에 대한 2015년의 상대적 특성을 제시된 단어를 사용하여 서술하시오.

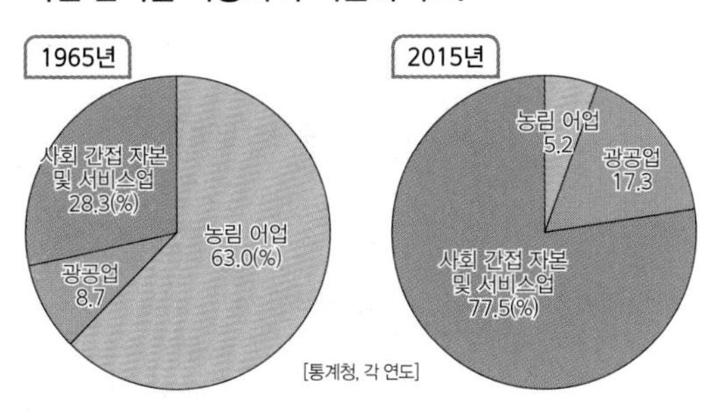

• 산업 구조 • 직업의 수

14 우리나라 주요 도시 수와 도시 인구수의 변화를 나타낸 지도를 보고 물음에 답하시오.

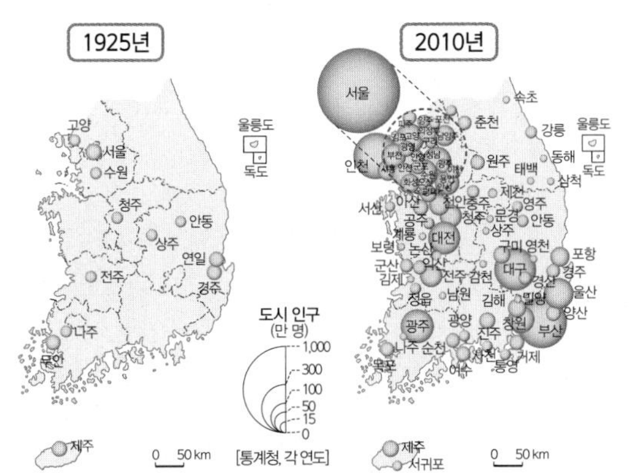

(1) 1925~2010년 사이에 도시 수와 도시 인구수가 어떻게 변했는지 서술하시오.

(2) 지역 격차의 차원에서 우리나라의 도시 문제가 무엇인지 쓰고, 이를 해결하기 위한 방안을 한 가지만 서술하시오.

15 (가) 지역과 비교한 (나) 지역의 상대적 특징을 제시된 단어를 사용하여 서술하시오.

(가)

(나)

• 지가 • 접근성 • 토지 이용의 집약도

16 다음 소설을 보고 물음에 답하시오.

> 그는 이번에 주먹으로 문을 두드리기 시작했다. …… 그러자 아파트 복도 저쪽 편의 문이 열리고, 파자마를 입은 사내가 이쪽을 기웃거리며 내다보았는데 그것은 그 사람 한 사람뿐만은 아니었다. …… "우리는 이 아파트에 거의 3년 동안 살아왔지만, 당신 같은 사람은 본 적이 없소." "아니 뭐라고요?" 그는 튀어 오를듯한 분노 속에서 신음 소리를 발했다. "당신이 나를 한 번도 본 적이 없다고 해서, 그래 이 집주인을 당신 멋대로 도둑놈이나 강도로 취급한다는 말입니까? 나도 이 방에서 3년을 살아왔소. 그런데도 당신 얼굴은 오늘 처음 보오. 그렇다면 당신도 마땅히 의심받아야 할 사람이 아니겠소?" -최인호, 《타인의 방》-

(1) 위 소설을 통해 추론할 수 있는 도시화의 문제점을 한 가지만 쓰시오.

(2) (1)을 해결할 수 있는 방안을 한 가지만 제시하시오.

06강 교통·통신 및 정보화의 발달과 지역 변화

주제 01 교통·통신 발달에 따른 변화 및 문제점과 해결 방안

1. 교통·통신 발달에 따른 생활 공간과 생활 양식의 변화 < 자료1

생활 공간의 ㉠	• 교통 발달로 통근·통학권 등 생활권 확대와 대도시권 형성 • 통신 발달로 시·공간적 제약이 완화되어 지구촌 사회 형성
경제 활동의 변화	• 이동 비용의 감소로 경제 활동의 범위가 국제적으로 크게 확장됨. • 통신의 발달로 국제 금융 거래가 활성화됨.
문화 교류의 증가	• 국·내외 여행이 증가함. → 다양한 문화 체험의 기회 확대 • 세계의 다양한 소식 및 정보 교류 활성화

2. 교통·통신 발달에 따른 문제점과 해결 방안

(1) ㉡ 발생

빨대로 컵의 음료를 빨아들이듯이 대도시가 주변 중소 도시의 인구나 경제력을 흡수하는 현상

문제점	교통·통신이 발달된 지역은 경제 활동이 활성화되지만, 교통·통신 조건이 불리한 지역은 경제가 쇠퇴함. → 빨대 효과가 발생함.
해결 방안	• 새로운 교통 기반 시설 확충 • 경제가 위축된 지역의 경제 활성화 사업 실시

(2) 생태 환경 변화

문제점	도로 건설 과정에서 삼림 훼손 및 동식물 서식지 파괴, 외래 생물 종 전파로 인한 생태계 교란, 교통수단에서 발생하는 오염 물질 증가 등
해결 방안	• 도로 건설 시 생태 통로 및 환경 친화적 도로 건설 • 선박 평형수 처리 장치의 의무적 설치 • 교통수단의 환경 오염 물질 배출 최소화

선박 평형수: 선박의 균형을 유지하기 위해 선박 내부에 저장하는 바닷물

정답 | ㉠ 확대 ㉡ 지역 격차

자료 Plus

자료1 > 교통수단의 발달

1500~1840년
마차·범선 평균 속도 16km/h

1850~1930년
증기선 평균 속도 25km/h

1950년대
프로펠러 비행기 평균 속도 480~640km/h

현재
제트 비행기 평균 속도 800~1,120km/h

[경제지리학, 2011.]

교통수단의 발달로 시간 거리가 단축되어 생활 공간의 범위가 크게 ❶ 되었다.

정답 | ❶ 확대

주제 02 정보화에 따른 변화

1. 정보화에 따른 생활 공간의 변화

(1) 가상 공간의 등장 생활 공간이 ㉠ 까지 확장

(2) 공간 이용 방식의 변화

① 위성 위치 확인 시스템(GPS)을 활용하여 내비게이션으로 최단 경로 파악, 실시간 버스 도착 정보 확인 가능

위성 위치 확인 시스템(GPS): 인공위성을 활용하여 현재 위치를 알려주는 시스템

② 지리 정보 시스템(GIS)을 교통, 토지, 해양, 최적 입지 분석 등에 활용

지리 정보 시스템(GIS): 다양한 지리 정보를 수치화하여 컴퓨터에 입력·저장하고 이를 다양한 방법으로 분석·종합하여 제공하는 시스템

2. 정보화에 따른 생활 양식의 변화

정치·행정적 영역	• 전자 투표, 가상 공간을 통한 시민의 정치 참여 증가 • 인터넷을 통한 민원 서류 발급
경제적 영역 < 자료2	• 원격 근무나 화상 회의를 통한 효율적 업무 수행 • 전자 상거래 활성화, 인터넷 뱅킹을 이용한 은행 업무 처리
사회·문화적 영역	• 누리 소통망(SNS)을 통한 쌍방향 소통 활발 • 다양한 정보 공유 → ㉡ 인간관계로 변화

정답 | ㉠ 가상 공간 ㉡ 수평적

자료 Plus

자료2 > 전자 상거래의 발달

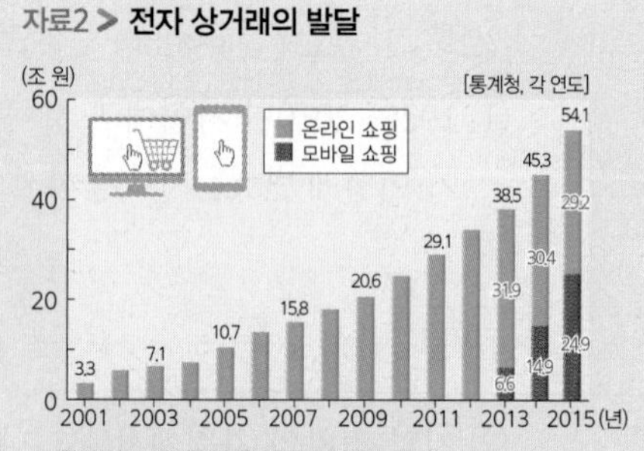

▲ 온라인 쇼핑 운영 형태별 거래액 변화

정보화로 ❶ 가 발달하면서 인터넷 쇼핑이나 모바일 쇼핑이 가능해져 온라인 쇼핑 거래액이 크게 증가하였다. 온라인 쇼핑의 증가는 ❷ 시장의 성장과 해외 직접 구매의 증가를 가져왔다.

정답 | ❶ 전자상거래 ❷ 택배

주제 03 정보화에 따른 문제점과 해결 방안

1. 인터넷 중독

문제점	인터넷 사용을 스스로 조절하지 못하여 대면적 인간관계가 약화되고 일상생활에 지장을 초래함.
해결 방안	• 인터넷 사용 시간 제한 • 인터넷 중독 예방 및 치료 프로그램 운영

2. ㉠ ( )

문제점	개인 정보 유출, 폐회로 텔레비전(CCTV)이나 휴대 전화 위치 추적으로 감시나 통제를 받을 수 있음.
해결 방안	• 개인 정보 관리 강화 및 처리 과정 공개 • 개인 정보 도용 처벌 수준 강화

3. 사이버 범죄

문제점	사이버 공간의 익명성을 이용하여 인터넷 사기, 해킹, 사이버 금융 범죄, 사이버 저작권 침해, 사이버 폭력 등의 범죄가 발생함.
해결 방안	• 정보 보안 관련 기구 및 전문 인력 강화 • 정보 윤리 교육 (정보 사회의 구성원으로서 지켜야 할 올바른 가치관과 행동 양식)

4. ㉡ ( ) < 자료3

문제점	정보의 소유와 접근 정도에 따라 지역 간, 계층 간 격차가 발생함. → 소득이나 부의 불평등 초래
해결 방안	• 정보 소외 계층을 위한 정보 기반 시설 확충 • 정보화 활용 교육 지원

정답 | ㉠ 사생활 침해 ㉡ 정보 격차

자료 Plus

자료3 > 정보 격차

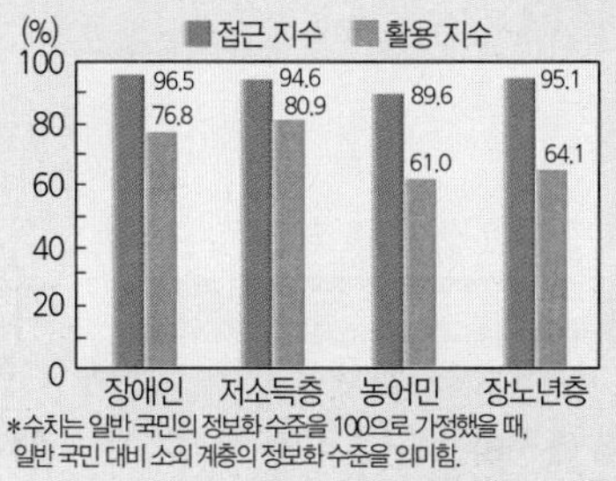

*수치는 일반 국민의 정보화 수준을 100으로 가정했을 때, 일반 국민 대비 소외 계층의 정보화 수준을 의미함.
[한국정보화진흥원, 2015]

정보화 기기를 구매하거나 활용하기 어려운 장애인이나 저소득층, 농어민 등 ❶ ( ) 계층은 ❷ ( ) 기술의 혜택을 제대로 받지 못하고 있다.

정답 | ❶ 정보 소외 ❷ 정보 통신

주제 04 지역의 공간 변화

1. 지역 조사 산업화·도시화, 교통·통신의 발달, 정보화 등에 의해 변화하는 지역의 특성과 문제 상황을 구체적으로 조사하여 해결 방안을 마련함.

2. 지역 조사 과정

조사 계획 수립	조사 주제와 지역, 방법을 선정함.
㉠ ( ) < 자료4	실내 조사, 현지(야외) 조사를 통해 지역의 토지 이용, 산업, 인구, 생태 환경, 인간관계, 주민의 가치관 등의 정보를 수집함.
㉡ ( )	• 수집된 자료를 조사 항목별로 구분하고 정리함. • 중요한 지리 정보를 그래프, 통계표, 지도 등으로 작성함.
보고서 작성	조사 방법, 지역 변화 및 문제점, 해결 방안 등을 포함하여 보고서를 작성함.

3. 지역 변화에 따른 문제점과 해결 방안

문제점	무분별한 지역 개발로 인한 환경 문제, 개발 과정에서 이해 당사자 간 갈등, 도시화로 인한 공동체 의식 약화 등
해결 방안	• 지방 자치 단체: 지역 문제를 파악하고 각계각층의 의견을 수렴하여 실효성 있는 정책과 대안 수립 • 지역 주민: 지역 문제 해결 과정에 적극적으로 참여

정답 | ㉠ 지역 정보 수집 ㉡ 지역 정보 분석

자료 Plus

자료4 > 지역 정보 수집 방법

❶ ( ) 조사	• 문헌 자료, 통계 자료, 지형도, 항공 사진 등을 통해 지역 정보를 수집함. • 현지 조사 시 필요한 설문지를 작성하고, 답사 경로 및 일정을 미리 조정함.
❷ ( ) 조사	해당 지역을 직접 방문하여 실측, 면담, 설문 조사, 관찰, 촬영 등을 실시함.

정답 | ❶ 실내 ❷ 현지(야외)

개념 어휘 테스트

반복 점검 시기_ ☐10분 후 ☐1일 후 ☐7일 후 ☐한 달 후

✔ 한번 더 개념 반복

ZIP ❶~❷ 교과서 유사 선지
다음 중 옳은 선지를 모두 고르시오.
1 교통 발달로 통근·통학 범위가 늘어나게 되었다. ☐
2 새로운 교통로의 건설은 지역의 접근성을 낮춘다. ☐
3 이동 비용의 감소로 경제 활동의 범위가 확장되었다. ☐
정답 | 1, 3

TIP
❺ 누리 소통망은 온라인상에서 사람과 사람을 연결해 주어 관계를 맺고 정보를 공유할 수 있는 서비스이다. 오늘날 누리 소통망이 사회 전반에 걸쳐 보편적으로 사용되면서 사람들은 이전보다 훨씬 다양한 소통과 인간관계를 형성하고 있다.

ZIP ❶ 교과서 유사 선지
다음 중 옳은 선지를 모두 고르시오.
1 인터넷 중독에 걸리면 일상생활에 지장을 받을 수 있다. ☐
2 폐회로 텔레비전(CCTV)의 발달로 사생활 침해 문제가 심화되고 있다. ☐
3 사이버 범죄를 줄이기 위해서는 정보 윤리 교육이 필요하다. ☐
정답 | 1, 2, 3

찍기로 바로 점검

❶ 교통·통신의 발달로 시·공간적 제약이 (심화, 완화)되어 개인의 생활권이 (확대, 축소)된다.

❷ 교통수단의 발달로 장거리 이동이 가능해지면서 국·내외 여행이 (증가, 감소)하여 문화 체험의 기회가 확대되었다.

❸ 교통·통신이 발달된 지역은 경제 활동이 (활성화, 쇠퇴)하지만, 교통·통신 조건이 불리한 지역은 경제가 (활성화, 쇠퇴)한다.

❹ 정보화에 따라 전자 투표, 청원이나 서명 등이 가능해짐에 따라 시민의 정치 참여가 (증가, 감소)하였다.

❺ 누리 소통망(SNS)을 통한 쌍방향 소통으로 폭넓은 교류가 이루어지면서 (수평적, 권위주의적) 인간관계가 증가하였다.

❻ (정보 격차, 인터넷 중독)을(를) 해결하기 위해서는 정보화 활용 교육을 지원해야 한다.

❼ 지역 조사 과정 중 (조사 계획 수립, 지역 정보 분석) 단계에서는 수집된 자료를 조사 항목별로 구분하고 정리해야 한다.

❽ 도시화로 인해 공동체 의식이 (강화, 약화)하는 현상이 발생하고 있다.

선 긋기로 바로 점검

❶ (1) 인터넷 중독 •
(2) 사생활 침해 •
(3) 사이버 범죄 •

• ㉠ 개인 정보 유출
• ㉡ 인터넷 사용 조절 불가
• ㉢ 가상 공간에서 발생하는 모든 범죄

❷ (1) 실내 조사 •
(2) 현지(야외) 조사 •

• ㉠ 면담, 관찰, 실측
• ㉡ 문헌, 통계, 지도 수집

정답과 해설 14쪽

반복 점검 시기_ ☐10분 후 ☐1일 후 ☐7일 후 ☐한 달 후

빈칸으로 바로 점검

❶ 교통·통신이 발달한 대도시가 주변 중소 도시의 인구와 경제력을 빨대로 컵의 음료를 빨아들이듯이 흡수하는 현상을 ( )(이)라고 한다.

❷ 도로나 철도 건설 과정에서 동물의 서식지가 절단되는 것을 막고, 동물들이 이동할 수 있도록 ( )을(를) 건설한다.

❸ 선박의 무게 중심을 맞추기 위해 선박 내부에 채워 넣거나 빼내는 바닷물인 ( )을(를) 통해 각종 외래 생물종이 유입되어 생태계가 교란되고 있다.

❹ ( )은(는) 인공위성을 활용하여 현재 위치를 알려주기 때문에 실시간 버스 도착 정보를 확인할 수 있다.

❺ ( )은(는) 다양한 지리 정보를 수치화하여 컴퓨터에 입력·저장하고 이를 다양한 방법으로 분석·종합하여 제공하는 시스템이다.

❻ 정보 통신 기술이 발달함에 따라 인터넷이나 모바일 등을 이용하여 상품을 사고파는 ( )이(가) 활성화되었다.

❼ 인터넷을 지나치게 사용하는 사람은 타인을 직접 대하는 것에 서툴러져 ( ) 인간관계가 약화된다.

❽ 통신이 발달함에 따라 사이버 공간의 익명성을 이용한 인터넷 사기, 해킹, 사이버 폭력 등 ( )이(가) 증가하고 있다.

❾ ( )은(는) 정보의 소유와 접근 정도에 따라 지역 간, 계층 간 격차가 발생하는 것을 말한다.

❿ ( )은(는) 지역에 대한 자료를 수집하고 분석·종합하여 지역의 특성과 변화 양상을 파악하는 활동이다.

⓫ 지역 조사 과정은 '조사 계획 수립 → ( ) 수집 → 지역 정보 분석 → 보고서 작성'의 순서로 진행된다.

⓬ 지역 변화에 따른 문제를 해결하기 위해 지역의 ( )은(는) 각계각층의 의견을 수렴하여 실효성 있는 정책과 대안을 마련해야 한다.

한번 더 개념 반복 ✔

❷ 교과서 유사 선지 ZIP

다음 중 옳은 선지를 모두 고르시오.

1 도로가 건설되어 산림이 훼손되면서 녹지 면적은 증가하고 있다. ☐

2 고속 국도의 건설로 야생 동물이 자동차에 치여 목숨을 잃는 로드킬이 증가하고 있다. ☐

정답 | 2

❹~❺ 교과서 유사 선지 ZIP

다음 중 옳은 선지를 모두 고르시오.

1 내비게이션의 발달로 최단 경로 파악이 가능해졌다. ☐

2 GIS는 교통, 토지, 최적 입지 분석 등에 활용된다. ☐

정답 | 1, 2

❻ 교과서 유사 선지 ZIP

다음 중 옳은 선지를 모두 고르시오.

1 온라인을 통한 상거래가 증가하면서 택배 산업은 쇠퇴하였다. ☐

2 정보화로 인해 손쉽게 해외 온라인 쇼핑몰에 접속할 수 있게 되면서 해외 직접 구매가 증가하였다. ☐

정답 | 2

TIP

❽ 가상 공간에서는 익명성을 이용하여 쉽게 범죄를 일으킬 수 있고, 확인되지 않은 정보가 빠른 속도로 전파될 수 있기 때문에 심각한 범죄가 발생한다.

기출 기초 테스트

기본 기출 주제 ① 교통·통신 발달에 따른 변화

1-1 괄호 안에 들어갈 알맞은 말에 ○표 하시오.

생활 공간의 ❶(확대, 축소)

통근·통학권 확대, 대도시권 형성

경제 활동의 변화

- 경제 활동의 범위가 국제적으로 ❷(확장, 축소)됨.
- 국제 금융 거래의 활성화

문화 교류의 증가

- 해외여행 증가 → 다양한 문화 체험 기회 확대
- 세계의 다양한 정보 교류

정답 | ❶ 확대 ❷ 확장

1-2 그림을 통해 추론할 수 있는 내용으로 옳지 않은 것은?

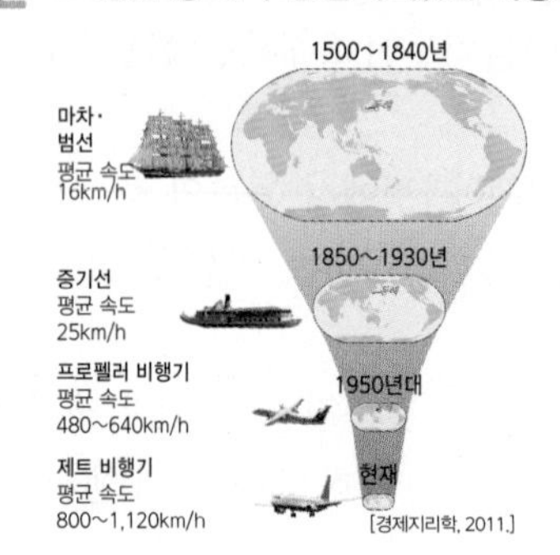

[경제지리학, 2011.]

① 생활 공간이 확대된다.
② 시·공간적 제약이 커진다.
③ 지역 간 접근성이 좋아진다.
④ 경제 활동의 범위가 확대된다.
⑤ 다른 나라로의 이동이 쉬워진다.

기본 기출 주제 ② 정보화에 따른 생활 양식의 변화

2-1 괄호 안에 들어갈 알맞은 말을 쓰시오.

정치·행정적 변화

- 시민의 정치 참여 증가
- 인터넷을 통한 민원 서류 발급

경제적 변화

- 원격 근무, 화상 회의를 통한 효율적 업무 수행
- (❶) 상거래 활성화

사회·문화적 변화

- 누리 소통망을 통한 쌍방향 교류
- (❷)적 인간관계로의 변화

정답 | ❶ 전자 ❷ 수평

2-2 다음 글의 주제로 가장 알맞은 것은?

아이슬란드는 무작위로 선출된 일반 시민들이 헌법 심의회를 구성해 헌법 개정안을 심사하는 방식을 채택하였다. 심의 내용은 인터넷을 통해 국민에게 전달되었고, 누리 소통망(SNS)을 통해 국민의 의견도 수렴하였다. 이 같은 과정을 거친 후, 개헌안은 2012년 국민 투표를 통해 가결되었다.

① 누리 소통망의 장점과 단점
② 정보화로 인한 정치 참여의 확대
③ 아이슬란드의 스마트폰 사용 정도
④ 정보화 발달의 문제점과 해결 방안
⑤ 쌍방향 소통으로 인한 인간관계 변화

기본 기출 주제 ③ 정보화에 따른 문제점과 해결 방안

3-1 괄호 안에 들어갈 알맞은 말을 쓰시오.

인터넷 중독
- 문제점: 인터넷 사용 조절 불가
- 해결 방안: 인터넷 중독 예방 및 치료

(❶)
- 문제점: 개인 정보 유출, 타인에 의한 감시
- 해결 방안: 개인 정보 관리 강화

(❷)
- 문제점: 가상 공간에서 일어나는 모든 범죄
- 해결 방안: 관련 법 강화, 정보 윤리 교육

정보 격차
- 문제점: 정보 소유와 접근 정도에 따른 격차 발생
- 해결 방안: 정보 기반 시설 확충, 정보화 교육 지원

정답 | ❶ 사생활 침해 ❷ 사이버 범죄

3-2 다음 사례에 나타난 정보화 사회의 문제점으로 가장 적절한 것은?

편의점에서 아르바이트를 하던 대학생 정○○ 군은 한 번도 매장에 나온 적 없는 주인에게 "근무 시간에 스마트폰만 만지지 말고 열심히 일을 하라."라는 꾸중을 들었다. 일주일쯤 뒤 정 군은 주인이 자신의 행동을 소상히 알고 있던 '비결'을 알고 깜짝 놀랐다. 주인은 매장에 설치된 폐회로 텔레비전(CCTV)을 통해 수시로 그를 보고 있었던 것이다.

① 정보 격차
② 인터넷 중독
③ 사생활 침해
④ 사이버 범죄
⑤ 지적 재산권 침해

기본 기출 주제 ④ 지역 조사

4-1 괄호 안에 들어갈 알맞은 말을 쓰시오.

의미	지역에 대한 자료를 수집하고 분석·종합하여 지역의 (❶)과 변화 양상, 문제 상황을 파악하는 활동
과정	조사 계획 수립 → 지역 정보 수집 → 지역 정보 분석 → (❷) 작성

정답 | ❶ 특성 ❷ 보고서

4-2 (가)~(라)를 지역 조사 과정의 순서대로 나열한 것은?

(가) 조사 주제와 지역, 방법을 선정한다.
(나) 수집된 자료를 조사 항목별로 구분하고 정리한다.
(다) 문헌, 설문 조사, 관찰 등을 통해 정보를 수집한다.
(라) 조사 방법, 조사 내용, 결론 등을 포함하여 보고서를 작성한다.

① (가)-(나)-(다)-(라)
② (가)-(다)-(나)-(라)
③ (나)-(가)-(라)-(다)
④ (다)-(가)-(나)-(라)
⑤ (다)-(라)-(나)-(가)

STEP 3 A 교과서 기본 테스트

01 다음과 같은 기업의 출장 문화 변화를 통해 알 수 있는 내용으로 적절한 것은?

1985년 ○월 ○일(1박 2일 일정)
06 : 30 ~ 10 : 50 새마을호를 타고 부산에서 서울로 이동
10 : 50 ~ 13 : 00 회의실 이동 후, 회의 준비 ……

2016년 ○월 ○일
06 : 30 ~ 09 : 00 고속 철도(KTX)를 타고 서울로 이동, 열차 안 근거리 무선망(Wi-Fi)을 이용하여 태블릿(tablet) 컴퓨터로 회의 준비
09 : 00 ~ 12 : 00 서울역 회의실에서 외국인과 업무 관련 회의
12 : 00 ~ 12 : 30 공항 철도를 타고 김포 공항으로 이동
12 : 30 ~ 13 : 30 김포 공항에서 점심 식사 후, 비행기 탑승
14 : 00 ~ 14 : 30 김해 공항 도착 후, 양산시 본사로 이동
18 : 00 ~ 퇴근 후, 부산 집으로 이동

① 통신의 발달로 업무 효율성이 낮아졌다.
② 서울-부산 간 물리적 거리가 줄어들었다.
③ 산업화로 인해 공동체 의식이 약화되었다.
④ 교통의 발달로 시·공간적 제약이 완화되었다.
⑤ 교통수단의 증가로 생물 다양성이 증가하였다.

02 그래프를 통해 유추할 수 있는 내용으로 옳은 것을 ‖ 보기 ‖에서 고른 것은?

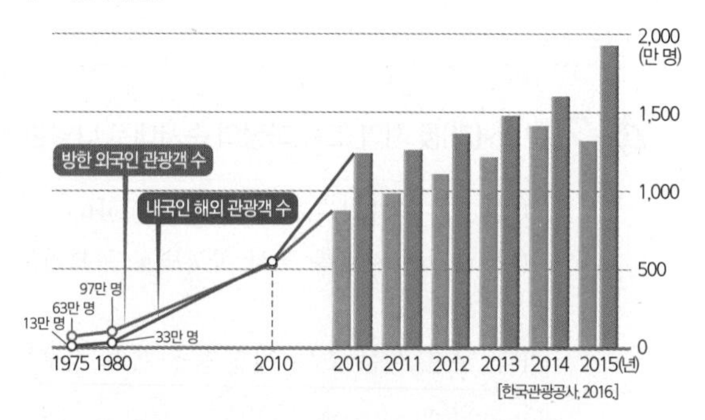

▲ 우리나라를 찾는 외국인 수와 해외로 나가는 우리나라 관광객 수

‖ 보기 ‖
ㄱ. 여가 공간이 축소되었다.
ㄴ. 국경의 의미가 강화되었다.
ㄷ. 항공 교통의 발달로 나타난 현상이다.
ㄹ. 다른 지역의 문화 체험 기회가 증가했다.

① ㄱ, ㄴ ② ㄱ, ㄷ ③ ㄴ, ㄷ
④ ㄴ, ㄹ ⑤ ㄷ, ㄹ

필수 주제 링크

03 지도에 대한 옳은 분석 및 추론을 ‖ 보기 ‖에서 고른 것은?

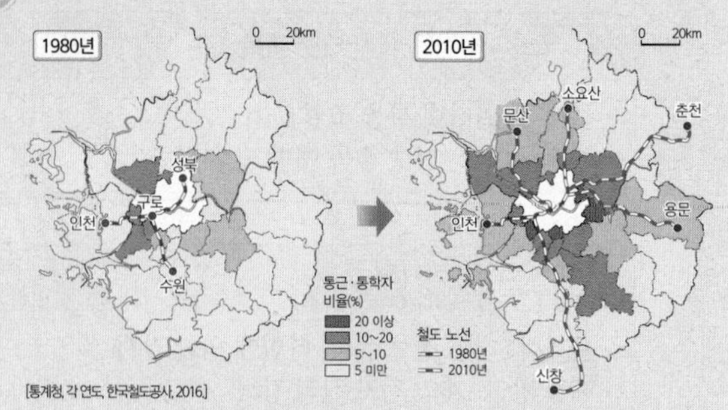

▲ 철도 노선 변화에 따른 서울로의 통근·통학권 변화

‖ 보기 ‖
ㄱ. 서울의 대도시권이 확대되었다.
ㄴ. 철도 노선의 총길이가 짧아졌다.
ㄷ. 서울-춘천 간 교류가 증가하였을 것이다.
ㄹ. 지도의 통근·통학자의 평균 이동 거리가 줄어들었을 것이다.

① ㄱ, ㄴ ② ㄱ, ㄷ ③ ㄴ, ㄷ
④ ㄴ, ㄹ ⑤ ㄷ, ㄹ

| 핵심 point | 철도 교통이 발달하면서 서울로의 통근·통학자의 비율이 증가하였다.

융합형 지리·역사

04 밑줄 친 ㉠~㉤에 대한 설명으로 옳지 않은 것은?

㉠ 강경은 조선 후기까지 금강 수운을 따라 상업이 발달하면서 대동강의 평양, 낙동강의 대구와 함께 ㉡ 전국 3대 시장으로 명성을 떨쳤다. 그러나 철도가 개통되면서 수운이 쇠퇴하자, ㉢ 강경의 중심 시가지는 포구에서 강경역으로 옮겨 갔다. 또한 ㉣ 충청 지방도 새로운 철도와 도로 등의 교통로를 중심으로 중심지가 재편되면서 강경의 명성은 줄어들었다. 그러나 오늘날 강경은 전국 최대의 젓갈 시장으로 부각되었다. 강경은 지역 대표 특산물인 젓갈을 활용하여 ㉤ '강경 젓갈 축제'를 개최하고 있다.

① ㉠: 과거 지역 경제의 중심지였다.
② ㉡: 교통이 발달한 곳 주변에는 상권이 발달한다.
③ ㉢: 교통 조건이 불리해지면 지역 경제는 쇠퇴한다.
④ ㉣: 수운 교통의 수요가 증가하였다.
⑤ ㉤: 지역의 특성을 살린 개발 전략이다.

정답과 해설 14쪽

05 다음 신문 기사에 나타난 문제를 해결하기 위한 방안으로 적절한 것을 | 보기 |에서 고른 것은?

매해 고속 국도에서 자동차에 치여 목숨을 잃는 야생 동물의 교통사고가 약 2,000건에 달한다고 한다. 이는 고속 국도의 건설로 야생 동물들의 서식지가 파괴되었거나 이동로가 단절되었기 때문이다.

| 보기 |
ㄱ. 생태 통로 건설
ㄴ. 선박 평형수 처리 장치 설치
ㄷ. '야생 동물 주의' 표지판 설치
ㄹ. 교통수단의 환경 오염 물질 배출 최소화

① ㄱ, ㄴ ② ㄱ, ㄷ ③ ㄴ, ㄷ
④ ㄴ, ㄹ ⑤ ㄷ, ㄹ

코딩형

06 다음 자료의 (가)에 들어갈 내용으로 가장 적절한 것은?

※다음 〈설명〉에 해당하는 용어의 글자를 퍼즐판에서 지운 후, 남은 글자를 모두 사용한 단어의 의미는?
→ (가)

〈설명 1〉 온라인상에서 사람과 사람을 연결해 주어 관계를 맺고 정보를 공유할 수 있는 서비스
〈설명 2〉 다양한 지리 정보를 수치화하여 컴퓨터에 입력·저장하고 이를 다양한 방법으로 분석·종합하여 제공하는 시스템

〈퍼즐판〉

템	위	리	통	누	치	스
정	소	인	스	지	망	리
성	시	보	위	확	템	시

① 인공위성을 활용하여 현재 위치를 알려주는 시스템
② 인터넷 사용을 스스로 조절하지 못하여 발생하는 문제
③ 대도시가 주변 중소 도시의 인구나 경제력을 흡수하는 현상
④ 선박의 균형을 유지하기 위해 선박 내부에 저장하는 바닷물
⑤ 정보의 소유와 접근 정도에 따라 발생하는 지역 간, 계층 간 격차

07 다음은 통합사회 수업의 한 장면이다. 교사의 질문에 적절하지 않은 대답을 한 학생은?

① 갑: 대면 접촉을 통한 공동체의 결속이 증가하고 있어요.
② 을: 가상 공간을 활용한 시민의 정치 참여가 늘어났어요.
③ 병: 인터넷을 통해 손쉽게 민원 서류를 발급받을 수 있게 되었어요.
④ 정: 회사에 나가지 않고도 자택에서 인터넷을 이용해 근무할 수 있게 되었어요.
⑤ 무: 다양한 집단과의 교류로 권위주의적 인간관계가 수평적 인간관계로 변화하였어요.

필수 주제 링크

08 그래프와 같은 추세가 계속될 때 나타날 수 있는 변화를 | 보기 |에서 고른 것은?

▲ 온라인 쇼핑 거래액 변화

| 보기 |
ㄱ. 택배 산업이 발달한다.
ㄴ. 무점포 상점 수가 늘어난다.
ㄷ. 쇼핑 활동의 시간 제약이 증가한다.
ㄹ. 상품 구매를 위해 소비자가 이동하는 거리가 늘어난다.

① ㄱ, ㄴ ② ㄱ, ㄷ ③ ㄴ, ㄷ
④ ㄴ, ㄹ ⑤ ㄷ, ㄹ

| 핵심 point | 정보화로 인해 전자 상거래가 확대되고 있다.

09 표는 계층에 따른 정보화 수준을 나타낸 것이다. 이를 바르게 분석한 것을 ▮보기▮에서 고른 것은?

구분	장애인	저소득층	농어민	장노년층
컴퓨터 기반 정보화 수준	86.2	87.7	72.2	77.4
스마트 정보화 수준	62.5	74.5	55.2	56.3

[미래창조과학부, 2015.]

* 각 수치는 일반 국민을 100으로 가정했을 때의 비교 수준임.

▮보기▮
ㄱ. 모든 국민이 정보화의 혜택을 동일하게 받고 있다.
ㄴ. 정보 격차는 지역 간보다 경제 계층 간에 더 크게 나타난다.
ㄷ. 장애인, 저소득층, 농어민, 장노년층은 모두 정보 소외 계층이다.
ㄹ. 위와 같은 양상이 계속되면 소득이나 부의 불평등이 나타날 수 있다.

① ㄱ, ㄴ ② ㄱ, ㄷ ③ ㄴ, ㄷ
④ ㄴ, ㄹ ⑤ ㄷ, ㄹ

10 그래프에 대한 설명으로 옳은 것은?

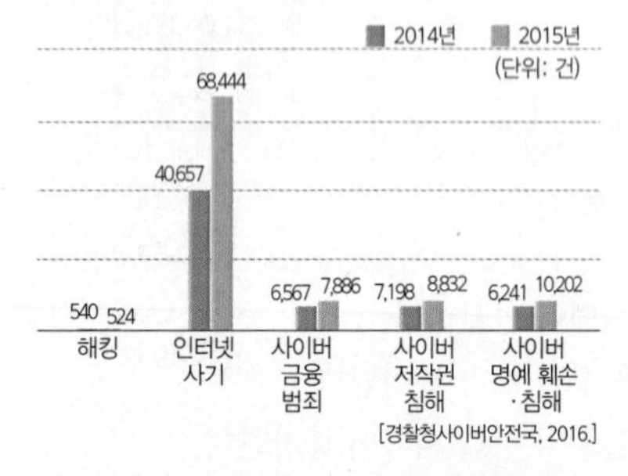

[경찰청사이버안전국, 2016.]

① 정보 격차를 보여 주는 그래프이다.
② 모든 영역에서 발생 건수가 증가하였다.
③ 정보화로 인한 긍정적 변화를 보여 준다.
④ 가상 공간에서의 익명성을 이용한 범죄가 나타나 있다.
⑤ 이 문제를 막기 위해서는 개인 정보 처리 과정을 공개해야 한다.

11 지역 조사 과정 중 (가), (나) 단계에 해당하는 옳은 활동을 ▮보기▮에서 고른 것은?

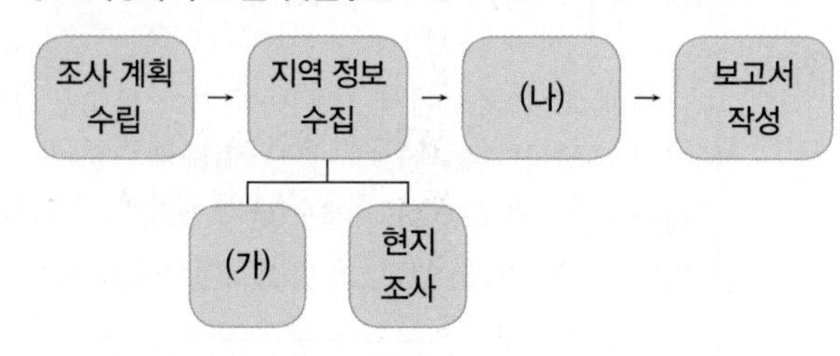

▮보기▮
ㄱ. '서울의 다문화'를 주제로 결정한다.
ㄴ. 다문화와 관련한 문헌 자료를 조사한다.
ㄷ. 답사 자료를 바탕으로 다문화 시설 분포도를 그린다.
ㄹ. 서울의 이태원을 중심으로 다문화 시설을 답사한다.

	(가)	(나)		(가)	(나)
①	ㄱ	ㄴ	②	ㄱ	ㄷ
③	ㄴ	ㄷ	④	ㄴ	ㄹ
⑤	ㄷ	ㄹ			

12 지도는 서울시 구로구 가리봉동의 변화 모습을 나타낸 것이다. 이 지역에서 나타날 수 있는 문제점을 해결하기 위한 적절한 방안을 ▮보기▮에서 고른 것은?

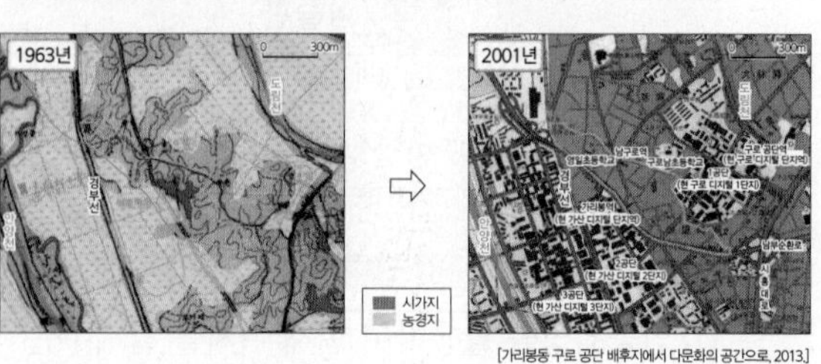

[가리봉동 구로 공단 배후지에서 다문화의 공간으로, 2013.]

▮보기▮
ㄱ. 녹지 공간을 조성한다.
ㄴ. 1차 산업의 비중을 늘린다.
ㄷ. 토지를 더욱 집약적으로 이용한다.
ㄹ. 문제를 해결하는 데 지역 주민의 의견을 반영한다.

① ㄱ, ㄴ ② ㄱ, ㄹ ③ ㄴ, ㄷ
④ ㄴ, ㄹ ⑤ ㄷ, ㄹ

13 자료는 교통수단의 발달에 따른 변화를 나타낸 것이다. 과거와 비교한 오늘날의 상대적 특징을 제시된 단어를 사용하여 서술하시오.

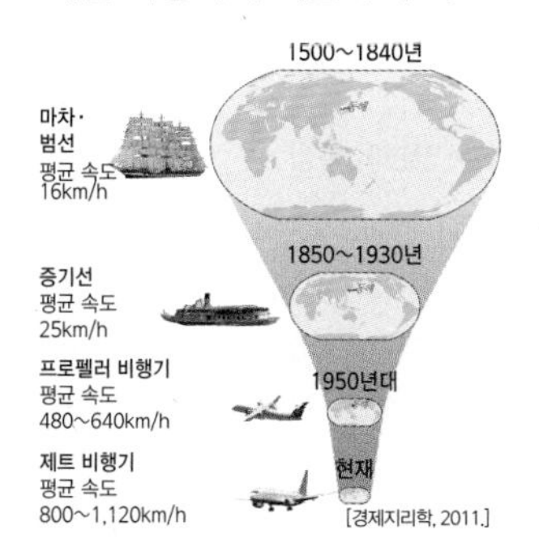

- 시간 거리
- 지역 간 접근성
- 지구의 상대적 크기

14 다음 글을 읽고 물음에 답하시오.

> 의료·문화계에서는 고속 철도의 개통으로 '서울 집중'이 심화하고 있다는 우려의 목소리가 나오고 있다. 지역 의료계 관계자는 "과거에는 지역 중소 병원에서 1차 진료 후 지역의 대학 병원으로 옮겨 치료했으나, 이제는 서울의 대형 병원으로 옮겨 가는 이들이 많아졌다."라고 말했다. 지역 공연·전시업계에서도 "서울에서 열리는 유명 작가의 전시회나 공연을 당일치기로 갔다 오는 분들이 늘어났다."라고 분위기를 전했다.

(1) 윗글에 나타난 현상을 일컫는 용어를 쓰시오.

(2) (1)의 문제가 나타난 원인을 서술하시오.

15 정보화에 따른 공간 이용 방식의 변화를 한 가지만 서술하시오.

16 정보화 취약 계층의 정보화 수준을 나타낸 그래프를 보고, 물음에 답하시오.

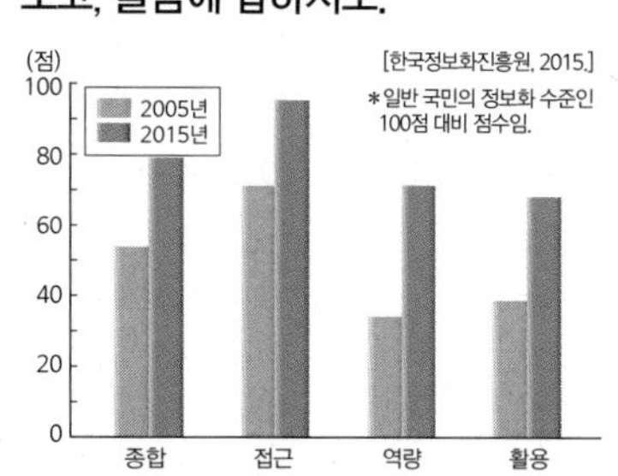

- 접근 부문: 정보 통신 기기(컴퓨터와 인터넷)의 보유 정도와 성능
- 역량 부문: 컴퓨터와 인터넷 사용 능력
- 활용 부문: 컴퓨터나 인터넷 이용률, 사용 시간, 이용의 다양성 등

(1) 그래프에 나타난 정보화로 인한 문제점을 쓰시오.

(2) 2015년 기준, 문제가 가장 심각한 부문을 쓰고, 그 문제를 해결하기 위한 방안을 서술하시오.

17 다음은 지역 조사 과정을 나타낸 표이다. (가), (나)에 들어갈 알맞은 조사 방법을 각각 두 가지씩 제시하시오.

단계	내용
조사 계획 수립	조사 주제와 지역, 방법을 선정함.
지역 정보 수집	• 실내 조사: (가) 을(를) 통해 지역 정보를 수집하고 현지 조사를 위한 준비를 함. • 현지(야외) 조사: (나) 을(를) 통해 직접 정보를 수집함.
지역 정보 분석	수집된 자료를 조사 항목별로 구분하고 정리함.
보고서 작성	조사 방법, 지역 변화 및 문제점, 해결 방안 등을 포함하여 보고서를 작성함.

07강 인권의 의미와 변화 양상

주제 01 인권의 의미와 특징

1. 인권의 의미 인간이라면 누구나 누릴 수 있는 기본적인 권리이며, 인간 존엄성을 보장받으며 행복하게 살아갈 권리

2. 인권의 특징 < 자료1

(1) 보편성 인종·종교·성별·사회적 신분 등에 관계없이 누구나 가지는 권리

(2) ㉠ ______ 태어나면서 하늘로부터 부여받아 지니는 당연한 권리

(3) 항구성 일정 기간만 주어지는 것이 아니라 영구히 보장되는 권리

(4) ㉡ ______ 남에게 양도할 수 없고, 누구도 침해할 수 없는 권리

정답 | ㉠ 천부성 ㉡ 불가침성

자료 Plus

자료1 > 인권의 특징

인류 구성원 모두가 원래부터 존엄성과 동등하고도 남에게 양도할 수 없는 권리를 가지고 있다는 점을 인정하는 것이 자유롭고 정의로우며 평화로운 세상을 이루는 밑바탕이 된다. - 〈세계 인권 선언〉(1948년) 전문 -

주제 02 인권 보장의 역사

08강 75쪽에서 기본권의 종류를 먼저 확인해 주세요!

1. 근대 이전 엄격한 신분 제도하에서 왕, 귀족, 성직자 등이 권력을 독점하고 다수의 평민은 차별을 받았음.

2. ㉠ ______

(1) 의미 봉건적 신분제에 의한 차별과 절대 군주의 억압에 맞서 시민들이 자유와 권리를 보장받기 위해 일으킨 혁명

(2) 배경 천부 인권 사상, 계몽사상, 사회 계약설 등의 확산과 상공업 발달 과정에서 부를 축적한 시민 계급의 영향력 증가

- 계몽사상: 인간의 합리적 이성에 따라 인간 생활의 진보를 이룰 수 있다고 보는 사상
- 사회 계약설: 사회나 국가가 자유롭고 평등한 개인들의 계약으로 발생하였다는 학설

(3) 발생

구분	관련 문서	의의
영국 ㉡ ______	권리 장전(1689)	의회가 왕의 권력을 제한, 의회 중심의 입헌 군주제 토대 마련
미국 독립 혁명	미국 독립 선언(1776)	영국의 식민 지배에 반발 → 천부 인권, 저항권, 국민 주권의 원리 등 보장
프랑스 혁명	프랑스 인권 선언(1789)	차별에 맞서 시민 계급이 주도 → 자유권, 재산권, 평등권, 국민 주권, 권력 분립 등 보장 < 자료2

- 입헌 군주제: 군주의 권력이 헌법에 의하여 일정한 제한을 받는 정치 체제
- 저항권: 국민의 기본권을 침해하는 국가 권력의 불법적 행사에 대해 그 복종을 거부하거나, 실력 행사를 통해 저항할 수 있는 권리

(4) 결과와 한계 ㉢ ______ 과 평등권이 보장되었지만, 직업, 재산, 성별 등에 따라 선거권이 제한됨.

3. ㉣ ______ **의 보장**

(1) 배경 시민 혁명 이후에도 참정권을 제한받던 노동자, 여성, 흑인 등이 참정권 확대 운동을 전개함. 예 영국 차티스트 운동(1838~1848년), 여성 참정권 운동(20세기 초) < 자료3

(2) 결과 20세기 이후 거의 모든 사람이 참정권을 보장받음.

정답 | ㉠ 시민 혁명 ㉡ 명예혁명 ㉢ 자유권 ㉣ 참정권

자료 Plus

자료2 > 프랑스 인권 선언 - 인간과 시민의 권리 선언(1789)

제1조 인간은 자유롭게, 그리고 평등한 권리를 가지고 태어난다.
제2조 모든 정치적 결사의 목적은 인간이 지닌 소멸할 수 없는 자연권을 보전하는 데 있다. 그 권리는 자유, 재산, 안전 및 압제에 대한 저항이다.
제3조 모든 주권의 원리는 본질적으로 국민에게 있다.
제6조 법은 일반 의지의 표현이다. 모든 시민은 직접 또는 대표를 통해서 법 제정에 참여할 수 있는 권리를 갖는다.

제1조는 천부 인권, 자유권, 평등권을, 제2조는 ❶ ______ 을, 제3조는 ❷ ______ 의 원리를, 제6조는 참정권을 보여 준다. 그러나 선거권의 주체는 시민(일정 이상의 재산을 가진 성인 남자)에 한정되었다.

자료3 > 영국 차티스트 운동

영국의 노동자들이 1832년 선거법 개정으로도 ❸ ______ 을 얻지 못하자 실시한 운동이다. 영국 성인 남성 노동자들은 보통 선거, 비밀 투표 등을 요구하였다.

정답 | ❶ 자연권 ❷ 국민 주권 ❸ 선거권

4. 사회권의 보장

(1) 배경 18세기 산업 혁명 이후 사회적 약자들은 열악한 노동 환경과 빈부 격차 등으로 최소한의 인간다운 생활을 유지하기 어려워짐.

(2) 관련 문서 독일 ㉠ ______ 헌법(1919)에 최초로 사회권이 명시되었고, 이는 이후 여러 국가에서 복지 국가 헌법을 제정하는 데 영향을 줌.

5. 연대권의 보장 < 자료4

(1) 연대권의 의미 지구촌 구성원 모두의 인권 보장을 위해 국제적인 연대와 협력을 중시하는 권리

(2) 배경 여성, 아동, 난민 등 인권 침해를 당하는 집단의 인권 보장을 위해 국제적 연대와 단결이 필요하다는 인식 확산

(3) 관련 문서 세계 인권 선언(1948)은 인권 보장의 국제적 기준과 포괄적인 인권을 제시하였고, 인권 의식 발전과 ㉡ ______ 확산에 기여하였음.

└ 국제 연합(UN)에서 제2차 세계 대전 이후, 평화 유지와 인권 보호를 위해 채택함.

정답 | ㉠ 바이마르 ㉡ 연대권

자료 Plus

자료4 > 카렐 바작의 '인권 3세대론'

- 1세대 인권: 신체의 자유, 사상·양심·종교의 자유, 집회·결사, 표현의 자유, 자유로운 선거를 통해 정부에 참여할 수 있는 권리
- 2세대 인권: 근로의 권리, 교육받을 권리, 사회 보장을 받을 권리, 인간다운 생활을 할 권리, 쾌적한 환경에서 생활할 권리
- 3세대 인권: 자결권, 발전의 권리, 평화의 권리, 재난으로부터 구제받을 권리, 지속 가능한 환경에 대한 권리

└ 자결권: 자기 집단의 일을 자유롭게 결정할 권리

1세대 인권은 ❶ ______ 중심, 2세대 인권은 ❷ ______ 중심, 3세대 인권은 연대권(집단권) 중심의 인권이다.

정답 | ❶ 자유권 ❷ 사회권

주제 03 현대 사회의 인권

1. 현대 사회에서의 인권 확장

(1) 배경 인권 의식의 성장과 사회 변화(특히 도시 환경의 변화)로 새롭게 요구되는 인권이 등장함.

└ 도시 환경의 변화: 많은 인구가 상대적으로 좁은 지역에 밀집 → 다양한 문제 발생

(2) 양상 인권이 보장하는 권리의 범위가 넓어지고, 그 내용도 구체화됨.

2. 현대 사회에서 확장된 인권 < 자료5

주거권	• 의미: 쾌적하고 안정적인 주거 환경에서 인간다운 주거 생활을 할 권리 • 배경: 주택 부족, 주거비 증가, 열악한 주거 환경 • 정책: 주거기본법을 통해 최저 주거 기준 설정, 주거비 지원 및 유지 등
㉠ ______	• 의미: 각종 위험으로부터 안전을 보호받을 권리 • 배경: 재해, 전염병, 범죄 등의 증가 • 정책: 재난 및 안전 관리 기본법을 통해 재난 안전 관리 정책 실시 등
환경권	• 의미: 건강하고 쾌적한 환경에서 살아갈 권리 • 배경: 대기 및 수질 오염, 각종 환경 문제 발생 • 정책: 환경 정책 기본법을 통해 환경 보전 의무를 법으로 규정
㉡ ______	• 의미: 누구나 문화생활에 참여하고, 자신의 문화적 정체성을 유지·표현할 권리 • 배경: 여가 시간 증대, 사회적 약자의 문화생활 기회 제한 • 정책: 문화 예술 진흥법을 통한 문화 예술 복지 정책 시행, 문화누리 카드 지원 등
㉢ ______ < 자료6	• 의미: 인터넷에서 유통되는 자신의 개인 정보를 삭제·수정해 달라고 요청할 권리 • 배경: 정보화, 개인 정보 유통에 따른 사생활 침해 • 이슈: 당사자의 '잊힐 권리'와 국민의 '알 권리'가 대립

정답 | ㉠ 안전권 ㉡ 문화권 ㉢ 잊힐 권리

자료 Plus

자료5 > 헌법에서 보장하는 현대 사회의 인권

제34조 ⑥ 국가는 재해를 예방하고 그 위험으로부터 국민을 보호하기 위하여 노력하여야 한다.

제35조 ① 모든 국민은 건강하고 쾌적한 환경에서 생활할 권리를 가지며, 국가와 국민은 환경 보전을 위하여 노력하여야 한다.

제35조 ③ 국가는 주택 개발 정책 등을 통하여 모든 국민이 쾌적한 주거 생활을 할 수 있도록 노력하여야 한다.

헌법 제34조 ⑥은 안전권을, 제35조 ①은 ❶ ______을, 제35조 ③은 ❷ ______을 보장한다.

자료6 > '잊힐 권리'와 '알 권리'

'잊힐 권리'는 개인 정보가 인터넷상에서 공개되어 고통받는 사람들에게 도움을 줄 수 있지만, 정치인을 비롯한 개인 혹은 기업이 자신에게 유리한 정보만 남겨 두고 불리한 정보는 삭제하여 국민의 '알 권리'를 침해할 수 있다.

정답 | ❶ 환경권 ❷ 주거권

개념 어휘 테스트

정답과 해설 16쪽

반복 점검 시기_ ☐10분 후 ☐1일 후 ☐7일 후 ☐한 달 후

빈칸으로 바로 점검

❶ (   )(이)란, 인간이라면 누구나 누릴 수 있는 기본적 권리이다.

❷ 인권이 남에게 양도할 수 없는 권리라는 점은 인권의 (   )을(를) 나타낸다.

❸ (   )은(는) 천부 인권 사상, 계몽사상, 사회 계약설 등의 영향을 받아 발생하였다.

❹ 영국 명예혁명, 미국 독립 혁명, 프랑스 혁명으로 자유권과 (   )이(가) 보장되었지만, 직업·재산·성별에 따라 선거권이 제한되어 (   )을(를) 행사하지 못하는 사람이 많았다.

❺ 19세기 영국의 노동자들은 보통 선거와 비밀 투표를 요구하는 운동인 (   ) 운동을 전개하였다.

❻ (   )에서는 자신의 인권만이 아닌 지구촌 구성원 모두의 인권 보장을 위해 함께 노력해야 한다는 의미로 (   )을(를) 강조하였다.

❼ 프랑스 법학자 카렐 바작의 '인권 3세대론'에 따르면, 1세대 인권은 시민·정치적 권리인 (   ), 2세대 인권은 경제·사회·문화적 권리인 (   ), 3세대 인권은 (   )에 해당한다.

❽ (   )은(는) 물리적·사회적 위험에서 벗어나 쾌적하고 안정적인 주거 환경에서 인간다운 주거 생활을 할 권리이다.

❾ (   )은(는) 쾌적하고 건강한 환경에서 살 권리이다.

선 긋기로 바로 점검

(1) 프랑스 혁명 •　　　　• ㉠ 최초의 사회권 명시
(2) 바이마르 헌법 •　　　　• ㉡ 노동자들의 보통 선거 주장
(3) 차티스트 운동 •　　　　• ㉢ 자유권, 평등권, 재산권 보장

한번 더 개념 반복

TIP
❷ 인권의 특징으로는 보편성, 천부성, 항구성, 불가침성이 있다.

ZIP ❷ 교과서 유사 선지
다음 중 옳은 선지를 모두 고르시오.
1 인권은 특정 계층에게만 주어진다. ☐
2 인권은 영구히 보장된다. ☐
정답 | 2

ZIP ❹ 교과서 유사 선지
다음 중 옳은 선지를 모두 고르시오.
1 영국 명예혁명으로 의회가 왕의 권력을 제한하였다. ☐
2 미국 독립 선언에 국민 주권의 원리, 저항권 등을 규정하였다. ☐
3 프랑스 혁명으로 모든 사람이 참정권을 행사하게 되었다. ☐
정답 | 1, 2

TIP
❽~❾ 현대 사회에서 새롭게 요구되는 인권으로는 주거권, 안전권, 환경권, 문화권, 잊힐 권리 등이 있다.

ZIP 교과서 유사 선지
다음 중 옳은 선지를 모두 고르시오.
1 인간과 시민의 권리 선언에는 자유권, 평등권이 명시되어 있다. ☐
2 20세기 이후 거의 모든 사람이 참정권을 보장받았다. ☐
정답 | 1, 2

기출 기초 테스트

정답과 해설 16쪽

기본 기출 주제 ① 인권의 의미와 특징

1-1 괄호 안에 들어갈 알맞은 말을 쓰시오.

(❶)	인간이라면 누구나 누릴 수 있는 기본적인 권리로, 인간존엄성을 보장받으며 행복하게 살아갈 권리
인권의 특징	• (❷): 인종·종교·성별 등에 관계없이 누구나 가지는 권리 • 천부성: 태어나면서 하늘로부터 부여받아 지니는 당연한 권리 • (❸): 영구히 보장되는 권리 • 불가침성: 남에게 양도할 수 없고, 누구도 침해할 수 없는 권리

정답 | ❶ 인권 ❷ 보편성 ❸ 항구성

1-2 밑줄 친 ㉠~㉢에 대한 옳은 설명을 ▮보기▮에서 고른 것은?

> ㉠ 인류 구성원 모두가 ㉡ 원래부터 존엄성과 동등하고도 남에게 ㉢ 양도할 수 없는 권리를 가지고 있다는 점을 인정하는 것이 자유롭고 정의로우며 평화로운 세상을 이루는 밑바탕이 된다.
>
> – 〈세계 인권 선언〉 (1948년) 전문 –

▮ 보기 ▮
ㄱ. ㉠에 범죄자는 해당하지 않는다.
ㄴ. ㉠에는 인권의 보편성이 나타난다.
ㄷ. ㉡에는 천부 인권 사상이 나타난다.
ㄹ. ㉢에는 자유권만 해당된다.

① ㄱ, ㄴ ② ㄱ, ㄷ ③ ㄴ, ㄷ
④ ㄴ, ㄹ ⑤ ㄷ, ㄹ

기본 기출 주제 ② 인권 보장의 역사 - 시민 혁명

2-1 괄호 안에 들어갈 알맞은 말에 ○표 하시오.

영국 명예혁명
권리 장전 → ❶(의회, 국왕)의 권력을 제한함.

미국 독립 혁명
영국의 식민 지배에 따른 차별에 항의 → 국민 ❷(주권, 권력 분립)의 원리, 저항권 등을 규정

프랑스 혁명
신분제의 모순을 자각한 ❸(시민, 귀족) 계급이 주도한 혁명 → 자유권, 평등권, 권력 분립 등을 규정

정답 | ❶ 국왕 ❷ 주권 ❸ 시민

2-2 (가)~(다)에 대한 설명으로 옳은 것은?

> (가) 영국 명예혁명
> (나) 미국 독립 혁명
> (다) 프랑스 혁명

① (가)를 통해 의회의 권력이 제한되었다.
② (나)는 (가)의 계기가 되었다.
③ (다)로 모든 사람의 참정권이 보장되었다.
④ (다)와 달리 (나)는 천부 인권 사상을 중시하였다.
⑤ (가)~(다) 모두 계몽사상의 영향을 받았다.

STEP 3 A 교과서 기본 테스트

필수 주제 링크

01 밑줄 친 ㉠의 특징을 바르게 설명한 학생은?

> ㉠ 이것은 인간이 스스로의 존엄성을 유지하며 살아갈 수 있도록 하는 기본적인 권리이다. 어떤 사회가 민주주의 사회로 발전해 온 역사는 ㉠ 이것이 확립되고 확대되어 온 역사라고 볼 수 있다.

① 갑 ② 을 ③ 병 ④ 정 ⑤ 무

| 핵심 point | 인권의 특징으로는 보편성, 천부성, 항구성, 불가침성이 있다.

02 다음은 카렐 바작의 '인권 3세대론'을 나타낸 표이다. (가)~(다)에 들어갈 내용으로 옳은 것은?

구분	내용
1세대 인권	• 신체의 자유 • (가)
2세대 인권	• 노동할 수 있는 권리 • (나)
3세대 인권	• (다)

① (가): 쾌적한 환경에서 살 권리
② (가): 인도주의적 재난 구제를 받을 권리
③ (나): 평화에 관한 권리
④ (나): 교육을 받을 권리
⑤ (다): 집회 및 결사, 표현의 자유

03 다음은 프랑스 인권 선언의 일부이다. 이에 대한 옳은 설명을 | 보기 |에서 고른 것은?

> **제1조** 인간은 자유롭고 평등한 권리를 지니고 태어나서 살아간다. 사회적 차별은 오로지 공공 이익에 근거할 때에만 허용될 수 있다.
> **제2조** 모든 정치적 결사의 목적은 인간이 지닌 소멸할 수 없는 자연권을 보전하는 데 있다. 이러한 권리로서는 자유권과 재산권과 신체 안전에 관한 권리와 억압에 관한 저항권이다.

| 보기 |
ㄱ. 천부 인권을 언급하였다.
ㄴ. 여성들의 인권을 강조하였다.
ㄷ. 사회 계약설의 영향을 받았다.
ㄹ. 평등권과 사회권을 최초로 명시하였다.

① ㄱ, ㄴ ② ㄱ, ㄷ ③ ㄴ, ㄷ
④ ㄴ, ㄹ ⑤ ㄷ, ㄹ

창의형

04 다음은 프랑스의 어느 시대에 작성된 가상의 글이다. 당시 시대 상황에 대한 설명으로 옳은 것은?

> 오늘날 우리나라는 제1 신분과 제2 신분인 사람만을 위한 나라이다. 그들은 막대한 토지와 재산을 소유하면서도 세금을 내지 않으며 각종 특혜를 누리고 있다. 전체 인구의 2%밖에 되지 않는 그들은 나머지 98%에 해당하는 제3 신분보다 많은 것을 누리고 있으니, 이것이야말로 구제도의 모순적 상황이다.
> * 제1 신분은 성직자, 제2 신분은 귀족, 제3 신분은 시민 계급, 농민, 노동자 등이다.

① 제3 신분의 정치 참여가 보장되었다.
② 신분과 상관없이 경제적 자유가 보장되었다.
③ 제1 신분과 제2 신분의 참정권은 제한되었다.
④ 영국 명예혁명이 발생하게 되는 직접적인 계기가 되었다.
⑤ 경제적으로 성장한 시민 계급을 중심으로 혁명이 발생하는 계기가 되었다.

정답과 해설 16쪽

융합형 사회·역사

05 다음 자료의 (나)는 (가) 사건 당시 선언된 인민헌장 내용의 일부이다. 이에 대한 설명으로 옳은 것은?

(가)	(나)
	• 비밀 투표 보장 • 의원에 대한 보수 지급 • 의원 출마자의 재산 자격 제한 폐지 • (㉠)

① (가) 이후 참정권의 범위는 축소되었다.
② (가) 당시 참정권은 소수에게만 독점적으로 부여되고 있었다.
③ (가)는 노동자들이 자신들의 사회권을 보장받기 위한 운동이었다.
④ ㉠에는 '성인 여성의 보통 선거권 인정'이 들어갈 수 있다.
⑤ ㉠에는 '연령에 상관없이 모든 사람에게 투표권 인정'이 들어갈 수 있다.

06 (가), (나)는 인권과 관련된 선언문 중 일부이다. 이에 대한 옳은 설명을 ‖보기‖에서 고른 것은?

(가) 인간은 자유롭고 평등한 권리를 지니고 태어나서 살아간다. 사회적 차별은 오로지 공공의 이익에 근거할 때에만 허용될 수 있다.
(나) 모든 사람에게는 사회의 일원으로서 사회 보장을 요구할 권리가 있으며, 자신의 존엄성과 자신의 인격의 자유로운 발전에 필수 불가결한 경제·사회적·문화적 권리를 실현할 자격이 있다. …… 모든 사람에게는 이 선언에서 규정된 권리와 자유가 완전히 실현될 수 있는 사회적이고 국제적인 질서를 요구할 권리가 있다.

‖ 보기 ‖
ㄱ. (나)는 제2차 세계 대전 이후 채택되었다.
ㄴ. (가)는 프랑스 인권 선언, (나)는 영국의 권리 장전이다.
ㄷ. (가), (나) 모두 인간으로서 보장받아야 할 인권을 강조하고 있다.
ㄹ. (가)는 (나)와 달리 인권 문제 해결을 위한 인류 공동의 노력을 강조하였다.

① ㄱ, ㄴ ② ㄱ, ㄷ ③ ㄴ, ㄷ
④ ㄴ, ㄹ ⑤ ㄷ, ㄹ

필수 주제 링크

07 다음 자료에 대한 설명 및 분석으로 옳은 것은?

(가) 프랑스 혁명	천부 인권, 사유권, 저항권 등이 명시된 인권 선언이 발표되었다.
(나) 명예혁명	의회가 전제 군주를 폐위하였으며, 메리와 윌리엄이 (㉠)을(를) 승인하였다.
(다) 바이마르 헌법 제정	산업 혁명 이후 자본주의의 발달에 따라 빈부 격차와 빈곤 등 사회 불평등이 심화되자, (㉡)을(를) 보장하고자 제정되었다.

① (가)의 결과 여성의 선거권이 보장되었다.
② (나)의 발생 원인으로는 차티스트 운동을 들 수 있다.
③ (나)-(가)-(다) 순으로 사건이 전개되었다.
④ ㉠에는 의회의 권리를 약화시킨다는 내용이 담겨 있다.
⑤ ㉡은 참정권이다.

| 핵심 point | 독일 바이마르 헌법은 최초로 사회권을 명시했다는 점에서 그 의의가 있다.

신유형

08 다음은 사회 수업 시간에 교사가 수업 자료로 제시한 신문 기사의 제목들이다. 해당 수업의 주제로 가장 적절한 것은?

✓ 인권은 최고의 아동·청소년 복지
✓ 녹색 도시가 인권이다
✓ 이주 여성의 안전권을 보장하라
✓ 주택 정책, '공급 확대'에서 '주거 복지'로 전환
✓ 문화권, 모든 국민이 차별 없이 누릴 권리

① 인권이 확립된 역사적 과정
② 오늘날 새롭게 강조되는 인권
③ 다양한 계층의 참정권 확보 노력
④ 사회적 약자를 위한 평등권 보호 노력
⑤ 타인에게 간섭받지 않고 자유롭게 생활할 권리

09 ㉠, ㉡에 해당하는 인권에 대한 옳은 설명을 **보기** 에서 고른 것은?

- 인구 밀도가 높은 도시에서 전염병이나 재해가 발생한다면 피해가 크므로, 정부가 (㉠   )의 보장을 위해 다양한 노력을 해야 한다.
- 다문화 사회의 이주민은 모국의 언어, 음식, 종교 등을 자유롭게 누릴 권리가 제한될 때가 많다. 따라서 이들의 (㉡   )을(를) 보장하기 위한 지원이 필요하다.

보기

ㄱ. ㉠은 생명과 안전을 위협하는 여러 위험으로부터 안전할 권리이다.
ㄴ. ㉠은 안전권, ㉡은 주거권이다.
ㄷ. ㉠, ㉡ 모두 인권 의식이 향상됨에 따라 등장하였다.
ㄹ. ㉡은 ㉠과 달리 사회 구성원 모두에게 보장되어야 한다.

① ㄱ, ㄴ ② ㄱ, ㄷ ③ ㄴ, ㄷ
④ ㄴ, ㄹ ⑤ ㄷ, ㄹ

10 다음 자료의 ㉠에 들어갈 인권과 그 등장 배경으로 옳은 것은?

※ 현대 사회에서 강조되는 인권 중 (㉠   )와(과) 관련된 사례

위 사진은 국제 아동 인권 센터가 고안한 시설물인 '옐로 카펫'이다. 옐로 카펫은 아이들의 교통사고 위험이 높은 건널목에 만들고, 아이들을 이 영역으로 유인해 차분하게 보행 신호를 기다리게 한다. 동시에 운전자에게는 앞에 아이가 있다는 사실을 환기시킨다.

① 주거권 – 빈곤층의 주거 문제 심화
② 환경권 – 각종 환경 오염 문제 심화
③ 안전권 – 범죄 및 각종 사고의 증가
④ 문화권 – 노동 시간의 증가와 여가의 감소
⑤ 안전권 – 특정 계층에 대한 정치 참여 제한

필수 주제 링크

11 다음 글에서 갑국이 중시한 권리로 가장 적절한 것은?

갑국 정부는 인터넷에 남아 있는 자신의 정보를 삭제할 수 있는 장치를 충분히 마련하지 않았다는 이유로 인터넷 기업 ○○에 벌금을 부과했다. ○○이 갑국 내 검색 엔진에서만 정보를 삭제하고 다른 나라 도메인에 남아 있는 정보는 삭제하지 않았다는 이유 때문이다.

① 주거권 ② 안전권 ③ 문화권
④ 알 권리 ⑤ 잊힐 권리

| 핵심 point | 잊힐 권리는 인터넷상에서 유통되는 정보, 특히 개인 정보를 당사자가 삭제하거나 수정해 달라고 요청할 권리이다.

코딩형

12 다음 〈게임 방법〉에 따라 나온 최종 도착 지점을 게임판의 ㉠~㉤에서 고른 것은?

〈게임 방법〉
- 아래 자료의 (가)에 관한 질문의 답으로 '예'는 두 칸, '아니요'는 한 칸 앞으로 전진한다.
- ㉠~㉤ 중 한 지점에 도착하면 놀이는 종료된다.

시작 ➡	시대에 따라 그 구체적 내용이 변해 왔는가?	㉠	함부로 제한하거나 침해되어서는 안 되는가?
			㉡
			바이마르 헌법에서 최초로 연대권이 명시되었는가?
㉤	㉣	최근 도시 환경의 변화와 관련하여 새롭게 요구되는 인권이 있는가?	㉢

(가) 은(는) 인간으로서 마땅히 누려야 할 기본적 권리로, 인류의 역사에서 (가) 은(는) 아무 노력 없이 주어진 것이 아니라 많은 사람들의 노력과 희생의 대가로 얻은 것이다.

① ㉠ ② ㉡ ③ ㉢ ④ ㉣ ⑤ ㉤

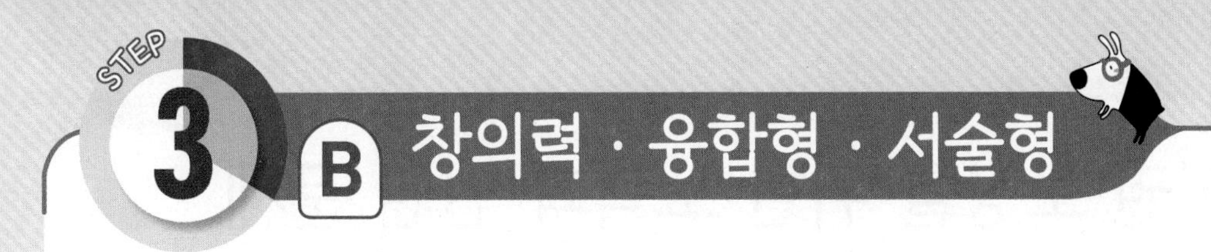

13 다음 자료를 보고 물음에 답하시오.

> (가) 19세기 영국의 노동자들은 참정권 보장을 요구하면서 차티스트 운동을 전개하였다.
> (나) 프랑스 혁명은 시민이 주도하였으며, 관련 문서로는 '인간과 시민의 권리 선언'이 있다.
> (다) 미국 독립 혁명은 미국이 영국의 전제와 차별에 항의하며 일으킨 것으로, 관련 문서로는 '미국 독립 선언'이 있다.
> (라) 영국은 명예혁명을 통해 왕의 권리를 제한하는 내용을 권리 장전에 포함하였다.

(1) (가)~(라)를 시대순으로 나열하시오.

(2) (나), (다)의 결과 발표된 인권 선언에 담긴 내용을 각각 두 가지씩 서술하시오.

(3) (나)~(라)가 갖는 의의를 서술하시오.

14 인권 보장의 역사적 측면에서 (가), (나)가 갖는 의의를 제시된 단어를 사용하여 서술하시오.

(가)

▲ 바이마르 헌법

(나)

▲ 세계 인권 선언

• 사회권 • 연대권

15 밑줄 친 ㉠이 나타나게 된 배경을 서술하시오.

> 1893년 뉴질랜드에서 최초로 여성에게 참정권이 부여된 이후, 여러 나라에서 ㉠ 여성 참정권 확대 운동이 전개되었다.

16 밑줄 친 ㉠~㉢에 해당하는 인권을 각각 한 가지씩 서술하시오.

> 체코 출신의 프랑스 법학자 카렐 바작은 1979년 ㉠ 1세대 인권, ㉡ 2세대 인권, ㉢ 3세대 인권이라는 말을 처음 쓰기 시작했다. 이는 프랑스 혁명의 기조인 '자유 · 평등 · 박애'에 따른 것이다.

17 다음 자료와 가장 관련이 깊은 인권을 쓰고, 그 의미를 제시된 단어를 모두 사용하여 서술하시오.

◀ 문화 누리 카드

• 차별 • 접근 • 정체성

08강 인권 보장을 위한 노력과 인권 문제

주제 01 인권 보장을 위한 헌법상의 제도적 장치

1. 인권과 헌법

(1) 인권 우리 헌법은 인권을 기본권이라는 이름으로 규정함.

(2) ㉠ ( ) 국가의 최고법이자 가장 상위법으로, 국민의 기본적 인권의 내용과 이를 보장하기 위한 다양한 제도적 장치를 명시함.

(3) 입헌주의 통치 및 공동체의 모든 생활이 헌법에 따라 이루어져야 한다는 정치 원리

2. 인권 보장을 위한 헌법상의 제도적 장치

㉡ ( ) 제도	국가 권력을 여러 기관이 나누어 가지게 함으로써 서로 견제하고 균형을 이루도록 함. ◀ 자료1
㉢ ( )의 원리	주권이 국민에게 있다는 원리로, 국민 투표나 선거를 통해 실현함. ◀ 자료2 헌법 개정이나 중요 정책에 대해서는 국민 투표를 통해 국민의 의사를 직접 반영함.
법치주의	국가의 운영을 ㉣ ( )에 근거하여 수행해야 한다는 통치 원리 → 국가 권력을 법에 구속함.
복수 정당제	두 개 이상의 정당을 인정하는 제도로, 정당 설립 및 활동의 자유를 보장함. → 국민의 정치적 견해의 반영과 정권의 평화적 교체 가능성을 보장
민주적 선거 제도	국민이 선거를 통해 국가를 운영할 국민의 대표자를 선출함. → 국민의 의사와 이익을 정치에 반영
기본권 구제 제도	법원의 재판, 헌법재판소의 위헌 법률 심판이나 헌법 소원 심판 등을 통해 인권을 침해받은 국민이 권리를 구제받게 하고, 이를 위한 인권 보호 기관을 둠.

정답 | ㉠ 헌법 ㉡ 권력 분립 ㉢ 국민 주권 ㉣ 법률

자료 Plus

자료1 > 우리나라의 권력 분립 제도

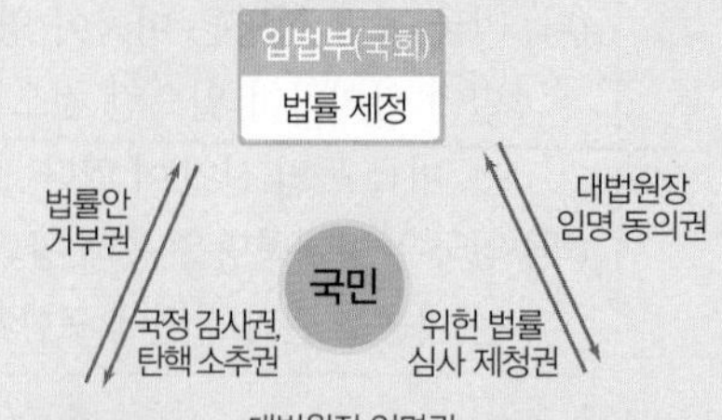

우리나라는 헌법에 삼권 분립주의를 규정하였다. 이는 국민의 ❶ ( )을 보장하기 위한 것으로, 권력의 집중이나 남용을 막는다.

자료2 > 국민 주권의 원리 헌법 조항

> 제1조 ② 대한민국의 주권은 국민에게 있고, 모든 권력은 국민으로부터 나온다.

정답 | ❶ 기본권

주제 02 인권 보장을 위한 국가 기관

1. ㉠ ( )

(1) 역할 최고법인 헌법에 비추어 법률이나 공권력이 기본권을 침해했다고 판단될 때 위헌 결정을 내려 국민의 인권을 지켜 줌. ◀ 자료3

(2) 국민의 기본권 구제를 위한 역할

㉡ ( ) 심판	법원이 재판 중인 사건에서 다루는 법률이 헌법에 위반되는지 여부를 심사해 달라고 요청했을 때, 이를 심판하는 것
헌법 소원 심판	국민이 공권력이나 법률에 의해 기본권을 침해당하여 구제를 신청했을 때, 그 위헌 여부를 심판하는 것

2. 국가인권위원회 일상생활에서 인권 침해가 발생했을 때 이를 조사·구제함.

3. 국민권익위원회 고충 민원 처리 및 불합리한 행정 제도 개선

정답 | ㉠ 헌법재판소 ㉡ 위헌 법률

자료 Plus

자료3 > 헌법재판소의 역할

> A 씨는 구치소에 수감되어 추가 사건에 대한 재판을 받던 중, 구치소가 교정 시설 안에서 실시하는 종교 집회에 참석하는 기회를 제한하자 "종교의 자유 등을 침해당했다."라며 ❶ ( )을 청구하였다. 이 청구에 대해 헌법재판소는 위헌 결정을 내렸다.
> -《○○신문》, 2015. 6. 25. -

헌법재판소는 헌법 재판을 통해 인권 보장의 최후의 보루와 같은 역할을 한다.

정답 | ❶ 헌법 소원 심판

주제 03 우리나라 헌법이 보장하는 기본권

1. 헌법에 명시된 기본권

천부 인권적 특징을 가지므로 헌법에 규정이 없는 자유권이라도 보장하는 포괄적 권리임.

㉠	국가로부터 개인의 자유로운 생활이나 활동을 간섭받지 않을 권리 예 신체의 자유, 종교의 자유, 집회·결사의 자유 등
평등권	사회생활에서 인종·성별·종교·신분·장애 등 불합리한 기준에 의해 차별받지 않고 동등하게 대우받을 권리 예 법 앞에서의 평등, 차별받지 않을 권리
㉡	국가의 의사 결정 과정에 참여할 수 있는 정치적 권리 예 선거권, 공무 담임권, 국민 투표권 등 (공무 담임권: 국가의 공적인 일을 맡을 수 있는 권리)
㉢	국가에 인간다운 삶을 위한 조건을 요구할 수 있는 권리 예 교육을 받을 권리, 근로의 권리, 사회 보장을 받을 권리 등
청구권 < 자료4	다른 기본권이 침해되었을 때, 이를 구제받고 보상받을 권리 예 청원권, 재판 청구권, 국가 배상 청구권, 형사 보상 청구권 등

청구권: 다른 기본권 침해의 구제를 요구할 수 있는 수단적 권리

2. 기본권 제한의 근거와 한계 < 자료5

(1) 기본권의 제한 국가 안전 보장, 질서 유지, 공공복리를 위하여 필요한 경우에 한하여, 국회에서 제정된 ㉣ 로써 제한할 수 있음.

(2) 기본권 제한의 한계 제한하는 경우에도 자유와 권리의 본질적인 내용은 침해할 수 없음.

정답 | ㉠ 자유권 ㉡ 참정권 ㉢ 사회권 ㉣ 법률

자료 Plus

자료4 > 청구권의 종류

❶	국가 기관에 일정한 사항을 문서로 요구할 수 있는 권리
국가 배상 청구권	공무원의 직무상 불법 행위로 피해를 보았을 때 국민이 국가를 상대로 배상을 청구할 수 있는 권리
형사 보상 청구권	형사 사건으로 구속된 피의자가 불기소 처분을 받거나, 피고인이 무죄 판결을 받았을 때 그가 입은 물리적·정신적 피해의 보상을 청구할 수 있는 권리

자료5 > 기본권 제한의 근거와 한계

제37조 ② 국민의 모든 자유와 권리는 국가 안전 보장·질서 유지 또는 공공복리를 위하여 필요한 경우에 한하여 법률로써 제한할 수 있으며, 제한하는 경우에도 자유와 권리의 본질적인 내용을 침해할 수 없다.

(목적상의 한계: 국가 안전 보장·질서 유지 또는 공공복리 / 방법상의 한계: 필요한 경우에 한하여 / 형식상의 한계: 법률로써 / 내용상의 한계: 자유와 권리의 본질적인 내용을 침해할 수 없다)

정답 | ❶ 청원권

주제 04 준법 의식과 시민 참여

1. ㉠

법치주의를 실현하는 데 필요함.

의미	시민 스스로 법이나 규칙을 지키고자 하는 의식
기능	• 개인적 측면: 개인의 권리와 이익 보호, 자유 보장 • 사회적 측면: 갈등 방지 및 조정, 사회 질서 유지, 사회 정의와 공동선 실현, 국가 공동체 유지

2. ㉡ < 자료6

(1) 의미 시민이 직접 정치 과정이나 사회의 공공 문제에 적극 개입하여 영향을 미치는 행위

(2) 필요성 ㉢ 의 보완, 국가 권력 남용 방지, 인간존엄성 보장, 정의로운 사회 실현

(㉢의 보완: 대표자를 통해 간접적으로 주권을 행사하는 한계를 보완하여 시민의 의사를 정책에 제대로 반영할 수 있음.)

3. ㉣ < 자료7

시민 참여의 비합법적 방법임.

의미	잘못된 법이나 정의롭지 못한 정책을 바로잡기 위해 불가피하게 법을 위반하며 저항하는 행위
정당화 조건	• 공익성(공공성): 자신의 이익 추구가 아닌, 사회 정의 실현을 위한 양심적 행동이어야 함. (행위 목적에 정당성이 있어야 함.) • 비폭력성: 목적 달성을 위해 폭력적 행위를 해서는 안 됨. • 처벌 감수: 위법 행위에 따르는 처벌을 받아들이고서라도 참여할 의사가 있어야 함. • ㉤ 의 수단: 다른 모든 합법적 수단을 동원해도 해결되지 않을 때 마지막으로 행사하는 수단이어야 함.

정답 | ㉠ 준법 의식 ㉡ 시민 참여 ㉢ 대의 민주주의 ㉣ 시민 불복종 ㉤ 최후

자료 Plus

자료6 > 시민 참여의 합법적 방법

시민 참여의 합법적인 방법으로는 선거, 시민 단체 활동, 이익 집단 활동, 국가 기관·언론 및 인터넷 게시판에서의 의견 표현, 자원봉사 활동, 1인 시위, 청원 운동, 민원 제기, 집회 참가, 서명 운동, 정책 제안, 공청회 참여, 국민 참여 재판 참여 등이 있다.

자료7 > 간디의 소금법 폐지 운동

영국은 인도를 식민 지배하던 당시 인도인의 소금 채취를 금지하고, 영국이 소금을 판매하여 많은 세금을 징수하는 소금법을 만들었다. 간디는 이 소금법의 부당함을 알리고자 그의 지지자들과 함께 소금을 직접 채취하였고, 감옥에 갇혔다. (소금을 직접 채취: 불법적 행위)

간디는 잘못된 법을 바로잡아 공공의 이익을 지키기 위해 ❶ 수단으로 복종을 거부하는 시민 불복종 운동을 하였다.

정답 | ❶ 비폭력적

주제 05 국내 인권 문제와 해결 방안

1. ㉠ 차별 문제 ─ 단순히 수가 적은 사람들이 아니라, 약자의 위치에 있는 사람들을 의미하며, 상대적인 개념임.

(1) 사회적 소수자 신체적·문화적 특징 때문에 사회의 다른 구성원에게 차별을 받으며, 스스로 차별받는 집단에 속해 있다는 의식을 가진 사람들의 집단 예 장애인, 이주 외국인, 노인, 여성, 비정규직 노동자 등

(2) 사회적 소수자 차별의 문제점 인간의 존엄성을 해치고 사회 갈등을 유발 → 사회 통합에 장애

(3) 사회적 소수자 차별의 해결 방안

개인적 차원	사회적 소수자에 대한 ㉡ 극복, 사회적 소수자를 잘 이해하고 다양성을 존중할 줄 아는 자세 확립 등
사회적 차원	차별 금지나 불평등 해소를 위한 법률이나 제도 도입, 지속적인 인권 교육과 의식 개선 활동 등

2. 청소년 노동권 침해 문제

(1) 청소년 노동권 보호 청소년은 노동할 기회, 근로관계, 임금, 근로 시간 등에서 정당한 대우를 받아야 하며, 성인보다 더 강한 보호를 받음.

(2) 청소년 노동권 침해 사례 장시간 노동, 휴식 시간 보장 미흡, 낮은 임금 등

(3) 청소년 노동권 침해 문제의 해결 방안 < 자료8

개인적 차원	• 고용주: ㉢ 의식을 가지고 청소년의 노동권 보장 • 청소년: 노동권에 대한 지식 습득, 부당한 대우 시 적극 대처
사회적 차원	청소년 노동 관련 법률 및 제도 보완

정답 | ㉠ 사회적 소수자 ㉡ 편견 ㉢ 준법

자료 Plus

자료8 > 청소년 아르바이트 십계명

① 만 ❶ 세 이상만 근로 가능
② 부모님 동의서와 나이를 알 수 있는 증명서 필요
③ ❷ 반드시 작성
④ 성인과 동일한 최저 임금 적용
⑤ 하루 7시간, 일주일에 35시간 초과 근무 불가능
⑥ 휴일 혹은 초과 근무를 했을 경우 50%의 가산 임금 지급
⑦ 일주일을 개근하고 15시간 이상 일을 하면 하루의 유급 휴일 지급
⑧ 위험한 일이나 유해 업종의 일은 할 수 없음.
⑨ 일을 하다 다치면 산재 보험으로 치료와 보상을 받음.
⑩ 상담은 청소년 근로권익센터(1644-3119)로 전화

이 밖에도 사용자는 매월 일정한 날짜에 임금을 근로자에게 직접(현금이나 통장 입금) 주어야 하고, 근로 계약의 불이행에 대한 위약금을 예정하는 계약을 할 수 없다.

정답 | ❶ 15 ❷ 근로 계약서

주제 06 세계 인권 문제와 해결 방안

1. 세계 인권 문제의 양상

㉠ 문제	생존 위협, 최소한의 인간다운 생활을 어렵게 함.
성차별 문제	임금, 승진, 고용, 교육 및 정치 참여 기회 등에서의 남녀 차별 문제 ─ 주로 종교나 관습, 사회 구조와 편견 때문에 나타남.
인종 차별 문제	특정 인종에 대한 적대감, 배타주의에서 비롯됨.
아동 노동 문제	아동이 감당하기 힘든 노동에 내몰린 문제
국민의 기본권 침해 문제	국가 지도자의 체제 유지 목적과 종교 관습 유지 등의 이유로 국민의 기본권 탄압

2. 세계 ㉡ 국제 사회에서 발생하는 인권 문제를 객관적으로 파악할 수 있는 도구로, 여러 기구에서 조사·발표함. < 자료9

3. 세계 인권 문제의 해결 방안

개인적 차원	㉢ 을 지니고 인권 문제를 해결하는 과정에서 책임감을 가짐. ─ 인류를 하나의 공동체로 인식함에 따라 생기는 권리 의식과 책임감
사회적 차원	인권 문제 해결을 위한 국제적 연대, 국제적인 여론 조성, 국제법에 근거한 제재, 국제기구를 통한 지원 등

정답 | ㉠ 빈곤 ㉡ 인권 지수 ㉢ 세계 시민 의식

자료 Plus

자료9 > 다양한 인권 지수

인권 문제	인권 지수	지표
❶	세계 기아 지수	영양실조 인구 비율, 사망률 등
성차별	성 격차 지수	경제, 정치, 교육, 건강 분야의 성별 격차
노동	국제 노동 권리 지수	노동권 존중 정도
기본권 침해	언론 자유 지수	정치·경제적 압력, 실질적 언론 피해 사례 등

❷ 는 국제기구나 비정부 기구, 언론 기관 등이 국가별 인권 보장 실태와 변동 상황을 비교하기 위해 정기적으로 조사하여 발표한다.

정답 | ❶ 빈곤 ❷ 인권 지수

개념 어휘 테스트

정답과 해설 18쪽

반복 점검 시기_ □10분 후 □1일 후 □7일 후 □한 달 후

찍기로 바로 점검

❶ 국가 최고법이자 상위법인 (법률, 헌법)은 국민의 기본적 인권의 내용을 규정하고 있다.

❷ 국가의 운영을 법률에 근거하여 수행해야 한다는 원리를 (법치주의, 국민 주권의 원리)라고 한다.

❸ 헌법재판소가 국민의 기본권을 구제하는 장치로는 (위헌 법률 심판, 고충 민원 처리 제도)을(를) 들 수 있다.

❹ 선거권, 공무 담임권은 (평등권, 청구권, 참정권)에 해당한다.

❺ 국민의 기본권은 필요한 경우에 한하여 (법률, 정부 정책)(으)로써 제한할 수 있다.

❻ 적극적이고 다양한 방법으로의 시민 참여는 (대의 민주주의, 직접 민주주의)를 보완한다.

❼ 청소년의 근로 시간은 하루 (7, 9)시간, 일주일에 35시간을 초과하지 못한다.

빈칸으로 바로 점검

❶ 우리나라는 입법권은 ( )에, 행정권은 ( )에, 사법권은 ( )에 속하도록 하는 ( ) 제도를 헌법에 규정하여 시행하고 있다.

❷ 국가로부터 개인의 자유로운 생활이나 활동을 간섭받지 않을 권리는 ( )이다.

❸ 잘못된 법이나 정의롭지 못한 정책을 바로잡기 위해 불가피하게 법을 위반하며 저항하는 행위를 ( )(이)라고 한다.

❹ 사회의 다른 구성원에게 차별받는 장애인, 이주 외국인, 여성 등은 ( )(으)로 볼 수 있다.

❺ 국제 사회에서 발생하는 인권 문제는 세계 ( )을(를) 통해 파악할 수 있다.

✔ 한번 더 개념 반복

ZIP ❷ 교과서 유사 선지

다음 중 옳은 선지를 모두 고르시오.

1 국민 투표나 선거를 통해 권력 분립 제도를 실현한다. □

2 권력 분립 제도의 궁극적 목적은 국민의 기본권 보장이다. □

3 국민 주권의 원리, 법치주의, 위헌 법률 심판은 모두 인권 보장을 위한 장치이다. □

정답 | 2, 3

TIP

❹ 평등권은 불합리한 기준에 의해 차별받지 않고 동등하게 대우받을 권리이다.

ZIP ❹ 교과서 유사 선지

다음 중 옳은 선지를 모두 고르시오.

1 종교와 양심의 자유는 참정권에 해당한다. □

2 근로의 권리는 평등권에 해당한다. □

3 청구권은 침해당한 다른 기본권의 구제를 요구할 수 있는 수단적 권리이다. □

정답 | 3

ZIP ❸ 교과서 유사 선지

다음 중 옳은 선지를 모두 고르시오.

1 시민 불복종은 합법적 시민 참여 방법이다. □

2 시민 불복종 운동은 때때로 폭력적일 수 있다. □

3 시민 불복종 운동은 최후의 수단이어야 한다. □

정답 | 3

기출 기초 테스트

기본 기출 주제 ① 인권 보장을 위한 헌법의 역할

1-1 괄호 안에 들어갈 알맞은 말을 쓰시오.

인권 보장을 위한 헌법상의 제도적 장치
- 권력 (❶) 제도: 국가 기관 간 견제 및 균형
- 국민 (❷)의 원리: 주권이 국민에게 있음.
- 법치주의: 국가 운영을 법률에 근거하여 수행
- (❸) 정당제: 두 개 이상의 정당을 인정
- 민주적 선거 제도: 선거를 통해 대표자 선출

인권 보장을 위한 국가 기관
- (❹)의 위헌 법률 심판, 헌법 소원 심판
- 국가인권위원회, 국민권익위원회

정답 | ❶ 분립 ❷ 주권 ❸ 복수 ❹ 헌법재판소

1-2 우리나라 헌법이 인권 보장을 위해 규정하고 있는 제도적 장치에 대한 옳은 설명을 보기에서 고른 것은?

보기
ㄱ. 복수 정당제를 통해 정당 설립의 자유를 보장한다.
ㄴ. 국정의 효율성을 위해 행정부에 국가 권력을 집중한다.
ㄷ. 국민 주권의 원리에 따라 국민 투표로 법률을 제정 및 개정한다.
ㄹ. 민주적 선거를 통해 대표자를 선출하여 국민의 의사를 정치에 반영한다.

① ㄱ, ㄴ ② ㄱ, ㄹ ③ ㄴ, ㄷ
④ ㄴ, ㄹ ⑤ ㄷ, ㄹ

기본 기출 주제 ② 기본권의 종류

2-1 괄호 안에 들어갈 알맞은 기본권을 쓰시오.

(❶)	신체의 자유, 종교의 자유, 양심의 자유
(❷)	법 앞에서의 평등, 차별받지 않을 권리
(❸)	선거권, 공무 담임권, 국민 투표권
(❹)	교육받을 권리, 근로의 권리
(❺)	청원권, 국가 배상 청구권, 형사 보상 청구권

정답 | ❶ 자유권 ❷ 평등권 ❸ 참정권 ❹ 사회권 ❺ 청구권

2-2 밑줄 친 ㉠에 대한 설명으로 옳은 것은?

국회는 해외에 거주하는 재외 국민의 ㉠ 이것을 보장하고자, 대통령 선거 및 임기 만료에 의한 국회 의원 선거에서 투표할 수 있도록 선거법을 개정하였다.

① 국가로부터의 간섭을 배제하고자 한다.
② 영국의 차티스트 운동에서 강조되었다.
③ 대표적인 예로 근로의 권리를 들 수 있다.
④ 독일의 바이마르 헌법에서 처음 명시되었다.
⑤ 국가 성립 이전부터 인간이 가진 천부적인 권리이다.

기본 기출 주제 ③ 시민 불복종

3-1 괄호 안에 들어갈 알맞은 말을 쓰시오.

(❶)의 의미

잘못된 법이나 정의롭지 못한 정책을 바로잡기 위해 불가피하게 법을 위반하며 저항하는 행위

정당화 조건

- (❷): 사회 정의 실현을 위한 행동이어야 함.
- (❸): 폭력적 행위를 해서는 안 됨.
- (❹)을 감수해야 함.
- (❺)의 수단이어야 함.

정답 | ❶ 시민 불복종 ❷ 공익성(공공성) ❸ 비폭력성 ❹ 처벌 ❺ 최후

3-2 다음 글에 나타난 운동이 정당성을 갖기 위한 조건으로 옳지 않은 것은?

인도 독립운동의 지도자 간디는 인도인의 소금 채취를 금지한 영국의 '소금법'의 부당함을 알리고자 하였다. 그래서 간디는 '소금법'에 대한 저항의 의미로 군중들과 바닷가를 행진하였고, 소금을 직접 채취하였다.

① 비폭력적인 방법을 사용해야 한다.
② 사익을 위한 행동이 아니어야 한다.
③ 사회 정의의 실현을 추구해야 한다.
④ 위법 행위에 대한 처벌을 감수해야 한다.
⑤ 다른 수단에 앞서 최우선적으로 행해야 한다.

기본 기출 주제 ④ 사회적 소수자 차별 문제와 해결

4-1 괄호 안에 들어갈 알맞은 말을 쓰시오.

(❶)의 의미

신체적·문화적 특징 때문에 사회의 다른 구성원에게 (❷)을 받으며, 스스로 차별받는 집단에 속해 있다는 의식을 가진 사람들의 집단

사회적 소수자 차별에 대한 해결 방안

- 사회적 소수자에 대한 편견 극복
- 사회적 소수자를 이해하고 다양성을 존중
- 차별 금지나 불평등 해소를 위한 법률, 제도 도입

정답 | ❶ 사회적 소수자 ❷ 차별

4-2 ㉠에 대한 옳은 설명을 | 보기 |에서 고른 것은?

[㉠]을(를) 위한 사회적 지원 방안에는 장애인 차별 금지 및 권리 구제 등에 관한 법률, 외국인 근로자의 고용 등에 관한 법률, 교통 약자를 위한 저상 버스 등을 들 수 있다. 그런데 이러한 제도로 인해 [㉠]이(가) 아닌 사람들에게 돌아갈 몫이 줄어들 수 있다.

| 보기 |

ㄱ. ㉠은 수적 열세에서 비롯된다.
ㄴ. ㉠으로 규정되는 기준은 상대적이다.
ㄷ. ㉠에 해당하는 구성원이 많을수록 해당 사회의 통합 정도가 높다.
ㄹ. ㉠의 차별 문제를 해결하기 위해서는 다양성 존중과 관용의 자세가 필요하다.

① ㄱ, ㄴ ② ㄱ, ㄷ ③ ㄴ, ㄷ
④ ㄴ, ㄹ ⑤ ㄷ, ㄹ

STEP 3 A 교과서 기본 테스트

01 다음 필기 내용의 밑줄 친 ㉠~㉤ 중 옳은 것을 있는 대로 고른 것은?

> ※ 인권 보장을 위한 헌법상의 제도적 장치
> 1. 권력 분립 제도: ㉠ 국회, 정부, 법원이 각각 권력을 나누어 가져 견제와 균형을 이루게 함.
> 2. 국민 주권의 원리: ㉡ 모든 권력은 국민으로부터 나옴.
> 3. ㉢ 일당제: 정당 설립과 활동의 자유를 보장함.
> 4. 선거 제도: ㉣ 국민의 대표를 선출하여 국민의 의사를 정치에 반영함.
> 5. 기본권 구제 제도: ㉤ 법원이 위헌 법률 심판과 헌법 소원 심판을 담당함.

① ㉠, ㉡ ② ㉡, ㉣ ③ ㉢, ㉤
④ ㉠, ㉡, ㉣ ⑤ ㉢, ㉣, ㉤

02 다음 글에 대한 옳은 설명을 〈보기〉에서 고른 것은?

> 모든 개인이 가지는 불가침의 기본적 ㉠ 인권을 보호하기 위한 국가 기관으로 (가) 을(를) 들 수 있다. (가) 은(는) 위헌 법률 심판이나 ㉡ 헌법 소원 심판을 통해 법률이나 공권력이 기본권을 침해했다고 판단할 때 위헌 결정을 내린다.

〈보기〉
ㄱ. (가)는 헌법재판소이다.
ㄴ. 권력 분립 제도에 따라 (가)는 입법부에 소속된다.
ㄷ. ㉠의 또 다른 사례로는 국가인권위원회를 들 수 있다.
ㄹ. ㉡은 법원이 재판의 전제가 되는 법률의 헌법 위반 여부 심사를 요청할 때, 이를 심판하는 것이다.

① ㄱ, ㄴ ② ㄱ, ㄷ ③ ㄴ, ㄷ
④ ㄴ, ㄹ ⑤ ㄷ, ㄹ

필수 주제 링크

03 (가)~(라)에 대한 설명으로 옳은 것은?

기본권	헌법 조항
(가)	제11조 ① 모든 국민은 법 앞에 평등하다.
(나)	제12조 ① 모든 국민은 신체의 자유를 가진다.
(다)	제24조 모든 국민은 법률이 정하는 바에 의하여 선거권을 가진다.
(라)	제31조 ① 모든 국민은 능력에 따라 균등하게 교육을 받을 권리를 가진다.

① (가)는 기본권 보장을 위한 수단적 성격의 권리이다.
② (나)는 헌법에 열거되지 않은 권리도 인정되는 포괄적 권리이다.
③ (다)에는 청원권, 재판 청구권 등이 있다.
④ (라)는 국가의 정치적 의사 결정에 참여하는 권리이다.
⑤ (가), (나)와 달리 (라)는 현대 복지 국가에서 그 중요성이 약해지고 있다.

| 핵심 point | 자유권은 국가 권력으로부터 간섭받지 않고 자유롭게 생활할 수 있는 권리이다.

04 다음 헌법 조항이 공통적으로 보장하는 기본권에 대한 설명으로 가장 적절한 것은?

> 제31조 ① 모든 국민은 능력에 따라 균등하게 교육을 받을 권리를 가진다.
> 제34조 ① 모든 국민은 인간다운 생활을 할 권리를 가진다.

① 시대와 장소에 상관없이 보장되는 권리이다.
② 근로의 권리, 사회 보장을 받을 권리를 포함한다.
③ 다른 기본권을 보장하기 위한 수단적 성격의 권리이다.
④ 국가 권력으로부터 간섭이나 침해를 받지 않을 권리이다.
⑤ 국가의 의사 결정 과정에 능동적으로 참여할 수 있는 권리이다.

05 다음 그림에 대한 옳은 설명을 ▮보기▮에서 고른 것은?

▮ 보기 ▮
ㄱ. ㉠은 자유권에 해당한다.
ㄴ. ㉡은 법률에 의해서만 보장된다.
ㄷ. ㉢의 제한 근거는 행정부가 자의적으로 만든다.
ㄹ. ㉢의 경우에도 자유와 권리의 본질적인 내용은 침해할 수 없다.

① ㄱ, ㄴ ② ㄱ, ㄹ ③ ㄴ, ㄷ
④ ㄴ, ㄹ ⑤ ㄷ, ㄹ

신유형

06 다음 '2015 국민 법의식 조사' 자료에 대해 옳은 분석을 한 학생을 고른 것은?

(가) 우리 사회의 준법 정도를 묻는 조사에서 응답자의 50%가 '잘 지켜지지 않는다.'라고 대답했다.

(나)

순위	비율(%)	이유
1위	42.5	법대로 살면 손해를 보니까
2위	18.9	법을 지키지 않는 사람이 더 많아서
3위	11.2	법을 지키는 것이 번거롭고 불편해서
4위	11.0	법을 지키지 않아도 처벌받지 않을 것 같아서

[한국법제연구원, 2015.]

▲ 법이 잘 지켜지지 않는다고 생각하는 이유(2015년)

① 갑, 을 ② 갑, 병 ③ 을, 병
④ 을, 정 ⑤ 병, 정

창의형

07 다음은 사회 수업 시간에 교사가 수업 자료로 제시한 어떤 시의 일부분이다. 해당 수업의 주제로 가장 적절한 것은?

어느 날 나치는 유대인들을 끌고 갔다.
그때 나는 침묵했다.
나는 유대인이 아니었으므로.
그리고 나치는 가톨릭 신자들에게 다가왔다.
그때 나는 침묵했다.
나는 가톨릭 신자가 아니었으므로.
마침내 나치가 나에게 찾아왔을 때
나를 위해 나서 줄 사람은
아무도 남아 있지 않았다.

– 마르틴 니묄러, 〈그들이 처음 왔을 때〉 –

① 법치주의의 필요성
② 시민 참여의 중요성
③ 준법 의식의 중요성
④ 대의 민주주의의 순기능
⑤ 시민 불복종 운동의 한계

08 (가)~(라)에 해당하는 시민 참여 방법을 바르게 연결한 것은?

(가)	선거 또는 어떤 안건을 결정할 때 표에 의사를 표시하여 지정된 곳에 내는 행위
(나)	자신의 소신과 요구를 표현하고자 혼자 하는 시위
(다)	국민이 배심원으로 선정되어 형사 재판에 참여하는 제도로, 피고인의 유죄 또는 무죄에 관하여 평결을 내리고 유죄 시 적정한 형벌에 대해 토의함.
(라)	국회나 행정 기관, 공공 단체에서 중요한 정책을 결정하거나 법령 제정 또는 개정안을 심의하기 이전에 이해관계자나 해당 분야의 전문가에게서 의견을 듣는 제도

	(가)	(나)	(다)	(라)
①	투표	파업	국민 참여 재판	청문회
②	투표	1인 시위	재판 방청	공청회
③	투표	1인 시위	국민 참여 재판	공청회
④	공청회	1인 시위	재판 방청	청문회
⑤	1인 시위	파업	국민 참여 재판	청문회

정답과 해설 19쪽

09 ㉠에 대한 옳은 설명을 ‖보기‖에서 고른 것은?

> 우리 사회에는 다양한 [㉠]이(가) 있다. [㉠](이)란, 신체적 또는 문화적 특징 때문에 사회의 주류 집단 구성원에게 차별받으며, 스스로도 차별받는 집단에 속해 있다고 의식하는 사람들을 말한다.

‖ 보기 ‖
ㄱ. ㉠의 해당 여부는 시대와 상관없이 일정하다.
ㄴ. ㉠은 해당 사회에서 수가 적은 집단을 의미한다.
ㄷ. ㉠에 대한 차별은 사회 통합을 저해하는 요인이다.
ㄹ. ㉠은 사회의 주류 집단과 성별, 인종, 국적 등이 다르다는 이유로 차별받는 경우가 많다.

① ㄱ, ㄴ ② ㄱ, ㄷ ③ ㄴ, ㄷ
④ ㄴ, ㄹ ⑤ ㄷ, ㄹ

필수 주제 링크

10 밑줄 친 ㉠~㉤ 중 근로 기준법에 어긋나는 항목을 고른 것은?

> 사업주 갑(43세)과 근로자 을(17세)은 다음과 같이 근로 계약을 체결한다.
> 1. 계약 기간: 2018. 3. 1. ~ 2018. 8. 31.
> 2. 근무 장소: ○○ 편의점 (□□시 ◇◇동)
> 3. ㉠ 업무 내용: 재고 관리 및 판매
> 4. ㉡ 근무일/휴일: 주 5일 근무
> 5. ㉢ 근로 시간: 8시~18시, 휴게 시간은 12시~13시
> 6. ㉣ 임금: 을의 보호자의 통장에 입금함.
> 7. ㉤ 특약 사항: 지각 1회 시마다 1시간에 해당하는 급여를 차감함.

① ㉠, ㉡, ㉢ ② ㉠, ㉡, ㉤ ③ ㉠, ㉢, ㉣
④ ㉡, ㉣, ㉤ ⑤ ㉢, ㉣, ㉤

| 핵심 point | 18세 미만 근로자의 경우, 근무 시간이 휴게 시간을 제외하고 하루에 7시간, 일주일에 35시간을 초과하지 못한다.

코딩형

11 다음 〈게임 방법〉에 따라 나온 최종 도착 지점을 게임판의 ㉠~㉤에서 고르면?

〈게임 방법〉
• 아래 자료의 (가)에 들어갈 질문에 대한 답으로 '예'는 두 칸, '아니요'는 한 칸 앞으로 전진한다.
• ㉠~㉤ 중 한 지점에 도착하면 놀이는 종료된다.

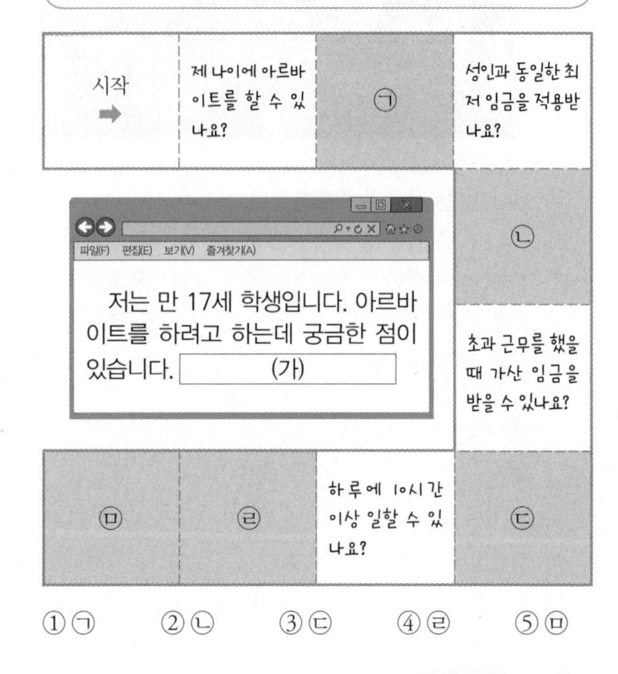

① ㉠ ② ㉡ ③ ㉢ ④ ㉣ ⑤ ㉤

융합형 사회·지리

12 다음 지도는 성 격차 지수(2015년)를 나타낸 것이다. 이에 대한 설명으로 옳지 않은 것은?

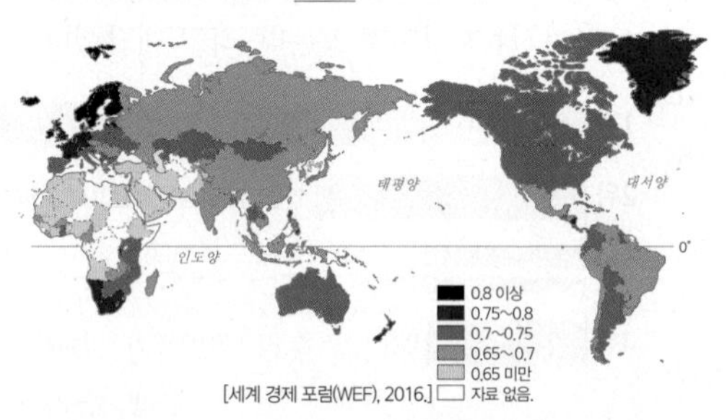

[세계 경제 포럼(WEF), 2016.]

* 성 격차 지수가 1이면 완전 평등, 0이면 완전 불평등을 의미함.

① 여러 지표의 성별 격차를 기준으로 산출하였다.
② 대체로 개발 도상국들이 양성평등 정도가 높다.
③ 남녀 간 차별 대우가 많은 국가일수록 성 격차 지수는 0에 가깝다.
④ 아프리카와 서남아시아 지역은 종교나 관습으로 인해 성차별 문제가 심각하다.
⑤ 이 문제를 해결하기 위해서는 세계 시민 의식을 가지고 국제적인 연대를 해야 한다.

정답과 해설 20쪽

13 다음 제도가 무엇인지 쓰고, 이 제도를 통해 실현하고자 하는 궁극적인 목적을 서술하시오.

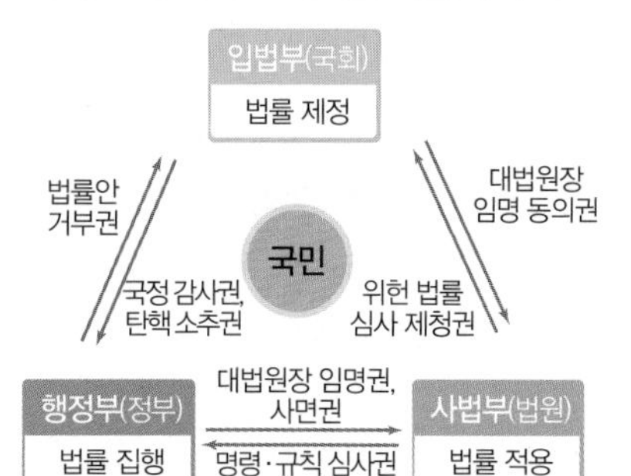

14 (가)~(다)의 명칭을 쓰고, 각각의 의미를 서술하시오.

[우리나라 헌법에서 보장하는 기본권]
- (가): 선거권, 공무 담임권, 국민 투표권
- (나): 양심의 자유, 사생활과 비밀의 자유
- (다): 청원권, 재판 청구권, 국가 배상 청구권

15 밑줄 친 ㉠을 '목적상의 한계' 세 가지를 포함하여 서술하시오.

헌법에 기본권이 규정되어 있다고 해서 언제나 무제한으로 보장되는 것은 아니다. 모든 국민의 기본권을 조화롭게 보장하기 위하여 개인의 기본권이 제한되는 경우가 있다. 그러나 국민의 기본권이 함부로 제한되어서는 안 된다. 현대 민주주의 국가에서는 엄격히 정해진 원칙과 절차에 의해 기본권을 제한하도록 하고 있으며, 우리나라는 헌법 제37조 제2항에서 그 ㉠ 조건을 명시하고 있다.

16 밑줄 친 ㉠과 같은 운동이 일반적으로 정당성을 갖기 위한 조건 네 가지를 서술하시오.

1955년 12월 1일, 버스를 타고 있던 흑인 여성 로자 파크스가 백인에게 자리를 양보하지 않아 체포되었다. 당시 흑백 분리법에 따르면 흑인은 백인에게 자리를 양보해야 했다. 이 사건으로 흑인들은 ㉠ 버스 승차 거부 운동을 1년 이상 지속하였고, 1956년 연방 법원은 흑백 분리법을 위헌이라고 판결하였다.

17 밑줄 친 ㉠을 쓰고, 이들의 인권을 보장하기 위한 개인적·사회적 차원의 노력을 한 가지씩 서술하시오.

㉠ 이들은 다음과 같은 성립 요건을 갖는다.
- 신체적·문화적으로 타 집단과 뚜렷하게 구분됨.
- 주류 집단에 비해 권력의 열세에 있음.
- 사회적 차별의 대상이 됨.
- 스스로 차별받는 집단의 구성원이라는 인식 또는 소속감을 가짐.

18 ㉠에 들어갈 인권 문제를 쓰고, 이를 해결하기 위한 개인적·사회적 차원의 방안을 한 가지씩 서술하시오.

○○ 신문

정부가 아프리카 [㉠] 계층과 난민 등을 위해 국제 [㉠] 퇴치 기여금을 지원하기로 했다. 기여금 운용 심의 위원회는 아프리카 난민 지원 사업, 사하라 이남 최빈국 대상 식량 보급 사업, 감염병 예방 사업 등을 승인했다.

09강 자본주의와 시장 경제

주제 01 자본주의의 특징과 역사적 전개 과정

1. ㉠ (　　　) 사유 재산 제도(개인이 재산을 가질 수 있도록 하는 제도)를 바탕으로 시장에서의 자유로운 경제 활동이 보장되는 시장 경제 체제(시장에서 결정된 가격에 따라 상품 거래와 자원 배분이 이루어짐.)

2. 자본주의의 역사적 전개 과정 (4단계로 구분할 때는 독점 자본주의를 제외해 주세요!)

상업 자본주의 (16~18세기)	• 배경: 신항로 개척, 교역의 확대 등 • 특징: 유럽 절대 왕정의 중상주의 정책(보호 무역을 펴면서 국가가 상공업 활동에 깊이 개입한 정책)으로 상공업과 무역이 발달하였고, 상품의 생산보다는 유통 과정에서 이윤을 추구함.
산업 자본주의 (18~19세기) < 자료1	• 배경: 18세기 후반 산업 혁명에 따른 상품의 대량 생산 가능 • 특징: 상품의 생산 과정에서 이윤 추구, 개인의 경제 활동의 자유를 최대한 보장하는 ㉡ (　　　)(국가 간섭을 가능한 배제하는 작은 정부 추구)
독점 자본주의 (19세기)	• 배경: 소비자의 구매력 하락 및 과도한 경쟁의 결과, 소수의 거대한 기업이 시장에 대한 지배력 행사 • 소득 분배 불평등 등 자본주의 발달에 따른 문제점을 비판하며 사회주의 확산
수정 자본주의 (20세기 중반) < 자료2	• 배경: 1929년 ㉢ (　　　)(소비자의 구매력 하락과 과잉 생산에 따른 과도한 경쟁 때문에 발생)으로 나타난 경기 침체, 실업 • 특징: 정부가 시장에 적극적으로 개입하여 여러 가지 경제 문제를 해결해야 한다고 봄. → 큰 정부를 강조하여 공공사업을 실시하고, 사회 보장 제도를 강화함.
㉣ (　　　) (20세기 후반) < 자료3	• 배경: 두 차례의 석유 파동(석유 공급 감소로 국제 석유 가격이 상승하여 전 세계가 경제적 위기와 혼란을 겪은 일)과 스태그플레이션(경기 침체와 물가 상승이 동시에 발생하는 상태)이 나타나자 정부의 시장 개입이 자원 배분의 비효율을 초래한다는 주장이 제기됨.(정부 실패) • 특징: 정부의 역할을 제한하고 민간의 자유로운 경제 활동 강조(예 기업에 대한 세금 감면, 공기업 민영화, 노동 시장의 유연화, 복지 축소 등) • 문제점: 시장 효율은 증진되었지만, 빈부 격차가 심화됨.

정답 | ㉠ 자본주의 ㉡ 자유방임주의 ㉢ 대공황 ㉣ 신자유주의

자료 Plus

자료1 > 애덤 스미스

> 우리가 저녁을 먹을 수 있는 것은 고기, 술, 빵 등의 판매자가 베푸는 친절이나 자비심 때문이 아니라 그들의 이기심 때문이다.
> – 애덤 스미스, 《국부론》 –

애덤 스미스는 시장의 작동 원리를 '보이지 않는 손'에 비유하면서 경제 활동의 자유를 최대한 보장할 때 사회 전체의 이익도 커지므로, 정부의 시장 개입을 ❶ (　　　)해야 한다고 주장하였다.

자료2 > 케인스

> 케인스는 국가의 시장 개입 필요성을 강조하였고, 미국 루스벨트 대통령은 케인스의 주장에 따라 뉴딜 정책을 실시하여 ❷ (　　　)가 직접 일자리를 창출하였다.

자료3 > 하이에크

> 시장에 대한 정부의 개입이 정부의 거대화 및 관료화에 따른 비효율성이나 정부의 부정부패 때문에 효율적인 자원 배분을 저해한다.

정답 | ❶ 최소화 ❷ 정부

주제 02 합리적 선택의 의미와 한계

1. 합리적 선택 < 자료4
   (1) 의미 최소의 비용으로 최대의 ㉠ (　　　)을 얻도록 선택하는 것
   (2) 합리적 선택의 고려 사항 선택에 따른 편익이 기회비용보다 큰 것을 선택해야 하고, 매몰 비용(이미 지급하고 난 뒤 회수할 수 없는 비용)을 고려해서는 안 됨.
   ① 기회비용 어떤 선택을 함으로써 포기해야 하는 대안 중 가장 가치 있는 것

명시적 비용	어떤 경제 행위를 할 때 직접 화폐로 지출한 비용
㉡ (　　　) 비용	어떤 경제 행위를 함으로써 포기한 것의 가치(화폐로 지출하지는 않지만 발생하는 비용)

   ② 편익 어떤 선택을 통해 얻게 되는 만족이나 이득

2. 합리적 선택의 한계 편익과 비용의 정확한 파악 곤란, 개인의 합리적 선택이 사회에서 볼 때는 비효율성, 공익 훼손 등을 초래할 수 있음.

정답 | ㉠ 편익 ㉡ 암묵적

자료 Plus

자료4 > 합리적 선택의 사례

> 카페를 운영하는 갑이 5일간 여행을 간다면 여행 경비로 200만 원이 든다. 만약 여행을 가지 않고 그 기간에 카페를 운영한다면 100만 원을 벌 수 있다.

갑이 여행을 가기로 선택했을 때의 기회비용은 여행 경비 200만 원인 ❶ (　　　) 비용과 카페 영업을 하지 않는 동안 포기해야 하는 수입 100만 원인 ❷ (　　　) 비용을 합한 300만 원이다. 여행에 따른 편익(만족감)이 기회비용인 300만 원보다 커야 합리적 선택이라고 할 수 있다.

정답 | ❶ 명시적 ❷ 암묵적

주제 03 시장의 한계

1. 시장의 한계 시장의 기능이 제대로 작동하지 않아 시장에서 자원이 비효율적으로 배분되는 상태 → 시장 실패 발생

2. 시장 실패의 원인

원인	내용
㉠ ( ) 경쟁	시장에 공급자가 하나(독점) 또는 소수(과점)인 경우, 공급자가 가격이나 생산량을 임의로 조절할 수 있어서 자유로운 경쟁이 제한됨.
공공재 공급 부족	공공재는 대가를 지급하지 않은 사람도 소비할 수 있고(비배제성), 한 사람이 공공재를 소비한다고 해서 다른 사람의 몫이 줄어들지 않아(비경합성) ㉡ ( ) 문제가 발생 → 시장 경제에서는 공공재가 필요한 만큼 공급되지 않음.
㉢ ( ) 발생 < 자료5	외부 경제, 외부 불경제 발생 → 재화나 서비스가 사회적으로 적정 수준보다 많거나 적게 생산·소비됨.

(공공재: 국방, 치안, 도로, 공원, 기상 정보 제공 서비스 등 일단 생산되어 공급되면 많은 사람이 공동으로 소비할 수 있는 재화나 서비스)

3. 시장 실패 이외의 한계 빈부 격차, 노사 갈등, 실업, 인플레이션 발생

(인플레이션: 화폐 가치 하락에 따른 물가 상승 현상)

정답 | ㉠ 불완전 ㉡ 무임승차 ㉢ 외부 효과

자료 Plus

자료5 > 외부 효과의 구분

구분	내용
❶ ( )	다른 사람에게 혜택을 주지만 그에 대한 대가를 받지 않는 경우 → 적정 수준보다 적게 생산·소비됨.
외부 불경제	다른 사람에게 손해를 끼치지만 그에 대한 보상을 하지 않는 경우 → 적정 수준보다 많이 생산·소비됨.

- 외부 경제의 사례: 양봉업자가 과수원 주변에서 꿀벌을 친다면 과수원의 과일 수확이 늘지만, 이에 대한 대가를 받지 않음.
- ❷ ( )의 사례: 공장이 환경 오염 물질을 배출하여 인근 주민이 호흡기 질환을 얻었지만, 공장이 이에 대한 배상을 하지 않음.

정답 | ❶ 외부 경제 ❷ 외부 불경제

주제 04 시장 참여자의 바람직한 역할

1. 정부의 역할

역할	내용
공정한 경쟁 촉진	독과점 기업의 횡포 규제, 불공정 거래 행위 규제 ㉮ 관련 법률, 한국소비자원과 공정거래위원회 등 (소비자 권리 보호)
공공재 공급	정부가 직접 공공재를 공급하여 시장 실패를 개선
외부 효과 개선	• 외부 경제가 있는 행위: 보조금 지급, 세제 혜택 등 긍정적 유인 제공 → 생산·소비를 늘림. • 외부 불경제가 있는 행위: 오염 물질 배출량 제한, 세금 부과 등 부정적 유인 제공 → 생산·소비를 줄임.
빈부 격차 문제 개선	누진세와 같은 소득 재분배 정책, 사회 보장 제도 등

(누진세: 소득이나 재산이 많을수록 세율을 높여 세금을 부과하는 제도)

2. 기업가의 역할 (재화와 서비스의 공급자이자 생산 요소의 수요자이며, 경제 활성화에 이바지함.)

(1) ㉠ ( ) 발휘 미래의 위험과 불확실성을 무릅쓰고 혁신과 창의성을 바탕으로 이윤을 추구하는 기업가의 의지 발휘 → 생산성 향상, 소비자 만족, 노사 관계 안정으로 이어짐. < 자료6

(2) 기업의 ㉡ ( ) 수행 기업 윤리를 토대로 공정한 경제 활동을 하면서 환경과 공동체 전체를 배려해야 함. ㉮ 장애인 고용

3. 노동자의 역할과 권리

구분	내용
역할	근로 계약에 따른 성실한 업무 수행, 사용자와 소통·협력하여 바람직한 노사 관계 형성
권리	노동권(근로권), 노동 삼권(근로 3권)의 보장 < 자료7

4. 소비자의 역할 (환경과 건강을 해치는 상품이나 부당한 영업 행위에 대해 감시할 수 있음.)

구분	내용
소비자 주권	생산물의 종류와 수량을 결정하는 권한이 소비자에게 있음.
합리적 소비	여러 정보를 바탕으로 비용보다 편익이 큰 소비를 해야 함.
㉢ ( )	환경과 공동체(공공의 이익)를 고려한 소비를 해야 함. ㉮ 친환경 상품, 공정 무역 상품 구매 등

정답 | ㉠ 기업가 정신 ㉡ 사회적 책임 ㉢ 윤리적 소비

자료 Plus

자료6 > 기업가 정신과 혁신

- 새로운 생산 방식
- 새로운 기술 개발
- 신제품 개발
- 새로운 시장 개척
- 새로운 조직 형성
- 새로운 원료나 부품 공급

▲ 혁신의 요소

미국의 경제학자 슘페터는 창조적 파괴에 앞장서는 기업가를 ❶ ( )에 따라 행동하는 혁신자로 보았다. '창조적 파괴'란 기존에 존재하는 것을 파괴하고 새로운 시장을 창출함으로써 새로운 산업이 만들어지고 수많은 사람들에게 기회를 제공하는 것을 의미한다.

자료7 > 노동 삼권

구분	내용
❷ ( )	노동자들이 근로 조건을 개선하기 위해 노동조합을 결성할 수 있는 권리
❸ ( )	노동조합이 사용자와 근로 조건에 관하여 교섭하고 단체 협약을 체결할 수 있는 권리
단체 행동권	근로 조건의 유지 및 개선을 위해 근로자가 사용자에 대항하여 파업 등의 단체 행동을 할 수 있는 권리

정답 | ❶ 기업가 정신 ❷ 단결권 ❸ 단체 교섭권

개념 어휘 테스트

반복 점검 시기_ ☐10분 후 ☐1일 후 ☐7일 후 ☐한 달 후

✔ 한번 더 개념 반복

TIP

❶ 자본주의는 사유 재산권 보장, 경제 활동의 자유 보장, 시장 경제 체제를 특징으로 한다.

ZIP ❷~❺ 교과서 유사 선지

다음 중 옳은 선지를 모두 고르시오.

1 산업 자본주의는 18세기 산업 혁명 이후 상품의 대량 생산이 가능해지면서 나타났다. ☐

2 케인스는 공공사업을 실시하여 정부가 일자리를 직접 창출해야 한다고 보았다. ☐

3 정부 실패가 나타나자 하이에크는 정부의 역할 축소를 주장하였다. ☐

정답 | 1, 2, 3

TIP

❼ 외부 경제는 다른 사람에게 혜택을 주지만 그에 대한 대가를 받지 않는 경우이다.

ZIP ❽ 교과서 유사 선지

다음 중 옳은 선지를 모두 고르시오.

1 합리적 소비만을 추구하면 환경 파괴와 같은 다른 사회적 영향을 고려하지 못할 수 있다. ☐

2 소비자가 윤리적 상품을 구매하면 기업도 그러한 상품을 생산하기 위해 노력할 것이다. ☐

정답 | 1, 2

ZIP ❷ 교과서 유사 선지

다음 중 옳은 선지를 모두 고르시오.

1 기회비용에서 암묵적 비용은 제외된다. ☐

2 합리적 선택을 위해서는 매몰 비용도 고려해야 한다. ☐

3 기회비용보다 편익이 큰 것을 선택하는 것이 합리적이다. ☐

정답 | 3

찍기로 바로 점검

❶ 자본주의는 (시장 경제 체제, 계획 경제 체제)를 특징으로 한다.

❷ 상업 자본주의는 상품의 (생산, 유통) 과정에서, 산업 자본주의는 상품의 (생산, 유통) 과정에서 이윤을 추구하였다.

❸ 산업 자본주의는 개인의 경제 활동의 자유를 최대한 보장하고 국가 개입은 배제하는 (큰 정부, 작은 정부)를 지향하였다.

❹ (케인스, 애덤 스미스)의 주장에 따라, 수정 자본주의는 국가가 시장에 개입 (해야 한다, 하지 말아야 한다)고 본다.

❺ (대공황, 석유 파동) 이후 나타난 (신자유주의, 수정 자본주의)는 공기업 민영화, 노동 시장의 유연화 등을 추구하였다.

❻ 합리적 선택을 할 때에는 선택에 따른 (편익, 기회비용)이 (편익, 기회비용) 보다 큰 것을 선택해야 한다.

❼ 정부는 외부 경제가 있는 행위에 (세제 혜택, 세금 부과) 등을 제공하여 생산과 소비를 (늘린다, 줄인다).

❽ 환경과 공동체를 고려한 소비를 (합리적 소비, 윤리적 소비)라고 한다.

선 긋기로 바로 점검

❶ (1) 산업 자본주의 • • ㉠ 케인스
(2) 수정 자본주의 • • ㉡ 하이에크
(3) 신자유주의 • • ㉢ 애덤 스미스

❷ (1) 이미 지출하여 회수할 수 없는 비용 • • ㉠ 매몰 비용
(2) 화폐로 지출하지 않지만 발생하는 비용 • • ㉡ 암묵적 비용
(3) 경제적 선택에 따라 직접 화폐로 지불하는 비용 • • ㉢ 명시적 비용

반복 점검 시기_ ☐10분 후 ☐1일 후 ☐7일 후 ☐한 달 후

빈칸으로 바로 점검

❶ 애덤 스미스는 개인의 경제 활동의 자유를 최대한 보장하고, 국가의 간섭을 가능한 배제하려는 (　　　　　) 사상을 제시하였다.

❷ 과잉 생산과 유효 수요 부족으로 발생한 대공황이 (　　　　　)의 등장 배경이다.

❸ 케인스의 주장에 따라 미국 루스벨트 대통령은 (　　　　) 정책을 실시하여 대규모 공공사업 등을 추진하였다.

❹ 합리적 선택이란 최소의 비용으로 최대의 (　　　　)을(를) 얻도록 선택하는 것이다.

❺ 시장의 기능이 제대로 작동하지 않아 시장에서 자원이 비효율적으로 배분되는 상태를 (　　　　　)(이)라고 한다.

❻ 시장 실패의 원인으로는 불완전 경쟁, (　　　　) 공급 부족, (　　　　) 효과 발생 등을 들 수 있다.

❼ (　　　　　)(이)란, 다른 사람에게 손해를 끼치지만, 그에 대한 보상을 하지 않는 경우로, 정부는 (　　　　) 유인을 제공하여 생산과 소비를 줄인다.

❽ (　　　　　)(이)란, 기업이 이윤 창출을 위해 위험과 불확실성을 무릅쓰고 모험적이고 창의적으로 도전하는 정신이다.

❾ 기업은 기업 윤리를 토대로 공정한 경제 활동을 하면서 환경과 공동체 전체를 배려하는 (　　　　　)을(를) 다해야 한다.

❿ 노동자의 권리 중 (　　　　)은(는) 노동자들이 근로 조건을 유지하거나 개선하기 위해 노동조합을 결성할 수 있는 권리이다.

⓫ (　　　　　)(이)란, 생산물의 종류와 수량을 결정하는 권한이 소비자에게 있음을 의미한다.

⓬ 공정 무역 제품을 구매함으로써 생산자에게 정당한 대가를 지불하는 것은 (　　　　) 소비의 사례이다.

한번 더 개념 반복

TIP

❶, ❸ 애덤 스미스와 하이에크, 프리드만은 정부의 역할을 축소(작은 정부)해야 한다고 보았고, 케인스는 시장 실패를 극복하기 위해 정부가 적극적으로 시장에 개입(큰 정부)해야 한다고 보았다.

TIP

❺ 시장 실패는 시장의 기능이 제대로 작동하지 않아서 자원이 비효율적으로 배분되는 상태이고, 정부 실패는 정부의 적극적인 시장 개입이 자원 배분의 비효율을 초래한 것이다.

❻ 교과서 유사 선지 ZIP

다음 중 옳은 선지를 모두 고르시오.

1 시장에 공급자가 하나 또는 소수인 경우, 담합이 나타날 가능성이 높다. ☐

2 시장 경제에서 공공재는 필요한 만큼 공급된다. ☐

3 정부는 외부 효과를 개선하기 위해 누진세와 사회 보장 제도를 도입하였다. ☐

정답 | 1

❾~❿ 교과서 유사 선지 ZIP

다음 중 옳은 선지를 모두 고르시오.

1 기업은 노동자의 권익과 복지 실현을 위해 노력해야 한다. ☐

2 노동 삼권에는 단결권, 단체 교섭권, 단체 행동권이 있다. ☐

3 노동자는 사용자와 소통하며 상생의 관계를 형성해야 한다. ☐

정답 | 1, 2, 3

기출 기초 테스트

기본 기출 주제 ① 자본주의의 역사적 전개 과정

1-1 괄호 안에 들어갈 알맞은 말에 ○표 하시오.

산업 자본주의

산업 혁명 이후 등장 → ❶(케인스, 애덤 스미스)는 경제 활동의 자유를 최대한 보장하도록 ❷(큰, 작은) 정부를 지향함.

수정 자본주의

대공황 이후 등장 → ❸(케인스, 애덤 스미스)는 기업 도산, 실업 등의 문제를 해결하기 위해 ❹(큰, 작은) 정부를 지향함.

신자유주의

❺(석탄, 석유) 파동, 스태그플레이션 이후 등장 → 하이에크는 정부의 역할을 제한할 것을 강조함.

정답 | ❶ 애덤 스미스 ❷ 작은 ❸ 케인스 ❹ 큰 ❺ 석유

1-2 그림은 자본주의의 역사적 전개 과정을 네 단계로 나타낸 것이다. (가)~(라)의 주요 특징으로 옳은 것은?

(가) 상업 자본주의 → (나) → (다) 수정 자본주의 → (라)

① (가): 중상주의 정책으로 상업보다 농업을 중시
② (나): 정부의 적극적인 시장 개입 강조
③ (다): '보이지 않는 손'의 역할 강조
④ (라): 시장 실패가 등장 배경
⑤ (라): 기업에 대한 세금 감면과 공기업의 민영화 추구

기본 기출 주제 ② 합리적 선택

2-1 괄호 안에 들어갈 알맞은 말에 ○표 하시오.

합리적 선택	최소의 ❶(비용, 편익)으로 최대의 ❷(비용, 편익)을 얻을 수 있는 선택으로, 편익이 기회비용보다 커야 함.
기회비용	• 어떤 것을 선택함으로써 포기해야 하는 대안들 중 가장 가치 있는 것 • 직접 화폐로 지출한 비용인 명시적 비용과 화폐로 지출하지 않지만 발생하는 비용인 ❸(매몰 비용, 암묵적 비용)의 합

정답 | ❶ 비용 ❷ 편익 ❸ 암묵적 비용

2-2 (가)~(다)에 대한 옳은 설명을 **| 보기 |**에서 고른 것은?

(가) 어떤 선택을 통해 얻게 되는 만족이나 이익
(나) 이미 지급하고 난 뒤 회수할 수 없는 비용
(다) 어떤 것을 선택함으로써 포기해야 하는 대안들 중 가장 가치 있는 것

| 보기 |
ㄱ. (가)에는 물질적인 것만 포함된다.
ㄴ. (나)는 합리적 선택을 위해 고려하지 말아야 한다.
ㄷ. (다)에는 암묵적 비용이 포함된다.
ㄹ. 합리적 선택은 (가)보다 (다)가 큰 선택이다.

① ㄱ, ㄴ ② ㄱ, ㄷ ③ ㄴ, ㄷ
④ ㄴ, ㄹ ⑤ ㄷ, ㄹ

기본 기출 주제 ③ 시장 실패의 원인

3-1 괄호 안에 들어갈 알맞은 말을 쓰시오.

불완전 경쟁	(❶) 시장의 경우, 공급자가 담합을 통해 가격을 높이는 등 자유로운 경쟁이 제한될 수 있음.
공공재 부족	공공재는 (❷), 비배제성의 특성을 가져, 무임승차 문제가 발생하므로 필요한 만큼 공급되지 않음.
(❸) 발생	• 외부 경제: 타인에게 혜택을 주지만 대가를 받지 않는 경우 • (❹): 타인에게 손해를 끼치지만 보상을 하지 않는 경우

정답 | ❶ 독과점 ❷ 비경합성 ❸ 외부 효과 ❹ 외부 불경제

3-2 밑줄 친 ㉠에 대한 설명으로 옳지 않은 것은?

> ㉠ 이것은 한 경제 주체의 소비가 다른 경제 주체의 소비 기회에 영향을 주지 않으며, 비용을 지불하지 않은 경제 주체의 소비를 막을 수 없는 재화 및 서비스를 말한다.

① 주로 정부에 의해 공급된다.
② 무임승차의 문제가 나타날 수 있다.
③ 시장을 통해 충분히 공급되기 어렵다.
④ 사회적 최적 수준보다 과다 생산된다.
⑤ 국방, 치안, 도로 등을 사례로 들 수 있다.

기본 기출 주제 ④ 시장 참여자의 역할

4-1 괄호 안에 들어갈 알맞은 말을 쓰시오.

(❶)	• 공정한 경쟁 촉진: 독과점 기업 횡포 규제, 불공정 거래 행위 규제 • 공공재 공급 • 외부 효과 개선: 외부 경제가 있는 행위에는 긍정적 유인을, 외부 불경제가 있는 행위에는 부정적 유인을 제공하여 생산과 소비를 조절 • 빈부 격차 문제 개선
기업가	• (❷) 발휘 • 사회적 책임 수행
노동자 및 소비자	• 노동자의 권리인 노동 삼권(근로 3권): 단결권, 단체 교섭권, 단체 행동권 • 소비자의 역할: 합리적 소비, 윤리적 소비

정답 | ❶ 정부 ❷ 기업가 정신

4-2 시장 경제의 발전을 위한 A~C의 역할로 옳은 설명을 | 보기 |에서 고른 것은?

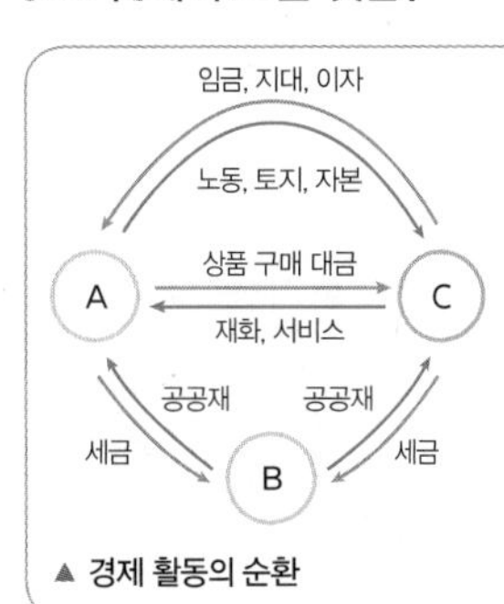

▲ 경제 활동의 순환

• A~C는 각각 가계, 기업, 정부 중 하나이다.
• B는 시장의 기능이 원활하게 작동되도록 제도적 기반을 확립하며, C는 생산 활동의 주체이다.

| 보기 |
ㄱ. B는 이윤 창출 과정에서 사회적 책임을 다해야 한다.
ㄴ. A는 C로부터 재화와 서비스를 구매하는 소비자이기도 하다.
ㄷ. C는 B의 독과점 횡포를 규제한다.
ㄹ. B는 A, C가 필요로 하는 도로, 항만 등을 공급한다.

① ㄱ, ㄴ　② ㄱ, ㄷ　③ ㄴ, ㄷ　④ ㄴ, ㄹ　⑤ ㄷ, ㄹ

STEP 3 A 교과서 기본 테스트

01 밑줄 친 ㉠의 특징으로 옳지 않은 것은?

① 사유 재산권이 보장된다.
② 경제 주체 간 자유로운 경쟁이 보장된다.
③ 경제 주체의 사적인 이익 추구가 보장된다.
④ 자유방임주의는 '이것'이 최선의 경제 체제라고 본다.
⑤ 정부의 계획에 따라 상품의 생산 및 소비가 이루어진다.

필수 주제 링크

02 그림은 자본주의의 변천 과정을 나타낸 것이다. (가), (나)에 대한 옳은 설명을 |보기|에서 고른 것은?

상업 자본주의 ⇨ (가) ⇨ 독점 자본주의 ⇨ (나) ⇨ 신자유주의

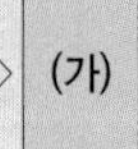
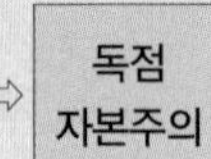
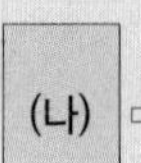

|보기|
ㄱ. (가)는 중상주의가 사상적 배경이다.
ㄴ. (가) 시기에는 작은 정부를 강조하였다.
ㄷ. (나) 시기에는 시장에 대한 정부 개입의 필요성이 강조되었다.
ㄹ. (가) 시기와 달리 (나) 시기에는 시장의 기능을 부정하였다.

① ㄱ, ㄴ ② ㄱ, ㄷ ③ ㄴ, ㄷ
④ ㄴ, ㄹ ⑤ ㄷ, ㄹ

| 핵심 point | 자본주의가 발전하는 과정에서 시장에 대한 정부의 역할은 강화되기도 하고 약화되기도 하였다.

03 다음 자료는 자본주의의 역사적 발전 과정을 순서 없이 나열한 것이다. (가)~(라)에 대한 설명으로 옳지 않은 것은?

(가) 중상주의 정책을 통해 국내의 상공업을 육성하고 대외 교역에 적극적으로 나섰다.
(나) 영국에서 일어난 산업 혁명으로 공장제 기계 공업에 의한 상품의 대량 생산 체제가 갖추어졌다.
(다) 석유 파동으로 발생한 경기 침체를 정부가 제대로 막지 못하면서, 정부의 시장 개입을 비판하는 주장이 지지를 얻게 되었다.
(라) 미국에서 발생한 대공황으로 실업률이 폭등하자, 정부가 시장에 적극적으로 개입해야 한다는 주장이 정책에 반영되기 시작하였다.

① 시대순으로 나열하면 '(가)→(나)→(라)→(다)'이다.
② (나) 시기에 자유방임주의 사상이 강조되었다.
③ (다)의 흐름으로 시장의 효율성은 높아졌지만, 빈부 격차가 심화되었다.
④ (라)에 따라 국가 주도의 대규모 공공사업이 실시되었다.
⑤ (다)는 (라)에 비해 형평성을 중시하였다.

04 다음은 어느 경제학자들의 주장이다. (가), (나) 학자의 경제관에 대한 옳은 설명을 |보기|에서 고른 것은?

(가) 정부 기능의 확대는 시장 경제를 침해하는 것이 아니다. 나는 그것이 시장 경제의 전면적 붕괴를 막는 유일한 수단이라고 본다.
(나) 시장에 대한 정부의 개입이 정부의 거대화 및 관료화에 따른 비효율성이나 정부의 부정부패 때문에 오히려 효율적인 자원 배분을 저해한다.

|보기|
ㄱ. (가)는 시장 기능이 자율적으로 작동하게 두는 것이 가장 효율적이라고 본다.
ㄴ. (나)는 스태그플레이션을 극복하기 위해 '작은 정부'가 효과적이라고 본다.
ㄷ. (가)는 (나)에 비해 분배의 형평성을 강조하였다.
ㄹ. (나)는 (가)에 비해 정부의 적극적 역할을 강조한다.

① ㄱ, ㄴ ② ㄱ, ㄷ ③ ㄴ, ㄷ
④ ㄴ, ㄹ ⑤ ㄷ, ㄹ

05 다음 신문 기사가 작성된 시기의 상황에 대한 설명으로 옳은 것은?

> **○○ 신문**
>
> 1933년에 집권한 미국의 루스벨트 대통령은 뉴딜 정책을 실시하여 대공황 극복에 나섰다. 그는 소비가 살아나야 기업이 투자를 하고 고용도 늘어난다고 판단했다. 그래서 정부가 직접 일자리를 창출하고 소비를 증진하기 위해, 테네시 계곡에 댐과 발전소를 건설하는 대규모 공공사업을 실시하여 실업자들에게 일자리를 제공하였다.

① 생산 수단의 사적 소유가 금지되었다.
② 석유 파동과 스태그플레이션이 나타난 시기이다.
③ 정부 규제 완화와 자유 경쟁의 원리를 강조하였다.
④ 시장 가격에 의한 자원 배분의 효율성을 인정하지 않았다.
⑤ 시장 실패를 해결하기 위한 국가의 적극적인 역할이 강조되었다.

06 (가), (나)에 대한 옳은 설명을 | 보기 |에서 고른 것은?

경제 개념	의미
(가)	이미 지급하고 난 뒤 회수할 수 없는 비용
(나)	어떤 것을 선택함으로써 포기해야 하는 대안들 중 가장 가치 있는 것

| 보기 |

ㄱ. 환불이 불가능한 특가 항공권을 구매했다면, 이는 (가)에 해당한다.
ㄴ. 가격이 같은 상품 중 하나를 소비할 경우 포기한 대안들 중 가장 편익이 큰 것으로 (나)를 측정할 수 있다.
ㄷ. (가)와 달리 (나)는 합리적 선택을 위한 고려 대상이 아니다.
ㄹ. (가)는 명시적 비용, (나)는 암묵적 비용이다.

① ㄱ, ㄴ ② ㄱ, ㄷ ③ ㄴ, ㄷ
④ ㄴ, ㄹ ⑤ ㄷ, ㄹ

필수 주제 링크

07 다음 대화에 대한 옳은 설명을 | 보기 |에서 고른 것은?

| 보기 |

ㄱ. 갑이 여행을 간다면 기회비용은 ㉠과 ㉡의 합이다.
ㄴ. 갑이 여행을 간다면 ㉠은 암묵적 비용, ㉡은 명시적 비용이다.
ㄷ. (가)에는 '여행을 갔을 때의 만족감이 300만 원보다 값어치 있다면 가!'가 들어갈 수 있다.
ㄹ. 갑이 여행 상품을 구매했다가 나중에 가기 싫어졌더라도, 그냥 가는 것이 합리적 선택이다.

① ㄱ, ㄴ ② ㄱ, ㄷ ③ ㄴ, ㄷ
④ ㄴ, ㄹ ⑤ ㄷ, ㄹ

| 핵심 point | 기회비용은 명시적 비용과 암묵적 비용의 합이며, 합리적 선택을 할 때에는 매몰 비용을 고려하지 말아야 한다.

창의형

08 다음은 교사가 어떤 개념을 설명하기 위해 구성한 역할극 대본이다. 이 상황에 대한 설명으로 가장 적절한 것은?

> #1. 공기가 맑던 ○○ 마을에 들어온 △△ 공장은 마구 오염 물질을 내뿜는다.
> #2. ○○ 마을에 호흡기 질환을 앓는 사람들이 늘어났다.
> #3. △△ 공장은 주민들에게 아무 배상도 하지 않고 있다.

① 공공재가 부족한 상황이다.
② 외부 경제 효과를 보여 준다.
③ 시장에서 자원이 효율적으로 배분된 경우이다.
④ 사회적으로 적정 수준보다 많이 생산·소비된다.
⑤ 정부는 이를 해결하기 위해 보조금 지급 등의 긍정적 유인을 제공해야 한다.

필수 주제 링크

09 (가), (나) 문제를 해결하기 위해 정부가 펴는 정책을 바르게 연결한 것은?

(가) 국방, 치안, 도로, 항만, 공원, 도서관 등은 사회 운영에 꼭 필요하지만, 기업은 수익성이 낮아 생산을 꺼린다.
(나) 일부 대기업은 하청 일을 자회사로 넘겨 부당한 이익을 취득하기도 한다. 다른 기업이 아무리 뛰어난 기술력을 갖추고 있더라도, 대기업의 자회사가 아니라는 이유만으로 일감을 얻을 기회를 빼앗기는 것이다.

	(가)	(나)
①	누진세	불공정 거래 행위 규제
②	공공재 생산	외부 효과 개선
③	공공재 생산	불공정 거래 행위 규제
④	독과점 기업 횡포 규제	외부 효과 개선
⑤	독과점 기업 횡포 규제	불공정 거래 행위 규제

| 핵심 point | (가), (나)는 모두 시장 실패를 보여 준다. 이때 정부는 적극적으로 시장에 참여하여 대책을 마련한다.

10 갑, 을의 주장에 대한 추론으로 옳은 것은?

기업은 사익을 추구하는 생산 활동을 통해 직원을 고용하고, 세금을 납부하는 등 많은 이들에게 혜택을 제공합니다. 기업에게 그 이상의 책임을 요구하는 것은 부당합니다.

기업은 사회로부터 영리 추구의 조건을 제공받고 있습니다. 그러므로 기업은 이윤 추구뿐만 아니라 이윤을 사회에 환원하는 활동도 해야 합니다.

① 갑은 기업의 발전과 사회 발전은 별개의 문제라고 볼 것이다.
② 을은 기업의 장학 및 자선 사업을 긍정적으로 볼 것이다.
③ 갑은 큰 정부, 을은 작은 정부를 지향할 것이다.
④ 을보다 갑은 기업의 사회적 책임 범위를 폭넓게 볼 것이다.
⑤ 을은 갑과 달리 기업의 영리 추구 활동을 부정적으로 볼 것이다.

코딩형

11 다음 〈게임 방법〉에 따라 나온 최종 도착 지점을 [회전판]의 ㉠~㉤에서 고른 것은?

〈게임 방법〉
- 진술이 옳으면 회전판의 바늘이 A 방향으로 두 칸, 틀리면 B 방향으로 세 칸 이동한다.
- 진술 1, 2, 3, 4에 따라 순서대로 이동하고, ㉠부터 시작한다.

〈진술〉
1. 기업이 기업가 정신을 발휘하는 것은 생산성 향상과 더불어 소비자 만족, 노사 관계의 안정으로 이어진다.
2. 기업의 생산성 향상을 위해 노동자는 노동조합의 설립과 가입을 자제해야 한다.
3. 노사는 상생을 통해 시장의 발전을 도모할 수 있다.
4. 기업은 노동자의 권익 보호를 위해 노력해야 한다.

[회전판]

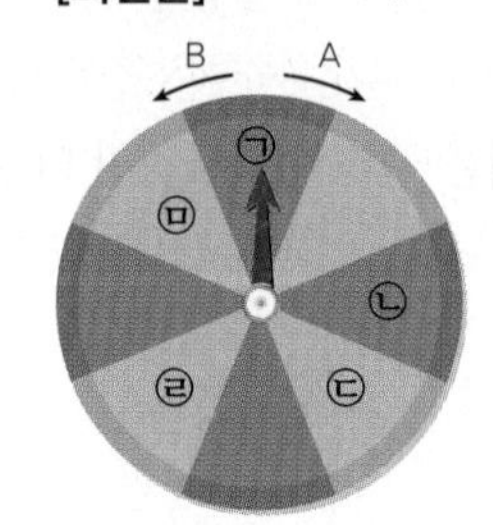

① ㉠
② ㉡
③ ㉢
④ ㉣
⑤ ㉤

12 (가), (나) 입장에 대한 옳은 설명을 보기에서 고른 것은?

(가) 소비의 목적은 소비자의 만족감 충족이다. 소비자는 상품에 대한 여러 정보를 바탕으로, 최소의 비용으로 최대의 편익을 얻는 소비를 해야 한다.
(나) 소비자는 자신뿐만 아니라 사회 및 환경에 영향을 미친다. 따라서 자신에게 돌아오는 직접적인 혜택만 생각할 것이 아니라, 사회와 자연에 미치는 영향도 고려해서 소비해야 한다.

보기
ㄱ. (가)는 효율성을 고려한 소비이다.
ㄴ. (가)는 개인의 선호보다는 공공성을 상품 선택의 기준으로 삼는다.
ㄷ. (나)의 사례로는 친환경 상품을 구매하는 것을 들 수 있다.
ㄹ. (나)는 (가)보다 상품 선택에서 인권과 노동의 가치를 덜 중시한다.

① ㄱ, ㄴ ② ㄱ, ㄷ ③ ㄴ, ㄷ ④ ㄴ, ㄹ ⑤ ㄷ, ㄹ

정답과 해설 22쪽

13 ㉠에 들어갈 말을 쓰고, ㉠의 특징과 주요 정책을 서술하시오.

> 수정 자본주의를 받아들인 국가들은 각종 공공사업을 벌이거나 사회 보장 제도를 강화하는 등 다양한 정책을 통해 시장에 적극적으로 개입하는 큰 정부를 추구하였다. 하지만 20세기 후반에 들어서면서 정부 실패가 나타나자, (㉠) 경제 사상이 지지를 받기 시작하였다.

14 ㉠, ㉡에 들어갈 말을 쓰고, 합리적 선택의 관점에서 (가)에 들어갈 조언을 서술하시오.

> Q 뷔페식당에서 두 시간 동안 식사하려면 1만 원을 지불해야 하고, 그 시간 동안 아르바이트를 하면 2만 원을 벌 수 있어요. 친구들과 뷔페를 갈까요, 아니면 아르바이트를 할까요?
>
> A (㉠) 비용은 1만 원이고 (㉡) 비용은 2만 원이니, 그 합인 3만 원이 기회비용이네요. 제가 조언할게요. ____(가)____

15 (가), (나)가 각각 어떤 외부 효과인지 쓰고, 이를 해결하기 위해 정부가 어떤 역할을 하는지 서술하시오.

> (가) 과수원 주변에 양봉업자가 와서 꿀벌을 친다면 과수원 주인은 이전보다 더 많은 과일을 수확하지만, 대가를 주지 않는다.
>
> (나) 담배를 피우는 사람은 간접흡연으로 주변 사람의 건강에 손해를 끼치지만, 보상을 하지 않는다.

16 ㉠에 들어갈 말을 쓰고, ㉠이 발휘되었을 때의 효과를 서술하시오.

> 미국의 경제학자 슘페터는 (㉠)을(를) '생산 요소의 새로운 조합을 발견하고 촉진하는 창조적 파괴의 과정'이라고 정의하고 (㉠)의 본질을 혁신이라고 보았다.

17 밑줄 친 ㉠의 종류와 각각의 의미를 서술하시오.

노동자는 직장에서 어떤 권리를 갖고 있지?

우리나라 헌법에 근거하여 ㉠ 노동 삼권을 보장하고 있어.

18 ㉠에 들어갈 말을 쓰고, ㉡의 사례를 두 가지 서술하시오.

> **○○ 신문**
>
> (㉠)(이)란, 생산물의 종류와 수량을 결정하는 권한이 소비자에게 있다는 의미이다. 이에 따라 소비자는 기업이 사회와 환경에 건전한 상품을 만들도록 유도할 수 있다. 최근에는 합리적 소비를 넘어서 이러한 윤리적인 가치 판단에 따라 올바른 선택을 실천하려는 ㉡ 윤리적 소비가 늘어나고 있다.

10강 국제 분업과 금융 설계

주제 01 국제 분업과 무역의 필요성

1. 국제 분업과 무역의 의미

(1) 국제 분업 국가별로 특수한 환경에 맞춰 가장 유리한 상품을 특화하여 생산하는 것
- 특화: 각국이 자기 국가에서 생산하기에 유리한 상품을 전문적으로 생산하여 경쟁력을 갖추는 것

(2) 무역 국가 간에 국경을 넘어 상품, 서비스, 생산 요소 등을 거래하는 것
- 과거에는 재화가 주요 품목이었으나, 오늘날에는 기술 및 서비스 분야로 거래의 범위가 확대됨.

2. 국제 분업과 무역의 발생 원리 < 자료1

㉠	한 국가가 어떤 상품을 다른 국가보다 적은 생산비로 생산하는 것
㉡	한 국가가 다른 국가에 비해 상대적으로 더 적은 기회비용으로 상품을 생산하는 것

3. 국제 분업과 무역의 필요성

(1) 자원, 노동, 자본 등과 같은 생산 요소의 지역적 분포가 다르므로, 국제 분업과 무역을 통해 자국 내에서 부족한 생산 요소를 얻을 수 있음.

(2) 각 국가는 상대적으로 더 적은 기회비용으로 생산할 수 있는 비교 우위 상품을 특화하여 생산한 뒤, 무역을 통해 교환하면 무역 당사국 모두에게 이익이 됨. — 한 나라의 주요 수출 품목을 보면 비교 우위 상품이 무엇인지 알 수 있음.

정답 | ㉠ 절대 우위 ㉡ 비교 우위

자료 Plus

자료1 > 절대 우위와 비교 우위

구분	휴대 전화	옷
갑국	100원	200원
을국	600원	400원

▲ 갑국과 을국의 상품별 생산 비용

세상에 갑국과 을국만 있고, 휴대 전화와 옷만을 생산·소비한다고 가정한다. 각 상품의 1단위 생산 비용은 위 표와 같다. 이때 갑국은 두 상품 생산에 모두 절대 우위를 갖는다. 그러나 휴대 전화 1단위를 생산하려면 갑국은 옷 0.5(100/200)단위, 을국은 옷 1.5(600/400)단위를 포기해야 한다. 휴대 전화 생산의 기회비용은 갑국이 을국보다 적은 것이다. 반면, 옷 생산의 기회비용은 갑국(휴대 전화 2단위)보다 을국(휴대 전화 2/3단위)이 적다. 즉, 비교 우위에 따라 갑국은 ❶ , 을국은 ❷ 을 특화·생산하여 무역을 하면 모두에게 이익이 발생한다.

정답 | ❶ 휴대 전화 ❷ 옷

주제 02 국제 무역 확대에 따른 영향

1. 국제 무역 확대의 배경

교통·통신의 발달, 세계 무역 기구(WTO)의 등장, 자유 무역 협정(FTA)의 확대 등 ㉠ 에 따라 자유 무역이 확대됨.
- 자유 무역 협정(FTA): 물자나 서비스의 자유로운 이동을 위해 무역 장벽을 완화하는 협정
- 세계 무역 기구(WTO): 자유 무역을 통한 세계 무역 증진을 위해 1995년에 설립된 기구

2. 국제 무역 확대의 영향

(1) 긍정적 영향

개인	국내에서 생산되지 않거나 비싼 상품을 쉽고 저렴하게 구매할 수 있음. → 소비자의 ㉡ 폭 확대
기업	• 규모의 경제 실현: 외국에서 원자재를 싸게 산 후, 비교 우위 상품을 대량 생산함으로써 생산비를 절감함. (규모의 경제: 생산 규모가 커지거나 생산량이 늘어날수록 평균 생산 단가가 하락하는 경제 현상) • 경쟁력 강화: 외국 기업과 경쟁하면서 생산성 향상 → 일자리 창출
국가	국가 간 기술이나 자본이 전파되어 경제가 성장함.

(2) 부정적 영향

① 세계 시장에서 경쟁력이 떨어지는 국내 산업이 위축될 수 있음.

② 국가 간 상호 의존으로 정부가 독자적인 경제 정책을 시행하기 어려움.

③ 국외의 경제 상황이 국내 경제에 큰 영향을 끼칠 수 있음. < 자료2

④ 자본과 기술이 풍부한 선진국과 상대적으로 경쟁력이 떨어지는 개발 도상국이 자유 무역을 하면 ㉢ 가 더욱 커질 수 있음.

정답 | ㉠ 세계화 ㉡ 상품 선택 ㉢ 빈부 격차

자료 Plus

자료2 > 무역 의존도

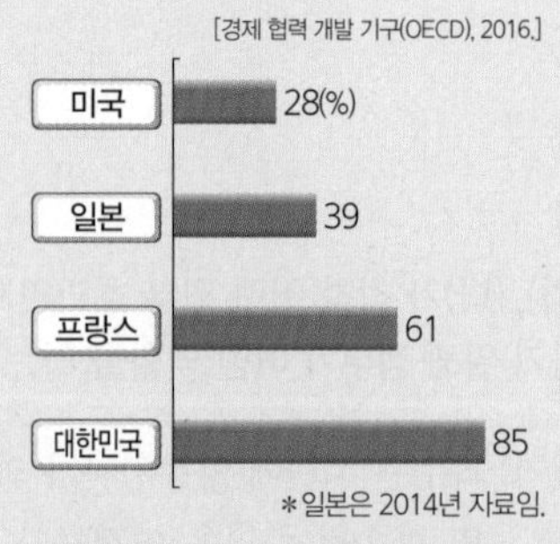

❶ 란, 한 국가의 경제가 어느 정도 무역에 의존하고 있는가를 나타내는 지표로, 각국의 국내 총생산(GDP)에서 무역액이 차지하는 비율로 나타낸다. 무역 의존도가 높을수록 다른 국가나 국제 경제의 변화가 국민 경제에 미치는 영향이 커진다. 우리나라는 무역 의존도가 ❷ 편이며, 무역 대상국이 중국, 미국, 일본 등에 편중되어 있다.

정답 | ❶ 무역 의존도 ❷ 높음

주제 03 자산 관리와 금융 자산

1. 자산 관리의 의미와 필요성

(자산: 일반적으로 사람들이 소유하고 있는 유·무형의 재산)

의미	금융 자산과 실물 자산 등 개인의 모든 재산을 관리하는 것
필요성	• 평균 수명의 연장으로 은퇴 이후를 대비한 자산 관리가 중요해짐. • 최근 금융 환경의 변화에 맞추어 자산을 효과적으로 관리해야 함.

2. 자산 관리의 기본 원칙

㉠ ( )	금융 상품의 원금과 이자가 보전될 수 있는 정도
㉡ ( )	• 금융 상품의 가격 상승이나 이자 수익을 기대할 수 있는 정도 • 일반적으로 수익성과 안전성은 상충되는 경우가 많음.
유동성	보유하고 있는 자산을 쉽게 현금으로 전환할 수 있는 정도

(주식은 수익성은 높지만 안전성이 낮고, 예금은 수익성은 낮지만 안전성이 높음.)

3. 금융 자산의 종류 < 자료3

예금	• 의미: 약속된 이자를 받기로 하고 금융 회사에 돈을 맡기는 것 • 종류: 이자 수입이 목적인 저축성 예금(정기 예금, 정기 적금 등이 있음.), 입출금이 자유로운 요구불 예금 • 특징: 안전성·유동성은 높으나 수익성이 낮음.
주식	• 의미: 기업이 사업 자금 조달을 위해 발행하는 것으로, 자금을 투자한 사람에게 그 대가로 회사 소유권의 일부를 준다는 증표 • 수익: 배당(주식회사가 경영을 통해 얻은 이익 가운데 일부를 투자자의 투자 지분에 따라 나눠 주는 것)과 시세 차익 • 특징: 수익성은 높으나 안전성이 낮음.
채권	• 의미: 국가나 공공 기관, 금융 회사, 기업 등이 미래에 일정한 이자를 지급할 것을 약속하고 돈을 빌린 후 제공하는 증서 • 수익: 채권 발행 기관에서 약속한 이자와 시세 차익(채권이 만기가 되기 전에 다른 사람에게 비싸게 팔아서 이익을 얻을 수 있음.) • 특징: 예금보다 안전성이 낮지만 수익성은 높음, 주식보다 안전성은 높지만 수익성은 낮음.

4. 합리적인 자산 관리

투자의 목적과 기간에 따라 안전성, 수익성, 유동성을 고려하여 다양한 금융 자산에 분산 투자를 해야 함. < 자료4

정답 | ㉠ 안전성 ㉡ 수익성

자료 Plus+

자료3 > 다양한 금융 자산

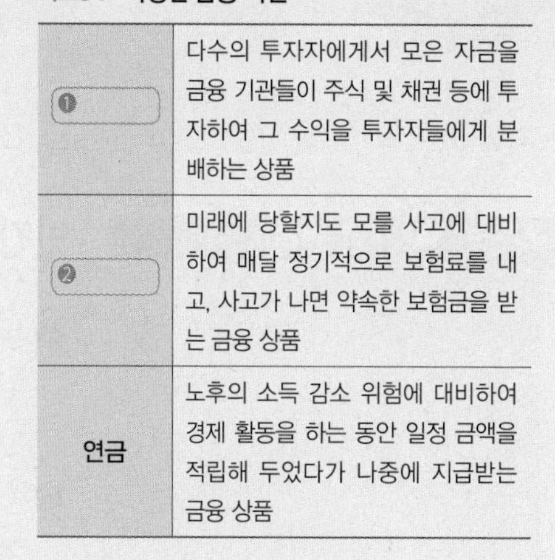

❶ ( )	다수의 투자자에게서 모은 자금을 금융 기관들이 주식 및 채권 등에 투자하여 그 수익을 투자자들에게 분배하는 상품
❷ ( )	미래에 당할지도 모를 사고에 대비하여 매달 정기적으로 보험료를 내고, 사고가 나면 약속한 보험금을 받는 금융 상품
연금	노후의 소득 감소 위험에 대비하여 경제 활동을 하는 동안 일정 금액을 적립해 두었다가 나중에 지급받는 금융 상품

자료4 > 포트폴리오 투자

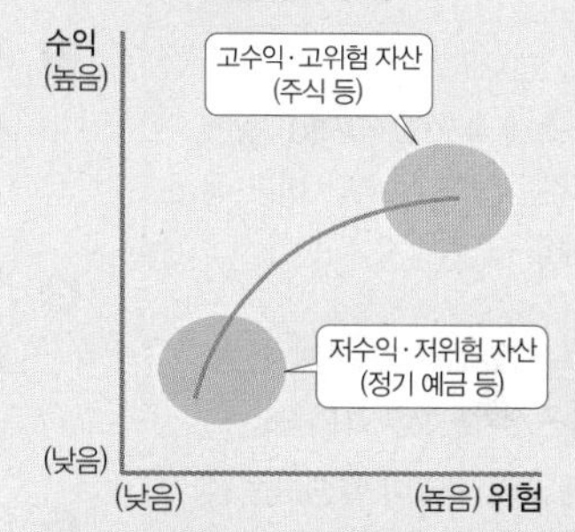

각 금융 자산별 수익과 위험 정도를 잘 알아두고, 투자 목적과 기간에 따라 분산 투자를 해야 한다. 이와 같은 투자 방식을 ❸ ( ) 투자라고 한다.

정답 | ❶ 펀드 ❷ 보험 ❸ 포트폴리오

주제 04 생애 주기별 금융 설계

1. ㉠ ( )의 의미와 특징

(1) 의미 일련의 단계를 거쳐 삶이 변화하는 모습을 나타낸 것

(2) 특징

아동기	부모의 도움을 받아 성장하는 시기로, 소비보다 소득이 적음.
청년기	직업을 통해 안정적인 소득이 생겨 소비보다 소득이 많은 시기이며, 경제적 독립을 성취함.
중·장년기	일반적으로 소득이 가장 많은 시기로, 자녀 양육, 주택 마련, 노후 대비 등의 역할을 수행함.
노년기	은퇴하여 소득이 줄어드는 시기로, 건강 관리가 중요함.

2. 생애 주기를 고려한 금융 설계 < 자료5

(1) 재무 설계 자신의 생애 주기별 과업을 바탕으로 재무(개인이나 가정, 단체 등의 경제 상태와 관련된 일) 목표를 설정하고, 미래의 수입과 지출을 고려하여 구체적인 계획을 세우는 과정

(2) 재무 설계 과정 ㉡ ( ) 설정 → 재무 상태 분석 → 목표 달성을 위한 계획 수립 → 계획 실행 → 실행 결과 평가·수정

정답 | ㉠ 생애 주기 ㉡ 재무 목표

자료 Plus+

자료5 > 일반적인 생애 주기별 수입과 지출 곡선

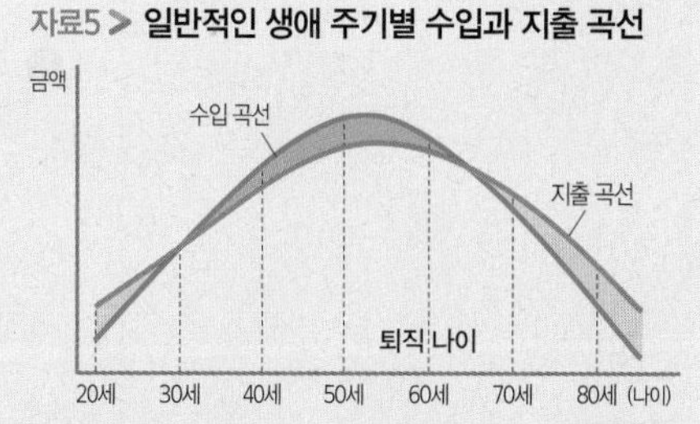

생애 주기 동안 생산 활동을 통해 소득을 얻을 수 있는 시기는 ❶ ( )되어 있지만, 개인의 소비 생활은 평생에 걸쳐 이루어진다. 따라서 생애 주기를 고려한 ❷ ( )가 필요하다.

정답 | ❶ 한정 ❷ 금융 설계

개념 어휘 테스트

반복 점검 시기_ ☐10분 후 ☐1일 후 ☐7일 후 ☐한 달 후

빈칸으로 바로 점검

❶ 국가별로 특수한 환경에 맞춰 가장 유리한 상품을 특화하여 생산하는 것을 (　　　　　)(이)라고 한다.

❷ (　　　)은(는) 국가 간에 국경을 넘어 상품, 서비스, 생산 요소 등을 거래하는 것을 말한다.

❸ (　　　　　)(이)란, 한 국가가 어떤 상품을 다른 국가보다 적은 생산비로 생산하는 것을 말한다.

❹ (　　　　　)(이)란, 한 국가가 다른 국가에 비해 상대적으로 더 적은 기회비용으로 상품을 생산하는 것을 말한다.

❺ (　　　)(이)란 일반적으로 사람들이 소유하고 있는 유·무형의 재산을 의미한다. 이 중 예금, 주식, 채권 등을 (　　　　　)(이)라고 한다.

❻ (　　　)(이)란 기업이 사업 자금 조달을 위해 발행하는 것으로, 자금을 투자한 사람에게 그 대가로 회사 소유권의 일부를 준다는 증표이다.

❼ 투자의 목적과 기간에 따라 안전성, 수익성, 유동성을 고려하여 다양한 금융 상품에 골고루 투자하는 것을 (　　　　　) 투자라고 한다.

❽ 시간의 흐름에 따라 개인의 삶이 어떻게 진전되는지를 몇 가지 단계로 나타낸 것을 (　　　　　)(이)라고 한다.

선 긋기로 바로 점검

❶ (1) 안전성 • 　　• ㉠ 원금과 이자가 보전될 수 있는 정도
(2) 수익성 • 　　• ㉡ 필요할 때 쉽게 현금으로 전환할 수 있는 정도
(3) 유동성 • 　　• ㉢ 가격 상승이나 이자 수익을 기대할 수 있는 정도

❷ (1) 아동기 • 　　• ㉠ 교육 및 성장
(2) 노년기 • 　　• ㉡ 건강 관리 및 노후 생활

한번 더 개념 반복

TIP
❸~❹ 국제 분업과 무역이 발생하는 이유는 절대 우위와 비교 우위로 설명할 수 있다.

ZIP ❸~❹ 교과서 유사 선지
다음 중 옳은 선지를 모두 고르시오.
1 국제 분업과 무역이 발생하는 것은 상대적 생산비의 차이가 있기 때문이다. ☐
2 갑국이 을국보다 모든 상품을 더 저렴하게 생산할 수 있다면 을국과 교역을 하지 않는 것이 이익이다. ☐
정답 | 1

ZIP ❼ 교과서 유사 선지
다음 중 옳은 선지를 모두 고르시오.
1 투자의 위험 요소가 많을수록 그 투자 상품의 안전성은 높아진다. ☐
2 일반적으로 수익성과 안전성은 상충되는 경우가 많다. ☐
3 거래 가격이 높아 팔기가 쉽지 않으면 유동성이 낮은 것이다. ☐
정답 | 2, 3

정답과 해설 23쪽

반복 점검 시기_ ☐10분 후 ☐1일 후 ☐7일 후 ☐한 달 후

찍기로 바로 점검

❶ 국가마다 기후, 지형 등과 같은 자연조건과 자원, 노동, 자본 등 생산 요소의 분포가 (같기, 다르기) 때문에 국제 분업과 무역이 발생한다.

❷ 오늘날에는 무역의 범위가 (축소, 확대)되고 있다.

❸ 교통·통신의 발달, 세계 무역 기구(WTO)의 등장 등 세계화에 따라 (보호 무역, 자유 무역)이(가) 확대되었다.

❹ 우리나라는 무역 의존도가 (낮은, 높은) 편이며, 무역 대상국이 (분산, 편중) 되어 있다.

❺ 국제 무역이 확대되면서 소비자의 상품 선택 폭은 (축소, 확대)되었다.

❻ 국제 무역이 확대되면 기업은 비교 우위 상품을 대량으로 생산함으로써 (규모, 범위)의 경제를 실현하여 생산비를 절감할 수 있다.

❼ 자본과 기술이 풍부한 선진국과 상대적으로 경쟁력이 떨어지는 개발 도상국이 자유 무역을 하면 빈부 격차가 (커진다, 작아진다).

❽ (주식, 채권)이란 국가나 공공 기관, 금융 회사, 기업 등이 미래에 일정한 이자를 지급할 것을 약속하고 돈을 빌린 후 제공하는 증서이다.

❾ (예금, 주식)은 안전성은 높으나 수익성이 낮고, (예금, 주식)은 수익성은 높으나 안전성이 낮다.

❿ (배당, 시세 차익)은 주식회사가 경영을 통해 얻은 이익 가운데 일부를 투자자의 투자 지분에 따라 나눠 주는 것을 말한다.

⓫ (연금, 펀드)은(는) 노후의 소득 감소 위험에 대비하여 경제 활동을 하는 동안 일정 금액을 적립해 두었다가 나중에 지급받는 금융 상품이다.

⓬ 생애 주기별 소득과 지출을 계획할 때 (노년기, 중·장년기)의 경우 소득이 소비보다 많아 미래를 위해 저축해야 한다.

한번 더 개념 반복

TIP
❶ 국제 분업과 무역을 통해 자국에서 얻기 힘든 상품을 얻을 수 있다.

TIP
❺~❼ 국제 무역이 확대되면서 다양한 긍·부정적인 영향이 발생하였다.

❺~❼ 교과서 유사 선지 ZIP
다음 중 옳은 선지를 모두 고르시오.
1 국제 무역의 확대로 국가 간 기술이 전파되어 경제가 성장할 수 있다. ☐
2 무역 의존도가 높을수록 국제 경제 상황의 영향을 덜 받는다. ☐
3 국제 무역의 확대로 세계 시장에서 경쟁력이 떨어지는 국내 산업은 위축될 수 있다. ☐
정답 | 1, 3

❽~⓫ 교과서 유사 선지 ZIP
다음 중 옳은 선지를 모두 고르시오.
1 이자 수입을 주된 목적으로 하는 예금은 요구불 예금이다. ☐
2 주식은 배당과 시세 차익을 기대할 수 있다. ☐
3 채권은 국가만이 발행할 수 있다. ☐
정답 | 2

기출 기초 테스트

기본 기출 주제 ① 절대 우위와 비교 우위

1-1 괄호 안에 들어갈 알맞은 말을 쓰시오.

절대 우위
한 국가가 어떤 상품을 다른 국가보다 적은 (❶)로 생산하는 것

비교 우위
한 국가가 다른 국가에 비해 상대적으로 더 적은 (❷)으로 상품을 생산하는 것

정답 | ❶ 생산비 ❷ 기회비용

1-2 다음 글의 ㉠~㉢에 대한 설명으로 옳은 것은?

> 동일한 양의 상품을 생산하면서 자원을 더 적게 사용하는 능력을 (㉠)(이)라고 한다. 반면에 (㉡)은(는) 다른 나라에 비해 더 적은 (㉢)(으)로 재화를 생산할 수 있는 능력을 뜻한다. 즉, 한 나라에서 어떤 재화를 생산하기 위해 포기하는 재화의 양이 다른 나라보다 적다면 (㉡)이(가) 있다고 볼 수 있다.

① ㉠은 비교 우위, ㉡은 절대 우위이다.
② ㉢은 암묵적 비용이다.
③ 한 국가가 모든 재화의 생산에서 ㉠을 갖는 경우에는 국제 거래의 필요성이 없어진다.
④ 생산 요소의 지역적 분포 차이에 따라 ㉡이 발생하게 된다.
⑤ ㉠과 달리 ㉡으로는 오늘날 국가 간 무역의 발생 이유를 설명할 수 없다.

기본 기출 주제 ② 국제 무역 확대에 따른 영향

2-1 괄호 안에 들어갈 알맞은 말을 쓰시오.

구분	내용
긍정적 영향	• 소비자의 상품 선택 폭 확대 • 대량 생산을 통한 생산비 절감으로 (❶)의 경제 실현 • 국가 간 기술·자본 전파로 경제 성장
부정적 영향	• 경쟁력 없는 국내 산업의 위축 • 정부의 독자적 경제 정책 시행의 어려움 • 국외의 상황이 국내 경제에 큰 영향을 줌. • 빈부 격차 (❷)

정답 | ❶ 규모 ❷ 확대

2-2 (가), (나)에 들어갈 옳은 내용을 ▮보기▮에서 고른 것은?

〈국제 무역 확대에 따른 영향〉

(1) 긍정적 영향: (가)

(2) 부정적 영향: (나)

▮ 보기 ▮

ㄱ. (가): 규모의 경제 실현
ㄴ. (가): 정부의 독립성 강화
ㄷ. (나): 국가 간 빈부 격차 확대
ㄹ. (나): 개발 도상국으로의 자본 유입 축소

① ㄱ, ㄴ ② ㄱ, ㄷ ③ ㄴ, ㄷ
④ ㄴ, ㄹ ⑤ ㄷ, ㄹ

기본 기출 주제 ③ 금융 자산의 종류

3-1 괄호 안에 들어갈 알맞은 말을 쓰시오.

(❶)	• 일정한 계약에 따라 이자를 받기로 하고 금융 회사에 돈을 맡기는 것 • 이자 수입이 목적인 저축성 예금과 입출금이 자유로운 요구불 예금이 있음. • 안전성은 높으나 수익성이 낮음.
(❷)	• 기업이 사업 자금 조달을 위해 발행하는 것 • 수익성은 높으나 안전성이 낮음.
(❸)	• 국가나 공공 기관, 금융 회사, 기업 등이 발행한 일종의 차용 증서 • 예금보다 안전성이 낮지만 수익성은 높음, 주식보다 안전성은 높지만 수익성은 낮음.

정답 | ❶ 예금 ❷ 주식 ❸ 채권

3-2 A~D는 금융 자산의 종류를 나타낸 것이다. 이에 대한 설명으로 옳은 것은?

• A: 입출금이 자유로운 은행 예금
• B: 일정액을 입금하고 만기일에 원금과 이자를 받는 은행 예금
• C: 정부나 공공 기관 등이 발행한 차용 증서
• D: 기업이 투자자에게 회사 소유권의 일부를 준다는 증표

① A는 저축성 예금, B는 요구불 예금이다.
② A는 D보다 유동성이 낮다.
③ B는 C보다 안전성이 낮다.
④ C는 주식, D는 채권이다.
⑤ C는 D보다 안전성이 높다.

기본 기출 주제 ④ 생애 주기별 금융 설계

4-1 괄호 안에 들어갈 알맞은 말을 쓰시오

아동기	소비보다 소득이 적고, 부모의 도움을 받아 성장하는 시기
(❶)	직업을 통해 안정적인 소득이 생겨 소비보다 소득이 많은 시기
중·장년기	일반적으로 소득이 가장 많은 시기
(❷)	은퇴하여 소득이 줄어드는 시기

정답 | ❶ 청년기 ❷ 노년기

4-2 다음 표의 A~C에 대한 설명으로 옳지 않은 것은? (단, A~C는 각각 아동기, 청년기, 노년기 중 하나이다.)

생애 주기 단계	특징
A	은퇴하여 소득이 줄어든다.
B	소비보다 소득이 적고, 부모의 도움을 받아 성장한다.
C	직업을 통해 안정적인 소득이 생겨 소비보다 소득이 많다.

① A에서는 노년 생활 유지가 중요하다.
② 안정적으로 A를 맞이하기 위해 자산 관리가 필요하다.
③ B는 교육을 받으며 진로를 탐색하는 단계이다.
④ C는 경제적 독립을 성취하는 단계이다.
⑤ 생애 주기 단계는 C → B → A 순이다.

STEP 3 A 교과서 기본 테스트

01 무역과 관련하여 경제학자 A의 주장에 부합하는 진술로 가장 적절한 것은?

18~19세기에는 포르투갈이 영국보다 와인과 옷의 생산에 있어 생산성이 높았다. 이에 대해 많은 사람들은 영국이 포르투갈과 자유 무역을 해봤자 손해를 볼 것이라고 생각하였다. 그러나 경제학자 A는 와인과 옷의 상대적 생산 비용이 다르다는 점에 주목하였다. 그는 포르투갈이 와인을 대량으로 생산하여, 옷을 생산하는 영국과 무역하면 서로 이익을 얻을 수 있다고 보았다.

① 비교 우위 상품을 생산하여 교환하면 양국 모두 이익을 얻을 수 있다.
② 무역은 절대 우위가 있는 상품이 있을 때만 참여하는 것이 유리하다.
③ 상대국보다 생산비가 더 많이 드는 제품을 특화하여 생산하는 것이 유리하다.
④ 두 나라가 모두 무역의 이익을 얻기 위해서는 절대 우위 상품만 특화해야 한다.
⑤ 상대국보다 더 큰 기회비용으로 생산할 수 있는 제품을 특화하여 수출하는 것이 유리하다.

02 표는 우리나라의 주요 수출 품목의 변화를 나타낸 것이다. 이에 대한 옳은 분석을 | 보기 | 에서 고른 것은?

시기	주요 수출 품목
1960년대	철광석, 중석, 명주실
1970년대	섬유, 합판, 가발
1980년대	의류, 철·강판, 선박
1990년대	의류, 반도체, 신발
2000년대	반도체, 자동차, 선박

| 보기 |
ㄱ. 비교 우위에 있는 품목이 변화하고 있다.
ㄴ. 1960년대에는 자본 집약적 품목을 주로 수출하였다.
ㄷ. 주요 수출 품목이 기술 집약적인 품목으로 재편되고 있다.
ㄹ. 최근 우리나라는 저렴한 노동력을 바탕으로 생산한 품목의 경쟁력이 높아지고 있다.

① ㄱ, ㄴ ② ㄱ, ㄷ ③ ㄴ, ㄷ
④ ㄴ, ㄹ ⑤ ㄷ, ㄹ

필수 주제 링크

03 다음 자료에 대한 설명으로 옳은 것은?

표는 갑국과 을국 두 나라에서 1주일 동안 X재 혹은 Y재만 생산할 때 최대로 생산 가능한 재화의 수를 나타낸 것이다. 갑국과 을국은 보유한 모든 생산 요소를 사용하여 X재와 Y재를 생산하며, 교역 시 양국은 각각 비교 우위에 있는 재화를 특화한다.

구분	갑국	을국
X재	40개	50개
Y재	60개	90개

① 갑국은 X재, 을국은 Y재 생산에 절대 우위가 있다.
② 을국의 X재 1개 생산의 기회비용은 Y재 5/9개이다.
③ 갑국은 Y재, 을국은 X재 생산에 비교 우위가 있다.
④ X재 1개 생산의 기회비용은 갑국이 을국보다 적다.
⑤ Y재 1개 생산의 기회비용은 을국이 갑국보다 많다.

| 핵심 point | 각국은 기회비용이 적은 품목, 즉 비교 우위에 있는 품목을 특화하여 생산해야 한다.

04 다음 글에서 강조하는 무역 확대의 영향으로 가장 적절한 것은?

세계 화장품 시장에서 외국 상표(brand)의 아성을 무너뜨리기란 어려운 일이었다. 그러나 우리나라 A사가 자체 기술로 쿠션(cushion) 화장품을 개발하여 세계 여러 국가에서 엄청난 판매량을 기록하였다. 이는 A사가 세계 시장에서 성공하려고 연구·개발 분야에 아낌없이 투자하고, 유행 변화에 맞춰 상품을 출시하였기 때문이다.

① 경쟁력이 낮은 산업에서 일자리가 창출된다.
② 정부가 경제 정책을 자유롭게 운영할 수 있다.
③ 선진국과 개발 도상국 간 빈부 격차가 해소된다.
④ 규모의 경제 실현으로 기업의 생산비가 증가한다.
⑤ 기업은 외국 기업과 경쟁하면서 경쟁력이 강화된다.

05 밑줄 친 ㉠~㉣에 대한 설명으로 옳지 않은 것은?

이름도 생소한 아프리카 북서부 지역의 모리타니산 문어부터 아르헨티나산 홍어, 러시아산 차가 버섯까지 ㉠ 세계 각지에서 생산한 식품이 우리 식탁에 오르고 있다. 이러한 현상이 나타나게 된 까닭은 ㉡ 세계 무역 기구(WTO)가 등장하고, ㉢ 자유 무역 협정(FTA)이 확대되었기 때문이다. 같은 이유로 미국산 오렌지·레몬·자몽, 필리핀산 바나나·파인애플, ㉣ 칠레산 포도 등 수많은 수입 과일이 물밀듯 밀려 들어오고 있다.

① ㉠: 소비자가 상품을 선택할 수 있는 폭이 넓어졌다.
② ㉠: 세계 경제 상황이 안 좋아지면 우리 식탁도 위협받을 수 있다.
③ ㉡: 자유 무역을 통한 세계 무역 증진을 도모한다.
④ ㉢: 무역 장벽을 높여 수입품의 가격을 인상시킨다.
⑤ ㉣: 경쟁력이 떨어지는 국내 포도 농장은 폐업할 수 있다.

06 (가)에 들어갈 수업 주제로 가장 적절한 것은?

〈수업 주제: (가) 〉
- 살아가면서 여러 위험에 처할 수 있으므로 이에 대비해야 한다.
- 평균 수명의 연장으로 인해 정기적인 소득이 없는 기간이 늘어날 수 있다.
- 언제, 얼마만큼의 자금이 필요할 것인지 미리 예측해서 준비해야 원하는 생활 수준을 유지할 수 있다.

① 자산 관리의 필요성
② 개인 신용 관리의 중요성
③ 자산 관리의 세 가지 원칙
④ 안전성을 높이는 투자 방식
⑤ 주식 투자의 순기능과 역기능

07 (가)~(다)에 해당하는 자산 관리의 기본 원칙을 바르게 연결한 것은?

(가) 투자한 금융 자산의 원금과 이자가 보전될 수 있는 정도
(나) 금융 상품의 가격 상승이나 이자 수익을 기대할 수 있는 정도
(다) 보유하고 있는 자산을 쉽게 현금으로 전환할 수 있는 정도

	(가)	(나)	(다)
①	수익성	안전성	유동성
②	수익성	유동성	안전성
③	안전성	수익성	유동성
④	안전성	유동성	수익성
⑤	유동성	안전성	수익성

코딩형

08 다음 〈게임 방법〉에 따라 나온 최종 도착 지점을 게임판의 ㉠~㉤에서 고르면?

〈게임 방법〉
- 아래 자료의 (가)에 해당하는 경제 개념에 대한 질문의 답으로 '예'는 두 칸, '아니요'는 한 칸 앞으로 전진한다.
- ㉠~㉤ 중 한 지점에 도착하면 놀이는 종료된다.

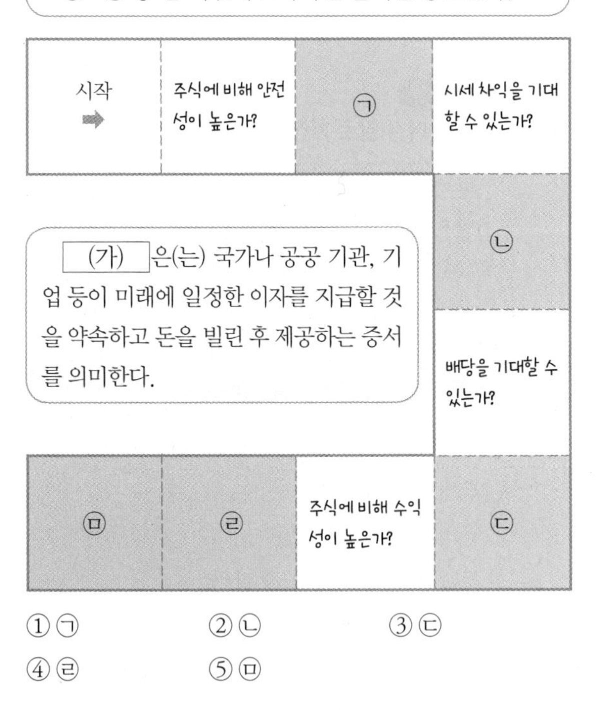

① ㉠ ② ㉡ ③ ㉢
④ ㉣ ⑤ ㉤

필수 주제 링크

09 교사의 질문에 바르게 대답한 학생을 고른 것은?

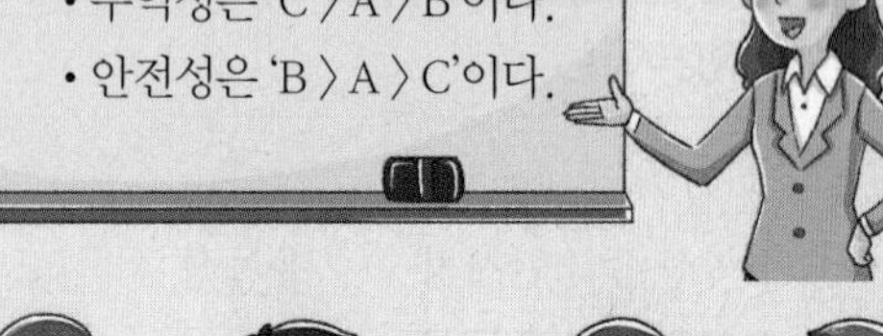

① 갑, 을　② 갑, 병　③ 을, 병
④ 을, 정　⑤ 병, 정

| 핵심 point | 안전성은 예금이 가장 높고, 수익성은 주식이 가장 높다.

창의형

10 (가)에 들어갈 말로 가장 적절한 것은?

> 포트폴리오는 원래 간단한 서류 가방이나 자료 수집철을 뜻하는 말인데 경제 분야에서는 보유한 자산의 목록을 의미한다. 여러 종류의 자산에 나누어 자산 가치 하락의 위험을 피하고 투자 수익을 극대화하기 위한 투자를 '포트폴리오 투자'라고 한다. 이런 포트폴리오 투자 방식을 강조하는 말로는 '　(가)　'를 들 수 있다.

① 부채도 자산이다.
② 남의 떡이 더 커 보인다.
③ 지나간 일에 마음 쓰지 마라.
④ 달걀을 한 바구니에 담지 말라.
⑤ 두 마리 토끼를 동시에 잡을 수는 없다.

11 다음 '100-나이'의 원칙을 잘 이해한 진술로 가장 적절한 것은?

> 〈'100-나이'의 원칙〉
> 금융 상품에 투자할 때, 100에서 자신의 나이를 뺀 숫자만큼의 비율을 수익성 위주의 자산에 투자하고, 나머지는 안전성 위주의 자산에 투자하라는 원칙

① 갑: 젊은 사람일수록 안전성을 높이는 투자를 해야겠군.
② 을: 30대의 경우 자산의 70%는 정기 예금에 투자해야겠군.
③ 병: 유동성이 높은 자산보다 낮은 자산에 투자하라는 뜻이네.
④ 정: '고수익, 고위험' 자산에는 절대 투자하지 말라는 뜻이네.
⑤ 무: 40대의 경우 자산의 40%정도는 안전성 위주의 자산에 투자해야겠군.

12 그림은 생애 주기에 따른 수입과 지출을 보여준다. A~C 시기에 대한 옳은 설명을 | 보기 |에서 고른 것은?

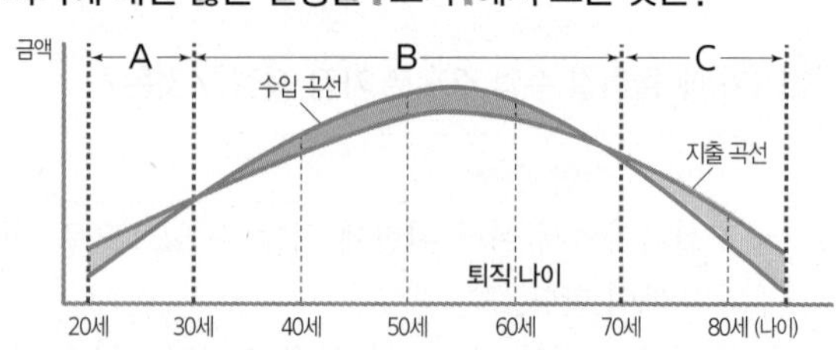

| 보기 |
ㄱ. A 시기에는 수입이 지출보다 작다.
ㄴ. B 시기는 소득보다 소비가 급격하게 많아지는 시기이다.
ㄷ. C 시기에 개인 소득은 지속적으로 증가한다.
ㄹ. 평균 수명의 연장으로 C 시기에 대한 대비가 중요하다.

① ㄱ, ㄴ　② ㄱ, ㄹ　③ ㄴ, ㄷ
④ ㄴ, ㄹ　⑤ ㄷ, ㄹ

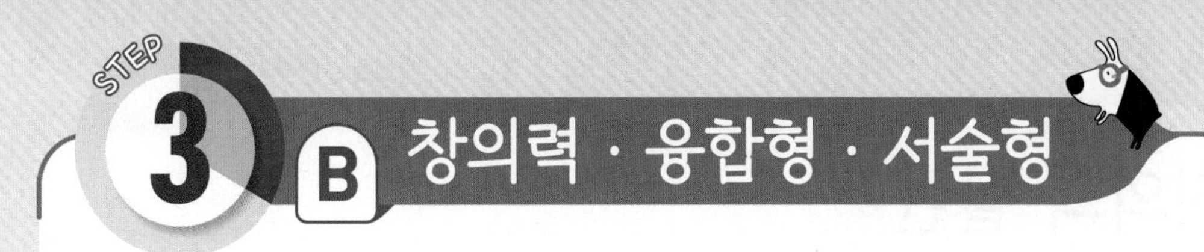

정답과 해설 25쪽

13 다음 자료를 보고 물음에 답하시오.

표는 갑국과 을국이 반팔티와 반바지를 1벌씩 생산하는 데 투입되는 비용을 나타낸 것이다.

구분	반팔티	반바지
갑국	3천 원	9천 원
을국	2천 원	7천 원

(1) 갑국과 을국의 반팔티와 반바지 1벌 생산의 기회비용을 각각 비교하여 서술하시오.

(2) 갑국과 을국 간 교역이 이루어지는 이유를 (1)을 근거로 서술하시오.

14 밑줄 친 ㉠에 해당하는 내용을 개인·기업·국가 차원에서 각각 서술하시오.

국제 무역의 확대는 국가 경제와 개인의 삶에 긍정적인 영향을 줄 수 있다. 각국이 무역을 통해 원하는 것을 사고파는 과정에서 무역에 참여하는 경제 주체들도 다양한 측면에서 ㉠ 긍정적인 영향을 받는다.

15 다음 글을 읽고 물음에 답하시오.

금융 자산을 잘 관리하려면 자산 관리에 대한 기본 원리를 잘 알고 있어야 한다. 먼저, ㉠ 원금 손실 가능성이 적은지를 잘 고려해야 하며, ㉡ 원금에 비해 얼마나 더 많은 이익을 얻을 수 있는지를 잘 살펴봐야 한다. 또한 ㉢ 필요할 때 현금으로 전환할 수 있는지 여부도 고려해야 한다. 합리적인 자산 관리자라면 이 세 가지 원리를 고려하여 다양한 금융 상품에 적절히 배분하는 것이 바람직하다.

(1) ㉠~㉢에 해당하는 용어를 각각 쓰시오.

(2) ㉠과 ㉡의 일반적인 관계를 금융 자산 사례를 들어 서술하시오.

16 다음은 통합사회 수업 시간에 교사가 제시한 자료이다. 이를 보고 물음에 답하시오.

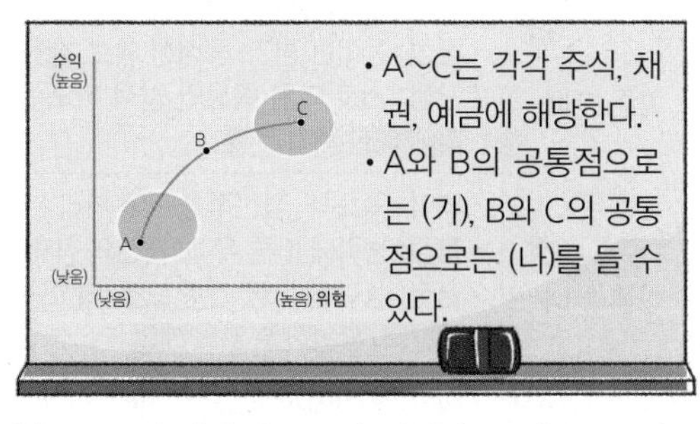

(1) A~C에 해당하는 금융 자산을 쓰시오.

(2) (가), (나)에 해당하는 내용을 각각 한 가지씩 서술하시오.

11강 정의의 실현

주제 01 정의의 의미와 필요성

1. 정의의 의미

(1) 일반적 의미 개인이 지켜야 할 올바른 도리이자 사회를 구성하고 유지하는 공정한 도리

(2) 시대와 장소에 따른 다양한 정의에 관한 관점

① 동양의 (㉠) 의로움[의(義)], 즉 옳음

② 서양에서의 고전적 의미 각자에게 그의 몫을 주는 것 < 자료1

└ 아리스토텔레스는 정의란 같은 것은 같게 대우하고 다른 것은 다르게 대우하는 것이라고 봄.

③ 오늘날 주로 '사회 정의'를 의미하며, 이는 사회 제도가 추구해야 할 최고의 덕목임.

2. 정의의 필요성

(1) 사회 구성원의 기본적 (㉡) 보장 사회 구성원 모두가 기본적 권리를 누리며 인간다운 삶을 누리기 위해 필요

(2) 사회 통합의 기반 마련 사회 구성원이 공동체의 발전을 위해 서로를 신뢰하며 적극적으로 참여하고 협력하기 위해 필요

(3) 옳고 그름에 대한 판단 기준 제공 이해 갈등을 공정하게 처리

정답 | ㉠ 유교 ㉡ 권리

자료 Plus

자료1 > **아리스토텔레스의 정의**

일반적 정의	공익 실현을 위한 법을 준수하는 것
특수적 정의	• (❶) 정의: 각 사람이 지닌 가치에 따라 권력, 명예, 재화 등을 분배하여 공정함을 실현하는 것 • (❷) 정의: 손해와 이익에서 사람들 간의 동등하지 않음을 바로잡는 것 • 교환적 정의: 교환의 결과를 공정하게 하는 것

정답 | ❶ 분배적 ❷ 교정적

주제 02 정의의 실질적 기준

1. 분배적 정의 사회적·경제적 가치를 공정하게 분배하는 것과 관련된 정의

└ 사회적·경제적 가치는 한정되어 있기 때문에 꼭 필요함.

2. 다양한 분배적 정의의 기준 < 자료2

(㉠)에 따른 분배	• 의미: 당사자들이 성취하고 이바지한 정도에 따라 분배하는 것 • 장점: 용이한 평가, 공정성 확보, 생산성 향상 • 단점: 서로 다른 종류의 업적 비교 곤란, 경쟁 과열, 사회적 약자에 대한 배려 부족
(㉡)에 따른 분배	• 의미: 육체적·정신적 능력에 따라 분배하는 것 • 장점: 능력에 따른 우대, 개인의 잠재력 실현, 업무 효율성 제고 • 단점: 능력에 대한 기준 모호, 타고난 능력이나 사회적 환경 등 선천적·우연적 요소의 개입
(㉢)에 따른 분배	• 의미: 인간에게 필요한 기본적인 욕구를 충족할 수 있도록 분배하는 것 • 장점: 사회적 약자 고려, 인간다운 삶 보장 • 단점: 모두의 필요를 충족시키기 어려움, 경제적 효율성 저하 (└ 노동 의욕을 약화시키기 때문임.)
(㉣)에 따른 분배	• 의미: 모든 사람에게 절대적으로 동일한 몫을 분배하는 것 • 장점: 경제적 평등 • 단점: 결과에 대한 책임감 약화, 생산성 저하

3. 바람직한 분배의 기준 어느 하나의 기준만을 적용하기보다는 사회적 합의를 거쳐 각 상황에서 가장 적합한 기준을 마련해야 함.

정답 | ㉠ 업적 ㉡ 능력 ㉢ 필요 ㉣ 절대적 평등

자료 Plus

자료2 > **다양한 분배 기준의 중요성**

왈처는 서로 다른 사회적 삶의 영역에서는 서로 다른 분배 기준이 통용되어야 한다고 주장하였다. …… 필요의 기준이 지배해야 하는 의료 영역에서 능력이나 업적의 기준이 적용되어 어떤 이에게 필요한 의료 혜택이 주어지지 않는다거나, 경제적 불평등이 사회적 지위의 불평등이나 고용 기회의 불평등, 심지어 건강상의 불평등으로 이어지는 것은 정의롭지 않다. -《처음 읽는 윤리학》-

왈처는 사회적 자원을 공정하게 (❶)하기 위해서 적절한 (❷)을 설정하는 것이 중요하다고 보았다.

정답 | ❶ 분배 ❷ 기준

주제 03 자유주의적 정의관

1. 자유주의

(1) 의미 개인의 자유를 가장 소중한 가치로 여기는 사상

(2) 특징 개인은 사회에 우선하고, 사회는 자유롭고 독립적인 개인들의 총합이라고 봄.

2. 자유주의적 정의관

(1) 정의관 타인의 자유를 침해하지 않는 한에서 개인의 자유와 권리를 최대한 보장하는 것이 정의로움. → 개인선의 추구를 통해 공동선이 달성될 수 있음.

- 공동선: 공동체 구성원 모두에게 이익이 되거나 공동체의 발전을 이루게 하는 것
- 개인선: 개인의 행복 추구나 자아실현 등 개인이 사적으로 누릴 수 있는 이익

(2) 사회(국가)관 사회나 국가는 중립적 입장을 지키고, 개인에게 특정한 가치나 삶의 방식을 강제해서는 안 됨. – 국가의 가치 중립적 역할을 강조함.

(3) 대표적 사상가 < 자료3

㉠	• 공정으로서의 정의: 공정한 절차를 통해 합의된 것은 정의로움. • 사회적 약자의 복지를 배려하기 위해 사회적·경제적 불평등을 최소화하려는 국가 역할의 필요성을 인정함.
㉡	• 소유 권리로서의 정의: 개인의 자유와 소유 권리를 보장하는 것이 정의로움. • 개인의 권리를 보호하는 역할만 하는 최소 국가를 지지하면서 국가의 소득 재분배 정책인 조세 정책이나 복지 제도에 반대함.

정답 | ㉠ 롤스 ㉡ 노직

자료 Plus

자료3 > 롤스의 정의의 원칙

제1원칙	개인은 기본적 자유에서 평등한 권리를 지녀야 한다(평등한 자유의 원칙).
제2원칙	사회적·경제적 불평등은 다음 두 가지 조건이 충족될 때 허용된다. ❶ 에게 최대의 이익을 보장하도록 이루어져야 하고(차등의 원칙), 공정한 기회균등의 원칙에 따라 모든 사람에게 직책이나 직위가 개방되어야 한다(❷ 의 원칙).

정답 | ❶ 최소 수혜자 ❷ 기회균등

주제 04 공동체주의적 정의관

1. 공동체주의

(1) 의미 인간의 삶에서 공동체가 가지는 의미를 중시하는 사상

(2) 특징 개인을 공동체의 문화와 역사 등의 영향을 받으며 살아가는 연고적 자아로 봄.

2. 공동체주의적 정의관

(1) 정의관 공동체 구성원들이 서로에 대한 유대감을 바탕으로 각자의 역할과 의무를 다하는 것이 정의로움. → 공동선이 실현될 때 개인선이 달성될 수 있음.

(2) 사회(국가)관 공동체는 개인이 소속감을 바탕으로 공동체의 책무를 이행하며 살아갈 수 있도록 장려하고 이끌어 주어야 함. – 국가의 가치 지향적 역할을 강조함.

(3) 대표적 사상가 < 자료4

㉠	개인은 공동체를 바탕으로 자아 정체성을 형성하고 삶을 구성하므로 공동체의 가치와 전통을 존중하는 삶을 살아야 함.
㉡	사회적 가치는 각 공동체의 역사적·문화적 소산이므로 사회적 가치가 있는 재화마다 각기 다른 분배 기준이 필요함. → 다원적 평등 실현

3. 자유주의와 공동체주의 정의관의 조화

개인의 권리와 공동체에 대한 의무를 함께 추구하고, 사익과 공익의 조화를 지향해야 함. < 자료5

정답 | ㉠ 매킨타이어 ㉡ 왈처

자료 Plus

자료4 > 매킨타이어의 공동체주의

나는 이 도시 혹은 저 도시의 시민이며, 이 조합 또는 저 집단의 구성원이다. 그렇기 때문에 나에게 좋은 것은 공동체에서 이러한 역할을 담당하는 누구에게나 좋아야 한다. 이러한 역할들의 담지자로서 나는 가족, 도시, 부족, 민족으로부터 다양한 부담과 유산, 정당한 기대와 책무들을 물려받는다. 그것들은 삶의 도덕적 출발점을 구성한다.

– 매킨타이어, 《덕의 상실》 –

자료5 > 공유지의 비극

한 마을에는 누구나 소를 풀어놓아 풀을 먹일 수 있는 공유지가 있었다. 어느 날 마을 사람 중 한 명이 소를 더 사들여 공유지의 풀을 먹게 하였다. 이를 본 이웃들도 더 많은 소를 사들여 공유지에 풀어놓기 시작하였고, 결국 새로운 풀이 자랄 겨를도 없어지면서 공유지는 황무지가 되었다.

공유지의 비극을 통해 ❶ 과 ❷ 의 조화로운 추구의 중요성을 알 수 있다.

정답 | ❶ 공익(사익) ❷ 사익(공익)

개념 어휘 테스트

반복 점검 시기_ ▢10분 후 ▢1일 후 ▢7일 후 ▢한 달 후

찍기로 바로 점검

❶ 정의에 대한 관점은 시대와 장소에 따라 (같다, 다양하다).

❷ 고전적으로 (동양, 서양)에서는 정의를 의로움[의(義)], 즉 옳음으로 보았다.

❸ 개인적 차원에서 정의는 (사회 통합, 기본적 권리 보장)과 밀접한 관련이 있다.

❹ 사회적 · 경제적 가치는 (무한, 유한)하기 때문에 공정하게 분배하여 정의를 실현하고 사회적 갈등을 해결해야 한다.

❺ (상대적, 절대적) 평등에 따른 분배란, 모든 사람에게 동일한 몫을 분배하는 것을 의미한다.

❻ 정의는 (하나의 기준, 다양한 기준)을 고려하여 분배할 때 이루어진다.

❼ 롤스는 사회적 · 경제적 불평등이 사회의 (최대 수혜자, 최소 수혜자)에게 최대 이익을 보장할 경우에 정당화된다고 주장하였다.

❽ 공동체주의는 인간을 공동체의 문화와 역사 등의 영향을 받으며 살아가는 (연고적 자아, 무연고적 자아)로 본다.

선 긋기로 바로 점검

❶ (1) 능력에 따른 분배 • 　　• ㉠ 개인의 육체적 · 정신적 능력에 따른 분배

(2) 업적에 따른 분배 • 　　• ㉡ 인간의 기본적인 욕구를 충족하기 위한 분배

(3) 필요에 따른 분배 • 　　• ㉢ 당사자들이 성취하고 이바지한 정도에 따른 분배

❷ (1) 노직 • 　　• ㉠ 공정으로서의 정의

(2) 롤스 • 　　• ㉡ 소유 권리로서의 정의

✔ 한번 더 개념 반복

TIP
❸ 정의는 이해 갈등을 공정하게 처리하게 하여 개인선과 공동선을 실현하게 해 준다.

ZIP ❼ 교과서 유사 선지
다음 중 옳은 선지를 모두 고르시오.
1 롤스는 자유주의적 정의관을 기반으로 분배적 정의를 주장한다. ▢
2 롤스는 정의로운 사회에서도 사회적 · 경제적 불평등은 허용될 수 있다고 본다. ▢
3 롤스는 공정으로서의 정의 실현을 위해 국가 개입을 배제해야 한다고 본다. ▢
정답 | 1, 2

ZIP ❶ 교과서 유사 선지
다음 중 옳은 선지를 모두 고르시오.
1 필요에 따른 분배는 과열 경쟁을 가져온다. ▢
2 능력에 따라 분배하면 반드시 생산성이 향상된다. ▢
3 필요에 따른 분배는 사회적 약자를 배려한다는 장점이 있다. ▢
정답 | 3

반복 점검 시기_ ▢10분 후 ▢1일 후 ▢7일 후 ▢한 달 후

빈칸으로 바로 점검

❶ (　　　)(이)란 개인이 지켜야 할 올바른 도리이자 사회를 구성하고 유지하는 공정한 도리를 의미한다.

❷ 아리스토텔레스가 말한 (　　　) 정의란 다른 사람에게 해를 끼친 만큼 보상하게 하는 것으로, 서로 간의 동등하지 않음을 바로잡는 것이다.

❸ 아리스토텔레스가 말한 (　　　) 정의란 각자의 가치에 따라 권력, 명예, 재화를 분배함으로써 공정함을 실현하는 것이다.

❹ (　　　)에 따른 분배는 열심히 일하려는 성취동기를 북돋을 수 있지만, 자칫 경쟁이 과열될 수 있다는 단점이 있다.

❺ 육체적·정신적 능력에 따라 분배하면 개인의 잠재력을 실현할 수 있지만, 타고난 능력이나 사회적 환경 등 선천적·(　　　) 요소가 개입될 수 있다.

❻ 자유주의란 개인의 (　　　)을(를) 가장 소중한 가치로 여기는 사상을 의미한다.

❼ (　　　)주의에서는 사회를 자유롭고 독립적인 개인들의 총합으로 본다.

❽ 노직은 정당한 취득과 양도에 따르는 개인의 (　　　) 권리를 강조하는 정의론을 주장하였다.

❾ (　　　　　)(이)란 인간의 삶에서 공동체가 가지는 의미를 중시하는 사상이다.

❿ 매킨타이어는 개인이 (　　　)을(를) 바탕으로 자아 정체성을 형성하고 삶을 구성하므로 전통을 존중하는 삶을 살아야 한다고 주장하였다.

⓫ (　　　)은(는) 사회적 가치가 각각의 고유한 영역에 속하며 공동체의 문화적 특수성과 차이를 고려하여 다원적 평등이 실현되어야 함을 주장하였다.

⓬ 사익과 공익 중 어느 한쪽만을 지나치게 중시하기보다는 이들의 (　　　)을(를) 지향해야 한다.

한번 더 개념 반복

TIP

❷ 아리스토텔레스는 정의의 유형을 일반적 정의와 특수적 정의로 구분하고, 다시 특수적 정의를 교정적 정의, 분배적 정의, 교환적 정의로 구분했다.

ZIP ❹ 교과서 유사 선지

다음 중 옳은 선지를 모두 고르시오.

1 업적에 따른 분배는 공정성을 확보하기 용이하다. ▢

2 업적에 따른 분배는 사회적 약자를 고려할 수 있다. ▢

3 업적에 따른 분배는 능력에 따라 분배하는 것이다. ▢

정답 | 1

ZIP ❽ 교과서 유사 선지

다음 중 옳은 선지를 모두 고르시오.

1 노직은 자유주의적 정의관을 기반으로 분배적 정의를 주장한다. ▢

2 노직은 개인의 소유권을 보호하는 선에서만 행동하는 최대 국가를 정의롭다고 보았다. ▢

정답 | 1

TIP

❾~❿ 공동체주의에서는 공동체가 개인의 정체성을 형성하는 삶의 기반이라고 본다.

기출 기초 테스트

기본 기출 주제 ① 정의의 의미와 필요성

1-1 괄호 안에 들어갈 알맞은 말을 쓰시오.

의미	개인이 지켜야 할 올바른 도리이자 사회를 구성하고 유지하는 공정한 도리
관점	• 동양: 의로움[의(義)] • 서양: 각자에게 그의 (❶)을 주는 것 • 오늘날: 사회 정의
필요성	사회 구성원의 기본적 (❷) 보장과 사회 통합을 위해 필요함.

정답 | ❶ 몫 ❷ 권리

1-2 ㉠에 대한 설명으로 옳지 않은 것은?

㉠ 은(는) 개인이 지켜야 할 올바른 도리이자 사회를 구성하고 유지하는 공정한 도리를 말한다.

① 공동체의 발전을 위해 필요하다.
② 기본적 권리 보장을 위해 필요하다.
③ 각자에게 각자의 몫을 주는 것이다.
④ 사회를 유지하기 위한 핵심 덕목이다.
⑤ 모든 사회에서 같은 모습으로 나타난다.

기본 기출 주제 ② 분배적 정의의 기준

2-1 괄호 안에 들어갈 알맞은 용어를 | 보기 |에서 고르시오.

| 보기 |
㉠ 능력 ㉡ 업적 ㉢ 필요

(❶)	당사자들이 성취하고 이바지한 정도에 따른 분배
(❷)	육체적·정신적 능력에 따른 분배
(❸)	인간의 기본적 욕구를 충족할 수 있도록 분배

정답 | ❶ ㉡ ❷ ㉠ ❸ ㉢

2-2 갑~병에 대한 설명으로 가장 적절한 것은?

교사: 전교생 200명 중에서 10명에게 장학금을 준다면, 어떤 기준으로 분배하는 것이 정의로울까요?
갑: 뛰어난 재능을 갖추고 있어 성장 가능성이 높은 학생에게 주어야 합니다.
을: 경제적 형편이 어려워 장학금이 필요한 학생에게 주어야 합니다.
병: 각종 대회에서 우수한 성적을 거둬 학교 위상을 높인 학생에게 주어야 합니다.

① 갑은 업적에 따른 분배를 주장한다.
② 을은 능력에 따른 분배를 주장한다.
③ 병은 필요에 따른 분배를 주장한다.
④ 갑은 을보다 사회적 약자를 고려한다.
⑤ 병은 갑보다 개인의 업적을 더 강조한다.

기본 기출 주제 ③ 자유주의적 정의관의 사상가

3-1 괄호 안에 들어갈 알맞은 사상가를 쓰시오.

(❶)	• 공정으로서의 정의 • 사회적 약자의 복지를 배려하기 위해 사회적·경제적 불평등을 최소화하려는 국가 역할의 필요성을 인정함.
(❷)	• 소유 권리로서의 정의 • 개인의 권리를 보호하는 역할만 하는 최소 국가를 지지함.

정답 | ❶ 롤스 ❷ 노직

3-2 갑, 을에 대한 설명으로 가장 적절한 것은?

> 갑: 모든 사람은 기본적 자유와 공정한 기회를 균등하게 누려야 하며, 사회·경제적 불평등은 사회적 약자에게 최대의 이익을 보장할 수 있어야 한다.
> 을: 타인에게 피해를 주지 않고 정당하게 소유물을 취득하거나 양도받았다면 소유물에 대한 개인의 권리를 전적으로 인정해야 한다.

① 갑은 분배에서 국가 개입을 최소화해야 한다고 본다.
② 갑은 개인의 소유 권리를 가장 우선해야 한다고 주장한다.
③ 을은 국가의 역할에 있어서 최대 국가를 지지한다.
④ 을은 절대적 평등을 기준으로 분배해야 한다고 본다.
⑤ 갑과 을은 자유주의적 정의관을 기반으로 한다.

기본 기출 주제 ④ 공동체주의적 정의관의 사상가

4-1 괄호 안에 들어갈 알맞은 사상가를 쓰시오.

(❶)	개인은 공동체를 바탕으로 자아 정체성을 형성하고 삶을 구성하므로 공동체의 가치와 전통을 존중하는 삶을 살아야 함.
(❷)	사회적 가치는 각 공동체의 역사적·문화적 소산이므로 사회적 가치가 있는 재화마다 각기 다른 분배 기준이 필요함. → 다원적 평등 실현

정답 | ❶ 매킨타이어 ❷ 왈처

4-2 (가), (나)를 주장한 사상가의 공통점으로 가장 적절한 것은?

> (가) 개인은 공동체의 가치와 전통을 존중하는 삶을 살아야 한다.
> (나) 공동체의 문화적 특수성과 차이를 고려하여 가치를 분배함으로써 다원적 평등을 실현해야 한다.

① 공동선보다 개인선을 우선한다.
② 공동체와 독립된 개인을 강조한다.
③ 개인의 자유를 가장 소중히 여긴다.
④ 공동체를 개인 정체성의 기반이라 인식한다.
⑤ 공동체는 자유로운 개인들의 총합일 뿐이라고 주장한다.

STEP 3 A 교과서 기본 테스트

필수 주제 링크

01 ㉠에 대한 설명으로 적절한 것을 | 보기 | 에서 고른 것은?

사상 체계의 제1덕목을 진리라고 한다면, 사회 제도의 제1덕목은 ㉠ 이다. 이론이 아무리 훌륭하더라도 그것이 진리가 아니면 수정되어야 하듯이, 법이나 제도가 아무리 효율적이더라도 그것이 ㉠ 을(를) 갖추지 못하면 폐기되어야 한다. 이는 모두가 평등하게 대우받고 공정하게 자신의 몫을 분배받으며 살아가기 위해 반드시 필요한 덕목이다.

| 보기 |
ㄱ. 기본적 권리 보장에 기여한다.
ㄴ. 사회를 유지하는 공정한 도리이다.
ㄷ. 개인적 차원에서는 실현되지 않는다.
ㄹ. 같은 경우를 다르게 취급하는 것이다.

① ㄱ, ㄴ ② ㄱ, ㄷ ③ ㄴ, ㄷ
④ ㄴ, ㄹ ⑤ ㄷ, ㄹ

| 핵심 point | 정의는 개인이 지켜야 할 도리이자, 사회를 유지하는 공정한 도리이다. 정의는 인간의 기본적인 권리 보장과 사회 통합을 위해 반드시 필요하다.

02 교사의 질문에 바르게 대답한 학생을 고른 것은?

① 갑, 을 ② 갑, 병 ③ 을, 병
④ 을, 정 ⑤ 병, 정

신유형

03 (가)에 들어갈 내용으로 적절한 것은?

발표 주제: (가)
[사례 1] 여름 내내 놀고 있던 게으른 베짱이는 겨울에 먹을 식량이 없어 배고픈 나날을 보낸다.
[사례 2] 오랜 기간의 의학 공부를 통해 의사가 된 A와 전단지 배부 아르바이트를 하는 B의 월급은 다르다.

① 교정적 정의의 확대
② 교환적 정의의 실현
③ 다양한 차별의 사례
④ 분배적 정의의 실현
⑤ 사회적 약자에 대한 고려

융합형 일반사회·윤리

04 다음 글에 제시된 분배 기준의 문제점으로 가장 적절한 것은?

육체적·정신적인 능력이 뛰어난 사람에게 더 많은 분배와 보상이 이루어져야 한다. 능력에 따라 분배하면 성취동기를 높여 사회 발전에 기여할 수 있다. 예를 들어 뛰어난 경영 능력을 가진 사람은 회사의 경영자가 되어야 하고, 뛰어난 운동 능력을 가진 사람은 최고의 기량을 펼칠 수 있는 기회를 부여받아야 한다. 만약 능력과 무관한 분배가 이루어진다면 자신의 능력을 적극적으로 개발하지 않게 되어 개인과 사회에 큰 손실을 가져오게 될 것이다.

① 모두의 필요를 충족시키기 어렵다.
② 서로 다른 종류의 업적을 비교하기 어렵다.
③ 과열 경쟁으로 비인간화를 유발할 수 있다.
④ 선천적 자질이나 부모의 지위에 영향을 받는다.
⑤ 노동 의욕을 약화하여 경제적 효율성을 저해한다.

05 다음 글에 나타난 사례에 대한 설명으로 옳지 않은 것은?

> 이장: 마을에서 공동으로 김장한 김치를 어떻게 나누는 것이 좋을까요?
> 갑: 김장을 많이 담근 사람이 김치를 많이 가져가야 합니다.
> 을: 아닙니다. 그렇게 되면 [㉠]와(과) 같은 문제가 발생할 수 있습니다. 따라서 필요한 만큼 가져가게 해야 합니다.

① 갑은 업적에 따른 분배를 주장하고 있다.
② 갑의 주장대로 김치를 나누면 생산성이 저하된다.
③ 을은 필요에 따른 분배를 주장하고 있다.
④ ㉠에는 '사회적 약자에 대한 배려 부족'이 들어갈 수 있다.
⑤ 갑과 을 중 더 정의로운 분배의 기준을 정하는 일은 쉽지 않다.

06 갑, 을의 주장으로 가장 적절한 것은?

기본적 욕구를 충족할 수 있는 분배를 통해 실질적 평등을 실현해야 해.

아니야. 기본적 욕구를 넘어 동등한 몫을 분배함으로써 절대적 평등을 실현해야 해.

갑

을

① 갑: 모두에게 동일한 몫을 분배해야 한다.
② 갑: 경제적 생산성을 높이도록 분배해야 한다.
③ 을: 능력에 대한 정당한 보상을 해야 한다.
④ 을: 당사자가 성취한 정도에 따라 분배해야 한다.
⑤ 을: 모든 사람을 동등한 인격체로 대우하여 기회와 혜택을 골고루 나누어야 한다.

필수 주제 **링크**

07 갑, 을의 주장에 대한 설명으로 가장 적절한 것은?

> 갑: 경제적·사회적 불평등은 모든 사람, 특히 사회적 약자에게 최대의 이익을 보장할 때 허용될 수 있다.
> 을: 각 개인은 자기 소유물을 합법적 수단으로 취득할 경우 그에 대한 소유 권리를 갖는다. 이 과정에서 생긴 경제적·사회적 불평등은 개개인의 자선 행위를 통해 개선될 수 있다.

① 갑은 분배 문제를 전적으로 개인의 선택에 맡겨야 한다고 본다.
② 을은 국가가 조세 정책이나 복지 제도를 적극적으로 시행해야 함을 주장한다.
③ 갑은 을보다 개인의 기본적 자유 보장을 강조한다.
④ 을은 갑보다 사회적 약자에 대한 고려를 강조한다.
⑤ 갑, 을은 모두 정의로운 사회에도 경제적·사회적 불평등이 존재한다고 본다.

| 핵심 point | 자유주의적 정의관을 주장하는 롤스와 노직은 모두 개인의 기본적 자유 보장을 주장하지만 롤스는 공정성을, 노직은 소유 권리를 핵심으로 삼는다.

08 갑의 입장에서 〈사례〉 속 A의 행위에 대해 평가한 것으로 가장 적절한 것은?

> 갑: 어떤 사람이 타인에게 피해를 주지 않고 정당하게 소유물을 취득하거나 양도받았다면, 그 사람은 소유물에 대한 권리를 가져야 한다. 그 결과로 빈부 격차가 생기는 것은 아무런 문제가 되지 않는다.
>
> 〈사례〉
>
> ○○시의 공무원인 A는 국민의 세금으로 편성된 예산으로 경제적 형편이 어려운 사회적 약자를 위한 복지 정책을 집행하기 위해 정책 제안서를 작성하고 있다.

① 사회적 이익을 최대화하는 정당한 행위이다.
② 개인의 소유 권리를 인정하는 정당한 행위이다.
③ 사회적 약자를 우선 고려하는 정당한 행위이다.
④ 최소 수혜자를 고려하지 않는 부당한 행위이다.
⑤ 소유물에 대한 권리를 침해하는 부당한 행위이다.

정답과 해설 26쪽

필수 주제 링크

09 ㉠의 특징으로 적절하지 않은 것은?

> ㉠ 은(는) 인간의 삶에서 공동체가 가지는 의미를 중시하는 사상으로, 공동체가 개인의 정체성을 형성하고 삶의 방향을 설정하는 기반이라 주장한다. ㉠ 의 입장에서 개인은 사회 구성원이기 때문에 정의로운 사회와 좋은 삶을 위해서는 사익만을 추구하는 이기주의적인 태도를 버리고, 연대 의식을 가지고 사회 문제를 해결해야 하며, 공동선을 달성하기 위해 자발적인 봉사와 희생정신을 발휘해야 한다고 본다.

① 국가의 가치 중립적인 역할을 강조한다.
② 공동체에 대한 개인의 의무를 강조한다.
③ 개인과 공동체의 유기적 관계를 강조한다.
④ 공동체에서 개인의 사회적 책임을 강조한다.
⑤ 개인의 사회적 역할 수행의 중요성을 강조한다.

| 핵심 point | 공동체주의는 개인과 공동체의 유기적 관계를 강조하며, 공동체 안에서의 개인의 역할 수행과 사회적 책임을 주장한다.

10 다음을 주장한 사상가가 개인과 공동체를 바라보는 관점으로 적절한 것을 | 보기 | 에서 고른 것은?

> 모든 사회에서 동일하게 중요하다고 인정되는 가치는 없으므로 공동체의 문화적 특수성과 차이를 고려하여 가치를 분배하고 다원적 평등을 실현해야 한다. 또한 가치는 각 영역의 고유한 기준에 따라 분배해야 한다.

| 보기 |
ㄱ. 공동체는 개인 정체성의 기반이다.
ㄴ. 개인은 공동체와는 독립된 존재이다.
ㄷ. 공동체는 자유로운 개인들의 총합이다.
ㄹ. 개인은 공동체의 전통에 영향을 받는다.

① ㄱ, ㄴ ② ㄱ, ㄹ ③ ㄴ, ㄷ
④ ㄴ, ㄹ ⑤ ㄷ, ㄹ

11 다음과 같은 정부의 조치에 대해 반대하는 학생의 입장으로 가장 적절한 것은?

> 정부의 유통 산업 발전법에 따라 ○○시 지방 자치 단체는 중대한 공익의 보호를 이유로 대형 마트의 영업시간을 제한하고, 의무 휴업일을 지정하는 조례를 제정하였다.

갑: 대형 유통업체의 독점을 막을 수 있어요.

을: 영세 상인의 생존권을 보장할 수 있어요.

병: 개인의 이익 추구 권리를 제한할 수 있어요.

정: 대기업과 중소 유통업체가 상생할 수 있어요.

무: 노동 단축으로 노동자의 권리를 보호할 수 있어요.

① 갑 ② 을 ③ 병 ④ 정 ⑤ 무

창의형

12 다음 헌법에 나타난 핵심 내용으로 가장 적절한 것은?

> 대한민국 헌법 제23조
> 1항 모든 국민의 재산권은 보장된다. 그 내용과 한계는 법률로 정한다.
> 2항 재산권의 행사는 공공복리에 적합하도록 하여야 한다.

① 공공복리 실현의 중요성
② 개인선과 공동선의 조화
③ 재산권과 공공복리의 충돌
④ 개인 재산권의 절대적 보장
⑤ 개인의 자유와 공공선의 갈등

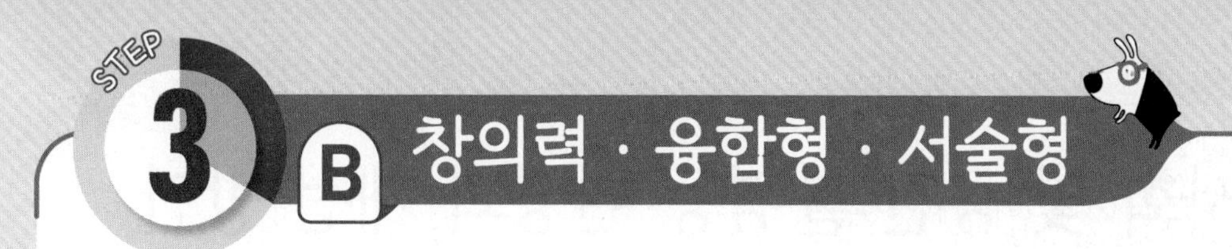

정답과 해설 27쪽

13 밑줄 친 (가)에 들어갈 의미를 적절하게 서술하시오.

> 아리스토텔레스는 정의를 일반적 정의와 특수적 정의로 구분하고, 특수적 정의를 다시 교정적 정의, 교환적 정의, 분배적 정의로 구분하였다. 일반적 정의는 법을 준수하는 것을 의미한다. 교정적 정의는 서로 간의 동등하지 않음을 바로잡는 것이다. 교환적 정의는 같은 가치의 물건을 교환하게 하는 것이다. 분배적 정의는 <u>(가)</u>

14 다음 신문 기사를 보고 물음에 답하시오.

> ○○ 신문
>
> A 은행은 성과 연봉제를 도입하기로 했다. 은행 관계자는 근무 연수가 늘어나면 임금이 자동으로 오르는 호봉제 대신, 성과에 따라 연봉이 책정되는 성과 연봉제를 도입하기로 했다고 밝혔다. 금융 당국도 성과 연봉제 도입을 지속해서 주문하고 있다.

(1) 신문 기사에 나타난 분배적 정의의 기준을 쓰시오.

(2) (1)의 문제점을 <u>두 가지</u>만 서술하시오.

15 다음 사상가들의 주장을 읽고 물음에 답하시오.

> 갑: 정당한 취득과 양도로 소유물을 가진 개인의 권리는 침해될 수 없는 절대적 권리이다. 타인에게 피해를 주지 않고, 취득과 양도 과정에서 부정의가 없다면 개인의 소유 권리는 보장되어야 한다.
>
> 을: 공동체의 문화적 특수성과 차이를 고려하여 가치를 분배해야 한다. 사회적 가치를 각각의 고유한 영역에 속하는 각각의 기준에 따라 분배함으로써 다원적 평등이 실현되어야 한다.

(1) 갑과 을에 해당하는 사상가를 쓰시오.

(2) 갑, 을의 입장에서 개인과 공동체의 관계를 비교하여 서술하시오.

16 다음 글에 나타난 문제를 해결하기 위한 방법을 사익과 공익의 관계를 근거로 서술하시오.

> 마을 사람들이 공동으로 소유한 목초지에는 누구나 자유롭게 소를 풀어놓아 풀을 먹일 수 있다. 어느 날 마을 사람 중 한 명이 몇 마리의 소를 더 사들여 공유지의 풀을 먹게 하였다. 이를 본 이웃들도 더 많은 이득을 얻기 위해 더 많은 소를 사들여 공유지에 풀어놓기 시작하였다. 그러다 보니 공유지에는 점점 더 많은 소가 들어차게 되었고, 새로운 풀이 자랄 겨를도 없어지면서 공유지는 황무지가 되었다. 결국 공유지에서는 아무도 소를 기를 수 없게 되었다.

12강 사회 및 공간 불평등 현상과 개선 방안

주제 01 사회 불평등 현상

1. 사회 불평등의 의미 부, 권력, 지위와 같은 사회적 희소가치가 불평등하게 분배되어 개인, 집단 및 지역이 서열화되어 있는 현상

2. 다양한 사회 불평등의 양상

(1) 사회 계층의 ㉠ (　　　) < 자료1

└ 위계가 같거나 비슷한 사회 구성원들이 차지하고 있는 사회적 지위의 층

의미	사회 구성원 간 불평등이 심화되어 사회 계층 가운데 중간 계층의 비중이 줄어들고 상층과 하층의 비중이 늘어나는 현상
원인	재산과 소득의 차이에 따른 경제적 격차
문제점	• 사회 전반의 불평등으로 이어져 사회 계층 이동을 막는 계층 대물림 발생 • 사회 발전의 동력이 줄어들고, 계층 간 위화감 조성으로 사회 통합이 어려워짐.

(2) ㉡ (　　　)에 대한 차별 < 자료2

의미	경제 수준이나 사회적 지위 등에서 열악한 위치에 있는 개인 또는 집단이 사회의 다수 구성원들로부터 불평등한 처우를 받는 현상
원인	성별, 나이, 장애, 출신 지역 등에 대한 선입견 및 편견
문제점	개인의 능력이나 업적을 인정해 주지 않고, 구성원의 기본적 권리를 침해함.

정답 | ㉠ 양극화 ㉡ 사회적 약자

자료 Plus

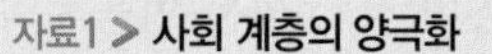

자료1 > 사회 계층의 양극화

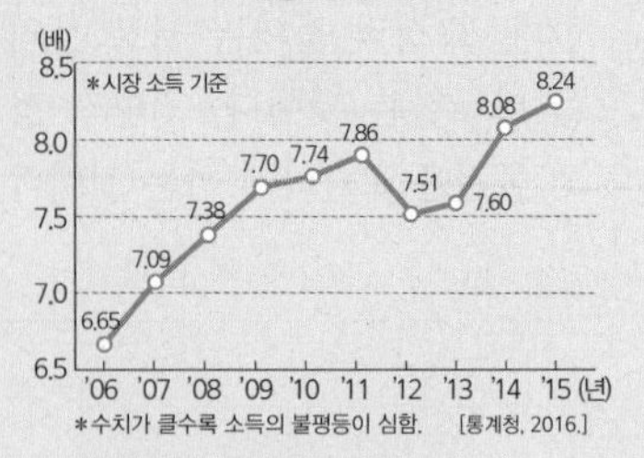

▲ 우리나라 소득 5분위 배율 변화

소득 수준이 높은 20%에 해당하는 가구(5분위)의 평균 소득을 소득 수준이 낮은 하위 20%에 해당하는 가구(1분위)의 평균 소득으로 나눈 값인 소득 5분위 배율을 통해 우리나라의 소득 불평등이 ❶ (　　　)되고 있음을 알 수 있다.

자료2 > 유리 천장

유리 천장이란 투명한 유리로 가로막혀 있어서 수직적으로 통과할 수 없는 상태를 의미한다. 특히 성차별 때문에 ❷ (　　　)에게 유리 천장이 많이 적용된다.

정답 | ❶ 심화 ❷ 여성

주제 02 공간 불평등 현상

1. 공간 불평등의 의미 ㉠ (　　　) 간에 경제적·사회적·문화적 수준의 차이가 나타나는 현상

2. 우리나라 공간 불평등의 원인 성장 거점 개발 방식에 따른 대도시와 그 외 지역 간 투자 차이

└ 성장 잠재력이 큰 지역을 선정하여 집중적으로 육성하고, 이에 따른 성장 이익을 다른 지역으로 파급하여 효과를 확산하는 개발

3. 공간 불평등의 양상과 문제점

양상 < 자료3	• ㉡ (　　　)과 대도시: 인구와 산업, 편의 시설 등이 집중됨. • 비수도권과 촌락: 인구가 지속적으로 유출되고 지역 경제가 침체됨. • 도시 내에서도 고소득층과 저소득층이 거주하는 지역 간에 기반 시설과 주택의 질 차이가 나타남.
문제점	• 경제적 차원뿐만 아니라 교육·의료·문화 등 사회 전반의 불평등으로 이어짐. • 낙후 지역 주민과 상대적으로 발전된 지역 주민 간의 갈등 → 사회 통합을 저해하는 요인으로 작용

정답 | ㉠ 지역 ㉡ 수도권

자료 Plus

자료3 > 수도권 집중도(2014년)

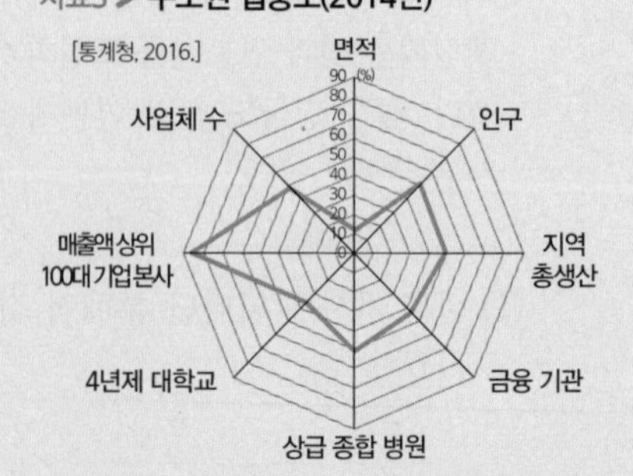

우리나라는 빠른 경제 성장을 이룩하고자 성장 가능성이 큰 수도권을 중심으로 개발을 하였다. 이 과정에서 ❶ (　　　)은 인구와 자본이 유입되어 크게 성장했지만, ❷ (　　　)은 상대적으로 성장이 정체되거나 낙후되었다.

정답 | ❶ 수도권 ❷ 비수도권

주제 03 사회 불평등을 해결하기 위한 제도

1. 사회 복지 제도

사회 구성원이 기본적 욕구를 충족하고 정상적인 생활을 할 수 있도록 사회적으로 지원하는 제도

사회 보험	개인과 정부, 기업이 국민에게 발생할 사회적 위험을 보험 방식으로 사전에 대비하는 제도 예 국민연금, 국민 건강 보험, 고용 보험, 산업 재해 보상 보험, 노인 장기 요양 보험 등
㉠ ______	국가가 전액 지원하여 생활이 어려운 국민의 최저 생활을 보장하는 제도 예 국민 기초 생활 보장 제도, 기초 연금, 의료 급여 등
사회 서비스	사회적 취약 집단에게 상담, 재활, 돌봄 등의 개별적인 서비스를 제공하는 제도 예 장애인 활동 지원, 노인 돌봄 서비스 등

└ 비금전적 지원임.

2. 적극적 우대 조치 < 자료4

다른 사람들과 동등한 기회를 부여하는 것만으로는 문제의 실질적 해결이 곤란하기 때문임.

의미	사회적 약자에게 실질적 기회의 평등을 보장하기 위해 일정한 혜택을 우선적으로 부여하는 정책
사례	• 여성 할당제: 기존의 남성 중심적 사회 구조에서 불이익을 받았던 여성에게 채용이나 승진 및 공직 진출의 혜택을 제공하는 제도 • 장애인 의무 고용 제도: 장애인의 고용 확대를 위해 사업주가 의무적으로 장애인을 고용하도록 하는 제도 • 대입 기회균등 전형: 정원 외 특별 전형을 통해 저소득층, 장애인, 농어촌 지역 등의 학생에게 대학 진학 기회 제공
문제점	부당한 차별을 받는 쪽을 보호하기 위하여 마련한 제도로 인해 오히려 차별을 받지 않던 쪽이 또 다른 차별의 대상이 되는 ㉡ ______의 문제 발생 가능

정답 | ㉠ 공공 부조 ㉡ 역차별

자료 Plus

자료4 > 적극적 우대 조치에 대한 찬반 의견

찬성	• 불평등에 대한 보상을 해 주고 성공 기회를 제공하는 것이 정의로운 것임. • 사회적 약자를 배려하면 사회 전체의 행복을 증진할 수 있음.
반대	• 사회적 약자를 우대하는 과정에서 사회적 약자가 아닌 사람들이 역차별을 받을 수 있음. • 개인의 능력이나 업적에 비례하지 않는 보상은 부당함.

❶ ______는 사회적 약자가 경험하는 불평등을 적극적으로 개선하려는 제도이다. 이에 대해 사회적 약자가 과거에 받았던 차별을 보상해야 한다는 찬성 의견과 사회적 약자가 아닌 사람들이 ❷ ______을 받을 수 있다는 반대 의견으로 나뉜다.

정답 | ❶ 적극적 우대 조치 ❷ 역차별

주제 04 공간 불평등을 해결하기 위한 정책

1. 지역 격차 완화 정책의 의미 수도권과 비수도권, 도시와 촌락 간의 공간 불평등을 해소하여 국토의 균형 발전을 이루려는 정책

2. 지역 격차 완화 정책의 사례

(1) 각종 기능의 지방 분산 < 자료5

① 수도권의 ㉠ ______를 해소하여 지역 간 발전 격차를 줄임.

② 공공 기관을 지방으로 분산하거나 지방으로 이전하는 기업에 세금 감면 및 규제 완화 혜택을 제공함으로써 가능

(2) 지방 자치 단체의 자체적 노력 지역의 ㉡ ______을 살릴 수 있는 지역 브랜드 구축, 관광 마을 조성 및 지역 축제와 같은 장소 마케팅 추진

(3) 도시 내부 불평등 개선

① 저렴한 공공 임대 주택 및 장기 전세 주택 공급 등

② 도시 환경 정비 사업을 통한 노후 불량 주택 개량, 기반 시설 확충

정답 | ㉠ 과밀화 ㉡ 특성

자료 Plus

자료5 > 지역 개발 사례

2005년 정부가 수도권의 공공 기관 지방 이전 계획을 세운 후, 전국에 원주, 진천, 나주 등 10대 혁신 도시를 지정하여 공공 기관 이주를 추진하였다. 2016년 8월 현재 혁신 도시, 세종특별자치시, 기타 지역에 총 154개 공공 기관의 이전 계획이 승인·완료되어 공공 기관의 수도권 비중이 85% 수준에서 35% 수준으로 감소할 것으로 예상한다.

– 국토교통부, 2016. –

수도권의 ❶ ______ 지방 이전을 통해 공공 기관이 이전한 지역으로의 인구 유입과 지역 경제 ❷ ______를 기대할 수 있다.

정답 | ❶ 공공 기관 ❷ 활성화

개념 어휘 테스트

정답과 해설 28쪽

반복 점검 시기_ ☐10분 후 ☐1일 후 ☐7일 후 ☐한 달 후

빈칸으로 바로 점검

❶ 부, 권력, 지위와 같은 사회적 희소가치가 불평등하게 분배되어 개인, 집단 및 지역이 서열화되어 있는 현상을 (   ) 현상이라고 한다.

❷ 사회 계층의 (   )(이)란, 사회 구성원 간 불평등이 심화되어 사회 계층 가운데 중간 계층의 비중이 줄어들고 상층과 하층의 비중이 늘어나는 현상을 말한다.

❸ (   )은(는) 경제 수준이나 사회적 지위 등에서 열악한 위치에 있고 사회의 다수 구성원들로부터 불평등한 처우를 받는 사람들을 말한다.

❹ (   )(이)란, 여성과 소수자가 자격과 능력을 갖추었음에도 조직의 상층부로 올라가지 못하도록 가로막는, 보이지 않으면서도 깨뜨릴 수 없는 장벽을 비유하는 표현이다.

❺ 지역 간에 경제적·사회적·문화적 수준의 차이가 나타나는 현상을 (   )(이)라고 한다.

❻ (   )은(는) 사회 구성원이 기본적 욕구를 충족하고 정상적인 생활을 할 수 있도록 사회적으로 지원하는 제도이다.

❼ 사회적 약자에 대한 적극적 우대 조치는 실질적 평등을 보장한다는 점에서 그 의의가 있으나 (   ) 문제가 제기될 수 있다.

찍기로 바로 점검

❶ 우리나라 공간 불평등의 원인은 (균형 개발, 성장 거점 개발) 방식에서 기인한다.

❷ 사회 복지 제도 중 국민연금은 (사회 보험, 공공 부조)에, 국민 기초 생활 보장 제도는 (공공 부조, 사회 서비스)에 해당한다.

❸ 공간 불평등을 완화하는 정책으로는 (수도권, 비수도권)에 집중되어 있는 공공 기관 및 공기업을 (수도권, 비수도권)으로 이전하는 방안이 있다.

한번 더 개념 반복

ZIP ❺ 교과서 유사 선지

다음 중 옳은 선지를 모두 고르시오.

1 성장 위주의 정책은 공간 불평등을 심화시키는 요인이다. ☐

2 인구와 산업 등이 도시로 집중되면 촌락은 지역 경제가 침체된다. ☐

3 원주, 진천, 나주 등 혁신 도시를 조성함으로써 공간 불평등을 완화할 수 있다. ☐

정답 | 1, 2, 3

TIP

❷ 우리나라의 사회 복지 제도에는 사회 보험, 공공 부조, 사회 서비스가 있다.

ZIP ❷ 교과서 유사 선지

다음 중 옳은 선지를 모두 고르시오.

1 사회 복지 제도 중 국민 건강 보험은 공공 부조에 해당한다. ☐

2 사회 서비스는 사회 보험과 공공 부조와 달리 비금적전 지원을 제공한다. ☐

정답 | 2

기출 기초 테스트

정답과 해설 28쪽

기본 기출 주제 ① 사회 및 공간 불평등

1-1 괄호 안에 들어갈 알맞은 말을 쓰시오.

사회 계층의 (❶)
중간 계층의 비중이 줄어들고 상층과 하층의 비중이 늘어나는 현상

(❷)에 대한 차별
열악한 위치에 있는 개인이나 집단이 사회 다수 구성원들로부터 불평등한 처우를 받는 현상

(❸)
지역간에 자원이 불균등하게 분배되어 경제적·사회적·문화적 수준의 차이가 나타나는 현상

정답 | ❶ 양극화 ❷ 사회적 약자 ❸ 공간 불평등

1-2 (가), (나)는 사회 불평등의 두 가지 유형이다. 이에 대한 설명으로 옳은 것은?

> (가) 사회 구성원 간 불평등이 심화되어 중간 계층의 비중이 줄어들고 상층과 하층의 비중이 늘어나는 현상
> (나) 경제 수준이나 사회적 지위 등에서 열악한 위치에 있는 개인 또는 집단이 사회의 다수 구성원들로부터 불평등한 처우를 받는 현상

① (가)는 사회 계층의 양극화 현상이다.
② (가)의 주요 원인은 성별, 나이에 따른 편견이다.
③ (가)를 해결하기 위해서는 유리 천장을 없애는 것이 중요하다.
④ (나)의 주요 원인은 성장 거점 개발 방식에 따른 지역 간 투자 차이이다.
⑤ (나)를 해결하기 위해서는 사회 구성원 간 소득 격차를 줄이는 것이 급선무이다.

기본 기출 주제 ② 사회 복지 제도

2-1 괄호 안에 들어갈 알맞은 말을 쓰시오.

(❶)
개인과 정부, 기업이 보험료를 분담하여 사회 구성원의 사회적 위험에 대비

(❷)
국가가 전액을 지원하여 국민이 최소한의 생활을 유지할 수 있도록 지원

(❸)
사회적 취약 계층에게 다양한 비금전적 지원 제공

정답 | ❶ 사회 보험 ❷ 공공 부조 ❸ 사회 서비스

2-2 다음과 같은 제도의 공통적인 목적으로 가장 적절한 것은?

> • 국민연금
> • 고용 보험
> • 국민 건강 보험
> • 산업 재해 보상 보험
> • 노인 장기 요양 보험

① 공간 불평등 완화
② 사회적 위험의 사전 예방
③ 사회 구성원의 근로 의욕 향상
④ 사회적 약자에 대한 최소한의 생활 보장
⑤ 사회적 취약 계층에 대한 비금전적 지원

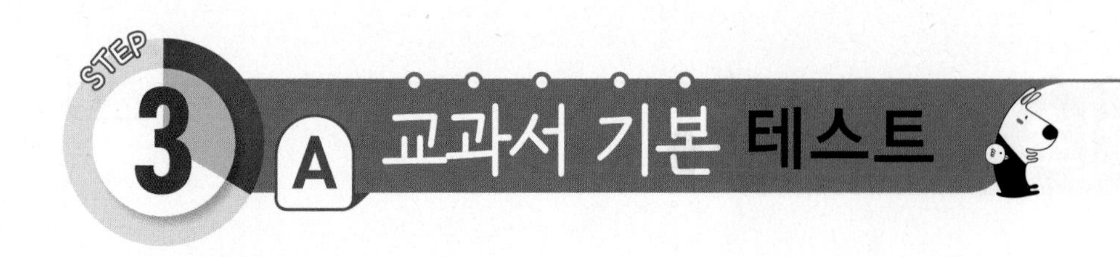

필수 주제 링크

01 그래프를 통해 알 수 있는 사실로 가장 적절한 것은?

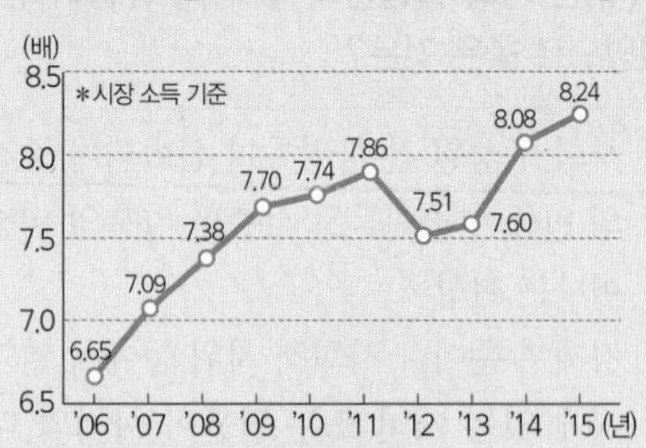

▲ 우리나라 소득 5분위 배율 변화

① 소득 불평등 현상이 심화되었다.
② 직업별 소득 차이가 심화되었다.
③ 공간 불평등 현상이 극대화되었다.
④ 경제적 불평등 현상이 완화되었다.
⑤ 계층 간 양극화 현상이 해결되었다.

| 핵심 point | 소득 5분위 배율은 소득 수준이 높은 20%에 해당하는 가구(5분위)의 평균 소득을 소득 수준이 낮은 하위 20%에 해당하는 가구(1분위)의 평균 소득으로 나눈 값이다.

02 그래프는 우리나라의 중산층 비율 변화를 나타낸다. 이에 대한 설명으로 옳은 것은?

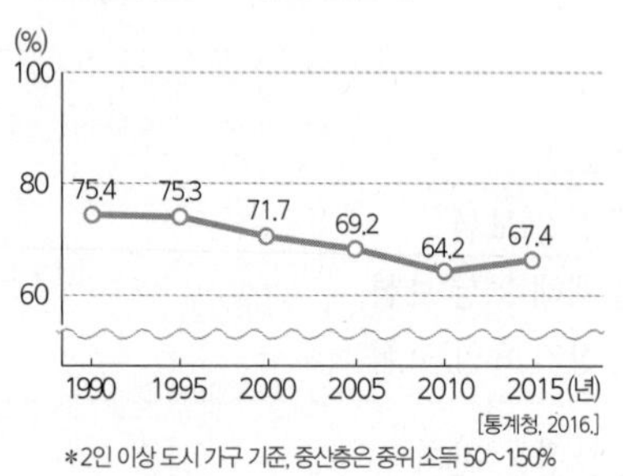

① 중산층의 소득이 감소하고 있다.
② 도시와 농촌 간의 격차가 커지고 있다.
③ 사회 계층의 양극화가 심화되고 있다.
④ 고소득층과 저소득층의 비율은 감소하고 있다.
⑤ 중산층에 대한 조세 부담을 늘릴 필요가 있다.

03 표에 대해 가장 바르게 분석한 학생은?

(단위: %)

아버지 \ 자녀	단순 노무직	숙련 기능직	서비스 관리직	사무직	관리 전문직
단순 노무직	11.7	26.9	37.3	10.2	14.0
관리 전문직	4.9	14.2	19.6	18.3	42.9

[한국보건사회연구원, 2015.]

▲ 아버지의 직업에 따른 자녀의 직업

① 건우: 부모의 직업과 자녀의 직업은 무관해.
② 하랑: 개인의 능력이나 업적에 의한 계층 이동이 활발해지겠는걸.
③ 윤채: 전체 근로자 중 서비스 관리직에 종사하는 사람이 제일 많구나.
④ 지아: 폐쇄적인 사회 구조가 개방적인 사회 구조로 변화하는 요인으로 작용해.
⑤ 담현: 부모의 계층이 자녀에게 대물림된다는 주장을 뒷받침하는 근거로 사용할 수 있겠어.

04 다음 사례에 대한 옳은 설명을 | 보기 |에서 고른 것은?

북한 이탈 주민 중 25.3%가 북한 출신이라는 이유로 불이익을 당한 경험이 있는 것으로 나타났다. 이는 말투나 생활 방식의 차이, 북한에 대한 부정적 인식 때문이었다. 북한 이탈 주민이 즐겨 찾는 인터넷 게시판에는 "내가 북한 이탈 주민이라고 말하자 면접관들이 곤란한 표정을 지으며 채용 불가 입장을 전했다."라는 글이 올라오기도 했다.

| 보기 |

ㄱ. 사회적 약자에 대한 차별이 나타났다.
ㄴ. 지역 격차에 따른 공간 불평등이 나타났다.
ㄷ. 사례는 출신 지역에 대한 편견으로 인해 나타난 현상이다.
ㄹ. 북한 이탈 주민을 우대하는 과정에서 다른 집단이 역차별을 받고 있다.

① ㄱ, ㄴ ② ㄱ, ㄷ ③ ㄴ, ㄷ
④ ㄴ, ㄹ ⑤ ㄷ, ㄹ

05 그래프에 나타난 유리 천장 지수와 관련한 해석으로 옳지 않은 것은?

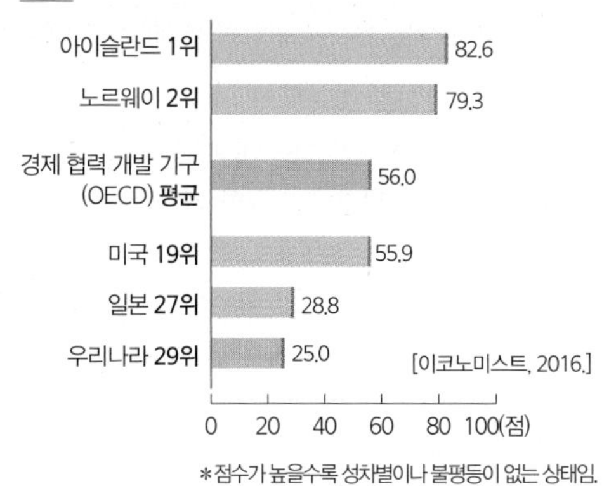

*점수가 높을수록 성차별이나 불평등이 없는 상태임.

① 우리나라에는 성차별이 나타나고 있다.
② 우리나라가 다른 나라에 비해 여성의 사회 활동에 제약이 많다.
③ 우리 사회는 여성에 대한 선입견 및 편견을 버리려는 의식이 필요하다.
④ 우리나라의 유리 천장 지수는 경제 협력 개발 기구의 평균에 못 미친다.
⑤ 우리나라는 능력과 업적에 따라 구성원이 동등한 기회를 투명하게 보장받고 있다.

06 그래프에 나타난 문제의 원인을 ❙보기❙에서 고른 것은?

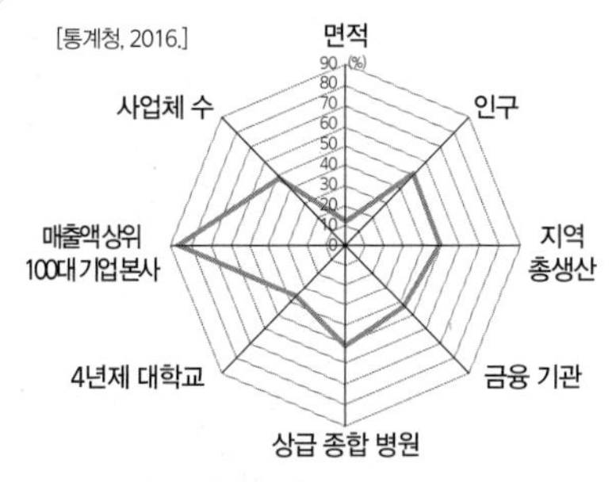

▲ 수도권 집중도(2014년)

❙보기❙
ㄱ. 성장 거점 개발
ㄴ. 귀농 관련 지원 확대
ㄷ. 수도권 중심의 투자 확대
ㄹ. 혁신 도시 개발 사업의 추진

① ㄱ, ㄴ ② ㄱ, ㄷ ③ ㄴ, ㄷ
④ ㄴ, ㄹ ⑤ ㄷ, ㄹ

07 신문 기사에 나타난 사회 복지 제도에 대한 설명으로 옳은 것은?

○○ 신문

지난해 직장암 수술을 받은 70대 이 씨는 수술 후 두 차례에 걸쳐 항암 치료를 받았다. 각종 검사를 하고 항암제를 투약하면서 470만 원의 치료비가 발생했지만, 국민 건강 보험 덕분에 23만 원만 냈다. 이 씨는 "항암제가 비싸서 걱정이 많았는데 국민 건강 보험 덕분에 진료비의 5%만 내면 돼, 경제적으로 큰 도움이 되었다."라고 말했다.

① 공공 부조에 해당한다.
② 사회 보험에 해당한다.
③ 사회 서비스에 해당한다.
④ 사후 처방적 성격을 갖는다.
⑤ 국가가 비용을 전액 부담한다.

코딩형

08 ㉠에 해당하는 것을 A~E에서 고르면? (단, ㉠은 사회 보험, 공공 부조, 사회 서비스 중 하나이다.)

㉠ 은(는) 사회적 취약 집단에게 상담, 재활 등의 서비스를 제공하는 제도이다.

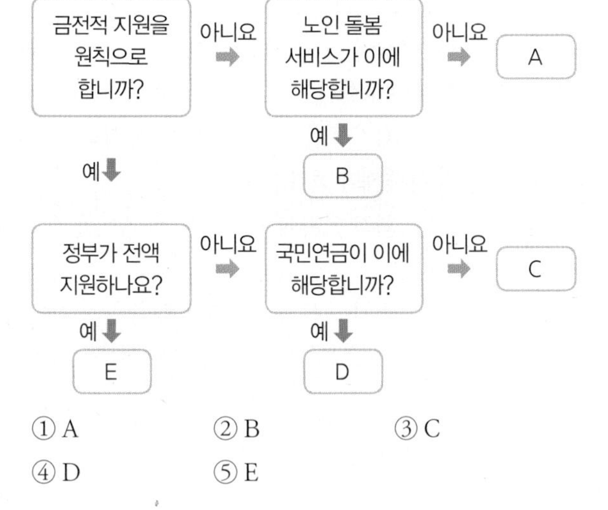

① A ② B ③ C
④ D ⑤ E

09 다음 자료는 통합사회 수업 시간에 교사가 어떤 개념을 설명하기 위해 제시한 법률의 일부이다. 해당 개념으로 가장 적절한 것은?

> 제28조(사업주의 장애인 고용 의무)
> ① 상시 50명 이상의 근로자를 고용하는 사업주는 그 근로자의 총수의 100분의 5의 범위에서 대통령령으로 정하는 비율(이하 "의무고용률"이라 한다) 이상에 해당하는 장애인을 고용하여야 한다.

① 공공 부조
② 사회 서비스
③ 적극적 우대 조치
④ 장애인 연금 제도
⑤ 산업 재해 보상 보험

필수 주제 링크

10 갑과 을의 입장에 대한 설명으로 옳은 것은?

① 갑: 사회적 약자를 우대하는 정책은 역차별을 가져올 수 있다.
② 갑: 구성원 간 차등적 배려를 통해 실질적 평등을 실현해야 한다.
③ 갑: 사회적 희소가치는 개인의 능력과 성과에 따라 분배해야 한다.
④ 을: 사회적 약자에게는 더 많은 기회를 제공해야 한다.
⑤ 을: 사회의 모든 구성원에게 동등한 기회를 부여하는 것으로는 실질적 평등을 실현하지 못한다.

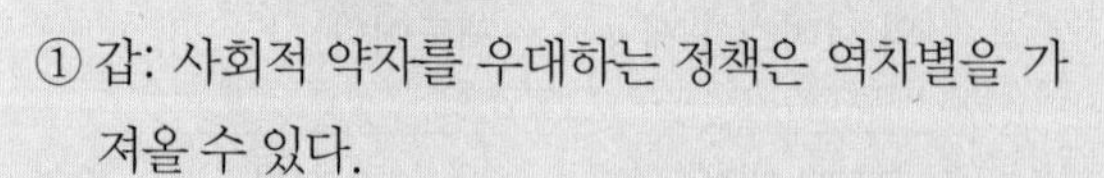

| 핵심 point | 적극적 우대 조치에 대해 사회적 약자가 과거에 받았던 차별을 보상해야 한다는 찬성 의견과 사회적 약자가 아닌 사람들이 역차별을 받을 수 있다는 반대 의견으로 나뉜다.

창의형

11 (가)에 들어갈 수 있는 내용만을 | 보기 |에서 있는 대로 고른 것은?

> Q 정의로운 사회를 실현하기 위해서는 사회 불평등 문제를 해결해야 하는데, 우리 사회의 여러 불평등 문제를 해결하기 위한 법률에는 어떤 것들이 있나요?
> A 네, (가) 을 들 수 있습니다.

| 보기 |
ㄱ. 자율형 사립고등학교의 설립과 운영에 관한 법률
ㄴ. 남녀 고용 평등과 일·가정 양립 지원에 관한 법률
ㄷ. 지역 균형 개발 및 지방 중소기업 육성에 관한 법률
ㄹ. 고용상 연령 차별 금지 및 고령자 고용 촉진에 관한 법률

① ㄱ, ㄴ ② ㄱ, ㄹ ③ ㄴ, ㄷ
④ ㄱ, ㄷ, ㄹ ⑤ ㄴ, ㄷ, ㄹ

12 (가), (나)에 대한 분석으로 옳은 것은?

> (가) 우리나라 최대의 녹차 생산지인 전라남도 보성은 특산물인 녹차를 브랜드화하여 지역 경쟁력을 강화하고 지역 경제의 활성화를 꾀하고 있다.
> (나) 정부는 전국에 10대 혁신 도시를 지정하여 공공기관 이주를 추진하였다. 2016년 8월 현재 혁신 도시, 세종특별자치시, 기타 지역에 총 154개 공공기관의 이전 계획이 승인·완료되었다.

① (가)는 중앙 정부 주도로 이루어진다.
② (가)는 성장 거점 개발 방식의 사례이다.
③ (나)로 인해 공간 불평등이 심화된다.
④ (나)는 수도권의 도시를 육성하는 정책이다.
⑤ (가), (나) 모두 지역 격차를 완화하는 데 도움이 된다.

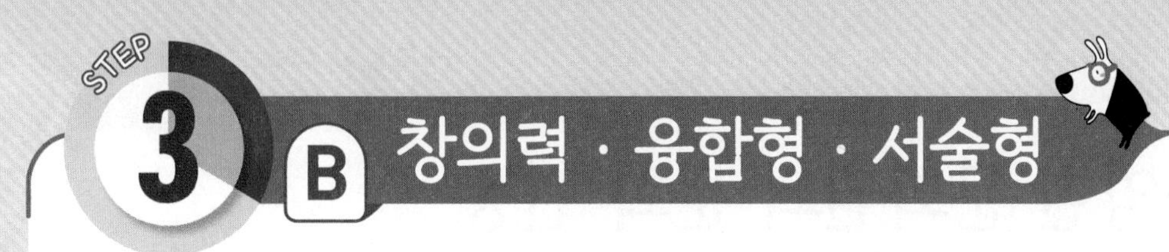

정답과 해설 29쪽

13 다음 표를 보고 물음에 답하시오.

소득 구간	2005년	2015년
최하위 소득 10% 집단	73만 원	109만 원
최고 소득 10% 집단	673만 원	985만 원

[통계청, 2016.]

▲ 가구당 월평균 소득(도시, 2인 이상)

(1) 위 자료로 알 수 있는 우리나라의 문제점을 서술하시오.

(2) 위와 같은 현상이 지속될 때 나타날 수 있는 문제점을 서술하시오.

14 다음 자료에 나타난 사회 불평등이 무엇인지 쓰고, 이러한 현상이 발생한 원인을 한 가지만 서술하시오.

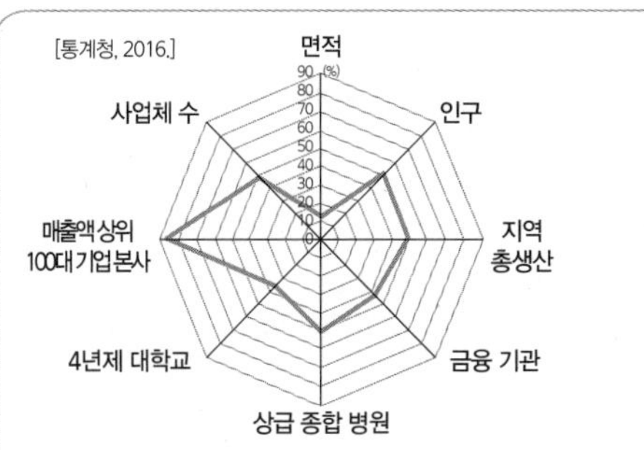

▲ 수도권 집중도(2014년)

우리나라는 수도권과 비수도권 간에 경제적·사회적·문화적 수준의 차이가 나타나고 있다. 특히 우리 사회에서는 1960년대 이후 급속한 도시화와 산업화를 거치면서 지역 간 사회적 자원이 불균등하게 분배되었다.

15 다음과 같은 제도를 시행할 때의 유의점을 한 가지만 서술하시오.

- 장애인 고용 촉진 등에 관한 법률
- 고용상 연령 차별 금지 및 고령자 고용 촉진에 관한 법률

16 ㉠에 공통적으로 들어갈 말을 쓰고, ㉡을 해결하기 위한 방법을 한 가지만 서술하시오.

(㉠)(이)란 투명한 유리로 가로막혀 있어서 수직적으로 통과할 수 없는 상태를 의미한다. 그리고 (㉠)은(는) 충분한 능력을 갖춘 사람이 직장 내 차별 때문에 고위직으로 승진하지 못하는 상황을 비유적으로 표현한 것이다. 특히 ㉡ 성 차별 때문에 여성에게 많이 적용된다.

17 정부가 다음과 같은 정책을 시행한 이유를 서술하시오.

2005년 정부가 수도권의 공공 기관 지방 이전 계획을 세운 후, 전국에 10대 혁신 도시를 지정하여 공공 기관 이주를 추진하였다. 2016년 8월 현재 혁신 도시, 세종특별자치시, 기타 지역에 총 154개 공공 기관의 이전 계획이 승인·완료되었다.

13강 다양한 문화권과 문화 변동

주제 01 문화권의 의미와 형성 요인

1. 문화 한 사회의 구성원들이 공유하고 있는 생활 양식

2. ㉠ ______ 문화적 특성이 비교적 넓은 지표 공간에 걸쳐 유사하게 나타나 다른 지역과 구별되는 지표 범위
(보통 산맥, 하천, 사막 등 대지형에 의해 경계가 정해짐.)

★ 3. 문화권 형성 요인

(1) 문화권 형성에 영향을 주는 자연환경 기후, 지형 등

의복	• ㉡ ______ 기후 지역: 통풍이 잘되는 개방적인 형태의 옷 • 한대 기후 지역: 보온에 유리한 털이나 가죽옷 • 건조 기후 지역: 햇볕, 모래바람 차단을 위해 몸을 감싸는 헐렁한 옷
음식	밀농사가 발달한 유럽은 빵, 벼농사가 활발한 아시아 계절풍 지역은 쌀, 목축업이 발달한 지역은 고기와 유제품이 주식임. (밀은 쌀보다 한랭 건조한 곳에서도 잘 자람.)
주거	건조 기후 지역은 흙집이나 이동식 가옥, 열대 기후 지역은 고상 가옥과 수상 가옥, 냉대 기후 지역은 통나무집, 한대 기후 지역은 얼음집과 천막집 등 발달

(2) 문화권 형성에 영향을 주는 인문 환경 < 자료1 < 자료2

산업	농경 문화권, 유목 문화권, 상공업 중심의 문화권 등
종교	크리스트교 문화권, 이슬람교 문화권, 힌두교 문화권, 불교 문화권 등

정답 | ㉠ 문화권 ㉡ 열대

자료 Plus

자료1 > 산업에 따른 문화권

❶ ______ 문화권	정착 생활, 공동체 문화 발전, 재배 작물에 따른 생활 리듬 등
❷ ______ 문화권	이동 생활, 가축으로부터 의식주의 재료를 얻음.
상공업 중심의 문화권	현대적이고 도시적인 생활 모습, 출퇴근을 위한 이동

자료2 > 주요 종교의 특징

크리스트교	예수를 믿음, 성당이나 교회에서 예배를 드림, 기도의 일상화
❸ ______	모스크, 라마단 시기의 단식, 성지 순례, 술과 돼지고기 금식, 베일(히잡, 부르카 등) 착용
❹ ______	다신교, 윤회 사상, 소를 신성시하여 소고기 금식, 갠지스강에서 종교 의식
불교	자비와 수양 및 해탈 강조, 탁발, 육식 금기시, 윤회 사상

정답 | ❶ 농경 ❷ 유목 ❸ 이슬람교 ❹ 힌두교

주제 02 다양한 문화권의 특징 < 자료3

㉠ ______ 문화권	주로 크리스트교를 믿음, 민주주의와 자본주의 사상 발달의 기원, 인도·유럽 어족에 속하는 언어 사용
건조(이슬람) 문화권	유목과 오아시스 농업 발달, 대부분 ㉡ ______를 믿고 아랍어를 사용
아프리카 문화권	대부분 열대 기후 지역, 부족 단위의 공동체 생활 모습, 주로 토속 종교를 믿음.
동양 문화권 < 자료4	계절풍의 영향으로 ㉢ ______ 발달 (계절풍: 대륙과 해양의 온도 차이에 의해 계절에 따라 풍향이 바뀌는 바람)
오세아니아 문화권	유럽 문화와 독특한 원주민 문화가 나타나고, 영어 사용 인구 비율과 개신교도의 비율이 높음.
북극 문화권	순록 유목, 수렵, 어로 생활이 나타남.
앵글로아메리카 문화권	북서 유럽의 식민 지배로 ㉣ ______ 사용 인구 비율과 개신교도의 비율이 높음, 세계적인 산업 국가로 발전
㉤ ______ 아메리카 문화권	㉥ ______ 유럽의 식민 지배로 에스파냐어와 포르투갈어 사용 인구 비율과 가톨릭교도의 비율이 높음, 다양한 문화와 혼혈족이 나타남.

정답 | ㉠ 유럽 ㉡ 이슬람교 ㉢ 벼농사 ㉣ 영어 ㉤ 라틴 ㉥ 남부

자료 Plus

자료3 > 세계의 문화권

[디르케 세계 지도, 2016]

자료4 > 동양 문화권

❶ ______ 아시아	유교, 불교, 한자, 젓가락 등 공통적인 문화 요소가 나타남.
❷ ______ 아시아	태평양과 인도양을 잇는 위치로 다양한 문화 혼재
남부 아시아 (인도)	종교·언어·민족이 복잡함, 힌두교 및 불교의 발상지

정답 | ❶ 동북 ❷ 동남

주제 03 문화 변동의 요인과 양상

1. ㉠

(1) 의미 새로운 문화 요소가 등장하거나, 다른 사회의 영향을 받아서 한 사회의 문화가 크게 변화하는 현상

(2) 요인

내재적 요인	• 발명: 새로운 문화 요소를 자체적으로 만드는 것 예 한글, 컴퓨터 • 발견: 알려지지 않았던 문화 요소를 찾아내는 것 예 불, 전기
외재적 요인 (문화 전파)	다른 사회와 교류하거나 접촉하는 과정에서 새로운 문화 요소가 전달되어 정착되는 현상 < 자료5

2. 문화 변동의 양상

(1) 문화 접변 문화 전파로 둘 이상의 다른 문화가 장기간 접촉하여 문화 변동이 일어나는 것

(2) 문화 접변에 따른 문화 변동의 양상(문화 접변 결과)

문화 ㉡	• 의미: 기존의 문화 요소가 다른 사회에서 전파된 문화 체계에 흡수되거나 대체되는 현상 ┘ 고유문화의 정체성이 상실될 수 있음. • 사례: 아메리카 원주민의 문화가 유럽 문화에 동화된 것
문화 병존(공존)	• 의미: 기존의 문화 요소와 전파된 다른 사회의 문화 요소가 고유한 정체성을 유지하면서 함께 공존하는 현상 • 사례: 필리핀의 공용어 사용, 각종 코리아타운, 다양한 종교 기념일 지정 등
문화 ㉢ < 자료6	• 의미: 기존의 문화 요소와 전파된 다른 사회의 문화 요소가 결합하여 이전의 두 문화와는 다른 새로운 문화가 나타나는 현상 • 사례: 융합(퓨전) 음식과 음악, 산신각, 인도 간다라 양식 등

예 라틴 아메리카의 음악과 춤(레게, 탱고, 삼바, 살사 등)

정답 | ㉠ 문화 변동 ㉡ 동화 ㉢ 융합

자료 Plus

자료5 > 문화 전파의 종류

❶ 전파	다른 사회 구성원과의 직접적인 교류를 통해서 다른 사회의 문화가 전파되는 것 예 실크 로드를 통한 교역
간접 전파	인쇄물, 인터넷 등과 같은 간접적인 매개체를 통해 다른 사회의 문화가 전파되는 것 예 한류 열풍
❷ 전파	다른 사회에서 전파된 문화 요소에서 아이디어를 얻어 새로운 문화 요소를 발명하는 것 예 신라의 이두

자료6 > 성공회 강화 성당

위 한옥 성당은 겉모양은 불교 사찰 양식이지만, 내부 구조는 성당 양식을 도입한 대표적인 문화 ❸ 의 사례이다.

정답 | ❶ 직접 ❷ 자극 ❸ 융합

주제 04 전통문화의 의의와 창조적 계승

1. ㉠

(1) 의미 한 사회에서 오랜 기간 이어져 내려와 그 사회의 고유한 가치로 인정받는 문화

(2) 의의

① 문화 정체성 표현 및 문화 고유성 유지

② 사회 구성원 간의 유대 강화 및 사회 통합에 이바지

③ 부가 가치가 높은 문화 산업 육성, 세계 문화의 다양성 증진

2. 전통문화의 창조적 계승과 발전 < 자료7

(1) 전통문화의 창조적 계승 전통문화의 정체성을 유지하면서 시대적 변화에 맞게 재구성 및 재창조하여 계승하는 것

(2) 전통문화의 발전 방안

① 전통문화만의 고유성과 ㉡ 을 찾아 현실적 여건에 맞게 재해석하고 발전 방안 모색

② 외래문화를 비판적으로 수용하며, 전통문화와 조화를 이루고 공존하도록 노력

정답 | ㉠ 전통문화 ㉡ 독창성

자료 Plus

자료7 > 전통문화의 창조적 계승 사례

▲ 일상생활에서 입을 수 있는 한복

생활 한복은 전통 한복의 아름다움에 실용성과 현대적인 감각을 더해 만들어졌다. 전통문화를 창조적으로 계승하기 위해서는 우리 문화만의 고유성과 독창성을 찾아야 한다. 그리고 다른 나라의 문화 요소를 ❶ 적으로 수용하여 이를 우리의 것과 결합할 때 우리 문화의 세계화와 문화 정체성의 보존을 동시에 실현할 수 있다.

정답 | ❶ 비판

개념 어휘 테스트

반복 점검 시기_ □10분 후 □1일 후 □7일 후 □한 달 후

찍기로 바로 점검

❶ 한 사회의 구성원이 만들어 낸 공통의 생활 양식을 (문화, 문화권)(이)라고 한다.

❷ 농경 문화권에서는 (이동, 정착) 생활을 하고, 농사를 위해 협동 노동이 필요하므로 공동체 문화가 발전한다.

❸ (이슬람교, 힌두교)에서는 소를 신성시하여 먹지 않는다.

❹ (건조, 유럽) 문화권에서는 주민 대부분이 이슬람교를 믿고 아랍어를 사용한다.

❺ 오세아니아 문화권은 영국의 식민 지배를 받아 (영어, 에스파냐어) 사용 인구 비율과 개신교도의 비율이 높다.

❻ 사회 내적인 문화 변동은 이전에 존재하지 않았던 것을 자체적으로 만들어 내는 (발명, 발전)에 의해 나타날 수 있다.

❼ 한 사회의 문화가 다른 사회의 문화로 흡수되거나 대체되는 것을 (문화 병존, 문화 동화)(이)라고 한다.

❽ 불교와 우리 민족의 토착 신앙인 산신 숭배가 결합되어 나타난 산신각은 (문화 병존, 문화 융합)의 사례이다.

선 긋기로 바로 점검

❶ (1) 열대 기후 지역 • • ㉠ 오아시스 농업, 흙집
(2) 건조 기후 지역 • • ㉡ 털옷, 가죽옷, 얼음집
(3) 한대 기후 지역 • • ㉢ 고상 가옥, 통풍이 잘되는 옷

❷ (1) 문화 동화 • • ㉠ 한국의 라이스버거
(2) 문화 병존 • • ㉡ 말레이시아의 다양한 종교 공휴일
(3) 문화 융합 • • ㉢ 크리스트교도가 된 아메리카 원주민

한번 더 개념 반복

ZIP ❹~❺ 교과서 유사 선지

다음 중 옳은 선지를 모두 고르시오.

1 오세아니아 문화권에서의 주요 산업은 순록 유목이다. □
2 유럽 문화권은 크리스트교의 영향을 크게 받았다. □
3 라틴 아메리카 문화권은 북서 유럽의 식민 지배를 받아 에스파냐어와 포르투갈어 사용 인구 비율이 높다. □

정답 | 2

ZIP ❼~❽ 교과서 유사 선지

다음 중 옳은 선지를 모두 고르시오.

1 문화 동화가 나타나면 고유문화의 정체성을 잃을 수 있다. □
2 필리핀이 영어와 필리핀어를 모두 공용어로 사용하는 것은 문화 병존의 사례이다. □

정답 | 1, 2

ZIP ❶ 교과서 유사 선지

다음 중 옳은 선지를 모두 고르시오.

1 유목을 하는 지역에서는 이동식 가옥이 나타난다. □
2 한대 기후 지역 주민은 통풍이 잘되는 옷을 입는다. □
3 아시아의 계절풍 지역 주민들은 쌀을 주식으로 한다. □

정답 | 1, 3

정답과 해설 30쪽

반복 점검 시기_ ▢10분 후 ▢1일 후 ▢7일 후 ▢한 달 후

빈칸으로 바로 점검

❶ (   )(이)란 문화적 특성이 유사하게 나타나 주위의 다른 지역과 구별되는 지표 범위이다.

❷ 산업에 따른 문화권 중 (   ) 문화권은 계절에 따라 일정한 지역을 오가며 가축을 기르는 이동 생활이 특징이다.

❸ 종교는 문화권 형성에 큰 영향을 미치는데, 유럽은 (   ) 문화권, 서남아시아 및 북부 아프리카는 (   ) 문화권에 해당한다.

❹ 사하라 사막 이남의 (   ) 문화권은 부족 단위의 공동체 생활을 하고 주로 토속 종교를 믿는다.

❺ 동양 문화권에서는 (   )의 영향으로 여름철 기온이 높고 강수량이 풍부하여 벼농사가 발달하였다.

❻ 한 사회의 문화가 사회 내적 또는 외적 영향을 받아서 크게 변화하는 현상을 (   )(이)라고 한다.

❼ 문화 변동의 요인 중에서 다른 사회와 교류하거나 접촉하는 과정에서 새로운 문화 요소가 전달되어 정착되는 현상을 문화 (   )(이)라고 한다.

❽ 문화 전파의 종류 중 다른 사회의 문화 요소에서 아이디어를 얻어 새로운 문화 요소를 발명하는 것은 (   )이다.

❾ 기존의 문화 요소와 전파된 다른 사회의 문화 요소가 고유한 정체성을 유지하면서 함께 공존하는 현상을 (   )(이)라고 한다.

❿ 서로 다른 사회의 문화 요소가 결합하여 기존의 두 문화 요소와는 성격이 다른 새로운 문화가 형성되는 것을 (   )(이)라고 한다.

⓫ (   )(이)란, 한 사회에서 오랜 기간 유지되면서 그 사회의 고유한 가치로 인정받는 문화를 의미한다.

한번 더 개념 반복

❷ 교과서 유사 선지 ZIP

다음 중 옳은 선지를 모두 고르시오.

1 문화권 형성에 영향을 주는 인문 환경으로는 산업, 종교 등이 있다. ▢

2 상공업 중심의 문화권에서는 주로 가내 수공업으로 의식주 재료를 얻는다. ▢

정답 | 1

TIP

❸ 종교는 인간의 가치관, 의식, 행동에 큰 영향을 주어 문화권 형성에 중요한 역할을 한다.

❸ 교과서 유사 선지 ZIP

다음 중 옳은 선지를 모두 고르시오.

1 십자가와 종탑은 불교 문화권의 경관이다. ▢

2 인도는 힌두교 문화권에 속한다. ▢

3 이슬람교 문화권에서는 돼지고기와 술을 먹지 않는다. ▢

정답 | 2, 3

TIP

❼~❽ 문화 변동 중 외재적 요인에 의한 것을 문화 전파라고 한다. 전파 방식에 따라 직접 전파, 간접 전파, 자극 전파로 나뉜다.

❽ 교과서 유사 선지 ZIP

다음 중 옳은 선지를 모두 고르시오.

1 비단길을 통해 간다라 양식의 불상이 전파된 것은 자극 전파의 사례이다. ▢

2 인터넷, 드라마를 통해 퍼져 나간 한류 열풍은 간접 전파의 사례이다. ▢

정답 | 2

기출 기초 테스트

기본 기출 주제 ① 문화권의 의미와 형성 요인

1-1 괄호 안에 들어갈 알맞은 말을 쓰시오.

(❶)의 의미
문화적 특성이 넓은 지표 공간에 걸쳐 유사하게 나타나 주변과 구분되는 지표 범위

문화권 형성에 영향을 주는 자연환경
기후, 지형 등의 영향을 받아 의식주 문화가 다르게 나타남.

문화권 형성에 영향을 주는 인문 환경
산업에 따라 농경·유목·상공업 중심의 문화권, (❷)에 따라 크리스트교·이슬람교·힌두교·불교 문화권 등으로 나뉨.

정답 | ❶ 문화권 ❷ 종교

1-2 다음 자료에 대한 분석으로 옳지 않은 것은?

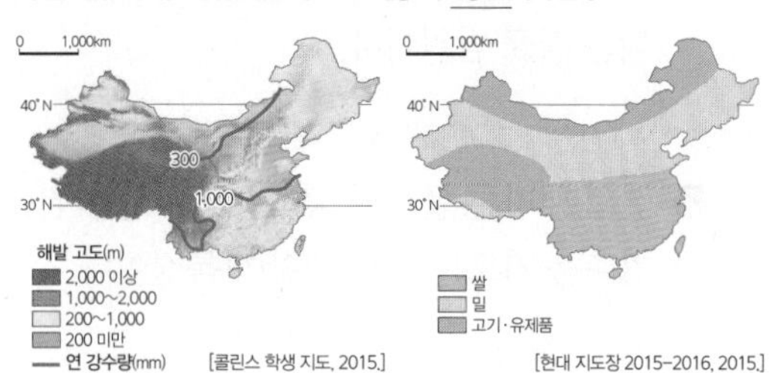

▲ 중국의 자연환경 ▲ 중국의 주식 문화권

① 쌀이 주식인 지역은 강수량이 많은 편이다.
② 중국은 자연환경에 따라 주식 문화권이 달라진다.
③ 밀이 주식인 지역은 볶음밥과 말린 고기가 주식이다.
④ 밀이 주식인 지역은 쌀이 주식인 지역보다 건조하다.
⑤ 고기·유제품이 주식인 지역은 다른 지역보다 해발 고도가 높거나 건조하다.

기본 기출 주제 ② 세계의 문화권별 특징

2-1 괄호 안에 들어갈 알맞은 말을 쓰시오.

(❶) 문화권	크리스트교의 영향, 민주주의와 자본주의의 발달 기원, 인도·유럽 어족
(❷) 문화권	이슬람교의 영향, 아랍어 사용, 유목과 오아시스 농업 발달
(❸) 문화권	계절풍의 영향으로 벼농사 발달, 동부·동남·남부 지역으로 세부 문화권이 나뉨.

정답 | ❶ 유럽 ❷ 건조(이슬람) ❸ 동양

2-2 A~E 문화권에 대한 설명으로 옳은 것은?

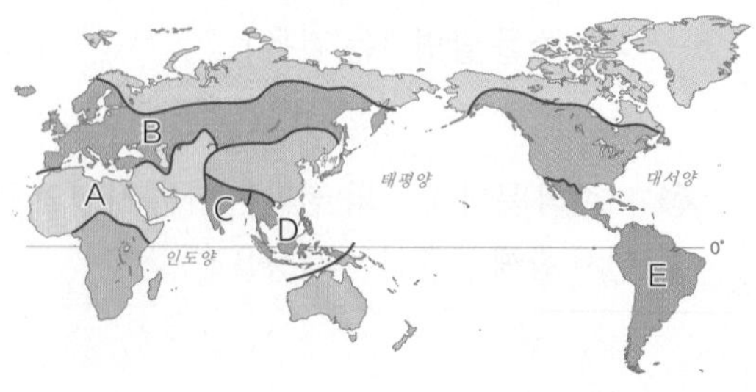

① A: 주민 대부분이 토속 신앙을 믿는다.
② B: 크리스트교의 영향을 크게 받는다.
③ C: 돼지를 신성시하여 먹지 않는다.
④ D: 유교, 불교, 한자 등의 공통된 문화 요소가 나타난다.
⑤ E: 주민 대부분이 영어를 사용한다.

정답과 해설 30쪽

기본 기출 주제 ③ 문화 변동의 요인

3-1 괄호 안에 들어갈 알맞은 말을 쓰시오.

내재적 요인	• (❶): 새로운 문화 요소를 자체적으로 만드는 것 • (❷): 알려지지 않았던 문화 요소를 찾아내는 것
외재적 요인	다른 사회와의 교류나 접촉으로 새로운 문화 요소가 전달되어 정착되는 것으로, 직접·간접·자극 (❸)로 나뉨.

정답 | ❶ 발명 ❷ 발견 ❸ 전파

3-2 다음 사례에 나타난 문화 변동 요인으로 옳은 것은?

> 근대 이전의 동서 교역은 육상의 비단길, 초원길과 해상 교역로를 통해 활발하게 이루어졌다. 대표적인 동서 교역로인 비단길은 중국에서 로마 제국으로 비단을 운반하였던 길이라고 해서 오래전부터 '실크 로드(Silk Road)'라 불렸다. 비단길을 통해 종이, 화약, 나침반 등이 중국에서 유럽으로 전해졌고, 불교와 이슬람교 등과 같은 종교도 세계 곳곳으로 퍼져 나갔다.

① 발명 ② 발견 ③ 간접 전파
④ 자극 전파 ⑤ 직접 전파

기본 기출 주제 ④ 문화 변동의 양상

4-1 괄호 안에 들어갈 알맞은 말을 ❙보기❙에서 고르시오.

❙보기❙
㉠ 융합 ㉡ 병존 ㉢ 동화

문화 (❶)	기존의 문화 요소가 다른 사회에서 전파된 문화 체계에 흡수되거나 대체되는 것
문화 (❷)	기존의 문화 요소와 전파된 다른 사회의 문화 요소가 고유한 정체성을 유지하면서 함께 존재하는 것
문화 (❸)	기존의 문화 요소와 전파된 다른 사회의 문화 요소가 결합하여 이전의 두 문화와는 다른 새로운 문화가 되는 것

정답 | ❶ ㉢ ❷ ㉡ ❸ ㉠

4-2 다음은 문화 변동의 두 가지 양상을 도식화한 것이다. (가), (나)에 해당하는 사례로 옳은 것을 모두 고르면?

> (가) A + B ➡ A
> (나) A + B ➡ C
>
> * A, B, C: 개별 문화 요소
> * + : 접촉
> * ➡ : 변화

① (가): 한글의 발명으로 한국 고유의 문화가 형성·유지될 수 있었다.
② (가): 아메리카 원주민들은 토속 신앙을 잃고 대부분 크리스트교를 믿는다.
③ (가): 브라질의 삼바는 아프리카 흑인 리듬과 율동에 유럽 음악이 결합하여 독특한 형태로 발달하였다.
④ (나): 필리핀은 필리핀어와 영어를 모두 공용어로 사용한다.
⑤ (나): 산신각은 불교와 우리 민족의 산신 숭배 신앙이 결합되어 나타났다.

STEP 3 A 교과서 기본 테스트

필수 주제 링크

01 다음 글을 통해 도출할 수 있는 결론으로 가장 적절한 것은?

> 몽골어에는 말의 털빛을 가리키는 표현만 무려 240가지가 있다. 그리고 순록을 키우며 사는 솔론족의 언어에는 순록을 암수, 털의 색과 무늬, 나이 등에 따라 매우 정교하게 분류하여 그 명칭이 최소 30개가 넘는다.

① 문화는 종교의 영향을 받아 형성된다.
② 언어는 모든 지역에서 유사하게 발달한다.
③ 몽골 주민과 솔론족은 같은 기후 지역에 산다.
④ 자연환경은 문화 형성 과정에 영향을 주지 않는다.
⑤ 지역 주민이 그 지역의 환경에 적응한 삶의 방식이 문화이다.

| 핵심 point | 문화는 사회 구성원들이 자연 및 인문 환경의 영향을 받아 만들어 낸 공통의 생활 양식이다.

02 다음은 세계의 의복 및 음식 문화에 대한 필기 내용이다. ㉠~㉤에 대한 설명으로 옳지 않은 것은?

〈세계의 의복 및 음식 문화〉
- 문화가 지역마다 다른 이유: (㉠)의 차이 때문
- 건조 기후 지역: ㉡ 온몸을 감싸는 헐렁한 옷
- ㉢ 유목 문화 지역: 가축으로부터 음식과 가옥의 재료를 얻음.
- 유럽 지역: ㉣ 빵, 고기를 이용한 음식 발달
- 인도: ㉤ 소고기를 먹지 않음.

① ㉠: '자연 및 인문 환경'이 들어갈 수 있다.
② ㉡: 햇볕이나 모래바람을 차단하기 위한 것이다.
③ ㉢: 협동 노동이 필요하여 정착 생활을 한다.
④ ㉣: 주재료는 쌀보다 건조한 곳에서도 잘 자란다.
⑤ ㉤: 힌두교를 믿어 소를 신성시하기 때문이다.

03 ㉠~㉢에 들어갈 재료로 만든 가옥을 바르게 연결한 것은?

> 전통 가옥은 자연환경을 반영하여 주변에서 쉽게 구할 수 있는 재료로 만들어진다. 사막에서는 ㉠ (으)로, 냉대 기후 지역에서는 ㉡ (으)로, 가축을 기르는 지역에서는 ㉢ (으)로 집을 짓는다.

(가)

(나)

(다)

	㉠	㉡	㉢
①	(가)	(나)	(다)
②	(가)	(다)	(나)
③	(나)	(가)	(다)
④	(나)	(다)	(가)
⑤	(다)	(가)	(나)

04 밑줄 친 ㉠~㉤ 중 옳지 않은 내용을 고른 것은?

> 농경 중심의 문화권에서는 ㉠ 정착 생활을 하고, 농사를 위해 ㉡ 개인주의 문화가 발전했다. 유목 중심의 문화권에서는 계절에 따라 일정한 지역을 오가며 가축을 기르므로 ㉢ 이동 생활을 한다. 유목민들은 의복과 음식, 가옥의 재료를 대부분 ㉣ 재배하는 곡물로부터 얻는다. 상공업이 중심인 문화권에서는 생산 활동을 하는 곳과 주거지가 분리되어 ㉤ 출퇴근 문화가 형성된다.

① ㉠, ㉢ ② ㉠, ㉤ ③ ㉡, ㉣
④ ㉡, ㉤ ⑤ ㉢, ㉣

필수 주제 링크

[05~06] 다음은 세계의 문화권을 구분한 지도이다. 이를 보고 물음에 답하시오.

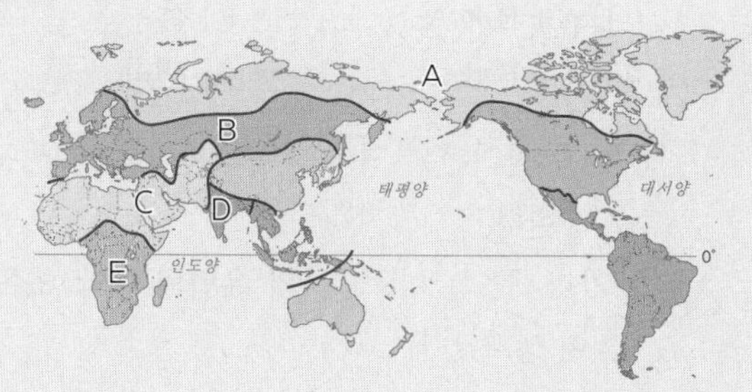

[디르케 세계 지도, 2015.]

05 A~E 문화권에 대한 설명으로 옳지 않은 것은?

① A는 추운 기후로 인해 농경이 어렵다.
② B는 아메리카 지역의 문화 형성에 영향을 주었다.
③ C는 양고기를 먹지 않는 음식 문화권이다.
④ D는 다신교인 힌두교 중심의 문화가 나타난다.
⑤ E는 부족 중심의 문화가 보편적으로 나타난다.

| 핵심 point | 각 문화권은 자연환경과 인문 환경의 영향을 종합적으로 반영하여 구분된다.

06 (가)~(다) 종교의 영향이 큰 문화권을 지도의 B~D에서 골라 바르게 연결한 것은?

(가) 예수를 구원자로 믿으며 이웃 사랑을 실천하는 종교로, 성당이나 교회에서 예배를 드린다.
(나) '알라 외에 다른 신은 없고 무함마드는 그의 사도이다.'라고 말하며 술과 돼지고기를 먹지 않는다.
(다) 종교의 가르침에 따라 공덕을 쌓고 죄를 짓지 않으려고 한다. 윤회 사상을 믿으며 소를 신성시하여 먹지 않는다.

	(가)	(나)	(다)
①	B	C	D
②	B	D	C
③	C	B	D
④	C	D	B
⑤	D	C	B

[07~08] 다음 글을 읽고 물음에 답하시오.

(가) 한글의 발명으로 한자를 모르던 백성들 간에 문자 소통이 가능해졌고, 한글 소설 등 새로운 문학 갈래가 등장하였다.
(나) 기원전 2세기~기원후 5세기에 나타난 인도 간다라 양식의 불상은 알렉산드로스 대왕의 인도 침공 이후, 로마 제국과의 교류가 이루어지면서 헬레니즘 문화의 영향을 받아 탄생한 것이다.

07 코딩형 (가), (나)에 해당하는 문화 변동 요인을 ㉠~㉣에서 찾아 바르게 연결한 것은?

사회 내적으로 새로 만들어 내거나 찾아낸 문화 요소에 의한 것인가? → 예 → ㉠
↓ 아니요
다른 사회 구성원과의 직접적인 교류를 통해 다른 사회의 문화가 전파되었는가? → 예 → ㉡
↓ 아니요
간접적인 매개체를 통해 다른 사회의 문화가 전파되었는가? → 예 → ㉢
↓ 아니요
㉣

	(가)	(나)
①	㉠	㉡
②	㉠	㉢
③	㉡	㉢
④	㉡	㉣
⑤	㉢	㉣

08 (나)의 문화 변동 양상에 대한 옳은 설명을 보기에서 고른 것은?

보기
ㄱ. 간다라 양식 불상은 고유문화가 상실된 사례이다.
ㄴ. 문화 전파로 인해 새로운 문화 요소가 형성되었다.
ㄷ. 기존의 문화 요소와 외래의 문화 요소가 결합하였다.
ㄹ. 고유문화 요소가 새로운 문화 요소에 흡수되거나 대체되었다.

① ㄱ, ㄴ ② ㄱ, ㄷ ③ ㄴ, ㄷ
④ ㄴ, ㄹ ⑤ ㄷ, ㄹ

정답과 해설 31쪽

필수 주제 링크

09 (가), (나)의 문화 변동 양상을 바르게 연결한 것은?

> (가) 근대 이후 아프리카의 많은 부족이 서양 열강에 의해 오랜 기간 식민 통치를 받았다. 그 결과, 아프리카의 많은 부족은 자신들의 전통 종교를 상실하고 유럽의 종교를 받아들였다.
> (나) 옌볜 조선족 자치구에는 우리나라 풍습과 중국 풍습이 함께 나타난다.

	(가)	(나)
①	문화 병존	문화 융합
②	문화 병존	문화 동화
③	문화 동화	문화 융합
④	문화 동화	문화 병존
⑤	문화 융합	문화 병존

| 핵심 point | 문화 변동의 양상에는 문화 동화, 문화 병존(공존), 문화 융합이 있다.

창의형

10 다음은 사회 수업 시간 필기의 일부분이다. 제시된 사례들과 관련된 질문으로 가장 적절한 것은?

> 질문 :
> 1. 18세기 이후 남태평양의 작은 섬나라들
> • 유럽인들의 정복 이후 상인과 선교사 유입
> • 정치 및 종교 체계의 유럽화로 기존의 문화 상실
> 2. 이슬람 국가인 말레이시아의 도시, 믈라카
> • 불교, 힌두교, 크리스트교 등 다양한 종교 유입
> • 여러 종교들의 종교 의식이 꾸준히 이루어지며 문화로 정착

① 전통문화는 계승할 만한 가치가 있는가?
② 문화가 변동하는 데 시간이 얼마나 걸릴까?
③ 새로 유입된 문화는 왜 항상 거부당하는가?
④ 문화 변동이 내부에서 발생하는 사례에는 무엇이 있는가?
⑤ 외부에서 새로운 문화 요소가 들어오면 지역의 고유 문화는 어떻게 되는가?

11 다음은 문화 변동의 양상을 도식화한 것이다. (가)~(다)에 해당하는 사례로 옳은 것은?

> (가) A + B ➡ A
> (나) A + B ➡ A, B
> (다) A + B ➡ C

> * A, B, C: 개별 문화 요소
> * + : 접촉
> * ➡ : 변화

① (가): 필리핀은 영어와 필리핀어를 모두 공용어로 사용한다.
② (가): 재즈는 아프리카와 유럽의 음악 요소가 결합되어 생겨났다.
③ (나): 싱가포르와 말레이시아에는 다양한 종교 경관과 종교 기념일이 있다.
④ (나): 아메리카 대륙의 원주민은 토속 신앙을 잃고 크리스트교를 믿게 되었다.
⑤ (다): 미국의 로스앤젤레스에는 코리아타운이 크게 형성되어 있다.

12 다음 글을 통해 알 수 있는 전통문화의 특징으로 옳지 않은 것은?

> 한국인의 전통 음식인 김치는 과거에는 채소를 소금에 절여 먹던 것에서 시작하여, 여러 나라와의 교류를 통해 현재와 같은 배추김치의 모습을 갖추었다. 최근에는 김치가 세계인들이 즐기는 음식으로 변하고 있으며, 김장 문화는 유네스코 인류 무형 유산으로 등재되기도 하였다.

① 지역화 전략의 중요한 소재가 된다.
② 해당 사회의 문화 정체성을 나타낸다.
③ 세계의 문화 다양성 증진에 이바지한다.
④ 시간이 지남에 따라 변화된 형태로 계승되기도 한다.
⑤ 외래문화의 유입을 금지하는 것이 올바른 계승 방법이다.

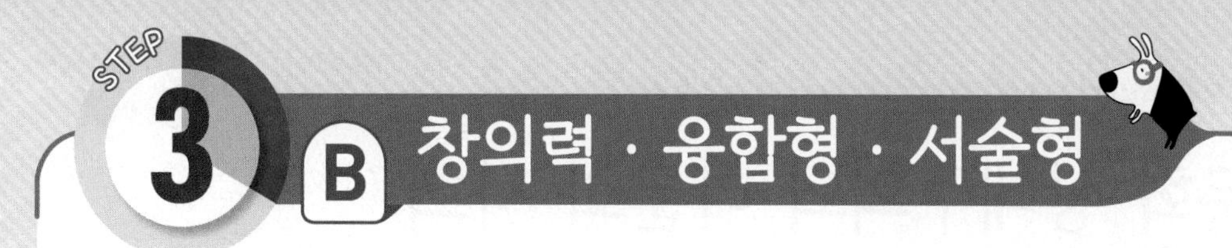

정답과 해설 32쪽

13 ㉠이 발달하게 된 이유를 ‖보기‖의 내용을 포함하여 서술하시오.

> 전통적인 몽골인의 일상에서 가장 중요한 일은 가축을 돌보는 것이다. 유목민은 가축으로부터 얻은 고기와 유제품을 주식으로 삼고 가축의 가죽과 털은 옷과 모자, 집을 만드는 데 사용한다. 몽골의 전통 가옥인 ㉠ 게르는 조립과 분해가 쉬워 이동하기에 편리하다.

‖보기‖
- 몽골의 기후
- 몽골의 전통적인 산업

14 다음은 세계의 문화권을 구분한 지도이다. 이를 보고 물음에 답하시오.

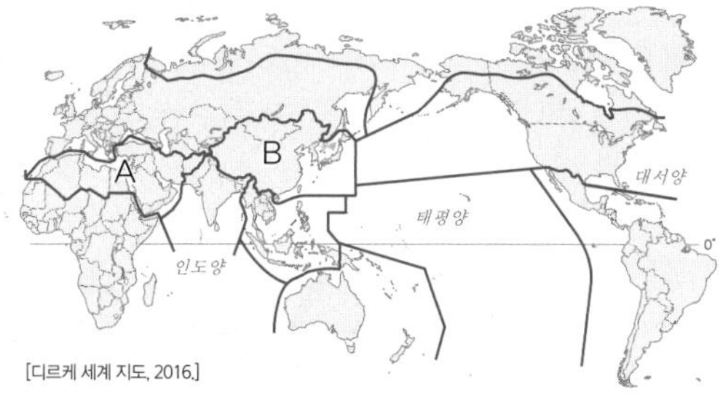

[디르케 세계 지도, 2016.]

(1) A 문화권에서 주로 믿는 종교를 쓰고, 이 종교의 특징을 한 가지만 서술하시오.

(2) B 문화권에 속한 국가들의 문화적 공통점을 두 가지 이상 서술하시오.

15 다음은 문화 변동의 양상을 도식화한 것이다. 이를 보고 물음에 답하시오.

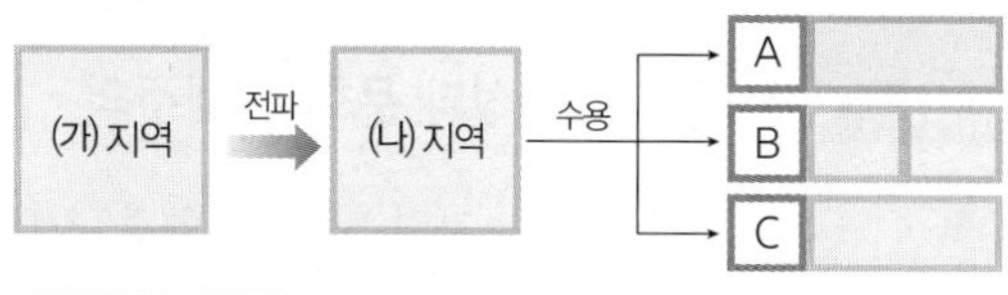

* [ ][ ][ ]는 문화 요소이다.

(1) A~C의 문화 변동 양상을 각각 쓰시오.

(2) A와 C의 사례를 한 가지씩 서술하시오.

16 다음은 사회 학습지의 일부이다. (가), (나)에 들어갈 내용을 각각 서술하시오.

〈문화 변동의 양상〉

성공회 강화 성당

서양의 성당 양식과 우리나라의 불교 사찰 양식이 만나 전에는 보지 못한 새로운 건축 양식을 만들어 관광객으로 하여금 신선함을 느끼게 한다.

- 양상: (가)
- 이유: 새로 유입된 문화가 기존의 문화와 결합하여 새로운 건축 양식을 만들었기 때문이다.

말레이시아의 대표 종교 기념일

- 1/31 (힌두교 축제)
- 5/29 (부처님 오신 날)
- 6/15~16 (이슬람교 단식절)
- 12/25 (성탄절)

- 양상: 문화 병존
- 이유: (나)

17 전통문화의 의미를 쓰고, 창조적 계승 방안에 대해 서술하시오.

14강 문화 상대주의와 다문화 사회

주제 01 문화의 다양성과 문화 상대주의

1. ㉠ ( ) 지역의 자연 및 인문 환경, 시대의 흐름에 따라 문화가 다양하게 나타나는 것

★ 2. 문화를 이해하는 태도

(1) 문화 절대주의 문화를 평가하는 절대적인 기준이 있어 문화의 선악이나 우열을 가릴 수 있다고 보는 태도 < 자료1

㉡ 	• 의미: 자기 문화만을 우월하다고 여겨 그것을 기준으로 다른 문화를 열등하다고 평가하는 태도 • 순기능: 자문화에 대한 자긍심으로 사회 통합에 이바지함. • 역기능: 타 문화와의 갈등 초래, 자문화의 발전 저해
㉢ 	• 의미: 타 문화를 맹목적으로 동경하며 자신의 문화를 열등하게 여기는 태도 • 순기능: 다른 문화를 수용하여 자기 문화를 개선할 수 있음. • 역기능: 문화적 정체성 상실, 사회 구성원 간 소속감·일체감 약화

(2) ㉣ ( ) < 자료2 ─ 문화를 이해하는 바람직한 태도임.

의미	• 각각의 문화가 고유성과 가치를 지닌다고 보고, 문화 간 선악이나 우열에 대한 평가를 단정적으로 내릴 수 없다고 보는 태도 • 해당 사회의 환경과 역사적·사회적 맥락 속에서 문화를 이해함.
필요성	• 편견을 버리고 다른 문화를 객관적으로 이해할 수 있음. • 문화적 차이로 인한 오해를 극복하여 다양한 문화의 공존이 가능함.

정답 | ㉠ 문화의 다양성 ㉡ 자문화 중심주의 ㉢ 문화 사대주의 ㉣ 문화 상대주의

자료 Plus

자료1 > 문화 절대주의 사례

◂ 천하도

천하도는 조선 중기 이후에 만들어진 상상의 세계 지도로, 지도의 중심에 중국을 배치하여 중화사상을 반영하고 있다. 이는 중국의 자문화 중심주의와 조선의 문화 ❶ ( )를 보여 준다.

자료2 > 티베트의 장례 문화

티베트에서는 전통적인 장례법으로 조장이 시행된다. 조장은 시신을 새나 들짐승에게 먹히게 하는 것이다. 이러한 장례 문화가 나타난 이유는 티베트의 기후가 건조하고 춥기 때문에 화장에 쓸 나무가 충분하지 않고, 시신을 매장할 경우 잘 썩지 않기 때문이다.

티베트의 장례 문화는 그 지역의 자연환경을 고려하여 이해해야 한다.

정답 | ❶ 사대주의

주제 02 문화 상대주의의 한계와 보편 윤리

1. 문화 상대주의의 한계 < 자료3

(1) ㉠ ( ) 문화 상대주의 인류의 보편적 가치를 훼손하는 문화도 해당 사회에서는 의미와 가치가 있다고 인정하는 극단적인 태도

(2) 문화 상대주의와 윤리 상대주의의 혼동 문화가 다양하고 상대적이기 때문에, 옳고 그름에 관한 보편적인 기준이 없다는 잘못된 인식을 가질 수 있음.
└ 윤리가 문화마다 다양하고 상대적이어서 옳고 그름에 관한 보편적인 기준은 없다고 보는 관점

★ 2. 보편 윤리 관점에서의 문화 성찰

㉡ ( )	시대와 장소를 초월하여 모든 사람이 존중하고 따라야 할 윤리 원칙 예 인간의 존엄성 실현, 생명 존중, 자유와 평등 보장 등
보편 윤리 관점에서의 문화 성찰 필요성	• 극단적 문화 상대주의를 방지할 수 있음. • 문화 상대주의 태도를 바탕으로 각 문화의 고유한 가치를 인정하면서도 보편 윤리의 관점에서 문화를 비판적으로 성찰해야 문화의 올바른 이해 가능

정답 | ㉠ 극단적 ㉡ 보편 윤리

자료 Plus

자료3 > 인간존엄성을 침해하는 문화 사례

• 전족은 어린 소녀의 발을 인위적으로 묶어 자라지 못하게 하는 중국의 옛 풍습으로, 거의 천 년간 지속되었다.
• 사티는 남편이 죽고 나서 화장할 때 아내를 산 채로 함께 화장하는 힌두교의 옛 풍습으로, 1987년에도 한 여성이 사티로 인해 희생된 사건이 발생하였다.

위 두 사례는 ❶ ( )의 관점에서 인간의 존엄성과 기본권을 훼손하는 것으로, 문화로서 존중하기 어렵다.

정답 | ❶ 보편 윤리

주제 03 다문화 사회의 의미와 영향

1. (㉠)의 의미 인종·언어·문화적 배경이 서로 다른 다양한 사람들이 하나의 공동체 안에서 함께 살아가는 사회

2. 다문화 사회의 형성 배경 교통·통신의 발달에 따른 (㉡)로 국가 간 이동이 활발해짐. → 외국인 근로자, 국제결혼 이민자 등 증가 < 자료4

3. 다문화 사회의 영향

외국인에 대한 혐오의 감정으로, 자신과 다르다는 이유만으로 상대방을 무조건 경계하는 심리 상태

긍정적 측면	• 저출산·고령화에 따른 노동력 부족 문제 해소 • 새로운 문화의 유입으로 문화 다양성 증대
부정적 측면	• 이주민은 문화적 차이와 의사소통의 어려움 때문에 사회 적응에 어려움을 겪음. • 다른 문화에 대한 편견과 차별로 인권 침해 문제 발생 예 제노포비아 • 외국인과 내국인 간의 일자리 경쟁 심화, 외국인 범죄 증가, 외국인 지원을 위한 사회적 비용 증가 등에 따른 갈등 발생

정답 | ㉠ 다문화 사회 ㉡ 세계화

자료 Plus

자료4 > 우리나라에 거주하는 외국인 현황

[국회입법조사처, 2015]

국내 거주 외국인 주민 수는 지속적으로 (❶)하는 추세이다. 중국 등 아시아 지역에서 저임금 노동력이 유입되면서 외국인 근로자가 증가하기 시작하였고, 농촌 남성들의 국제결혼이 늘면서 국제결혼 이민자의 비중도 증가하였다.

정답 | ❶ 증가

주제 04 다문화 사회의 갈등 해결 방법과 다문화 정책

1. 다문화 사회의 갈등 해결 방법

지구촌 구성원을 이웃으로 생각하고, 세계의 다양한 문제를 함께 해결해야 할 공동의 문제로 인식하는 태도

개인적 측면	• 세계 시민 의식 함양: 다른 민족의 문화를 존중하고 포용해야 함. • (㉠)의 자세: 다른 문화에 대한 편견과 차별을 버리고, 문화적 차이를 인정해야 함. • 문화 상대주의적 태도를 가져야 함.
사회적·국가적 측면	• 다문화 교육 확대: 이주민의 사회 적응을 위한 언어 교육 시행, 문화 체험 행사 개최 등 • 법적·제도적 보완: 이주민의 권리를 보장하고 고유한 문화를 존중·보호할 수 있도록 법과 제도를 보완해야 함.

2. 다문화 정책 < 자료5

(㉡) 이론 (동화주의 관점)	• 기존 문화에 이주민의 문화를 융화·흡수하여 단일한 정체성을 이루어야 한다는 관점 • 이주민이 자신의 언어, 문화, 사회적 특성을 포기하고 기존 사회의 일원이 되는 것을 목표로 함.
(㉢) 이론 (다문화주의 관점)	• 기존 문화와 이주민 문화가 평등하게 인정되어 조화를 이루어야 한다는 관점 • 이주민이 자신의 문화를 유지하면서도 기존 문화와 어우러져서 새로운 문화를 형성해 나가야 한다고 봄.

정답 | ㉠ 관용 ㉡ 용광로 ㉢ 샐러드 볼

자료 Plus

자료5 > 다문화 사회의 이민자 정책

(가) 프랑스의 학교는 이민자 자녀들이 프랑스 사회로 자연스럽게 동화될 수 있는 가장 중요한 장소이다. 프랑스 학교에는 특별 학급이 있어 외국인 이주민 자녀가 프랑스어를 최대한 빨리 습득한 후 일반 학급에 편입되도록 지도하고 있다.

(나) 캐나다는 세계 최초로 다문화주의를 국가 정책으로 도입하여, 각각의 인종이나 민족이 자신의 특성을 유지하면서 평등하게 캐나다 사회에 참여하도록 하였다.

(가)의 이민자 정책은 (❶) 이론에 따른 것이다. 이 이론은 소수 집단에 대한 일방적인 동화 정책으로 악용되어 많은 비판을 받았다. (나)의 이민자 정책은 (❷) 이론을 따른 것으로, 다양한 인종과 민족이 함께 어울리는 문화를 추구한다.

정답 | ❶ 용광로 ❷ 샐러드 볼

개념 어휘 테스트

정답과 해설 33쪽

반복 점검 시기_ □10분 후 □1일 후 □7일 후 □한 달 후

찍기로 바로 점검

❶ 문화 상대주의는 각각의 문화가 가진 (고유성, 동일성)을 인정하는 태도이다.

❷ 자문화 중심주의와 문화 사대주의는 문화를 평가하는 (절대적인, 상대적인) 기준이 있다고 본다.

❸ 다른 문화를 맹목적으로 동경하며 자신의 문화를 열등하게 여기는 태도를 (자문화 중심주의, 문화 사대주의)라고 한다.

❹ 보편 윤리는 인간의 존엄성, 생명 존중, 자유와 평등, 평화와 정의 등의 도덕적 가치를 인류가 (보편적, 상대적)으로 추구해야 한다고 본다.

❺ 보편적 윤리 기준에 대한 성찰 없이 모든 문화를 인정하는 태도를 (극단적 문화 상대주의, 문화 절대주의)라고 한다.

❻ 인종·언어·문화적 배경이 서로 다른 다양한 사람들이 하나의 공동체 안에서 살아가는 사회를 (다문화 사회, 공동체 사회)라고 한다.

❼ 다문화 사회의 갈등을 해결하기 위해서는 다른 문화에 대한 편견과 차별을 버리고 문화적 차이를 인정하는 (관용, 통합)의 자세가 필요하다.

❽ 이주민이 자신의 문화를 유지하면서 기존 문화와 어우러지도록 하고, 다양한 문화를 존중하는 관점은 (용광로, 샐러드 볼) 이론이다.

선 긋기로 바로 점검

❶ (1) 문화 절대주의 •
(2) 문화 상대주의 •

• ㉠ 문화를 해당 사회의 환경과 맥락 속에서 이해하는 태도
• ㉡ 문화를 평가하는 절대적 기준으로 문화의 우열을 가리는 태도

❷ (1) 용광로 이론 •
(2) 샐러드 볼 이론 •

• ㉠ 기존 문화와 이주민 문화가 평등하게 인정되어 조화를 이룸.
• ㉡ 이주민이 자신의 문화를 포기하고 주류 문화로 통합됨.

한번 더 개념 반복

TIP
❷ 자문화 중심주의와 문화 사대주의는 모두 절대적인 기준에 따라 문화의 선악과 우열을 가릴 수 있다고 본다.

ZIP ❸ 교과서 유사 선지
다음 중 옳은 선지를 모두 고르시오.
1 자문화 중심주의는 타 문화를 맹목적으로 동경하는 것이다. □
2 문화 사대주의는 사회 구성원 간 소속감·일체감을 강화한다. □
3 자문화 중심주의와 문화 사대주의는 모두 문화의 절대성을 인정하는 태도이다. □
정답 | 3

ZIP ❺ 교과서 유사 선지
다음 중 옳은 선지를 모두 고르시오.
1 문화 상대주의는 윤리와 독립적으로 모든 문화를 존중하는 태도이다. □
2 문화의 상대성을 인정해야 하므로, 윤리의 상대성도 인정해야 한다. □
3 문화의 고유한 가치를 인정하면서도 보편 윤리의 관점에서 문화를 성찰해야 한다. □
정답 | 3

ZIP ❷ 교과서 유사 선지
다음 중 옳은 선지를 모두 고르시오.
1 용광로 이론에서는 문화의 다양성 보장을 가장 중시한다. □
2 캐나다의 다문화 정책은 샐러드 볼 이론을 따른 것이다. □
정답 | 2

기출 기초 테스트

정답과 해설 33쪽

기본 기출 주제 ① 문화 상대주의와 문화 성찰

1-1 괄호 안에 들어갈 알맞은 말을 쓰시오.

문화 절대주의

- (❶): 자기 문화만을 우수하게 여기는 태도
- (❷): 타 문화를 동경하여 자신의 문화를 열등하게 여기는 태도

문화 상대주의

한 사회의 문화를 그 사회의 특수한 환경과 역사적 상황 및 사회적 맥락 속에서 이해하는 태도

바람직한 문화 성찰

문화 상대주의를 바탕으로 (❸)의 관점에서 문화를 성찰해야 함.

정답 | ❶ 자문화 중심주의 ❷ 문화 사대주의 ❸ 보편 윤리

1-2 (가)의 입장에서 (나)의 문화를 평가한 내용으로 가장 적절한 것은?

(가) 문화의 다양성과 상대성은 인정해야 하지만, 그것을 평가하는 기준은 보편적인 윤리에 부합해야 한다.
(나) 과거 힌두교에서는 남편이 죽고 나서 화장할 때, 아내를 산 채로 함께 화장하는 풍습이 있었다.

① 문화 상대주의 입장에서 존중해야 한다.
② 윤리 상대주의 입장에서 존중해야 한다.
③ 우리의 문화와 다르므로 존중할 수 없다.
④ 보편 윤리에 어긋나므로 존중할 수 없다.
⑤ 문화와 윤리는 독립적으로 존중해야 한다.

기본 기출 주제 ② 다문화 사회와 문화 다양성

2-1 괄호 안에 들어갈 알맞은 말을 쓰시오.

(❶)의 의미

인종, 언어, 문화적 배경이 다른 다양한 사람들이 함께 살아가는 사회

다문화 사회의 갈등 해결 방안

- 세계 시민 의식 함양
- (❷)의 자세: 다른 문화에 대한 편견과 차별을 버리고, 문화적 차이를 인정함.
- 다문화 교육 확대, 법적·제도적 보완

다문화 정책

- (❸) 이론: 이주민의 문화를 기존 문화에 동화시키려는 관점
- (❹) 이론: 이주민의 문화를 존중하고 기존 문화와 조화를 이루려는 관점

정답 | ❶ 다문화 사회 ❷ 관용 ❸ 용광로 ❹ 샐러드 볼

2-2 갑, 을의 다문화 정책 관점에 대한 설명으로 가장 적절한 것은?

갑: 주류 문화를 중심으로 수많은 이민자의 문화를 용광로에서 녹여 하나의 철광석을 만들어야 합니다.
을: 샐러드가 각각의 채소와 과일의 고유한 맛을 유지하면서도 동등하게 뒤섞여 조화를 이루듯, 이민자의 문화도 고유하게 존중해야 합니다.

① 갑은 각 문화가 가진 가치를 강조한다.
② 을은 문화에 우열이 있다고 생각한다.
③ 갑은 을보다 이민자의 문화를 존중한다.
④ 을은 갑보다 문화에 대한 관용을 중시한다.
⑤ 갑, 을은 모두 주류 문화가 사회의 중심이 되어야만 한다고 본다.

STEP 3 A 교과서 기본 테스트

필수 주제 링크

01 (가)의 입장에서 (나)를 평가한 내용으로 가장 적절한 것은?

> (가) 다양한 문화는 각각의 고유성과 가치를 지니므로 문화 간 선악이나 우열에 대한 평가를 단정적으로 내리는 태도는 바람직하지 않다.
> (나) 토라자인들은 가족의 시신을 방 안쪽에 그대로 두고 대화도 나누고 식사도 함께한다. 육체는 죽었지만, 장례식을 통해 아직 완전한 죽음을 맞이한 것이 아니므로 산 자로 취급하는 것이다.

① 죽은 자를 무례하게 대우하는 문화이다.
② 죽음의 의미를 다르게 해석하는 문화이다.
③ 죽음의 형식만을 강조하는 열등한 문화이다.
④ 시신과 함께 삶을 나누는 혐오스러운 문화이다.
⑤ 육체의 죽음을 지나치게 소홀히 여기는 문화이다.

| 핵심 point | 문화 상대주의 관점에서는 해당 사회의 자연환경과 인문 환경, 역사적·사회적 맥락 속에서 문화를 이해한다.

02 다음 신문 사설의 제목으로 가장 적절한 것은?

> ○○ 신문
>
> 우리 아이들이 영어는 멋지고, 같은 뜻의 한국어는 촌스럽다고 느낀다는 설문 조사 결과가 나왔다. 세계화 시대에 영어가 중요한 것은 사실이지만, 언어 습관이 형성되는 때에 무조건 영어가 더 멋있다는 인식이 자리 잡는 것은 경계해야 한다.

① 세계화 시대에는 영어 교육을 강화해야
② 한국어 교육보다 영어 교육을 우선해야
③ 세계화 시대에 맞지 않는 한국어를 개선해야
④ 만화로 습득하는 언어의 문제점을 인식해야
⑤ 아이들의 지나친 영어 사대주의는 주의해야

창의형

03 갑, 을의 입장에서 볼 때, 질문에 모두 바르게 답한 것은?

> 갑: 문화를 평가하는 절대적인 기준은 존재한다. 따라서 그 기준에 비추어 문화의 선악이나 우열을 평가해야 한다.
> 을: 문화를 평가하는 절대적인 기준은 존재하지 않는다. 따라서 각 문화는 해당 사회의 자연환경과 인문환경, 역사적·사회적 맥락 속에서 이해해야 한다.

	질문	답변	
		갑	을
①	문화의 상대성을 인정해야 하는가?	아니요	예
②	세계에는 다양한 문화가 존재하는가?	아니요	예
③	다양한 문화를 존중해야 하는가?	예	아니요
④	문화는 각 사회의 맥락에서 이해해야 하는가?	아니요	아니요
⑤	문화의 다양성보다 문화의 우월성이 우선되는가?	예	예

04 다음 글에 나타난 문화를 이해하는 관점에 대한 옳은 설명을 | 보기 |에서 고른 것은?

> 우리 조선은 예부터 지성스럽게 대국(大國)을 섬기어 중화(中華)의 제도를 그대로 좇아서 행하였는데, (중국과) 글을 같이하고 법도를 같이하는 이때에 언문을 창작하신 것은 보고 듣기에 놀라움이 있습니다. …… 만약 (훈민정음을 창제하였다는 소식이) 중국에 전해져서 혹시라도 비난하여 말하는 자가 있으면, 어찌 대국을 섬기고 중화를 사모하는 데에 부끄러움이 없겠사옵니까. -《조선왕조실록》-

| 보기 |

ㄱ. 서로 다른 문화에는 우열이 존재한다.
ㄴ. 우리나라와 다른 모든 문화는 열등한 문화이다.
ㄷ. 사회 구성원 간의 소속감과 일체감을 약화시킨다.
ㄹ. 우리 문화에 대한 자긍심으로 사회 통합에 이바지한다.

① ㄱ, ㄴ ② ㄱ, ㄷ ③ ㄴ, ㄷ
④ ㄴ, ㄹ ⑤ ㄷ, ㄹ

정답과 해설 33쪽

신유형

05 다음 글의 입장에 부합하는 내용에만 '✓' 표시를 한 학생은?

문화적 차이에 따른 갈등을 방지하고 다양한 문화의 공존을 도모하기 위해서는 서로 다른 문화를 그 사회의 특수한 환경과 역사적 상황 및 사회적 맥락 속에서 이해하려는 태도가 필요하다.

내용 \ 학생	갑	을	병	정	무
문화 간의 우열을 가려야 한다.		✓		✓	✓
모든 문화가 한 방향으로만 발전하는 것은 아니다.	✓		✓	✓	
문화를 평가하는 절대적인 기준이 존재한다.		✓	✓		✓
서로 다른 문화에 대해 관용의 자세를 가져야 한다.	✓			✓	✓

① 갑 ② 을 ③ 병 ④ 정 ⑤ 무

필수 주제 링크

06 (가)에 들어갈 내용으로 적절한 것은?

나는 문화의 상대성은 존중하고 인정해야 하지만, 문화를 평가하는 기준은 인간의 존엄성, 생명 존중, 자유와 평화 등 인류의 보편적 가치에 부합해야 한다고 생각한다. 그런데 어떤 사람은 '윤리는 문화마다 다양하고 상대적이어서 옳고 그름에 대한 기준은 존재하지 않는다.'라고 주장한다. 나는 이러한 주장이 ((가))을 간과하고 있다고 생각한다.

① 문화가 상대적이어도 윤리는 보편적임
② 문화의 고유성에 대한 평가는 불필요함
③ 보편적 성찰 없이 모든 문화를 인정해야 함
④ 각 문화가 가진 고유한 속성을 인정해야 함
⑤ 문화를 성찰할 보편적 기준은 존재하지 않음

| 핵심 point | 문화를 이해하는 바람직한 태도는 다양한 문화를 존중하는 문화 상대주의를 바탕으로, 보편 윤리의 관점에서 문화를 비판적으로 성찰하는 것이다.

07 다음 자료를 통해 알 수 있는 내용으로 적절하지 않은 것은?

▲ 국내 거주 외국인 주민 수와 비중 추이

① 다문화 사회로의 변화가 진행되고 있다.
② 외국인과 내국인의 일자리 경쟁이 심화될 것이다.
③ 저출산에 따른 노동력 부족 문제에 도움이 될 수 있다.
④ 우리나라의 단일 민족 의식이 강화되어 사회가 통합될 것이다.
⑤ 주민들 간의 문화적 차이를 극복하는 교육 프로그램이 늘어날 것이다.

08 다음 대화 내용 중 밑줄 친 ㉠의 사례로 옳은 것을 | 보기 |에서 고른 것은?

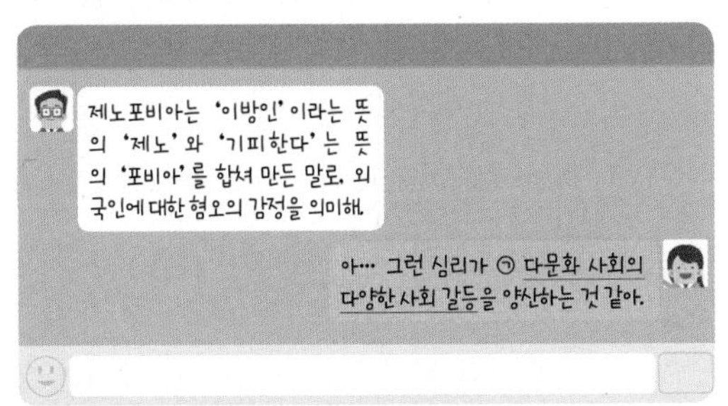

| 보기 |
ㄱ. 중소기업의 일자리 과잉 현상
ㄴ. 기존 문화와 이주민 문화의 갈등
ㄷ. 저출산·고령화에 따른 노동력 부족
ㄹ. 내국인과 외국인 사이의 일자리 경쟁

① ㄱ, ㄴ ② ㄱ, ㄷ ③ ㄴ, ㄷ
④ ㄴ, ㄹ ⑤ ㄷ, ㄹ

09 다음 자료에 나타난 우리나라의 문제점을 해결할 수 있는 방법으로 가장 적절한 것은?

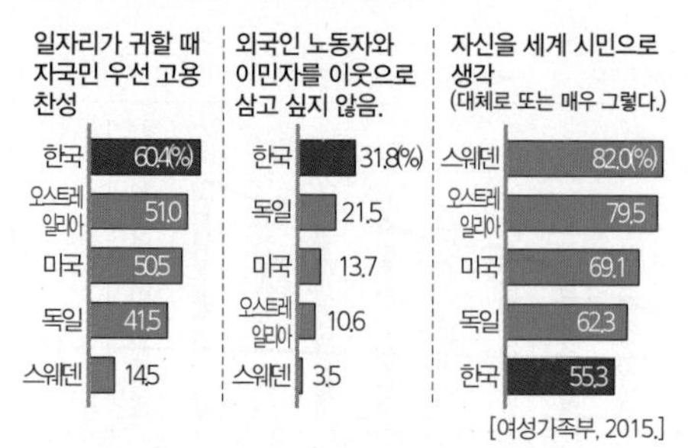

▲ 다문화 수용성 관련 주요 국제 지표 항목

① 모든 일자리에서 외국인을 우선적으로 고용한다.
② 세계 시민 의식을 함양하여 다른 문화를 포용한다.
③ 외국인들끼리 한곳에 모여 살 수 있도록 배려한다.
④ 외국인들이 우리나라 문화에 잘 융화될 수 있도록 문화 동화 정책을 편다.
⑤ 우리 문화에 대한 자긍심을 갖고 사회를 통합하기 위해 단일 민족임을 강조한다.

필수 주제 링크

10 (가)의 입장에서, (나)의 상황 속 A 씨에게 제시할 조언으로 가장 적절한 것은?

> (가) 이주민이 자신의 문화를 유지하면서도 같은 사회의 구성원으로 함께 살아갈 수 있도록 다양한 문화를 존중해야 한다.
> (나) 다문화 정책 연구원인 A 씨는 기존 문화와 이주민의 문화 충돌 문제를 해결할 수 있는 정책에 대해 고민하고 있다.

① 이주민들이 주류 언어 교육을 강제로 받게 하세요.
② 주류 문화의 중요성을 강조하는 공익 광고를 만드세요.
③ 이주민의 문화를 지역 사회에 알리는 홍보 프로그램을 만드세요.
④ 문화적 갈등 요소인 이주민의 문화를 배제하는 정책을 추진하세요.
⑤ 자국민과 이주민의 결혼을 통해 이주민이 주류 사회에 흡수될 수 있는 정책을 추진하세요.

| 핵심 point | 샐러드 볼 이론(다문화주의 관점)은 기존 문화와 이주민 문화가 평등하게 인정되어 조화를 이루어야 한다고 본다.

11 다음 글의 입장에서 지지할 정책을 | 보기 | 에서 고른 것은?

> 용광로에 여러 가지 재료를 넣어 새로운 물질을 만들어 내듯이 한 사회라는 용광로에 다양한 문화 요소를 넣어 하나의 문화를 만들어 내야 한다. 따라서 외국인들이 우리나라 문화에 동화될 수 있는 다양한 정책이 필요하다.

| 보기 |
ㄱ. 이민자 문화 페스티벌을 개최한다.
ㄴ. 이민자에게 우리의 언어를 교육한다.
ㄷ. 이민자의 원래 종교와 관습을 인정한다.
ㄹ. 이민자가 주류 문화에 적응하도록 지원한다.

① ㄱ, ㄴ ② ㄱ, ㄷ ③ ㄴ, ㄷ
④ ㄴ, ㄹ ⑤ ㄷ, ㄹ

12 다음 두 사례에서 공통적으로 보여 주는 다문화 사회에 대한 관점으로 가장 적절한 것은?

> • 캐나다는 1971년부터 여러 민족과 인종의 특성을 인정하는 모자이크 정책을 실시하고 있다. 1988년에는 다양성을 캐나다 사회의 기본 성격으로 인정하는 법을 발효하였다.
> • 오스트레일리아 정부는 2008년에 과거 원주민들을 차별했던 정책에 대해 공식적으로 사과하고, 다양한 집단의 언어와 문화를 인정하고 차별을 금지하였다.

① 동화주의
② 다문화주의
③ 문화 절대주의
④ 자문화 중심주의
⑤ 극단적 문화 상대주의

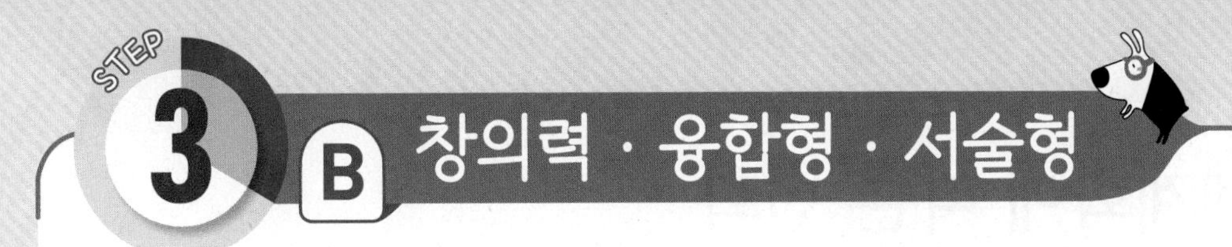

정답과 해설 34쪽

13 (가), (나)가 문화를 이해하는 태도를 각각 쓰고, 공통적으로 가진 문화에 대한 관점을 서술하시오.

> (가) 우리의 문화만이 우수하므로 우리의 문화를 기준으로 삼아 다른 문화를 평가하고 우열을 가려야 한다.
> (나) 우리의 문화는 열등하기 때문에 보다 우월한 다른 문화를 따라감으로써 우리의 문화가 가진 열등함에서 벗어나야 한다.

14 다음 글의 '중국의 전족 풍습'이 문화로서 존중받을 수 없는 이유를 서술하시오.

> 전족은 어린 소녀의 발을 인위적으로 묶어 자라지 못하게 하는 중국의 옛 풍습으로, 거의 천 년간 지속하였다. 전족을 한 여성들은 당시 사회에서 인기 있는 여성상이었다고 한다. 그러나 전족의 과정을 겪었던 여성들은 흉측한 발과 척추의 기형, 무력감과 우울증 등으로 고통받아야 했다.

15 그래프에 나타난 현상에 의해 등장한 사회의 명칭을 쓰고, 그러한 사회의 긍정적 측면을 서술하시오.

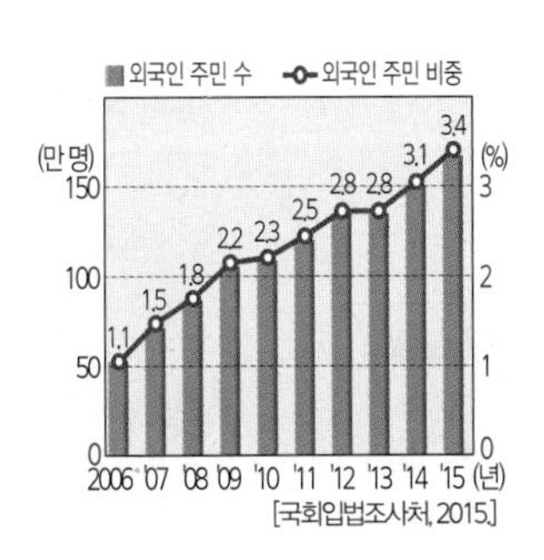

▲ 국내 거주 외국인 주민 수와 비중 추이

16 다음 칠판의 ㉠, ㉡에 들어갈 적절한 의미를 서술하시오.

다문화 사회의 다양한 관점에 대해 알아 봅시다.

〈다문화 사회의 다양한 관점〉

용광로 이론	㉠
샐러드 볼 이론	㉡

17 (가), (나)에 나타난 문제점을 쓰고, 이를 통해 알 수 있는 다문화 사회에서 가장 필요한 자세가 무엇인지 서술하시오.

> (가) 말레이시아 사람이자 이슬람교를 믿는 엄마의 영향을 받아 돼지고기를 먹지 못하는 A는 학교 급식 시간에 돼지고기가 나올 때마다 괴롭다. 어느 날 돼지고기가 나와서 반찬을 남겼는데, 하필 그날이 '잔반 없는 날'이어서 급식 당번인 친구와 다투게 되었다.
> (나) 북한에서 온 B는 친구들에게 솔직하게 북한에서 왔다는 것을 밝히고 난 후 친구들과 멀어졌다. 북한에서 왔다고 하니 말투를 흉내 내거나 먹을 것이 없어서 왔냐고 묻는 등 자신을 무시하는 친구들이 늘어났기 때문이다.

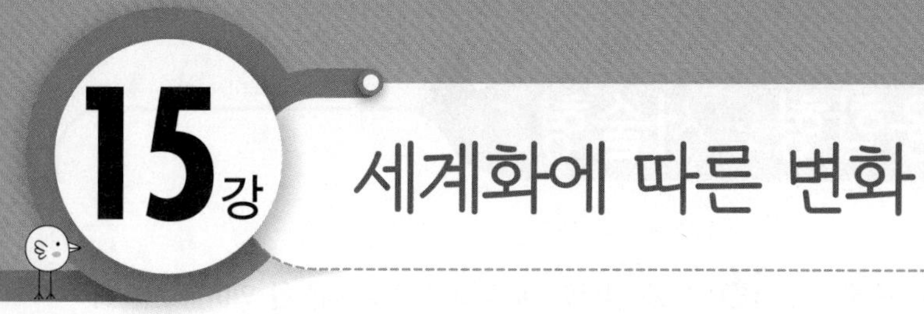

15강 세계화에 따른 변화

주제 01 세계화와 지역화

1. ㉠ (　　　)

의미	교통·통신의 발달에 따라 지역 간 상호 의존성이 높아지고, 전 세계가 단일한 생활권을 형성해 나가는 범세계적인 흐름과 추세	
영향	경제적 측면	• 경제적 상호 의존과 협력 증가 • 생산 요소(자본, 노동력)나 상품의 국가 간 이동 증가
	문화적 측면	• 의식주, 음악, 영화 등의 문화 요소 교류 증가 및 세계 문화 등장 • 인권, 평등, 자유 등 인류의 보편적 가치 확산

2. ㉡ (　　　)

의미	특정 지역이 그 지역의 고유한 전통이나 특성을 살려 세계적인 경쟁력을 갖추는 현상
특징	• 세계화의 흐름 속에서 지역의 특수한 요소들이 세계적인 가치를 갖게 됨. → 세계화와 지역화는 동시에 이루어짐. • 지역 축제, 지역 브랜드 개발, 지리적 표시제, 장소 마케팅 등의 지역화 전략을 통해 지역 경제가 활성화됨. ＜ 자료1

정답 | ㉠ 세계화 ㉡ 지역화

자료 Plus

자료1 ＞ 지역화 전략

지역 축제	지역의 고유한 특성을 이용한 축제 예 보령 머드 축제, 타이 송끄란 축제
지역 브랜드	지역에서 생산되는 상품과 서비스 또는 지역 자체에 부여한 하나의 고유한 상표 예 I♥NY
❶ (　　　)	상품의 특성이 생산지의 지리적 특성을 반영한 경우, 이를 인정해 주는 제도 예 보성 녹차, 프랑스 카망베르 치즈
❷ (　　　)	특정 장소를 상품으로 인식하고 사람들이 선호하는 이미지를 개발하여 지역의 가치를 상승시키는 홍보 전략 예 오스트리아 잘츠부르크의 모차르트 활용 홍보

정답 | ❶ 지리적 표시제 ❷ 장소 마케팅

주제 02 세계 도시의 형성과 다국적 기업의 등장에 따른 변화

1. 세계 도시의 형성에 따른 변화 ＜ 자료2

세계 도시	국경을 넘어 정치·경제·문화·사회 등 다양한 측면에서 전 세계적으로 ㉠ (　　　) 역할을 수행하는 도시 예 뉴욕, 런던 등
변화	• 공간적 변화: 국제적 교통·통신망 구축, 국제기구의 본부 집중, 국제회의 및 행사 등의 개최 • 경제적 변화: 다국적 기업의 본사, 국제 금융 업무 기능, 생산자 서비스(다른 재화나 서비스의 생산 및 유통 과정에 필요한 서비스 예 금융, 보험, 법률)의 집중 → 자본과 고급 노동력의 집중으로 세계 경제에서의 중요도 증대

2. 다국적 기업의 등장에 따른 변화 ＜ 자료3

다국적 기업	• 세계 각 지역에 자회사, 지점, 생산 공장 등을 운영하고, 세계적으로 제품을 생산·판매하는 기업 • 기업의 이윤을 극대화하기 위해 본사, 연구소, 생산 공장 등의 입지를 전 세계에서 가장 적절한 곳에 위치시키는 ㉡ (　　　)을 함.
변화	• 산업 시설 유입 지역: 일자리 증가로 인한 지역 경제 활성화, 기술 습득, 경쟁력이 약한 지역 내 소기업의 피해, 다국적 기업에 대한 경제 의존도 심화 • 산업 시설 유출 지역: 실업자의 증가로 지역 경제 침체, 인구 감소

정답 | ㉠ 중심지 ㉡ 공간적 분업

자료 Plus

자료2 ＞ 세계 도시 체계

[도시의 이해, 2012]

자료3 ＞ 다국적 기업의 공간적 분업

본사	경영 기획 및 관리 기능을 담당하며, 자본 및 정보 수집에 용이한 본국의 대도시에 입지함.
❶ (　　　)	연구 및 개발 기능을 담당하며, 기술 수준이 높은 선진국의 대학 및 연구 시설이 밀집한 곳에 입지함.
❷ (　　　)	생산 기능을 담당하며, 저렴한 노동력이 풍부한 개발 도상국이나 무역 장벽을 극복할 수 있는 선진국에 입지함.

정답 | ❶ 연구소 ❷ 생산 공장

주제 03 세계화의 문제점 - 문화 획일화와 빈부 격차

1. 문화의 획일화와 소멸

(1) 문화 획일화의 의미 세계화의 과정에서 전 세계의 문화가 비슷해지는 현상으로, 특히 (㉠)의 문화가 보편화됨.

(2) 문제점

① 지역 문화의 고유성 약화 및 전통문화의 정체성 약화 예 전 세계인이 즐겨 입는 청바지

② 약소국이나 원주민의 고유한 전통의 소멸 → 인류의 문화적 다양성 훼손 예 영어의 영향력 증가에 따른 각 지역의 고유 언어 소멸

(3) 해결 방안 세계 시민 의식을 갖추고 문화의 다양성을 보전하기 위해 노력함.
└ 지구 공동체의 구성원이라는 태도 및 인식

2. (㉡)의 심화 < 자료4

(1) 원인 세계화로 인한 시장 확대 및 경쟁으로 선진국은 이윤을 극대화하지만, 경쟁력이 낮은 개발 도상국은 경쟁에서 밀려 빈익빈 부익부 현상 발생

(2) 양상 국가 간, 지역 간, 한 지역 내에서도 발생 → 사회적 갈등 야기

(3) 해결 방안 공적 개발 원조를 통한 개발 도상국의 자립 지원, 공정 무역을 통한 불공정한 무역 구조 문제 해결

공적 개발 원조: 공공 기관이 개발 도상국의 경제 발전과 사회 복지 증진을 목표로 제공하는 원조

공정 무역: 개발 도상국에서 생산한 제품에서 유통 마진을 줄여 생산자가 더 많은 이윤을 가져가도록 하는 무역 방식

정답 | ㉠ 선진국 ㉡ 빈부 격차

자료 Plus+

자료4 > 세계화와 빈부 격차

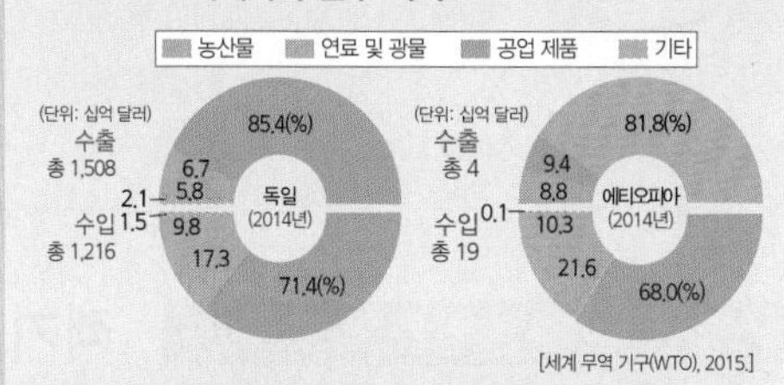

▲ 독일(선진국)과 에티오피아(개발 도상국)의 무역 구조

(❶)은 부가 가치가 높은 공업 제품을 주로 수출하고, (❷)은 농산물 등 1차 상품을 주로 수출한다. 이와 같은 무역 구조의 차이는 국가 간 경제적 격차를 더 커지게 만들며, 자유 무역을 추구하는 세계화로 이러한 격차는 더욱 심해지고 있다.

정답 | ❶ 선진국 ❷ 개발 도상국

주제 04 세계화의 문제점 - 보편 윤리와 특수 윤리 간 갈등

1. 보편 윤리와 특수 윤리의 의미

(㉠)	• 모든 사회에서 구성원의 행위를 규제하고 사회 질서를 유지·통합하는 윤리 • 인간존엄성, 인권, 자유, 평화 등 인류의 보편적 가치를 추구함.
(㉡)	• 특정 사회에서만 준수하는 특수한 윤리 • 특정 국가 시민으로서 국가의 주권이나 자국 시민의 복지를 보편적 가치보다 우선시함.

2. 보편 윤리와 특수 윤리의 갈등 < 자료5

(1) 세계화에 따른 국제적 인구 이동 증가로 서로 다른 문화를 가진 사람들 간의 충돌 발생

(2) 세계화로 국제적 차원의 문제들을 함께 해결하기 위한 과정에서의 입장 충돌

(3) 각 사회가 처한 정치, 경제, 사회, 종교적 상황을 고려하지 않고 일방적으로 보편 윤리를 강요

3. 해결 방안

(1) 보편 윤리를 존중하면서 특수 윤리를 편견 없이 바라보고 성찰하는 태도

(2) 특정 사회 가치가 인류의 보편적 가치를 훼손하는지에 대한 비판적 사고

(3) 세계 시민 의식을 바탕으로 갈등의 평화적 해결을 위한 노력과 관심

정답 | ㉠ 보편 윤리 ㉡ 특수 윤리

자료 Plus+

자료5 > 보편 윤리와 특수 윤리 간 갈등의 사례

무슬림 국가인 파키스탄에서는 한 여성이 파키스탄 사회의 통념에 어긋난 성적 발언과 행동이 담긴 게시물을 누리 소통망(SNS)에 올려 논란을 일으켰다. 그러자 그녀의 오빠가 집안의 명예를 더럽혔다는 이유로 여동생을 살해하는 명예 살인 사건이 일어났다. 국제 사회에서는 이에 대해 비난 여론이 들끓었다.

여성의 성적 발언을 금기시하는 파키스탄의 (❶) 관점에서 명예살인은 정당화될 수 있지만, (❷) 관점에서는 표현의 자유, 생명 존중과 같은 인류의 보편적인 가치를 훼손하는 관습이다.

정답 | ❶ 특수 윤리 ❷ 보편 윤리

개념 어휘 테스트

정답과 해설 35쪽

반복 점검 시기_ ☐10분 후 ☐1일 후 ☐7일 후 ☐한 달 후

찍기로 바로 점검

❶ 지역 간 상호 의존성이 높아지고 전 세계가 단일한 생활권을 형성해 나가는 현상을 (세계화, 지역화)라고 한다.

❷ 특정 장소를 상품으로 인식하고 지역의 가치를 상승시키는 홍보 전략을 (장소 마케팅, 지리적 표시제)(이)라고 한다.

❸ 뉴욕, 런던, 도쿄 등과 같이 전 세계적으로 (중심지, 배후지) 역할을 수행하는 곳을 세계 도시라고 한다.

❹ (단일 공장, 다국적) 기업이란, 전 세계적으로 제품을 생산·판매하는 기업을 말한다.

❺ 문화의 (다양화, 획일화)란, 세계화 과정에서 전 세계의 문화가 비슷해지는 현상을 말한다.

❻ 세계화로 인해 증가된 부가 일부 국가에 집중되면서 선진국과 개발 도상국 간의 소득 격차가 (줄어들고, 늘어나고) 있다.

❼ 선진국과 개발 도상국 간의 부의 편중, 환경 파괴, 노동력 착취 등의 문제를 해결하기 위해 (자유, 공정) 무역 운동이 생겼다.

❽ 인간의 존엄성, 인권, 평등, 자유, 평화 등의 가치를 중시하는 윤리를 (보편, 특수) 윤리라고 한다.

선 긋기로 바로 점검

❶ (1) 지역 브랜드 • • ㉠ I♥NY
(2) 지리적 표시제 • • ㉡ 보성 녹차

❷ (1) 본사 • • ㉠ 대학 및 연구 시설이 밀집한 곳
(2) 연구소 • • ㉡ 임금과 지대가 저렴한 개발 도상국
(3) 생산 공장 • • ㉢ 자본과 정보 수집에 용이한 본국의 대도시

한번 더 개념 반복

TIP
❶ 세계화로 인해 국경의 의미가 약화되고 있는 가운데, 지역이 세계화의 주체로 등장하여 지역의 고유한 특성을 전 세계에 알리는 일이 증가하고 있다.

TIP
❺ 전 세계의 문화가 비슷해지면서 지역 문화의 고유성이 약화되고 있다. 이를 해결하기 위해서는 문화의 다양성을 보전해야 한다.

ZIP ❺ 교과서 유사 선지
다음 중 옳은 선지를 모두 고르시오.
1 언어의 세계화로 사멸 위기의 언어가 줄어들고 있다. ☐
2 세계화로 인해 지역의 고유한 문화가 사라질 위기에 있다. ☐
정답 | 2

ZIP ❷ 교과서 유사 선지
다음 중 옳은 선지를 모두 고르시오.
1 다국적 기업은 공간적 분업을 통해 이윤을 극대화한다. ☐
2 다국적 기업의 산업 시설이 빠져나간 지역은 일자리 증가로 경제가 활성화된다. ☐
정답 | 1

기출 기초 테스트

정답과 해설 35쪽

기본 기출 주제 ① 세계화와 지역화

1-1 괄호 안에 들어갈 알맞은 말을 쓰시오.

(❶)	지역 간 상호 의존성이 높아지고, 전 세계가 단일한 생활권을 형성해 나가는 범세계적인 흐름과 추세
(❷)	특정 지역이 고유한 전통이나 특성을 살려 세계적인 경쟁력을 갖추는 현상

정답 | ❶ 세계화 ❷ 지역화

1-2 (가), (나)에 해당하는 현상을 바르게 연결한 것은?

(가) 슈퍼마켓에 진열된 상품을 장바구니에 담는 것은 엄청난 이동 거리를 함께 담는 셈이다.
(나) 타이에서는 우기가 시작되는 4월을 한 해의 시작이라고 생각하여 물 축제인 송끄란 축제를 개최한다. 현재는 외국인들도 함께 즐기는 세계적인 축제가 되었다.

	(가)	(나)
①	산업화	세계화
②	산업화	지역화
③	세계화	산업화
④	세계화	지역화
⑤	지역화	세계화

기본 기출 주제 ② 다국적 기업

2-1 괄호 안에 들어갈 알맞은 말을 쓰시오.

의미	전 세계적으로 제품을 생산·판매하는 기업
다국적 기업의 (❶)	• 본사: 자본 및 정보 수집에 용이한 본국의 대도시에 입지 • 연구소: 기술 수준이 높은 선진국에 입지 • 생산 공장: 주로 저임금 노동력이 풍부한 개발 도상국에 입지
변화	• 산업 시설 유입 지역: 지역 경제 (❷), 다국적 기업에 대한 경제 의존도 심화 • 산업 시설 유출 지역: 실업자의 증가로 지역 경제 침체

정답 | ❶ 공간적 분업 ❷ 활성화

2-2 다음 글에 나타난 N사에 대한 설명 및 추론으로 옳지 않은 것은?

세계적인 스포츠용품 회사인 N사는 미국에 본사가 있으며, 네덜란드와 중국에 지역 본부를 두고 있다. 전 세계 42개국에 있는 600여 개의 공장에서 100만여 명의 노동자들이 제품을 생산하고, 전 세계 판매망을 통해 이 제품이 소비자에게 판매된다.

① N사는 공간적 분업을 한다.
② N사는 다국적 기업에 해당한다.
③ 경영 기획 및 관리 기능은 미국에 입지해 있다.
④ 제품의 생산 및 판매가 전 세계적으로 이루어지고 있다.
⑤ 연구 및 개발을 담당하는 연구소는 인건비 절약을 위해 개발 도상국에 입지할 것이다.

STEP 3 A 교과서 기본 테스트

필수 주제 링크

01 다음은 도연이가 통합사회 수업 시간에 정리한 노트의 일부이다. ㉠~㉣에 대한 설명으로 옳지 않은 것은?

〈 ㉠ 의 의미와 특징〉
1. 의미: 지역 간 상호 의존성이 높아지고, 전 세계가 단일한 생활권을 형성해 나가는 현상
2. 원인: ㉡ 교통·통신의 발달, 무역의 확대
3. 영향
   (1) 경제적 측면: ㉢ 자본, 노동력, 상품의 이동 증가
   (2) 문화적 측면: ㉣

① ㉠에 들어갈 말은 세계화이다.
② ㉠의 사례로는 '오스트리아 잘츠부르크의 모차르트를 활용한 홍보'를 들 수 있다.
③ ㉡으로 인해 지역 간 교류가 증대되었다.
④ ㉢의 영향으로 소비자들은 상품 선택의 폭이 넓어졌다.
⑤ ㉣에는 '세계 문화의 등장'이 들어갈 수 있다.

| 핵심 point | 교통·통신의 발달로 지역 간 교류가 증가되면서 세계화가 진행되었다.

02 다음 글을 통해 도출할 수 있는 결론으로 옳은 것은?

베네치아의 전통 축제인 카니발은 지역의 문화와 역사를 소재로 한 대중예술이 발전된 것이다. 축제 시기에는 세계 각국의 많은 관광객들이 몰려들어 자신들과는 다른 지역의 문화를 체험하는 것을 즐기곤 한다.

① 국가 간 상호 의존성이 낮아지고 있다.
② 세계화로 인해 지역 간 경쟁이 완화되었다.
③ 지역의 독특한 특성이 세계적 가치를 지닌다.
④ 보편 윤리와 특수 윤리 간 갈등이 커지고 있다.
⑤ 관광 요소에서는 보편성과 유사성이 가장 중요하다.

03 다음 글의 A에 대한 설명으로 옳지 않은 것은?

A의 대표적인 도시인 뉴욕에는 국제 연합(UN)의 본부가 있는데, 유엔 회원국들의 대표는 이곳에 모여 국제 사회의 주요 문제를 논의한다. 또한 뉴욕 월가는 세계 금융 시장의 중심지로, 이곳의 주식 가격 변동은 세계 경제에 큰 영향을 미친다. 그리고 각종 문화 공연 극장이 밀집해 있는 타임스 스퀘어에는 세계 각국의 관광객들이 모인다.

① A는 세계 도시이다.
② 런던, 도쿄 등도 A에 해당한다.
③ 국제기구 및 국제회의가 집중한다.
④ 정치·경제 등 다양한 측면에서 중심지 역할을 한다.
⑤ '저렴한 노동력을 바탕으로 한 생산'이 주요 기능이다.

04 지도는 우리나라 H사의 공간적 분업을 나타낸 것이다. 이에 대한 옳은 설명 및 추론을 | 보기 | 에서 고른 것은?

| 보기 |
ㄱ. 교통과 통신의 발달은 기업의 영향력 확대에 기여하였다.
ㄴ. 본사의 관리 기능이 미치는 범위가 설립 초기보다 축소되었을 것이다.
ㄷ. 기술 연구소는 주로 저임금 노동력을 확보하기 수월한 곳에 입지해 있다.
ㄹ. 생산 공장은 생산비를 절감할 수 있거나 현지 시장을 확보하기 위한 곳에 있다.

① ㄱ, ㄴ ② ㄱ, ㄹ ③ ㄴ, ㄷ
④ ㄴ, ㄹ ⑤ ㄷ, ㄹ

필수 주제 링크

05 ㉠의 사례로 옳지 않은 것은?

○○ 신문

디트로이트는 자동차 산업의 수도로 불리며, 미국을 대표하던 □□ 자동차 기업이 자리 잡고 있던 지역이었다. 하지만 1980년대에 공장이 해외로 이전되면서 ㉠ 디트로이트는 많은 변화를 겪게 되었다.

① 지역 내 인구가 증가하였다.
② 대규모 실직 사태가 발생하였다.
③ 공장 인근의 상업 시설이 폐업하였다.
④ 디트로이트의 지역 경제가 침체되었다.
⑤ 자동차 부품을 생산하는 연계 중소기업들이 연쇄적으로 도산하였다.

| 핵심 point | 다국적 기업의 산업 시설이 유입되면 관련 일자리가 늘어나는 등 지역 경제가 활성화되지만, 산업 시설이 유출되면 그 지역은 큰 변화를 겪는다.

06 자료와 같은 경향이 계속될 때 나타날 수 있는 현상으로 적절하지 않은 것은?

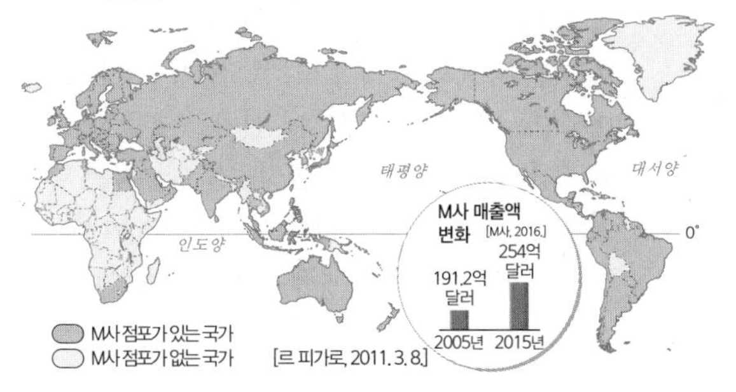

▲ M 햄버거 점포가 있는 국가와 없는 국가

① 음식 문화의 다양성이 늘어난다.
② 지역 고유의 음식 문화가 사라질 수 있다.
③ 소비자가 M사의 상품을 손쉽게 구매할 수 있다.
④ M사가 세계 음식 문화에 큰 영향을 미치게 된다.
⑤ M사의 햄버거 수요가 지속적으로 늘어 전통 음식 문화가 영향을 받게 된다.

융합형 일반사회·윤리

07 다음 글에 나타난 문제를 해결하기 위한 노력으로 가장 적절한 것은?

지구촌에서 소수 민족의 언어가 급속하게 사라지고 있다. 인터넷 사용이 급증하면서 영어가 세계 공용어처럼 쓰여, 소수 민족의 언어나 방언 등은 사용 인구가 급속히 줄어들고 있기 때문이다. 인류가 오랜 시간 동안 만들어낸 언어가 사라지면 오랜 세월 축적된 인류의 지혜도 사라진다.

① 문화를 단순히 소비 상품으로만 대한다.
② 소수 민족의 언어는 편견을 가지고 바라본다.
③ 세계 각국의 언어에 가치를 매겨 보존할 언어를 지원한다.
④ 다른 나라와의 원활한 교류를 위해 영어를 우선적으로 교육한다.
⑤ 자국 문화의 정체성을 유지하면서 외래문화를 능동적으로 수용하는 자세를 갖는다.

08 그래프에 대한 옳은 설명을 보기 에서 고른 것은?

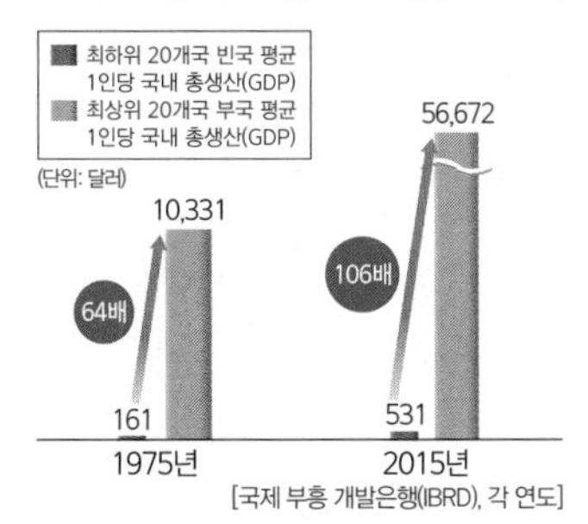

보기

ㄱ. 세계의 부가 공평하게 분배되고 있다.
ㄴ. 세계화에 따른 시장 확대와 경쟁으로 나타난 현상이다.
ㄷ. 1975년에 비해 2015년에 세계의 빈부 격차가 더욱 심화되었다.
ㄹ. 빈국과 부국 모두 1975년에 비해 2015년에 1인당 국내 총생산이 감소했다.

① ㄱ, ㄴ ② ㄱ, ㄷ ③ ㄴ, ㄷ
④ ㄴ, ㄹ ⑤ ㄷ, ㄹ

09 공정 무역에 대한 설명으로 옳지 않은 것은?

① 소비자는 상품 구매를 통해 생산자를 도울 수 있다.
② 개발 도상국에서 생산된 제품이 주요 거래 대상이다.
③ 기존의 무역 방식보다 제품의 유통 구조가 복잡한 편이다.
④ 생산자 입장에서 장기적이고 안정적인 거래가 가능하도록 지원한다.
⑤ 개발 도상국과 선진국 간의 불공정한 무역 구조를 바꾸려는 운동이다.

창의형

10 다음 〈낱말 퀴즈〉에서 밑줄 친 A에 들어갈 내용으로 옳은 것은?

〈낱말 퀴즈〉

[방식]
설명 1, 2에 해당하는 용어를 표에서 모두 지운 후, 남는 글자를 모두 사용한 단어의 의미는?
➡ ______A______

지	세	리
윤	시	편
도	계	역
축	보	제

설명 1. 지역의 고유한 특성을 이용한 축제
설명 2. 모든 사회에서 구성원의 행위를 규제하고 사회 질서를 통합하는 윤리

① 전 세계의 문화가 비슷해지는 현상
② 전 세계에서 중심지 역할을 하는 도시
③ 특정 사회에서만 준수하는 특수한 윤리
④ 지구 공동체의 구성원이라는 태도 및 인식
⑤ 현대인들의 주요 생활 공간으로 촌락의 상대적인 개념

신유형

11 다음은 어떤 강의의 한 장면이다. (가)에 들어갈 내용으로 가장 적절한 것은?

① 세계 도시
② 빈부 격차
③ 문화 획일화
④ 보편 윤리와 특수 윤리
⑤ 다국적 기업의 공간적 분업

12 다음의 갈등 사례에 대한 설명으로 옳지 않은 것은?

> 싱가포르는 공공 시설물 파손을 엄격하게 처벌하는 것으로 유명하다. 싱가포르 정부는 지난 1994년 미국의 10대 소년인 마이클 페이에게 자동차와 공공 자산을 파손한 혐의로 태형 6대를 집행하였다. 당시 미국 대통령은 싱가포르 정부에 선처를 호소하였고, 여러 인권 단체가 태형이 인간존엄성을 훼손하는 처벌 방법이라고 항의하였다. 그러나 싱가포르는 법원의 명령에 따라 태형을 집행하여 국제적 논란이 일어났다.

① 태형은 보편 윤리에 어긋난다.
② 보편 윤리와 특수 윤리 간의 갈등 사례이다.
③ 싱가포르에서만 준수하는 특수한 윤리가 있다.
④ 공공 시설물 파손에 대해 태형을 집행하는 것은 인류의 보편 윤리이다.
⑤ 갈등을 해결하기 위해서는 특수 윤리가 인류의 보편적 가치를 훼손하는지에 대한 비판적 사고를 가져야 한다.

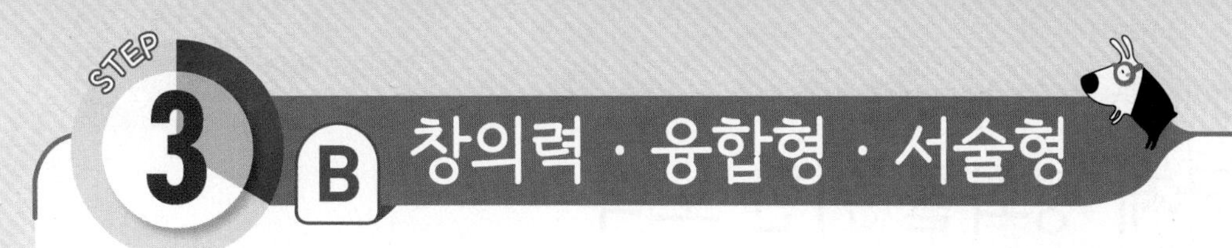

13 다음 사례에 나타난 세계화와 지역화 요소를 찾아 각각 서술하시오.

> 난타는 우리나라 고유의 사물놀이를 서양식 공연 양식에 접목한 작품이다. 이 공연은 요리사들이 주방 기구를 타악기로 사용하여 연주하는 비언어극으로, 사물놀이의 리듬을 현대적으로 재해석했다는 평가를 받는다. 난타 공연은 우리나라 공연 사상 최다 관객을 동원하였고, 현재 세계 여러 도시에서 상연되고 있는 우리나라의 간판 문화 상품이다.

14 다음 글을 읽고 물음에 답하시오.

> 세계의 공장이라고 불리던 중국의 위상이 비틀거리고 있다. 여러 다국적 기업이 잇달아 중국을 떠나고 있기 때문이다. 미국의 소프트웨어 기업인 M사는 ㉠ 중국 광저우와 베이징에 있는 공장을 폐쇄하고 생산 설비를 베트남으로 옮기기로 결정하였다. 이러한 추세가 계속되면서 베트남이나 인도네시아 등 ㉡ 동남아시아 국가에 다국적 기업의 생산 공장이 많이 들어서고 있다.

(1) ㉠의 이유를 서술하시오.

(2) ㉡의 긍정적 영향을 한 가지만 서술하시오.

15 다음 그래프에 나타난 문제가 무엇인지 쓰고, 이를 해결하기 위한 방안을 서술하시오.

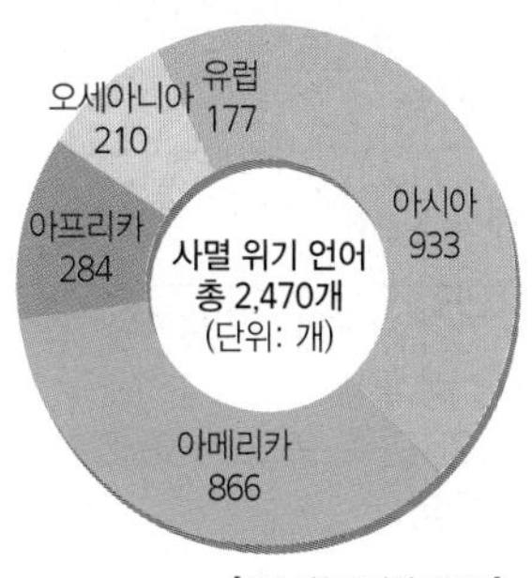

[EBS 다큐프라임, 2013.]

16 (가), (나)의 무역 구조를 보고, 물음에 답하시오. (단, (가)와 (나)는 독일과 에티오피아 중 하나이다.)

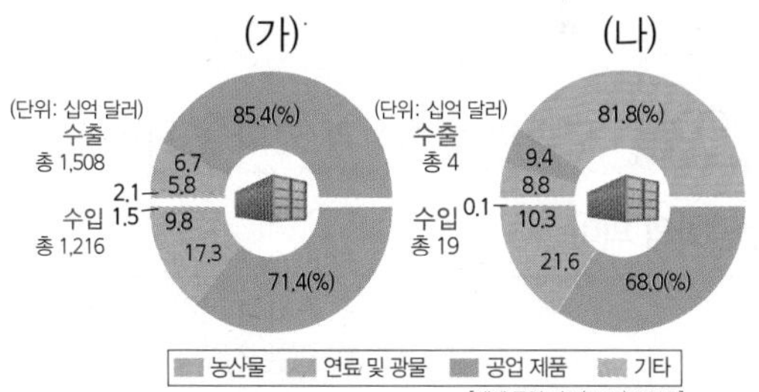

[세계 무역 기구(WTO), 2015.]

(1) (가), (나) 국가를 각각 쓰시오.

(2) 그래프와 같은 무역 구조가 세계의 빈부 격차에 미치는 영향을 서술하시오.

16강 국제 평화를 위한 노력

주제 01 국제 갈등과 협력

1. 국제 갈등과 협력의 양상 < 자료1

국제 갈등	• 개별 국가가 자국의 이익을 우선으로 추구하기 때문에 국가 간 갈등과 경쟁 발생 • 영역·자원·민족·종교 등 여러 가지 원인이 복합적으로 작용하여 발생함.
국제 협력	• 세계화의 흐름 속에서 상호 의존도가 증대됨. • 한 국가만의 노력으로 해결할 수 없는 다양한 문제가 발생하여 국제 협력의 필요성이 증대됨.

2. 국제 사회의 행위 주체

㉠	• 일정한 영역과 국민을 바탕으로 주권을 가진 국제 사회의 가장 기본적인 행위 주체 • 자국의 이익을 최우선적으로 추구함.
㉡	• 각 나라의 정부를 구성단위로 하며, 두 국가 이상으로 구성됨. • 평화 유지, 경제·사회 협력 등 국제적 목적이나 활동을 위해 조직됨. 예 국제 연합(UN), 경제 협력 개발 기구(OECD) 등
㉢	• 개인이나 민간단체 주도로 만들어져 인류 공익을 위해 활동함. • 오늘날 시민 사회의 영향력이 강화되면서 역할이 확대됨. 예 그린피스, 국경 없는 의사회, 국제 사면 위원회(국제 앰네스티) 등
기타	다국적 기업, 각국의 지방 자치 단체, 국제적 영향력이 강한 개인 등도 국제 사회의 행위 주체로 활동할 수 있음.

정답 | ㉠ 국가 ㉡ 국제기구 ㉢ 국제 비정부 기구(비정부 기구)

자료 Plus

자료1 > 세계의 주요 분쟁 지역

(가) 벨기에 언어 갈등
(나) 구유고슬라비아 지역의 분쟁
북아일랜드 분쟁
(다) 카스피해 영유권 분쟁
(라) 카슈미르 분쟁
쿠르드족 분리 독립 운동
수단과 남수단 분쟁
팔레스타인 분쟁
난사 군도의 영유권 분쟁 (스프래틀리 군도)
콜롬비아 반정부 운동
나이지리아 부족·종교 대립
포클랜드 분쟁
태평양
대서양
인도양
[한국국방연구원, 2016.]

(가)	벨기에의 북부는 ❶ 를 쓰고, 남부는 프랑스어를 사용하며, 두 지역 간의 지역감정이 심하다.
(나)	유고슬라비아 연방 공화국이 해체되는 과정에서 서로 다른 종교를 믿는 민족 간에 전쟁이 발발했다.
(다)	카스피해의 석유와 천연가스를 조금이라도 더 확보하고자 주변 나라들이 영유권 분쟁을 벌이고 있다.
(라)	카슈미르 지역은 주민 대부분이 이슬람교도인데, ❷ 를 믿는 인도에 편입되면서 갈등을 겪고 있다.

정답 | ❶ 네덜란드어 ❷ 힌두교

주제 02 평화의 중요성과 평화를 위한 노력

1. 평화의 의미

㉠	전쟁, 테러 등 물리적 폭력이 발생하지 않아 직접적인 폭력의 사용이나 위협이 없는 상태
㉡	직접적 폭력뿐만 아니라 빈곤, 기아, 정치적 억압, 종교와 사상의 차별 등과 같은 구조적·문화적 폭력까지 제거된 상태 → 모든 사람이 인간답게 살아갈 삶의 조건 조성

2. 국제 평화의 중요성 국제 평화의 실현으로 인류가 안전하게 살아갈 환경이 조성되고 인류의 삶의 질이 높아질 수 있으며, 인류의 정신적 문화 가치도 보존할 수 있음.

3. 국제 평화 실현을 위한 노력

(1) 소극적 평화뿐만 아니라 적극적 평화를 실현하기 위해 노력해야 함.

(2) 개별 국가, 국제기구, 국제 비정부 기구 등 국제 사회의 행위 주체는 국제 사회의 평화를 위해 노력해야 함. < 자료2

정답 | ㉠ 소극적 평화 ㉡ 적극적 평화

자료 Plus

자료2 > 평화 실현을 위한 국제 사회의 노력

국가	헤이샤쯔섬은 본래 중국의 영토였으나, 1929년 소련군이 점령한 이후 러시아가 점유해 왔다. 중국은 러시아와 협상하여 헤이샤쯔섬을 절반씩 나눠 갖고 인룽섬을 돌려받기로 하였다.
❶	1994년 이스라엘과 요르단은 국제 연합 등 국제 사회의 중재로 평화 협정을 체결했다. 그 결과 이스라엘은 국경 지역의 안전을 보장받았고, 요르단은 잃어버린 영토를 회복하였다.
❷	2016년 국제 앰네스티는 2022 카타르 월드컵 경기장 건설에 참여하는 노동자들의 인권 실태를 고발하는 보고서를 공개했다.

정답 | ❶ 국제기구 ❷ 국제 비정부 기구

주제 03 남북 분단의 과정과 통일의 필요성

1. ㉠ ( ) 의 과정

8·15 광복	광복과 동시에 미국과 소련이 북위 38도선을 경계로 한반도를 분할 점령함.(1945년)
모스크바 3국 외무 장관 회의	• 한반도에 대한 신탁 통치가 결정됨.(1945년 12월) • 신탁 통치에 대한 논쟁과 민족 내부의 이념적 갈등이 발생함.
5·10 총선거	국제 연합(UN)이 영향력을 행사할 수 있는 남한에서만 총선거가 실시됨.(1948년) → 대한민국 정부가 수립됨.
6·25 전쟁	북한의 남침으로 전쟁이 발발(1950년)하면서 오늘날까지 남북 분단이 고착화됨.

2. 통일의 필요성 < 자료3

개인·민족적 차원	• 이산가족과 실향민의 아픔을 해소하고 북한 주민의 삶을 개선함. • 분단으로 인한 민족의 이질화 현상을 극복함.
사회·문화적 차원	• 민족의 역사와 전통을 발전시켜 문화유산을 더욱 풍요롭게 함. • 분단으로 인한 이념·지역·세대 간 갈등을 극복함.
정치적 차원	한반도뿐만 아니라 세계가 전쟁의 위험에서 벗어나 정치적 안정과 평화를 누릴 수 있음.
경제적 차원	• 소모적인 분단 비용을 절감하여 경제 성장을 이룩할 수 있음. • 한반도의 지정학적 요충지로서의 이점을 극대화할 수 있음.

분단 비용: 안보 유지 비용, 정치·외교적 불이익, 이산가족의 아픔 등 남북이 분단됨으로써 발생하는 모든 비용

3. 통일을 위한 노력 남북 간의 평화적 교류와 협력을 통해 군사적 긴장을 완화하고 상호 신뢰를 회복해야 함. → ㉡ ( ) 에 이바지

정답 | ㉠ 남북 분단 ㉡ 세계 평화

자료 Plus

자료3 > 통일의 필요성

구분	한국 (2013년)	통일 한국 (2060년)
인구	5천만 명 (세계 15위)	7천만 명 (세계 12위)
국내 총생산 (GDP)	1.4조 달러 (세계 12위)	5.5조 달러 (세계 10위)
1인당 국내 총생산	2.9만 달러 (세계 19위)	7.9만 달러 (세계 7위)

[국회예산정책처, 2014.]

▲ 통일 한국의 미래상

남북이 통일되면 남한의 ❶ ( ) 및 기술과 북한의 ❷ ( ) 및 노동력이 결합하여 경제가 성장할 것이다. 또한 반도국으로서의 이점을 살려 유라시아 대륙과 태평양을 연결하는 물류의 중심지로 성장할 수 있을 것이다.

정답 | ❶ 자본 ❷ 자원

주제 04 동아시아의 역사 갈등과 세계 문제 해결을 위한 노력

1. 동아시아의 역사 갈등

영토 문제	동아시아에서는 복잡하게 얽힌 역사적 배경과 해양 자원을 둘러싼 경쟁 등으로 인해 다양한 영토 분쟁이 발생하고 있음. < 자료4
역사 인식 문제	• 일본의 역사 왜곡: 일본군'위안부' 문제 축소·은폐, 교과서 왜곡, 야스쿠니 신사 참배, ㉠ ( ) 에 대한 부당한 영유권 주장 등 • 중국의 ㉡ ( ): 과거 만주 지역과 한반도 북부를 중심으로 전개된 고조선, 고구려, 발해 등 우리 역사를 모두 중국의 역사라고 주장함. → 국경 지역의 안정을 도모하려는 의도

㉡: 중국의 동북 3성에 관한 역사, 지리, 민족 문제 등을 다루는 중국의 국가적 연구 사업

2. 동아시아 역사 갈등 해결을 위한 노력

(1) 공동 역사 연구 한·중·일 공동 역사 교재 발행 등을 통해 역사 인식의 차이 극복 노력 → 과거의 잘못을 인정하고 반성해야 함. < 자료5

(2) 국제 연대와 교류 확대 일본군'위안부' 문제 해결을 위한 여성 국제 전범 법정, 동아시아 청소년 역사 체험 캠프 등 개최

3. 세계 문제 해결을 위한 우리나라의 노력

(1) 해외 원조 실시 저개발 국가나 개발 도상국에 우리나라의 개발 경험과 기술 지원, 재난을 입은 국가에 긴급 구호 물품 제공 등

(2) 평화 유지 활동 지원 분쟁 지역에 국제 연합 평화 유지군 파견, 테러 확산 방지와 해적 소탕을 위해 세계 여러 국가와 협력

정답 | ㉠ 독도 ㉡ 동북 공정

자료 Plus

자료4 > 동아시아의 영토 분쟁

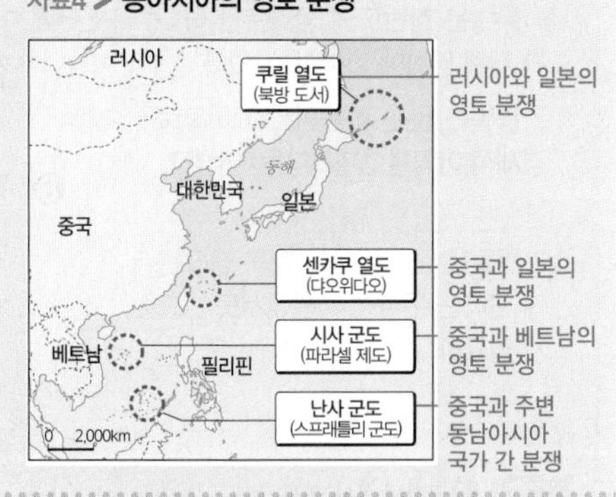

자료5 > 역사 갈등 화해의 모범 사례

독일과 폴란드는 두 차례의 세계 대전을 거치며 오랫동안 역사 갈등을 겪었다. 하지만 1970년 서독 수상의 진심 어린 사과와 양국의 국경선 문제 합의를 계기로 개선되기 시작하였다. 이에 두 나라는 꾸준한 연구와 교류를 통해 공동 ❶ ( ) 를 발간하기도 하였다.

정답 | ❶ 역사 교과서

개념 어휘 테스트

반복 점검 시기_ ▢10분 후 ▢1일 후 ▢7일 후 ▢한 달 후

✔ 한번 더 개념 반복

찍기로 바로 점검

❶ 국제 갈등은 각국이 (자국의 이익, 국제적 이익)을 최우선으로 추구하여 치열하게 경쟁하기 때문에 발생한다.

❷ 세계화 시대에는 국가 간의 상호 의존이 (심화, 약화)되므로 국제 협력의 필요성이 증대된다.

❸ (국제기구, 국제 비정부 기구)는 개인이나 민간단체 주도로 만들어져 환경, 평화, 인권 등 인류 공동의 이익을 위해 활동한다.

❹ 전쟁, 테러 등 물리적 폭력이 발생하지 않아 직접적인 폭력의 사용이나 위협이 없는 상태를 (소극적 평화, 적극적 평화)라고 한다.

❺ 실질적인 국제 평화를 이루기 위해서는 (소극적 평화, 적극적 평화)까지 이룰 수 있도록 노력해야 한다.

❻ 통일이 되면 남한의 (자본, 자원)과 북한의 (자본, 자원)이 결합하여 경제 성장을 이룩할 수 있다.

❼ 통일을 통해 이산가족의 아픔을 해소하고 북한 주민의 삶을 개선할 수 있다는 점은 (경제적, 민족적) 차원의 통일의 필요성이다.

❽ 동아시아의 역사 갈등 문제를 해결하기 위해서는 역사 왜곡을 바로잡고, 서로의 역사 인식을 (공유, 분리)하며 과거의 잘못을 인정하고 반성하는 태도가 필요하다.

ZIP ❸ 교과서 유사 선지

다음 중 옳은 선지를 모두 고르시오.

1 각 국가가 스스로 해결할 수 있는 일도 국제기구가 처리해야 한다. ▢

2 국제 비정부 기구는 국제 사회에서 자국의 이익을 최우선으로 추구한다. ▢

3 국제적 영향력이 강한 개인도 국제 사회의 행위 주체로 활동할 수 있다. ▢

정답 | 3

ZIP ❻~❼ 교과서 유사 선지

다음 중 옳은 선지를 모두 고르시오.

1 통일은 한반도의 평화뿐만 아니라 세계 평화에 기여할 수 있다. ▢

2 통일은 많은 비용이 필요하므로 경제적 이익을 창출하기는 어렵다. ▢

3 통일은 문화유산을 더욱 풍요롭게 한다는 문화적 차원에서도 반드시 필요하다. ▢

정답 | 1, 3

ZIP ❽ 교과서 유사 선지

다음 중 옳은 선지를 모두 고르시오.

1 역사 인식의 문제를 해결하기 위해서는 당사국 간 교류를 줄여야 한다. ▢

2 공동으로 역사 교재를 발행하는 것은 역사 인식 문제 해결에 도움이 된다. ▢

정답 | 2

선 긋기로 바로 점검

❶ (1) 국제기구 •　　　• ㉠ 국제 연합

(2) 국제 비정부 기구 •　　　• ㉡ 국제 사면 위원회

❷ (1) 시사 군도 분쟁 •　　　• ㉠ 중국 – 일본

(2) 쿠릴 열도 분쟁 •　　　• ㉡ 일본 – 러시아

(3) 센카쿠 열도 분쟁 •　　　• ㉢ 중국 – 베트남

반복 점검 시기_ ▢10분 후 ▢1일 후 ▢7일 후 ▢한 달 후

빈칸으로 바로 점검

❶ 벨기에의 북부는 네덜란드어를 쓰고, 남부는 (   )을(를) 사용하며 두 지역 간의 지역감정이 심하다.

❷ (   ) 지역은 인도와 파키스탄이 영국으로부터 분리·독립할 때 주민 대부분이 이슬람교를 믿는 파키스탄으로의 귀속을 원했으나, 힌두교를 믿는 인도에 편입되면서 갈등을 겪고 있다.

❸ (   )은(는) 일정한 영역과 국민을 바탕으로 주권을 가진 국제 사회의 가장 기본적인 행위 주체이다.

❹ (   )은(는) 각 나라의 정부를 구성단위로 하며, 평화 유지와 같은 국제적 목적을 위해 조직되었다.

❺ 직접적 폭력뿐만 아니라 빈곤, 기아, 정치적 억압, 차별 등과 같은 구조적·문화적 폭력까지 제거된 상태를 (   )(이)라고 한다.

❻ 모스크바 3국 외무 장관 회의에서 한반도에 대한 (   )이(가) 결정되면서 이에 대한 찬반 논쟁으로 갈등이 발생하였다.

❼ 북한의 남침으로 1950년에 (   ) 전쟁이 발발하면서 오늘날까지 남북 분단이 고착화되었다.

❽ 통일이 되면 우리나라는 반도국으로서의 이점을 살려 (   ) 대륙과 태평양을 연결하는 물류의 중심지로 성장할 수 있을 것이다.

❾ 일본의 총리 등 고위 정치인들은 제2차 세계 대전의 A급 전범들이 안치된 (   ) 신사를 참배하여 주변 나라와 갈등을 일으키고 있다.

❿ (   )은(는) 중국의 동북 3성에 관한 역사, 지리, 민족 문제 등을 다루는 중국의 국가적 연구 사업으로, 이를 통해 고조선, 고구려, 발해 등 우리의 역사를 모두 중국의 역사라고 주장하고 있다.

⓫ 우리나라는 저개발 국가나 개발 도상국에 우리나라의 개발 경험과 기술을 지원하는 (   )을(를) 통해 세계 문제 해결에 앞장서고 있다.

한번 더 개념 반복

TIP

❸~❹ 국제 사회의 대표적인 행위 주체로는 국가, 국제기구, 국제 비정부 기구 등이 있다.

❺ 교과서 유사 선지 ZIP

다음 중 옳은 선지를 모두 고르시오.

1 소극적 평화만으로도 적극적 평화는 이루어진다. ▢

2 적극적 평화는 물리적·직접적 폭력의 제거와는 무관하다. ▢

3 직접적 폭력이 제거되었다고 해서 모든 평화가 실현되는 것은 아니다. ▢

정답 | 3

❾~❿ 교과서 유사 선지 ZIP

다음 중 옳은 선지를 모두 고르시오.

1 일본은 우리나라 고유의 땅인 독도를 자신들의 땅이라고 우기고 있다. ▢

2 현재 일본 정부는 일본군'위안부'에 대해 강제성을 인정하고 공식적으로 사죄하였다. ▢

3 중국은 국경 지역의 안정을 도모하려는 의도로 동북 공정을 시행하고 있다. ▢

정답 | 1, 3

기출 기초 테스트

기본 기출 주제 ① 국제 사회의 행위 주체

1-1 괄호 안에 들어갈 알맞은 말을 쓰시오.

(❶)	일정한 영역과 국민을 바탕으로 주권을 가진 국제 사회의 가장 기본적인 행위 주체
(❷)	각 나라의 정부를 구성단위로 하며 평화 유지와 같은 국제적 목적을 위해 구성된 조직체
(❸)	개인이나 민간단체 주도로 만들어져 환경, 평화, 인권 등 인류 공동의 이익을 위해 활동하는 조직

정답 | ❶ 국가 ❷ 국제기구 ❸ 국제 비정부 기구

1-2 다음 글에서 설명하는 국제 사회의 행위 주체의 사례로 옳은 것은?

> 개인이나 민간단체 주도로 만들어진 조직으로, 오늘날 시민 사회의 영향력이 강화되면서 역할이 확대되고 있다. 이 조직은 환경, 평화, 인권 등 인류 공동의 이익을 위해 활동한다.

① 대한민국
② 국제 연합(UN)
③ 미국 뉴욕주 의회
④ 국제 사면 위원회
⑤ 경제 협력 개발 기구(OECD)

기본 기출 주제 ② 평화의 의미

2-1 괄호 안에 들어갈 알맞은 말을 쓰시오.

(❶) 평화
전쟁, 테러 등 물리적 폭력이 발생하지 않아 직접적인 폭력의 사용이나 위협이 없는 상태

(❷) 평화
직접적 폭력뿐만 아니라 빈곤, 기아, 정치적 억압, 종교와 사상의 차별 등과 같은 구조적·문화적 폭력까지 제거된 상태

정답 | ❶ 소극적 ❷ 적극적

2-2 다음 글에 대한 설명으로 적절하지 않은 것은?

> 전쟁을 하지 않는 것
> 폭탄을 떨어뜨리지 않는 것
> 집과 마을을 파괴하지 않는 것
> 왜냐하면 사랑하는 사람과
> 언제까지나 함께 있고 싶으니까
> (중략) 평화란 이런 걸 거야.

① 소극적 평화를 평화라 인식한다.
② 전쟁이 없는 상태를 평화라 인식한다.
③ 직접적 폭력의 제거로 평화가 실현된다고 본다.
④ 물리적 폭력 이외에 다른 폭력도 존재함을 강조한다.
⑤ 평화 실현을 위해 물리적 폭력을 제거해야 한다고 본다.

정답과 해설 37쪽

기본 기출 주제 ③ 통일의 필요성

3-1 괄호 안에 들어갈 알맞은 말을 쓰시오.

개인·민족적 차원	• 이산가족의 아픔 해소 • 민족의 이질화 극복
사회·문화적 차원	• 사회적 갈등 해소 • 풍요로운 문화유산 마련
(❶) 차원	• 정치적 안정 • 세계 평화에 이바지
(❷) 차원	• 남북한의 경제 성장 • 지리적 이점 극대화

정답 | ❶ 정치적 ❷ 경제적

3-2 다음 사례에서 추론할 수 있는 통일의 필요성으로 가장 적절한 것은?

2010년 11월, 연평도 섬마을이 아수라장으로 변했다. 북한이 6·25 전쟁 이후 처음으로 남한 영토를 포격했기 때문이다. 이로 인해 해병대 장병 2명이 전사하고 민간인 2명이 희생되었다. 이러한 비극을 없애기 위해서라도 우리는 반드시 통일을 이루어야 한다.

① 이산가족과 실향민의 아픔을 해소할 수 있다.
② 전쟁의 위협에서 벗어나 평화를 얻을 수 있다.
③ 빠른 경제 성장을 이루어 경제 대국이 될 수 있다.
④ 고통받고 있는 북한 주민의 삶을 개선할 수 있다.
⑤ 우리 민족의 유구한 역사와 전통을 발전시킬 수 있다.

기본 기출 주제 ④ 동아시아의 역사 갈등

4-1 괄호 안에 들어갈 알맞은 말을 쓰시오.

(❶) 문제	쿠릴 열도 분쟁, 센카쿠 열도 분쟁, 시사 군도 분쟁, 난사 군도 분쟁
(❷) 문제	일본군'위안부' 문제 은폐, 일본의 역사 교과서 왜곡, 일본의 독도에 대한 부당한 영유권 주장, 중국의 동북 공정 등

정답 | ❶ 영토 ❷ 역사 인식

4-2 (가)에 들어갈 내용으로 가장 적절한 것은?

[학습 주제] (가)
[학습 목표] 중국의 동북 공정, 일본의 역사 교과서 왜곡, 일본군'위안부' 문제 은폐의 사례를 살펴본다.

① 남북 분단의 배경
② 동아시아 영토 분쟁
③ 소극적 평화의 달성
④ 한반도의 긴장 완화
⑤ 역사 인식 문제와 갈등

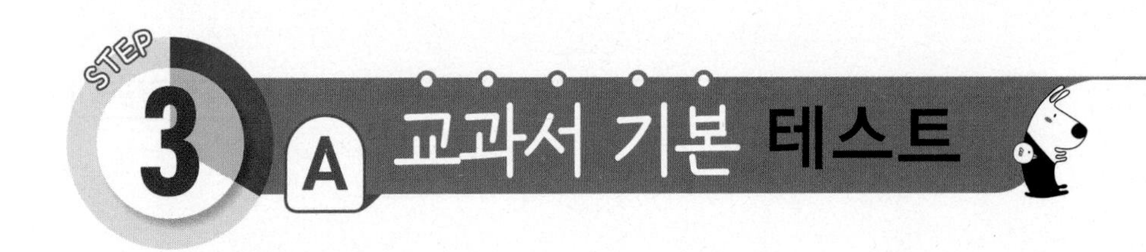

필수 주제 링크

01 다음 글에 나타난 국제 관계의 특징을 ‖보기‖에서 고른 것은?

> 2011년 아프리카의 남수단은 수단으로부터 분리·독립하였다. 남수단이 독립하기 전의 수단은 오랫동안 북부와 남부로 나뉘어 갈등하였다. 당시 북부와 남부의 주민은 서로 언어와 종교가 달랐다. 두 지역은 과거 영국의 식민 통치 체제에서도 분리되어 지배를 받았으며, 경제적 격차도 심하였다. 남수단의 분리·독립 이후에도 두 국가는 원유 수입 배분, 국경선 획정 등의 문제로 갈등을 겪고 있다.

‖보기‖
ㄱ. 국가 간에 서로 협력하며 의존한다.
ㄴ. 자국 이익을 위해 치열하게 경쟁한다.
ㄷ. 갈등이 다양하고 복합적으로 나타난다.
ㄹ. 국가 간에 간섭하지 않으며 독립적으로 살아간다.

① ㄱ, ㄴ ② ㄱ, ㄷ ③ ㄴ, ㄷ
④ ㄴ, ㄹ ⑤ ㄷ, ㄹ

| 핵심 point | 국가 간 갈등과 분쟁은 보통 여러 가지 원인이 작용하여 발생한다.

02 다음 글에 제시된 국제 사회 행위 주체의 유형으로 옳은 것은?

> 그린피스는 1971년에 설립되어 핵 실험 반대와 자연 보호 운동 등을 통하여 지구의 환경을 보존하고 평화를 증진시키기 위한 활동을 펼치고 있다. 2016년에는 미세 플라스틱의 유해성을 알리는 보고서를 발간하고, 생활용품 속 미세 플라스틱에 대한 법적 규제를 요구했다.

① 개인 ② 국가
③ 국제기구 ④ 다국적 기업
⑤ 국제 비정부 기구

03 밑줄 친 ㉠~㉢에 대한 설명으로 가장 적절한 것은?

> 아이티에서 진도 7.3의 대지진으로 25만 명이 희생되고 100만 명의 이재민이 발생하였다. 이에 국제 사회의 구호 지원 규모가 확대되고 있다. ㉠ 국제 연합은 3,500명의 경찰력과 평화 유지군을 아이티에 추가 증원하였고, ㉡ 전 세계 43개국이 다양한 지원에 참여하였다. 또한 ㉢ 국경 없는 의사회, 옥스팜, 적십자 등 1,700여 명에 이르는 구조 팀이 구호 대열에 동참하여 아이티 재건에 힘쓰고 있다.

① ㉠은 민간단체 주도로 만들어진 조직이다.
② ㉡은 두 국가 이상으로 구성된 조직체이다.
③ ㉢은 자국의 이익을 최우선으로 추구한다.
④ ㉡은 ㉠과 달리 독립적 주권을 행사하는 주체이다.
⑤ ㉢은 ㉡보다 강제력 행사가 강한 조직체이다.

융합형 역사·지리

04 지도의 (가)~(라) 지역에서 발생한 분쟁에 대한 설명으로 옳지 않은 것은?

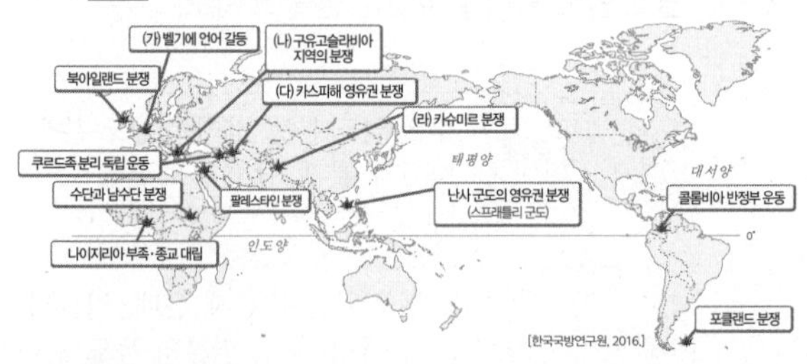

▲ 세계의 주요 분쟁 지역

① (가)는 서로 다른 언어를 쓰는 두 지역 간 지역감정이 심화되면서 발생했다.
② (나)는 민족, 종교 등의 원인이 복합적으로 작용하여 발생했다.
③ (다)는 극심한 종교 갈등이 원인이 된 분쟁이다.
④ (라)는 인도와 파키스탄이 영국으로부터 분리·독립하는 과정에서 촉발되었다.
⑤ (가)~(라)를 해결하기 위해서는 각국이 세계 평화를 위해 노력해야 한다.

신유형

05 (가)의 갑, 을의 입장을 (나)의 그림과 같이 탐구하고자 할 때, A~C에 들어갈 질문으로 가장 적절한 것은?

(가)	갑: 평화는 전쟁, 테러, 범죄, 폭행 등 물리적 폭력이 발생하지 않아 직접적 폭력의 사용이나 위협이 없는 상태이다. 을: 평화는 직접적 폭력뿐만 아니라 빈곤, 기아, 억압, 차별 등과 같은 구조적·문화적 폭력까지 제거된 상태이다.
(나)	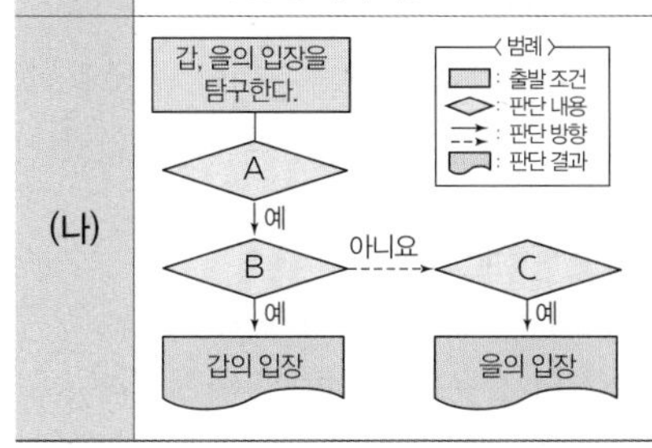

① A: 직접적 폭력의 제거로 평화는 완성되는가?
② B: 평화는 구조적 폭력의 제거를 포함하는가?
③ B: 사회 구조와 문화 자체도 폭력일 수 있는가?
④ C: 진정한 평화는 적극적 평화로 실현되는가?
⑤ C: 물리적 폭력 제거는 평화의 충분조건인가?

필수 주제 링크

06 다음 글을 통해 추론할 수 있는 내용을 |보기|에서 고른 것은?

> 아프리카 흑인 어린이는 일반적으로 흑인 전용 병원에서 태어나 흑인 거주 지역에서만 살아야 하며, 만약 학교라도 다니고 싶다면 흑인 전용 학교에 다녀야만 한다. 그 흑인 아이는 커서도 흑인들만 다니는 직장에만 취직할 수 있고, 흑인 전용 기차만 탈 수 있다.
>
> – 넬슨 만델라, 《자유를 향한 머나먼 길》 –

|보기|
ㄱ. 적극적 평화를 달성하지 못한 상태이다.
ㄴ. 물리적 폭력이 사라지면 해결될 문제이다.
ㄷ. 흑인에 대한 차별이 평화를 위협하고 있다.
ㄹ. 구조적·문화적 폭력이 완전히 제거된 상태이다.

① ㄱ, ㄴ ② ㄱ, ㄷ ③ ㄴ, ㄷ
④ ㄴ, ㄹ ⑤ ㄷ, ㄹ

| 핵심 point | 소극적 평화는 직접적 폭력이 제거된 상태이고, 적극적 평화는 직접적 폭력뿐만 아니라 구조적·문화적 폭력까지 제거된 상태이다.

07 남북 분단의 과정을 시기 순서대로 나열한 것은?

ㄱ. 
▲ 남한만의 5·10 총선거가 시행되었다.

ㄴ. 
▲ 북한의 남침으로 6·25 전쟁이 발발하였다.

ㄷ. 
▲ 모스크바 3국 외무 장관 회의에서 한반도에 대한 신탁 통치가 결정되었다.

ㄹ. 
▲ 광복과 동시에 미국과 소련이 북위 38도선을 경계로 한반도를 분할 점령하였다.

① ㄱ – ㄴ – ㄷ – ㄹ ② ㄴ – ㄱ – ㄹ – ㄷ
③ ㄷ – ㄹ – ㄱ – ㄴ ④ ㄹ – ㄱ – ㄴ – ㄷ
⑤ ㄹ – ㄷ – ㄱ – ㄴ

08 다음 표를 보고 유추할 수 있는 통일의 필요성으로 가장 적절한 것은?

구분	한국(2013년)	통일 한국(2060년)
인구	5천만 명 (세계 15위)	7천만 명 (세계 12위)
국내 총생산 (GDP)	1.4조 달러 (세계 12위)	5.5조 달러 (세계 10위)
1인당 국내 총생산	2.9만 달러 (세계 19위)	7.9만 달러 (세계 7위)

[국회예산정책처, 2014.]

① 경제 성장을 이룩할 수 있다.
② 이념 갈등과 세대 갈등을 해소할 수 있다.
③ 이산가족과 실향민의 아픔을 해소할 수 있다.
④ 남북의 이질성을 극복하고 동질성을 회복할 수 있다.
⑤ 한반도와 주변 국가들의 정치적 안정을 달성할 수 있다.

정답과 해설 37쪽

09 지도의 A~D에 대한 설명으로 옳은 것은?

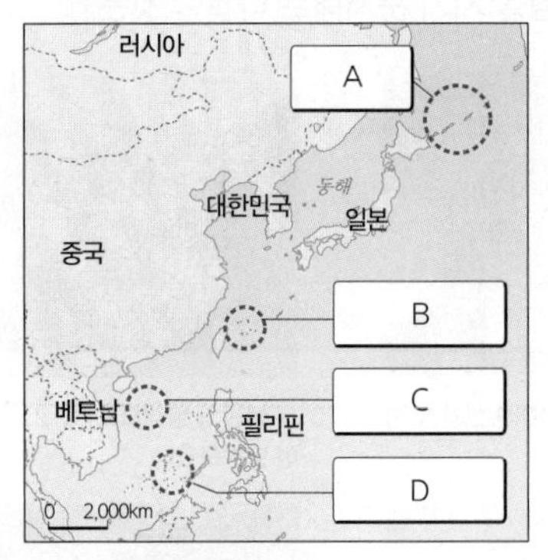

▲ 동아시아의 영토 분쟁 지역

① A: 중국과 일본 간 분쟁이 발생하고 있는 센카쿠 열도이다.
② B: 일본과 러시아 간 갈등이 나타나는 쿠릴 열도이다.
③ C: 중국 및 동남아시아의 여러 국가들이 갈등을 겪고 있는 난사 군도이다.
④ D: 중국과 베트남이 갈등을 빚고 있는 시사 군도이다.
⑤ A~D: 역사적 배경이나 해양 자원 확보 때문에 나타난 분쟁이다.

10 교사의 질문에 바르게 대답한 학생을 고른 것은?

① 갑, 을 ② 갑, 병 ③ 을, 병
④ 을, 정 ⑤ 병, 정

11 다음 자료에 나타난 문제를 해결하기 위한 노력으로 가장 적절한 것은?

> [한국 피해자의 증언]
> "베이징에서 일본 군인에게 연행되어 군용 트럭에 강제로 태워져서 위안소로 끌려갔습니다. 그때 나이 17세였지요."
>
> [일본 총리의 주장]
> "정부가 발견한 자료 중에는 군이나 관헌에 의한 강제 연행을 직접 나타내는 기술은 발견되지 않았다."

① 한국도 역사를 왜곡한다.
② 국제기구가 전적으로 해결하게 한다.
③ 일본은 과거의 잘못을 인정하고 반성한다.
④ 일본은 민족주의적 역사 인식을 강화한다.
⑤ 미래의 번영을 위해 과거사를 더 이상 언급하지 않는다.

12 갑~병에 대한 설명으로 가장 적절한 것은?

> 교사: 국제 사회의 평화를 위해 우리나라는 어떤 노력을 해야 할까요?
> 갑: 통일을 통해 전쟁 위협을 제거함으로써 먼저 한반도의 평화를 실현해야 합니다.
> 을: 경제 협력 개발 기구 가입국으로서 기아 문제, 빈부 격차 심화 등을 해결하기 위해 개발 도상국을 지원해야 합니다.
> 병: 국제 연합 평화 유지군을 파견하여 국제 평화 유지 활동에 적극 참여해야 합니다.

① 갑: 통일의 필요성 중 경제적 차원과 관련된 주장이다.
② 갑: 소극적 평화를 통해 한반도 평화를 실현하고자 한다.
③ 을: 국제 비정부 기구를 통해 국제 평화를 실현하고자 한다.
④ 병: 남북 분단 문제를 해결하여 세계 평화를 이루려는 노력이다.
⑤ 을, 병: 소극적 평화 실현을 위해 노력하는 모습이다.

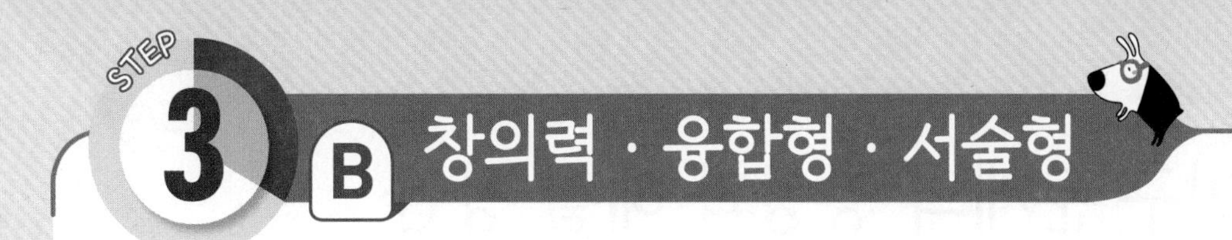

정답과 해설 38쪽

13 다음 글에 나타난 국제 사회 행위 주체의 유형을 쓰고, 그 특징을 서술하시오.

> 국제 앰네스티는 2022년 카타르 월드컵 경기장 건설에 참여하는 노동자들의 인권 실태를 고발하는 보고서를 공개했다. 보고서를 통해 국제 앰네스티는 이주 노동자들이 저임금, 고강도의 노동, 차별 등으로 혹사당하고 있으며 카타르 정부가 이를 묵인하고 있음을 밝혔고, 국제 축구 연맹(FIFA)에 대책을 촉구했다.

14 ㉠, ㉡의 의미를 서술하시오.

> 평화로운 삶은 인류가 끊임없이 추구해 온 이상이다. 하지만 인류 역사상 갈등과 분쟁, 폭력이 존재하지 않았던 시기는 거의 없었으며, 지금도 세계 곳곳에서는 다양한 원인으로 분쟁과 갈등이 발생하여 평화를 위협하고 있다. 따라서 실질적인 국제 평화를 이루기 위해서는 ㉠ 소극적 평화뿐만 아니라 ㉡ 적극적 평화를 실현하기 위해 노력해야 한다.

15 (가)의 입장에서 (나)의 ㉠이 바람직하지 않은 이유를 서술하시오.

> (가) 전쟁의 여지를 남겨 놓은 채 이루어진 평화는 진정한 평화라 할 수 없다. 어떤 순간에도 무력은 정당화될 수 없으며, 평화를 이루기 위한 과정 또한 평화적이어야 한다.
> (나) ㉠ 인도적 개입이란 대규모 인권 유린 사태가 일어났을 때, 피해자를 보호할 목적으로 국제 사회가 해당 국가의 동의 없이 군사 개입을 하는 것을 의미한다.

16 ㉠, ㉡에 들어갈 알맞은 내용을 한 가지씩 서술하시오.

통일의 필요성에 대해 알아봅시다.

〈통일의 필요성〉

경제적 차원	㉠
민족적 차원	㉡

17 다음 글을 읽고 물음에 답하시오.

> (가) 일본 정부는 1950년대부터 역사 교과서 왜곡을 진행하였다. 왜곡 사실이 우리나라와 중국 등에 알려지면서 동아시아 역사 갈등이 심각해졌다.
> (나) 중국 정부는 국가적 사업을 통해 고조선, 고구려, 발해의 역사를 중국의 역사에 포함시키려고 하였다.

(1) (가)의 사례를 두 가지만 쓰시오.

(2) (가), (나)의 문제를 해결하고 동아시아에 평화를 정착시키기 위해 할 수 있는 노력을 서술하시오.

18 우리나라가 세계 평화를 위해 이바지할 수 있는 노력을 두 가지 서술하시오.

인구 문제의 양상과 해결 방안

주제 01 세계의 인구 성장과 인구 분포

1. 세계의 인구 성장

(1) 급격한 인구 성장의 원인 산업 혁명 이후 의학 기술 발달과 생활 수준 향상에 따른 사망률 하락 (사망률: 한 해 동안 인구 천 명당 죽은 사람의 수)

(2) 선진국과 개발 도상국의 인구 성장 산업 혁명 이후 선진국을 중심으로 세계의 인구가 증가하다가, 20세기 후반 이후에는 ㉠ [ ]이 인구 성장을 주도함.

[인구학, 2007.]
고 / 출생률과 사망률 / 저
출생률, 사망률, 총인구, 인구의 자연 감소, 인구의 자연 증가
제1단계 제2단계 제3단계 제4단계
저 ← 경제 발전 → 고

▲ 인구 변천 모형

2. 세계의 인구 분포 < 자료1

최근 과학 기술 및 교통 발달로 인간의 거주 지역이 확대되고 있음.

㉡ [ ] 요인	기후, 지형, 토지 등 → 온화한 기후, 비옥한 평야, 낮고 평탄한 지형 등이 나타나는 곳에 인구 밀집
사회·경제적 요인	산업, 교통, 문화, 교육 등 → 발달한 산업, 풍부한 일자리, 편리한 교통, 사회 기반 시설 확충 등의 조건이 갖추어진 지역에 인구 밀집

정답 | ㉠ 개발 도상국 ㉡ 자연적

자료 Plus

자료1 > 세계의 인구 분포

온화한 기후, 산업 발달 → 인구 밀집 (A)
추운 기후 → 인구 희박 (D)
벼농사, 산업 발달 → 인구 밀집 (C)
열대 우림 → 인구 희박 (E)
건조 기후 → 인구 희박 (B)
1점당 10만 명 [최신 세계 지도, 2015]

- 세계의 인구는 ❶ [ ]반구 ❷ [ ]위도의 냉·온대 기후 지역과 대도시에 밀집해 있다.
- 대륙별로 보면, ❸ [ ] > 아프리카 > 유럽 > 중남부 아메리카 > 북부 아메리카 > 오세아니아 순으로 인구 비율이 높다.

정답 | ❶ 북 ❷ 중 ❸ 아시아

주제 02 국가별 인구 구조와 세계의 인구 이동

1. 국가별 인구 구조 < 자료2

(인구 구조: 어느 인구 집단의 연령별·성별 인구 구성)

[국제 연합(UN), 2015.]
(세) 90+ ~ 0~4, 남 / 여, (%) 12 10 8 6 4 2 0 0 2 4 6 8 10 12

▲ 일본 인구 구조(2015년) ▲ 니제르 인구 구조(2015년)

(1) 선진국(일본) 개발 도상국보다 출생률이 낮고 평균 기대 수명이 길. → 유소년층 비중이 작고, 노년층 비중이 ㉠ [ ]. → 중위 연령이 높음.

(중위 연령: 전체 인구를 연령 순서대로 세웠을 때 중간에 있는 사람의 나이)

(2) 개발 도상국(니제르) 선진국보다 출생률이 높고 평균 기대 수명이 짧음. → 유소년층 비중이 크고, 노년층의 비중이 작음. → 중위 연령이 낮음.

(3) 남아 선호 사상이 있는 국가에서는 ㉡ [ ] 현상이 나타남. 예 인도

(남초: 여자 100명당 남자 수를 성비라고 하는데, 성비가 100보다 큰 현상임.)

2. 세계의 인구 이동 < 자료3

경제적 이동	개발 도상국에서 임금 수준이 높고 일자리가 풍부한 선진국으로 이동, 오늘날 대부분의 인구 이동이 해당됨.
㉢ [ ] 이동	전쟁, 분쟁, 정치적 탄압 등에 의한 난민 형태의 이동
환경적 이동	사막화, 기후 변화에 따른 해수면 상승 등 환경 재앙을 피해 이동

정답 | ㉠ 큼 ㉡ 남초 ㉢ 정치적

자료 Plus

자료2 > 인구 구조와 인구 부양비

- 인구 구조: 일본은 ❶ [ ]형 인구 구조가, 니제르는 ❷ [ ]형 인구 구조가 나타난다.
- 인구 부양비란, 생산 연령 인구(청장년 인구)에 대한 비생산 연령 인구(유소년 인구와 노년 인구)의 비율이다. 상대적으로 일본은 ❸ [ ] 인구 부양비가, 니제르는 유소년 인구 부양비가 높게 나타난다.

자료3 > 주요 인구 이동

❹ [ ] 이동	아시아, 아프리카, 라틴 아메리카의 개발 도상국에서 유럽, 앵글로아메리카, 오세아니아 등 선진국으로의 인구 이동 활발
정치적 이동	분쟁이 잦은 서남아시아, 아프리카에서 인접 국가 및 유럽으로의 난민 이동 활발

정답 | ❶ 방추 ❷ 피라미드 ❸ 노년 ❹ 경제적

주제 03 세계의 인구 문제

1. ㉠ (   ) 문제

(1) 발생 지역 주로 출생률이 높은 개발 도상국

(2) 원인 사망률은 낮아졌지만 출생률은 여전히 높아 인구 급증, 인구 부양력의 한계를 넘어선 인구 증가 속도
└ 한 국가의 인구가 그 국가의 사용 가능한 자원에 의하여 생활할 수 있는 능력

(3) 영향 기아, 빈곤, 실업 문제, 각종 도시 문제 등
└ 대도시 인구 과밀화에 따른 주택 부족, 사회 기반 시설 부족 등

2. 저출산·고령화 문제 < 자료4

(1) 발생 지역 산업화로 일찍 경제 발전을 이룬 선진국

(2) 원인과 영향

㉡ ( )	원인	여성의 사회 진출 증가, 초혼 연령 상승, 결혼·출산에 대한 가치관 변화, 양육 부담 증가 → 합계 출산율 감소
	영향	생산 연령 인구의 감소 → 잠재 성장률 하락, 노동력 부족 및 소비 감소로 경기 침체 < 자료5 └ 생산 가능 인구, 경제 활동 인구라고도 함.
㉢ ( )	원인	의학 발달, 생활 수준 향상 → 평균 기대 수명 연장, 저출산
	영향	노년 인구 부양비 증가, 노인 복지 비용 증가, 노인 부양 부담을 지는 청장년층과 노년층 간의 갈등 발생

└ 총인구 중에 노년층 인구가 차지하는 비율이 높아지는 현상으로, 그 비율이 7% 이상이면 고령화 사회, 14% 이상이면 고령 사회, 20% 이상이면 초고령 사회라고 함.

3. 인구 이동에 따른 문제

인구 유입 지역	• 긍정: 노동력 확보를 통한 경제 활성화, 문화적 다양성 증대 • 부정: 이주민과 기존 주민 간의 경제적·문화적 갈등 발생 (일자리 경쟁)
인구 유출 지역	• 긍정: 해외 이주 노동자들의 송금으로 외화 유입 증가 • 부정: 청장년층 노동력의 감소 및 사회적 분위기 침체

정답 | ㉠ 인구 과잉 ㉡ 저출산 ㉢ 고령화

자료 Plus

자료4 > 국가별 합계 출산율

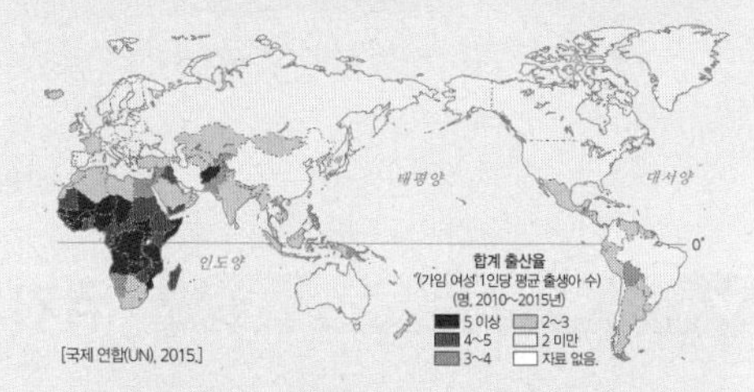

[국제 연합(UN), 2015]

합계 출산율이 높은 아프리카 국가들은 ❶ (   ) 문제를 겪고 있고, 합계 출산율이 낮은 유럽, 앵글로아메리카의 ❷ (   )들은 생산 연령 인구 감소로 경기 침체 위기에 놓여 있다.

자료5 > 잠재 성장률

한 국가의 경제가 과도한 물가 상승을 유발하지 않고, 자본, 노동, 총요소 생산성 등을 최대한 효율적으로 사용하여 달성할 수 있는 국내 총생산(GDP) 증가율이다. 우리나라의 잠재 성장률은 계속 하락할 것으로 예상되는데, 가장 큰 이유는 바로 생산 연령 인구의 ❸ (   ) 때문이다.

정답 | ❶ 인구 과잉 ❷ 선진국 ❸ 감소

주제 04 인구 문제 해결을 위한 노력

1. 인구 과잉 문제의 해결 방안 산아 ㉠ (   ) 정책(출산 억제 정책), 인구 부양력을 높이기 위한 경제 발전과 식량 증산 정책 실시, 일자리 창출, 중소 도시 육성 정책 및 촌락의 생활 환경 개선 등

2. 저출산·고령화 문제의 해결 방안

(1) 정책적 방안 < 자료6

저출산	• ㉡ ( ) 정책: 임신·출산·육아를 위한 비용 지원, 출산·육아 휴직 보장 및 연장, 공공 보육 시설 확충 • 청년 일자리 확보, 성별 임금 격차 해소, 유연 근무제 실시 등
고령화	• 노후 생활 보장: 노후 소득 안정을 위한 사회 보장 제도 마련(노인 연금, 국민연금, 주택 연금 등), 노인 복지 시설 확충 • 노인의 경제 활동 지원: 정년 연장, 노인 일자리 창출 등

└ 기업의 인건비 부담 증가와 청년층 일자리 감소에 대한 우려로 반대하는 의견도 있음.

(2) 가치관의 변화

① ㉢ (   ) 가치관 확립 결혼과 가족의 소중함, 자녀 양육을 통한 부모로서의 행복 추구

② 세대 간 정의를 위한 노력 사회 복지 비용, 일자리 등에 대해 세대 간 형평성을 고려한 배려가 필요함.

③ 기타 양성평등의 성 역할 이해, 노인 공경 등

정답 | ㉠ 제한 ㉡ 출산 장려 ㉢ 친가족적

자료 Plus

자료6 > 저출산·고령화의 해결 방안

• 스웨덴 정부는 부모 모두의 충분한 육아 휴직 기간을 보장하고 있다. 자녀가 8살이 될 때까지 부모는 공동으로 480일의 휴가를 나눠 사용할 수 있다. 부모 중 한 사람이 반드시 60일 이상 사용해야 한다.
• 일본은 정년을 65세로 의무화하였고, 정년퇴직한 노인을 재고용하는 기업에는 보조금을 지급하였다. 그 결과 2015년에는 일본 기업의 70% 이상이 노인들을 고용하고 있는 것으로 나타났다.

스웨덴은 ❶ (   ) 의식 확립을 바탕으로 육아 휴직을 충분히 보장하고 있고, 일본은 정년 연장을 통해 노인의 경제 활동을 활성화하여 젊은 세대의 부양 부담을 줄이고자 하였다.

정답 | ❶ 양성평등

개념 어휘 **테스트**

정답과 해설 39쪽

반복 점검 시기_ ☐10분 후 ☐1일 후 ☐7일 후 ☐한 달 후

찍기로 바로 점검

❶ 일자리가 풍부하고 사회 기반 시설이 잘 갖추어진 지역에는 인구가 (조밀, 희박)하다.

❷ 선진국은 개발 도상국보다 출생률이 (낮고, 높고) 평균 기대 수명이 (짧아, 길어) 유소년층 비중이 (작고, 크고), 노년층 비중이 (작기, 크기) 때문에 중위 연령이 (높다, 낮다).

❸ 시리아, 아프가니스탄의 대규모 난민 이동은 (정치적, 경제적) 이동이다.

❹ 저출산·고령화 문제가 지속될 경우, 생산 연령 인구의 감소로 잠재 성장률이 계속 (하락, 상승)할 수 있다.

❺ 인구 과잉 문제를 해결하기 위해서는 출산 (장려, 억제) 정책과 인구 부양력을 높이기 위한 정책을 펼쳐야 한다.

빈칸으로 바로 점검

❶ 세계의 인구는 (   ) 이후 의학 기술 발달과 생활 수준 향상으로 사망률이 하락하자 급격하게 증가하였다.

❷ 개발 도상국이 많은 (   ), 아프리카 대륙에 많은 인구가 분포한다.

❸ 인도 등 남아 선호 사상이 남아 있는 일부 국가에서는 (   ) 현상이 심각하게 발생하기도 한다.

❹ 개발 도상국은 인구 부양력의 한계를 넘어서는 인구 증가 속도 때문에 (   ) 문제가 나타난다.

❺ 주택 연금, 노인 복지 시설 확충, 정년 연장 등은 (   ) 문제를 해결하기 위한 대책이다.

❻ 저출산·고령화 문제를 해결하기 위해서는 결혼과 가족의 소중함을 통해 행복을 추구하는 (   ) 가치관의 확립이 필요하다.

✔ 한번 더 개념 반복

ZIP ❷ 교과서 유사 선지

다음 중 옳은 선지를 모두 고르시오.

1 선진국은 개발 도상국보다 합계 출산율이 낮다. ☐

2 개발 도상국은 선진국보다 출생률과 사망률이 낮다. ☐

3 개발 도상국은 선진국에 비해 중위 연령이 낮다. ☐

4 상대적으로 선진국은 노년 인구 부양비가 높게 나타난다. ☐

정답 | 1, 3, 4

TIP

❸ 난민이 유입된 유럽 지역은 저렴한 임금의 난민 인력을 활용하여 노동력 부족 문제를 해결할 수 있지만, 자국민의 일자리 감소와 자국민과 난민들 간의 문화적 충돌 등으로 문제가 나타날 수 있다.

ZIP ❺~❻ 교과서 유사 선지

다음 중 옳은 선지를 모두 고르시오.

1 육아 비용 지원, 육아 휴직 보장, 공공 보육 시설 확충 등은 인구 과잉 문제를 해결하기 위한 정책이다. ☐

2 개발 도상국의 인구 문제를 해결하기 위해서는 인구 부양력을 높이기 위한 경제 발전과 식량 증산 정책이 필요하다. ☐

3 사회 복지 비용에 대한 미래 세대의 부담을 줄이기 위해 노력해야 하고, 청장년층의 권리를 침해하지 않으면서 노년층의 인간다운 삶을 보장해야 한다. ☐

정답 | 2, 3

기출 기초 테스트

정답과 해설 39쪽

기본 기출 주제 ① 세계의 인구 분포

1-1 괄호 안에 들어갈 알맞은 말을 쓰시오.

자연적 요인	기후가 (❶)하고 토양이 비옥하며, 낮고 평탄한 지형이 나타나는 지역에 인구 밀집

\+

(❷) 요인	발달한 산업, 풍부한 일자리, 사회 기반 시설 등이 갖추어진 지역

↓

인구 밀집 지역	북반구 중위도의 (❸) 기후 지역, 평야 지역이나 해안 지역, 산업이 발달하여 일자리가 많은 선진국의 대도시 등

정답 | ❶ 온화 ❷ 사회·경제적 ❸ 냉·온대

1-2 다음은 세계의 인구 분포를 나타낸 것이다. 이에 대한 설명으로 옳은 것은?

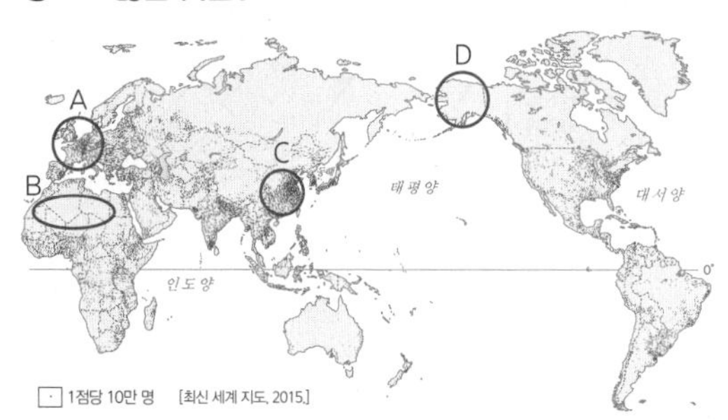

① 북반구보다 남반구에 인구가 더 많다.
② 인구가 가장 많은 대륙은 아프리카이다.
③ 대체로 A 지역에서 B 지역으로 인구 이동이 이루어진다.
④ A와 C 지역은 기후가 온화한 편이며 인구가 밀집되어 있다.
⑤ B와 D 지역은 산업이 발달하여, 일자리를 찾아 온 인구가 밀집되어 있다.

기본 기출 주제 ② 다양한 인구 문제

2-1 괄호 안에 들어갈 알맞은 말을 쓰시오.

(❶) 문제
급격히 낮아진 사망률, 높은 출생률 → 기아, 빈곤, 실업, 인구 과밀화

(❷) 문제
낮은 출산율, 평균 기대 수명 연장 → 노동력 부족, 노년 인구 부양비 증가

인구 이동에 따른 문제
• 인구 유입 지역: 기존 주민과 이주민 간의 경제적·문화적 갈등 • 인구 유출 지역: 청장년층 노동력 감소, 사회적 분위기 침체

정답 | ❶ 인구 과잉 ❷ 저출산·고령화

2-2 다음 정책을 통해 해결하고자 하는 인구 문제로 가장 적절한 것은?

> 스웨덴 정부는 부모 모두의 충분한 육아 휴직 기간을 보장하고 있다. 자녀가 8살이 될 때까지 부모는 공동으로 480일의 휴가를 나눠 사용할 수 있다. 부모 중 한 사람이 반드시 60일 이상 사용해야 한다. 이러한 제도는 아버지가 양성평등 의식을 가지고 자녀 양육에 공동으로 참여해야 한다는 취지에서 마련된 것이다.

① 실업 문제
② 저출산 문제
③ 인구 과잉 문제
④ 인구 과밀화 문제
⑤ 인구 유출에 따른 문제

STEP 3 A 교과서 기본 테스트

필수 주제 링크

01 세계의 인구 현황과 그래프에 대한 설명으로 옳은 것은?

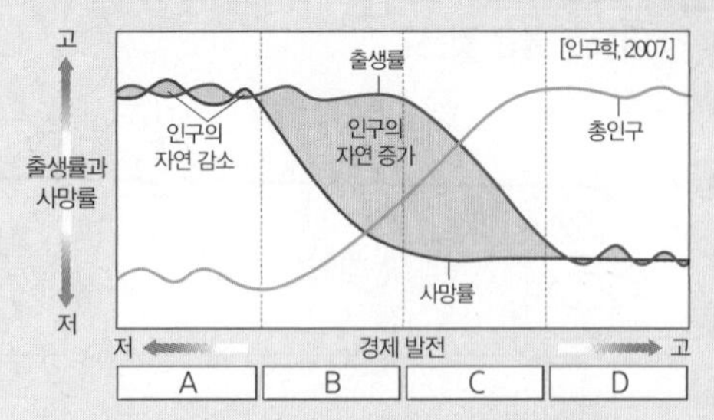

① B~C 단계에는 출생률이 급증하였다.
② 선진국은 인구 부양력이 높아 C 단계에 해당한다.
③ 개발 도상국은 D 단계에 해당한다.
④ 산업 혁명 이후 인구가 급증하였다.
⑤ 최근의 인구 성장은 선진국이 주도하고 있다.

| 핵심 point | 선진국은 산업화가 일찍 시작되었고, 개발 도상국은 20세기 중반 이후 산업화가 진행되었다.

02 지도는 세계의 인구 분포를 나타낸 것이다. 이에 대한 옳은 분석을 | 보기 | 에서 고른 것은?

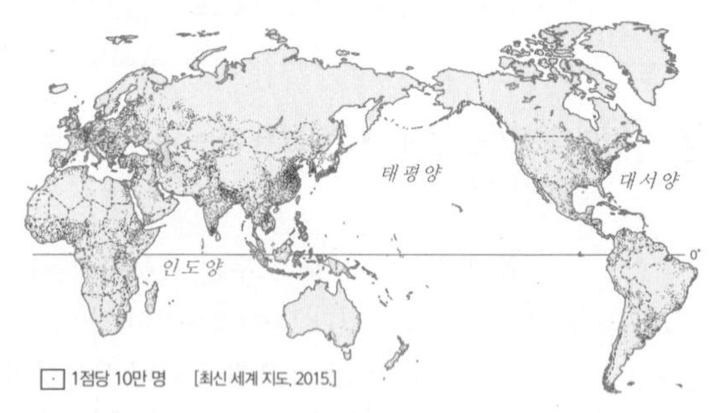

| 보기 |

ㄱ. 인구가 적게 분포하는 지역은 합계 출산율이 낮은 지역이다.
ㄴ. 인구 분포에는 자연적 요인과 사회적·경제적 요인이 모두 영향을 미친다.
ㄷ. 미국 북동부와 서부 유럽에서 발달한 공업은 인구 유입 요인으로 작용한다.
ㄹ. 러시아와 캐나다 북부 지역의 인구가 적은 이유는 밀림이 분포하기 때문이다.

① ㄱ, ㄴ ② ㄱ, ㄷ ③ ㄴ, ㄷ
④ ㄴ, ㄹ ⑤ ㄷ, ㄹ

03 (가), (나) 국가의 인구 구조를 바르게 분석한 학생을 고른 것은?

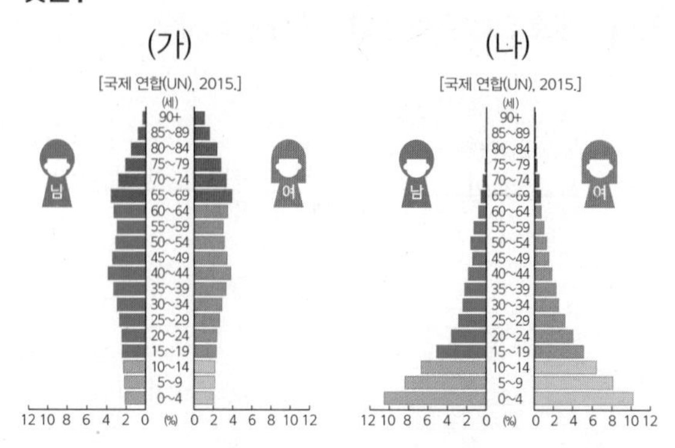

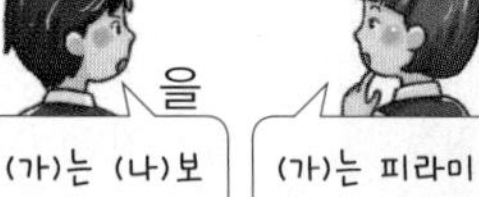

갑: (가)가 (나)보다 1인당 국내 총생산이 많을 거야.
을: (가)는 (나)보다 중위 연령이 낮아.
병: (가)는 피라미드형, (나)는 방추형 인구 구조가 나타나.
정: (나)는 (가)보다 유소년층 인구의 비중이 커.

① 갑, 을 ② 갑, 정 ③ 을, 병
④ 을, 정 ⑤ 병, 정

04 지도는 세계의 인구 이동을 나타낸 것이다. 이에 대한 설명으로 옳은 것은?

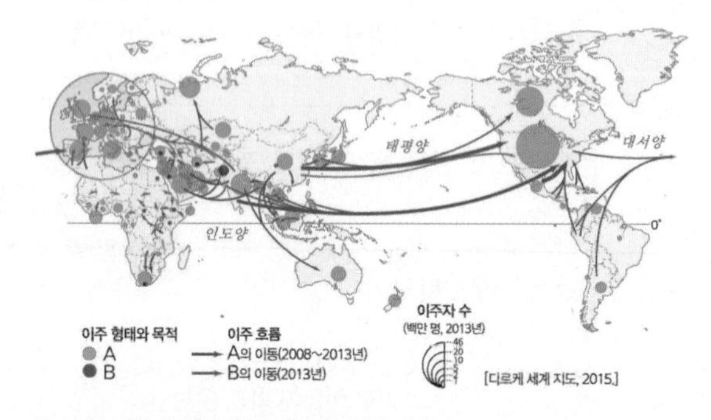

① A는 환경적 이동에 해당한다.
② A는 대부분 아프리카, 라틴 아메리카로 이주한다.
③ B는 주로 주변 국가나 유럽으로 이동한다.
④ A는 B보다 이주 인구수가 적다.
⑤ A는 난민, B는 노동 이주자이다.

필수 주제 링크

05 밑줄 친 ㉠~㉣에 대한 설명으로 옳지 않은 것은?

○○ 신문

주말을 끼고 ㉠ 홍콩 여행을 간다면 ㉡ 필리핀 등지에서 온 가사 도우미들이 공원에서 쉬고 있는 모습을 어렵지 않게 볼 수 있다. 상당수의 ㉢ 홍콩 가정은 ㉣ 필리핀 출신의 입주 가사 도우미를 고용하고 있는데, 이들이 휴일인 일요일에 휴식을 취하러 집 밖으로 나온 것이다. 이들은 홍콩 여성의 사회생활을 가능하게 하는 일등 공신이다.

① ㉠보다 ㉡의 1인당 국민 소득이 더 높을 것이다.
② ㉠의 합계 출산율은 ㉡의 합계 출산율보다 낮을 것이다.
③ ㉢은 맞벌이 부부가 많아, ㉣이 필요할 것이다.
④ ㉣은 경제적 목적으로 ㉠으로 이주했다.
⑤ ㉣의 소득 일부는 ㉡으로 보내질 것이다.

| 핵심 point | 필리핀은 실업률이 높아 자국 국민의 해외 취업을 장려하여, 주변 선진국으로의 경제적 인구 이동이 활발하다.

06 찬용이가 받을 수행 평가 점수는?

〈수행 평가〉

1학년 7반 강찬용

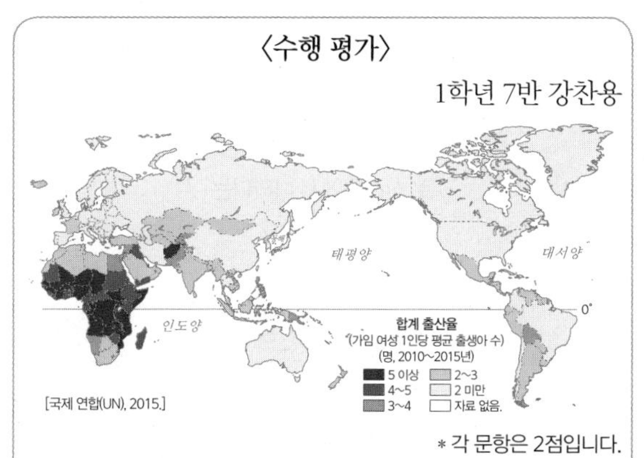

* 각 문항은 2점입니다.

문제	내 답안
1. 선진국일수록 합계 출산율이 낮다.	○
2. 합계 출산율이 높은 국가는 노년층 비중이 크다.	○
3. 합계 출산율이 낮은 국가는 생산 연령 인구 감소로 경제 침체 위기에 놓여 있다.	×
4. 아프리카는 식량 생산 속도보다 인구 증가 속도가 더 빨라서 인구 과잉 문제가 나타난다.	○

① 0점 ② 2점 ③ 4점 ④ 6점 ⑤ 8점

07 (가)에 들어갈 내용으로 옳은 것은?

산업연구원이 발표한 보고서에 따르면, 우리 경제의 잠재 성장률이 2015~2019년에는 2.5%, 2020~2030년에는 1.7%로 하락한다고 한다. 이처럼 잠재 성장률이 급격하게 하락하는 가장 큰 이유는 바로 ______(가)______ 때문이다.

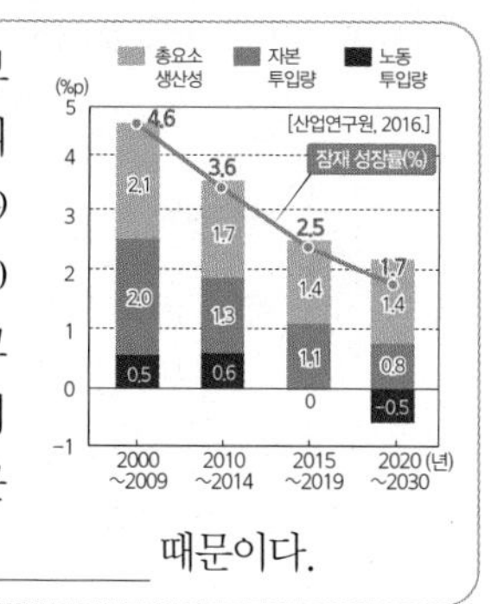

① 높은 합계 출산율
② 생산 연령 인구 감소
③ 평균 기대 수명 하락
④ 노년 인구 부양비 감소
⑤ 여성의 사회 진출 감소

08 지도를 보고, 유럽 국가가 겪을 변화를 옳게 추론한 내용을 | 보기 |에서 고른 것은?

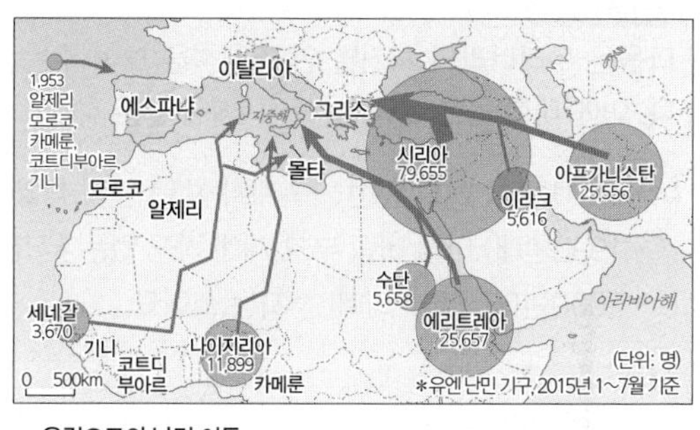

▲ 유럽으로의 난민 이동

| 보기 |

ㄱ. 외화가 늘어나 지역 경제가 활성화될 수 있다.
ㄴ. 이주민 수용과 관련된 사회적 비용이 증가할 수 있다.
ㄷ. 청장년층 인구가 유출되어 생산 연령 인구가 감소할 수 있다.
ㄹ. 기존 주민과 이주해 온 주민 간의 경제적·문화적 갈등이 발생할 수 있다.

① ㄱ, ㄴ ② ㄱ, ㄷ ③ ㄴ, ㄷ
④ ㄴ, ㄹ ⑤ ㄷ, ㄹ

필수 주제 링크

09 (가), (나)에 들어갈 내용으로 옳은 것은?

Q 개발 도상국이 겪는 인구 문제는 무엇인가요?

A • 개발 도상국은 사망률이 급격하게 감소한 반면, 출생률은 여전히 높아 인구가 급격하게 증가해 인구 과잉 문제를 겪고 있어요.

• 영향: ______(가)______

• 해결 방안: ______(나)______

	(가)	(나)
①	기아와 빈곤	출산 장려 정책
②	기아와 빈곤	산아 제한 정책
③	노동력 감소	출산 장려 정책
④	노동력 감소	산아 제한 정책
⑤	중소 도시 육성	노년층 일자리 마련

| 핵심 point | 개발 도상국은 인구 과잉으로 다양한 문제를 겪고 있다.

신유형

10 다음은 우리나라의 시기별 인구 정책을 보여 주는 표어이다. 이에 대한 옳은 설명을 | 보기 | 에서 고른 것은?

• 1970년대: 하루 앞선 가족계획 십 년 앞선 생활 안정
• 1990년대: 아들 바람 부모 세대 짝꿍 없는 우리 세대
• 2000년대: 엄마! 아빠! 혼자는 싫어요...

| 보기 |

ㄱ. 1970년대보다 2000년대에는 출생률이 늘었을 것이다.
ㄴ. 1970년대보다 2000년대에는 여성의 사회 진출이 증가했을 것이다.
ㄷ. 1990년대에는 남아 선호 사상에 따른 성비 불균형 문제가 나타났을 것이다.
ㄹ. 1970년대에는 저출산 문제가, 2000년대에는 인구 과잉 문제가 대두되었을 것이다.

① ㄱ, ㄴ ② ㄱ, ㄷ ③ ㄴ, ㄷ
④ ㄴ, ㄹ ⑤ ㄷ, ㄹ

11 다음은 사회 수업 장면의 일부이다. 교사의 질문에 옳은 내용을 답한 학생을 고른 것은?

① 갑, 을 ② 갑, 병 ③ 을, 병
④ 을, 정 ⑤ 병, 정

코딩형

12 다음 정책을 통해 해결하고자 하는 인구 문제에 대한 옳은 설명을 A~E에서 고른 것은?

• 향후 5년간 청년 일자리 37만 개 창출, 청년 고용 기반 확충
• 신혼부부 맞춤형 공공 임대 주택 5년간 13.5만 호 공급
• 2017년부터 임신, 출산의 의료비 본인 부담 감소

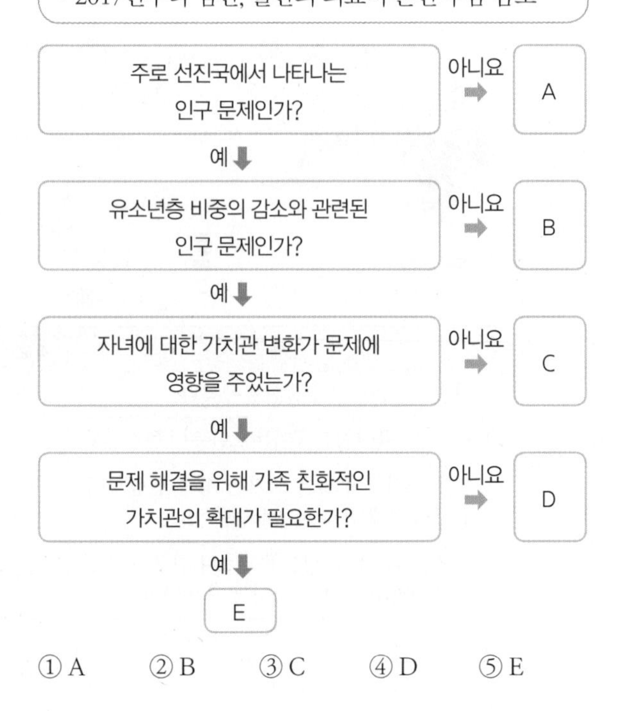

① A ② B ③ C ④ D ⑤ E

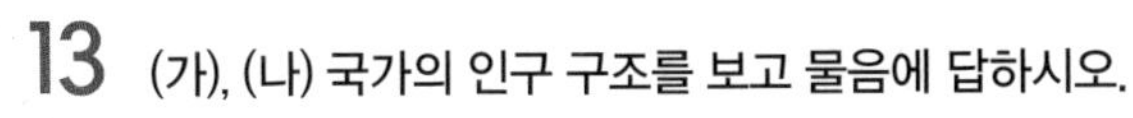

13 (가), (나) 국가의 인구 구조를 보고 물음에 답하시오.

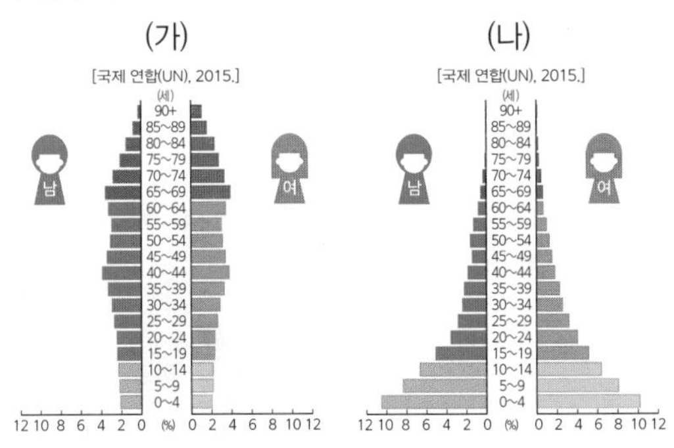

(1) (가), (나) 국가의 상대적 인구 구조의 특징을 아래 제시된 단어의 측면에서 비교하여 서술하시오.

• 유소년층 비중 • 중위 연령

(2) (나) 국가에서 나타날 수 있는 인구 문제를 쓰고, 이를 해결하기 위한 방법을 서술하시오.

14 다음 지도에서 노인 인구 비율이 높게 나타나는 국가에서 나타날 수 있는 문제점을 두 가지 이상 서술하시오.

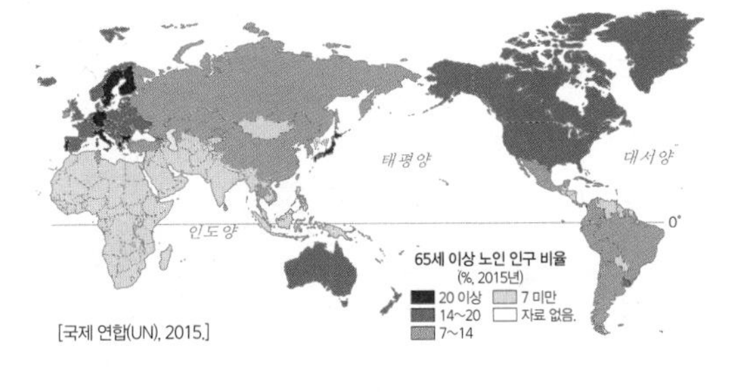

15 다음은 유럽으로 향하는 난민의 이동을 나타낸 지도이다. 이를 보고 물음에 답하시오.

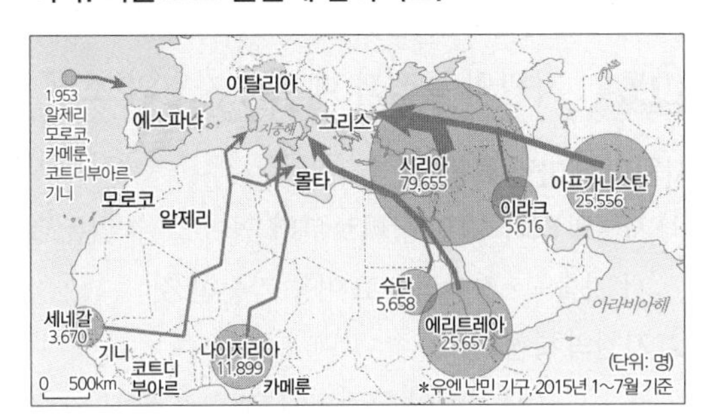

(1) 난민들의 인구 이동 유형을 쓰시오.

(2) 난민의 유입으로 유럽 국가에서 나타나는 긍정적·부정적 영향을 한 가지씩 서술하시오.

16 그래프는 우리나라의 인구 변화를 나타낸 것이다. 우리나라에서 나타날 수 있는 인구 문제를 쓰고, 이를 해결하기 위한 인구 정책을 서술하시오.

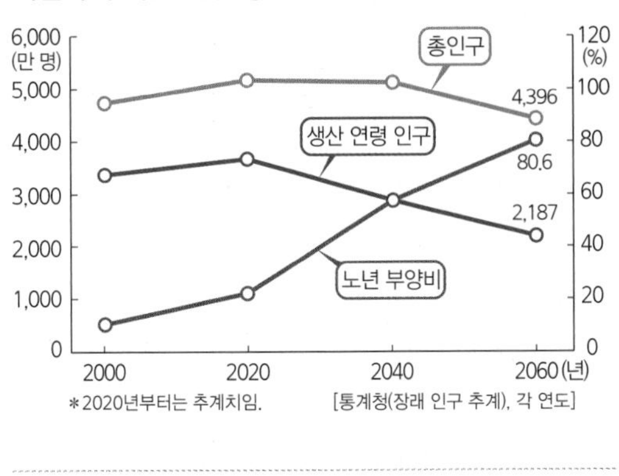

18강 지속 가능한 발전과 미래 지구촌

주제 01 자원의 특성과 에너지 자원의 소비 특징

1. 자원의 의미와 특성

(1) 자원의 의미 자연 상태로부터 얻어 낼 수 있는 것 중 인간에게 유용하면서 기술적·경제적으로 이용 가능한 것

(2) 자원의 특성

① ㉠ [   ] 매장량이 한정되어 있어 언젠가는 고갈됨. ─ 가채 연수는 앞으로 몇 년간 더 자원을 채굴할 수 있는지를 나타내는 개념으로, 자원의 유한성을 보여 줌.

② ㉡ [   ] 특정 지역에 편중되어 분포함.

③ 가변성 기술 발달과 사회적·문화적 배경 등에 따라 가치가 변화함.

2. 에너지 자원의 소비 특징 ─ 일상생활과 경제 활동에 필요한 에너지를 얻을 수 있는 자원

(1) 소비량의 증가 인구 증가와 산업 발달로 소비량이 증가하고 있음. < 자료1

(2) 소비지의 편재 선진국이나 공업이 발달한 국가에서 대부분 소비됨.

정답 | ㉠ 유한성 ㉡ 편재성

자료 Plus

자료1 > 세계 에너지 소비 구조 변화

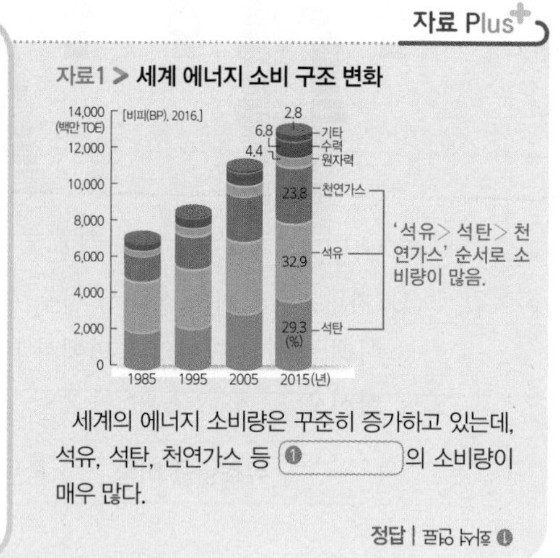

세계의 에너지 소비량은 꾸준히 증가하고 있는데, 석유, 석탄, 천연가스 등 ❶ [   ]의 소비량이 매우 많다.

정답 | ❶ 화석 연료

주제 02 주요 에너지 자원의 특징과 문제점

1. 주요 에너지 자원의 분포와 특징 < 자료2

석유	• ㉠ [ ] 아시아에 집중되어 있고, 사우디아라비아의 수출량이 많음. (신생대 제3기 배사 구조 지층에 매장) • 주로 수송용, 산업용으로 이용 (운송 수단 발달로 수요 급증) • 수요가 많고, 생산지와 소비지가 달라 국제 이동량이 많음.
석탄	• 석유에 비해 비교적 넓은 범위에 분포하며, 상대적으로 국제 이동량이 적음. (주로 고생대 지층에 매장) • 산업 혁명기의 주요 에너지 자원, 최근 발전용·산업용으로 이용
천연가스	• 석유와 함께 매장되어 있는 경우가 많음. • 석유, 석탄보다 대기 오염 물질을 적게 배출함. • ㉡ [ ] 기술의 발달로 운반과 사용이 편리해지면서 수요량 급증, 산업용·가정용·상업용으로 사용 (예) 도시가스)

2. 에너지 자원의 분포와 소비에 따른 문제점 < 자료3

(1) 자원 ㉢ [   ] 자원의 유한성과 소비량 증가로 발생

(2) 국가 간 갈등 자원 분포지와 소비지의 불일치로 자원 확보를 둘러싼 갈등 발생, 자원 민족주의 확산 ─ 특정 자원을 보유한 국가가 자원의 생산과 공급을 통제함으로써 자국의 이익을 극대화하는 움직임

(3) ㉣ [   ] 발생 화석 연료 연소 시 발생하는 대기 오염 물질로 인한 대기 오염, 이산화 탄소 배출로 인한 기후 변화(지구 온난화)

(4) 에너지 소비 격차 에너지 소비 상위 10개국이 전체 화석 연료 소비량의 절반 이상을 사용함.

3. 자원 문제의 해결 방안 자원을 효율적으로 사용해야 하고, 신·재생 에너지 개발에 힘써야 하며, 자원을 안정적으로 확보하기 위해 자원 외교를 강화해야 함.

정답 | ㉠ 서남 ㉡ 냉동 액화 ㉢ 고갈 ㉣ 환경 문제

자료 Plus

자료2 > 주요 에너지 자원의 분포와 이동

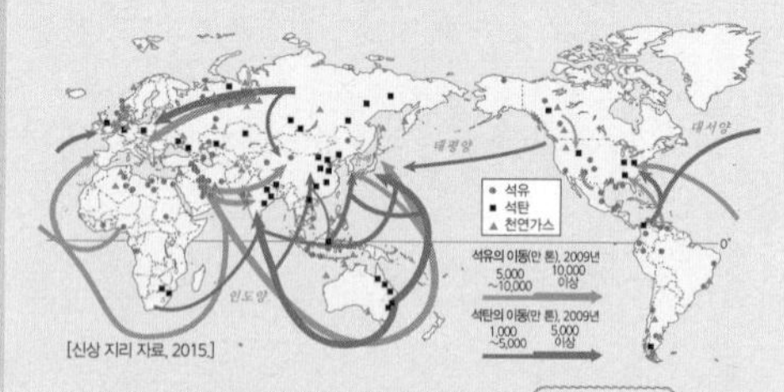

[신상 지리 자료, 2015.]

• 주요 에너지 자원은 지역적으로 ❶ [   ]하여 분포한다.
• 석유가 석탄에 비해 국제적 이동이 활발하다.

자료3 > 에너지 자원을 둘러싼 갈등

카스피해, 북극해, 동중국해, 남중국해, 포클랜드 제도 등은 석유, 천연가스 등 주요 에너지 자원을 확보하기 위한 갈등이 심각한 지역이다. 이 갈등의 근본적인 원인은 에너지 자원이 지역적으로 편재해 있고, 매장량이 ❷ [   ]하기 때문이다.

정답 | ❶ 편재 ❷ 유한

주제 03 지속 가능한 발전을 위한 노력

1. 지속 가능한 발전의 의미 현세대의 필요를 충족시키기 위하여 미래 세대가 사용할 경제·사회·환경 등의 자원을 낭비하거나 여건을 저해하지 않으면서 조화와 균형을 이루는 것 < 자료4

2. 지속 가능한 발전을 위한 노력

구분		내용
국제·국가적 노력	경제적 측면	공적 개발 원조(ODA)(개발 도상국의 빈곤 문제 해결과 복지 증진 목적) 실시, 자원 이용의 ㉠ ( ) 을 높이는 기술 개발
	환경적 측면	각종 국제 환경 협약 체결, 온실가스 배출량 감축을 위한 제도 시행 (예 온실가스 배출권 거래제)
	사회적 측면	사회 계층 간 통합을 위한 사회 취약 계층 지원 제도 실시
개인적 노력		㉡ ( ) 소비 실천(소비자가 윤리적 가치 판단에 따라 상품·서비스를 구매하는 것), 친환경적인 생활 방식(자원 및 에너지 절약, 물건 재활용 등) 실천

정답 | ㉠ 지속 가능성 ㉡ 윤리적

자료 Plus

자료4 > 지속 가능한 발전의 개념

환경
사회
경제
수용 가능한
실용적인
공정한
지속 가능한

자원 고갈, 환경 오염, 생태계 파괴, 빈부 격차의 확대, 갈등과 분쟁 등의 문제가 발생하자, 이를 해결하기 위해 ❶ ( )이 주목받았다.

정답 | ❶ 지속 가능한 발전

주제 04 미래 지구촌의 모습과 우리의 삶

1. 미래 예측

(1) 필요성 미래의 위험을 막고, 미래 사회에 유연하게 대응하여 개인과 국가 모두의 발전을 이룰 수 있음.

(2) 특징 불확실성이 크지만 ㉠ ( )의 발달로 과학적·체계적 예측 가능, 다양한 분야에서 낙관적·비관적 견해가 동시에 나타남.

2. 미래 지구촌의 모습

구분	내용
국가 간 협력과 갈등	• 협력: 세계 평화 및 지구촌 문제(예 난민, 기아, 빈곤, 환경 문제 등) 해결을 위한 협력 증가, 국가·지역 간 상호 의존성 증대 • 갈등: 난민·기아 문제, 영토·자원 분쟁, 종교·문화적 갈등, 빈부 격차, 무역 마찰 등
과학 기술 발달에 따른 변화 < 자료5	• 긍정적 측면: 시간 거리 단축, 생활 공간 확대, 우주 공간 활용, 사물 인터넷(모든 사물을 인터넷과 연결하여 사람과 사물, 사물과 사물 간의 정보를 상호 소통하는 지능형 서비스) 기술의 발달, 인공 지능 로봇의 발달, 유전자 변형 농산물(GMO)의 생산으로 식량 생산량 증가, 인간의 수명 연장 • 부정적 측면: 과학 기술 장치 오작동에 따른 안전 문제, 개인 정보 유출에 따른 사생활 침해, 유전자 조작 및 인간 복제 가능성에 따른 윤리적 문제 발생
생태 환경의 변화	환경 오염과 생태계 파괴의 위험 → 다양한 국제 협약 체결과 온실가스 배출 최소화, 신·재생 에너지의 보급 확대 필요

3. 미래 사회에 대비하는 자세

(1) 지구촌 구성원으로서의 자세 사회 문제에 대한 비판적 사고력·문제 해결 능력 함양, 개방성과 관용의 정신 지향, ㉡ ( ) 시민 의식 함양 < 자료6

(2) 미래 내 삶의 방향 지구촌의 구성원이라는 점을 고려하여, 미래 지구촌에 대한 관심과 탐색, 가치관 수립, 지식 및 경험, 흥미와 적성 등을 바탕으로 능동적으로 직업을 선택해야 함.

정답 | ㉠ 미래학 ㉡ 세계

자료 Plus

자료5 > 미래 지구촌의 모습

• 인공 지능 로봇은 위험한 작업이나 단순 작업에 활용될 수 있어 인간의 노동 시간을 줄여 주는 등 삶의 질을 높여 줄 수 있지만, 인간의 일자리를 빼앗을 수 있다는 문제점이 있다.
• 유전자 조작 및 인간 복제가 가능해지면 인간의 평균 기대 수명은 늘어날 수 있지만, 인간존엄성 훼손과 같은 윤리적 문제가 발생할 수 있다.

자료6 > 세계 시민 의식

• 세계를 하나의 공동체로 인식하고 지구촌 구성원으로서 지구촌 문제에 관심을 갖는 ❶ ( ) 의식
• 인간의 존엄성, 자유와 평등, 정의 등과 같은 인류의 ❷ ( )적인 가치를 개별 사회 집단의 이익보다 중시하는 자세가 필요함.

정답 | ❶ 연대 ❷ 보편

개념 어휘 테스트

반복 점검 시기_ ☐10분 후 ☐1일 후 ☐7일 후 ☐한 달 후

찍기로 바로 점검

❶ 인구 증가와 산업 발달에 따라 세계의 자원 소비량은 계속해서 (증가, 감소) 하고 있다.

❷ 석유, 석탄, 천연가스와 같은 에너지 자원의 가채 연수가 얼마 남지 않았다는 점은 자원의 (유한성, 가변성)을 보여 준다.

❸ 대표적인 자원 (민족주의, 지속 가능성) 사례로, 석유 수출국 기구(OPEC)가 1973년과 1979년에 원유 생산량을 줄여 석유 가격을 인상한 것을 들 수 있다.

❹ 석탄은 석유와 비교했을 때, 상대적으로 (좁은, 넓은) 범위에 분포하며 국제 이동량이 (적다, 많다).

❺ 미래 지구촌에는 세계의 정치·경제·환경 등 다양한 문제를 공동으로 해결하고자 국제 협력이 (강화, 약화)될 수 있다.

❻ 과학 기술의 발달로 미래의 지구촌은 시간 거리가 (단축, 확장)될 것이다.

❼ 미래 사회에는 세계를 하나의 공동체로 인식하고, 지구촌 구성원으로서 지구촌 문제에 관심을 갖는 (세계 시민, 민주 시민) 의식을 함양해야 한다.

선 긋기로 바로 점검

❶ (1) 석유 • 　　• ㉠ 도시가스
(2) 석탄 • 　　• ㉡ 발전용, 산업용
(3) 천연가스 • 　　• ㉢ 운송용, 화학 공업 및 생활용품의 원료

❷ (1) 지속 가능한 발전을 위한 경제적 측면의 노력 • 　　• ㉠ 공적 개발 원조 실시
(2) 지속 가능한 발전을 위한 사회적 측면의 노력 • 　　• ㉡ 사회 취약 계층 지원 제도 시행

한번 더 개념 반복

TIP
❸ 석유 수출국 기구(OPEC)는 1960년에 주요 산유국들이 결성하여 만들어졌다.

ZIP ❸ 교과서 유사 선지
다음 중 옳은 선지를 모두 고르시오.
1 카스피해 주변 국가들은 인근에 매장된 석유 등 에너지 자원 때문에 갈등을 겪고 있다. ☐
2 자원 민족주의란, 특정 자원을 보유한 국가들이 자원의 생산과 공급을 통제하여 자국의 이익을 극대화하는 것이다. ☐
정답 | 1, 2

ZIP ❹ 교과서 유사 선지
다음 중 옳은 선지를 모두 고르시오.
1 석유는 천연가스보다 대기 오염 물질을 덜 배출한다. ☐
2 석탄은 주로 고생대 지층에, 석유는 신생대 제3기 배사 구조 지층에 매장되어 있다. ☐
3 석유는 사우디아라비아에서 수출량이 많다. ☐
정답 | 2, 3

ZIP ❷ 교과서 유사 선지
다음 중 옳은 선지를 모두 고르시오.
1 지속 가능한 발전은 환경 보호만을 최우선의 가치로 본다. ☐
2 지속 가능성이란, 미래 세대가 사용할 자원을 낭비하거나 여건을 저해하지 않는 범위 내에서 현세대의 필요를 충족하는 것이다. ☐
정답 | 2

정답과 해설 41쪽

반복 점검 시기_ ▢10분 후 ▢1일 후 ▢7일 후 ▢한 달 후

빈칸으로 바로 점검

❶ (　　　)(이)란 자연 상태로부터 얻어 낼 수 있는 것 중에서 인간에게 유용하면서 기술적·경제적으로 이용 가능한 것이다.

❷ 석유, 석탄, 천연가스와 같은 천연자원은 그 양이 (　　　)할 뿐만 아니라, 어느 한 지역에 (　　　)하여 분포한다.

❸ (　　　　　)은(는) 연소 과정에서 온실가스인 이산화 탄소를 배출하여 기후 변화를 초래한다.

❹ 세계의 에너지 소비 구조(2015년)를 보면, (　　　) > 석탄 > (　　　　　) > 수력 > 원자력의 순서로 소비량이 많다.

❺ 자원의 유한성과 소비량 증가로 자원 (　　　) 문제가 나타날 수 있다.

❻ (　　　　　　　)(이)란, 지속 가능성에 기초하여 경제 성장, 환경 보호, 사회의 안정과 통합이 균형을 이루는 발전을 말한다.

❼ 지속 가능한 발전을 위해, 화석 연료에 지나치게 의존하는 생활 방식을 (　　　　)적으로 바꾸어야 한다.

❽ 소비자가 윤리적인 가치 판단에 따라 인간·동물·환경에 해를 가하지 않는 상품이나 서비스를 구매하는 것을 (　　　　　　)(이)라고 한다.

❾ 미래 예측은 불확실성이 크지만, (　　　　　)의 발달로 과학적·체계적 예측이 가능해졌다.

❿ 미래 사회에는 과학 기술 장치의 오작동에 따른 안전 문제나 개인 정보 유출에 따른 (　　　　　) 문제 및 감시 문제 등이 심각해질 수 있다.

⓫ 미래 사회에는 자신과 의견이 다르더라도, 이를 억압하지 않고 받아들이는 (　　　)의 자세가 필요하다.

⓬ 미래 사회에는 개별 사회 집단의 이익보다 인류의 (　　　)적인 가치를 중시하는 자세가 필요하다.

한번 더 개념 반복

TIP

❶ 자원은 효용 가치가 있는 것 중 기술적·경제적 이용이 가능한 것을 의미한다.

❷ 교과서 유사 선지 ZIP

다음 중 옳은 선지를 모두 고르시오.

1 천연자원은 모든 지역에 고르게 분포한다. ▢

2 자원의 가치는 시대가 바뀌어도 변하지 않는다. ▢

3 자원의 가채 연수는 채굴 기술이 발달하면 늘어난다. ▢

정답 | 3

❿ 교과서 유사 선지 ZIP

다음 중 옳은 선지를 모두 고르시오.

1 사물 인터넷 기술의 발달로 초연결 사회가 된다. ▢

2 인공 지능 로봇이 상용화되면 인간의 일자리가 감소할 수 있다. ▢

3 과학 기술 발달에 따른 인간 복제와 유전자 조작이 실현되면 인간 존엄성을 훼손하는 문제가 발생할 수 있다. ▢

정답 | 1, 2, 3

TIP

⓫ 미래 사회에는 열린 자세를 바탕으로 다양한 사람들을 배려할 줄 아는 관용의 정신이 필요하다.

기출 기초 테스트

기본 기출 주제 ① 자원의 특성과 소비 특징

1-1 괄호 안에 들어갈 알맞은 말을 쓰시오.

(❶)의 의미
자연 상태로부터 얻어 낼 수 있는 것 중 인간에게 유용하면서 기술적·경제적으로 이용 가능한 것

자원의 특성
• (❷): 매장량이 한정되어 있음. • (❸): 특정 지역에 편중되어 분포함. • (❹): 자원의 가치가 달라질 수 있음.

에너지 자원의 소비 특징
인구 (❺)와 산업 발달로 소비량 증가, 선진국에서 대부분 소비

정답 | ❶ 자원 ❷ 유한성 ❸ 편재성 ❹ 가변성 ❺ 증가

1-2 그래프를 통해 추론할 수 있는 내용으로 옳지 않은 것은?

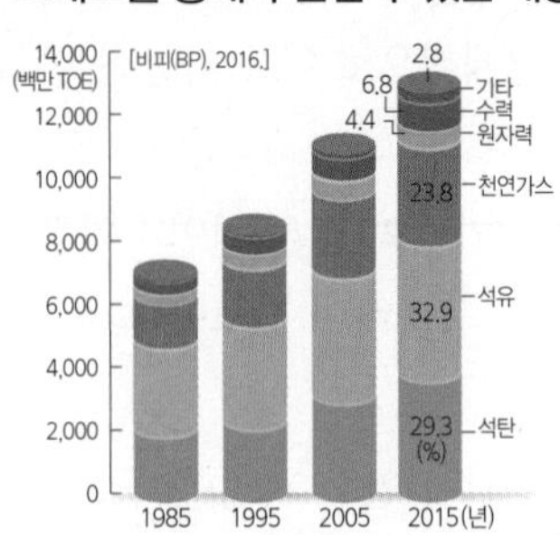

▲ 세계의 에너지 소비 구조 변화

① 에너지 소비량이 증가하고 있다.
② 천연가스 소비량이 꾸준히 늘고 있다.
③ 화석 연료의 소비량이 줄어들고 있다.
④ 석유, 석탄, 천연가스에 대한 의존도가 높다.
⑤ 인구 증가와 산업 발달이 에너지 소비 변화에 영향을 주었다.

기본 기출 주제 ② 주요 에너지 자원의 특징

2-1 괄호 안에 들어갈 알맞은 말을 쓰시오.

(❶)	주로 서남아시아에 매장, 수송용·산업용으로 이용, 비교적 국제 이동량이 많음.
(❷)	비교적 넓은 범위에 분포, 산업 혁명 후 주요 에너지원이 됨, 발전용·산업용으로 이용
(❸)	석유와 함께 매장, 냉동 액화 기술 발달로 수요량 급증, 산업용·가정용으로 이용

정답 | ❶ 석유 ❷ 석탄 ❸ 천연가스

2-2 A 자원에 대한 설명으로 옳은 것은?

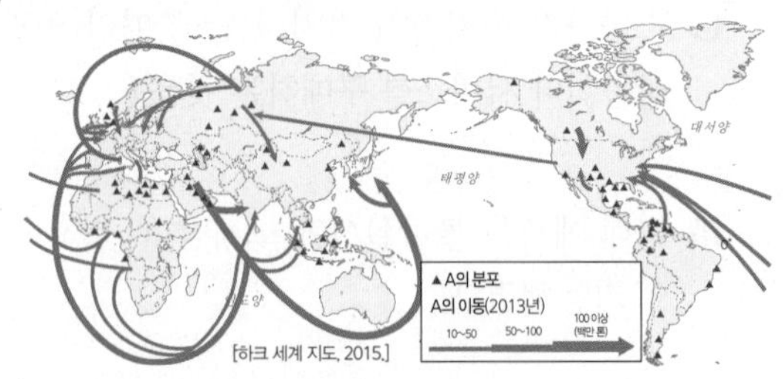

① 주로 발전용으로 소비된다.
② 주로 고생대 지층에 매장되어 있다.
③ 산업 혁명기의 주요 에너지 자원이다.
④ 에너지 자원 중 세계에서 가장 많이 소비된다.
⑤ 냉동 액화 기술 발달로 인해 소비량이 급증하게 되었다.

기본 기출 주제 ③ 지속 가능한 발전

3-1 괄호 안에 들어갈 알맞은 말을 쓰시오

지속 가능한 발전의 의미	현세대의 필요를 충족시키기 위하여 미래 세대가 사용할 경제·사회·환경 등의 자원을 낭비하거나 여건을 저해하지 않으면서 조화와 균형을 이루는 것
지속 가능한 발전을 위한 노력	자원 이용의 (❶)을 높여 주는 기술 개발, 환경 문제 해결을 위한 국제 협약 체결, (❷) 생활 방식과 윤리적 소비의 실천

정답 | ❶ 지속 가능성 ❷ 친환경적

3-2 다음 글에서 설명하는 개념을 실천하기 위한 노력으로 적절하지 않은 것은?

> 미래 세대가 사용할 자원을 낭비하거나 환경을 손상하지 않는 범위 내에서 현세대의 성장을 추구하는 발전

① 자원 및 에너지를 절약한다.
② 공적 개발 원조를 실시한다.
③ 자유 무역의 효율성을 높인다.
④ 사회적 빈곤 계층을 지원한다.
⑤ 국제 환경 협약 내용을 지킨다.

기본 기출 주제 ④ 미래 지구촌의 모습

4-1 괄호 안에 들어갈 알맞은 말을 쓰시오

국가 간 협력과 갈등	난민 문제, 자원 분쟁, 문화 갈등 등 다양한 측면에서 갈등이 심화되지만, 동시에 지구촌 문제를 해결하기 위한 협력도 증가함.
(❶) 발달에 따른 변화	시간 거리 단축, 생활 공간 확대, 인공 지능 로봇 발달, GMO 생산, 유전자 조작 및 인간 복제 가능성 등
생태 환경의 변화	환경 오염과 생태계 파괴의 위험 → 다양한 국제 협약 체결, (❷) 에너지 보급의 확대 필요

정답 | ❶ 과학 기술 ❷ 신·재생

4-2 다음은 미래의 지구촌 모습을 예측한 글이다. 밑줄 친 ㉠에서 미래 지구촌을 바라보는 관점과 다른 주장은?

> 미래에는 과학 기술의 발달 속도가 더욱 빨라질 것이다. 이를 통해 사람들은 더욱 편리한 삶을 누리게 될 것이다. 그러나 인간이 만든 핵무기가 재앙을 가져다준 것처럼, ㉠ 과학 기술의 발달이 인류를 위험에 빠뜨릴 수도 있다.

① 드론이 무기로 활용되어 악용될 수 있다.
② 인간 복제 등 윤리적 문제가 나타날 수 있다.
③ 기계의 오작동으로 안전 문제가 발생할 수 있다.
④ 인공 지능 로봇의 발달로 인간의 일자리가 감소할 것이다.
⑤ 교통·통신의 발달로 인간의 시·공간적 제약이 사라질 것이다.

STEP 3 A 교과서 기본 테스트

01 그래프에 대한 설명으로 옳은 것은?

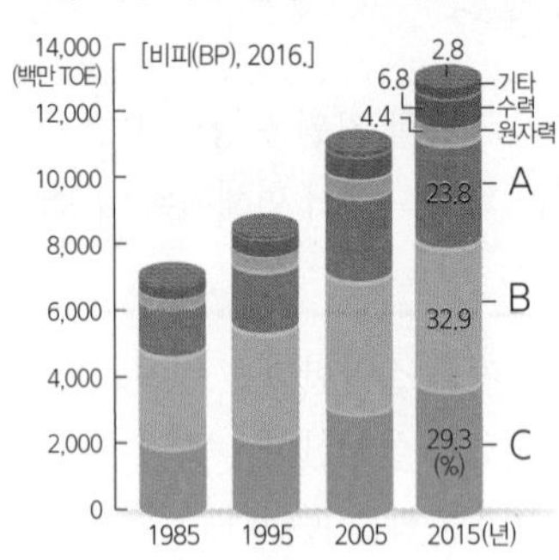

▲ 세계의 에너지 소비 변화

① 에너지 소비량이 꾸준히 줄어들고 있다.
② B는 연소 시에 오염 물질을 배출하지 않는 청정 에너지원이다.
③ 카스피해에 매장된 C를 확보하기 위한 국가 간 분쟁이 심각하다.
④ A는 천연가스, B는 석유, C는 석탄이다.
⑤ 자원의 '가변성' 때문에 A~C의 고갈에 대비해야 한다.

02 다음 자료를 보고 옳은 이야기를 한 학생을 고른 것은?

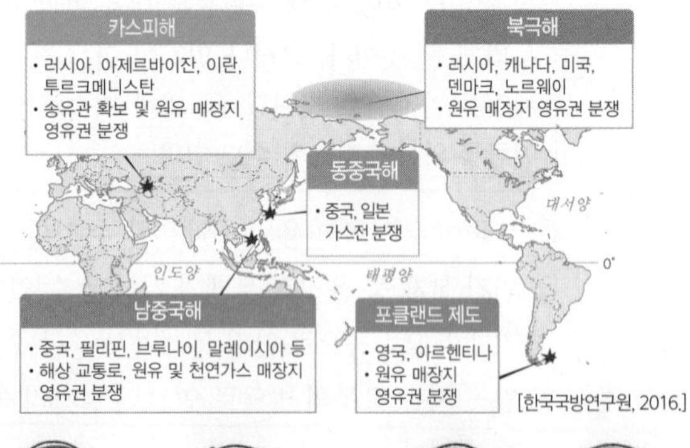

갑: 에너지 자원의 매장량이 한정되어 있기 때문에 나타난 갈등이야.

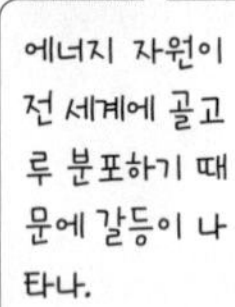

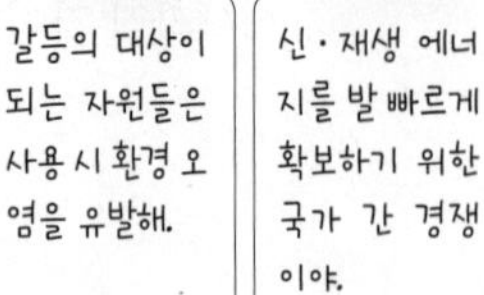

① 갑, 을 ② 갑, 병 ③ 을, 병
④ 을, 정 ⑤ 병, 정

필수 주제 링크

[03~04] 지도는 주요 에너지 자원의 분포와 이동을 나타낸 것이다. 이를 보고 물음에 답하시오.

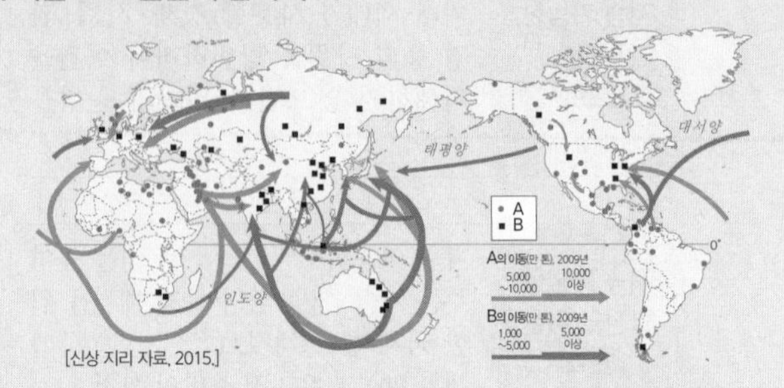

[신상 지리 자료, 2015.]

03 A, B 자원에 대한 옳은 설명을 보기에서 고른 것은? (단, 석유, 석탄만 고려한다.)

보기
ㄱ. A는 천연가스보다 연소 시 대기 오염 물질의 배출량이 많다.
ㄴ. B는 주로 신생대 제3기층의 배사 구조에 매장되어 있다.
ㄷ. A는 B보다 수송용으로 많이 이용된다.
ㄹ. B는 A보다 전 세계의 소비량이 많다.

① ㄱ, ㄴ ② ㄱ, ㄷ ③ ㄴ, ㄷ
④ ㄴ, ㄹ ⑤ ㄷ, ㄹ

| 핵심 point | 석유는 생산과 소비 지역이 일치하지 않아 국제적 이동이 매우 활발하다.

04 A, B 자원에 대한 설명으로 옳지 않은 것은?

① A는 자원 민족주의를 불러일으키는 대표적인 자원이다.
② A의 고갈 시기를 늦추기 위해서는 에너지 효율이 높은 상품을 개발해야 한다.
③ B가 풍부하게 매장되어 있는 지역은 자원 고갈 문제를 겪지 않는다.
④ A, B는 연소 시 대기 오염 물질이 배출된다.
⑤ A는 서남아시아에, B는 중국과 오스트레일리아에 많이 매장되어 있다.

05 지도는 국가별 1인당 에너지 소비량을 나타낸 것이다. 이를 통해 추론할 수 있는 내용으로 옳은 것을 ▌보기▐에서 고른 것은?

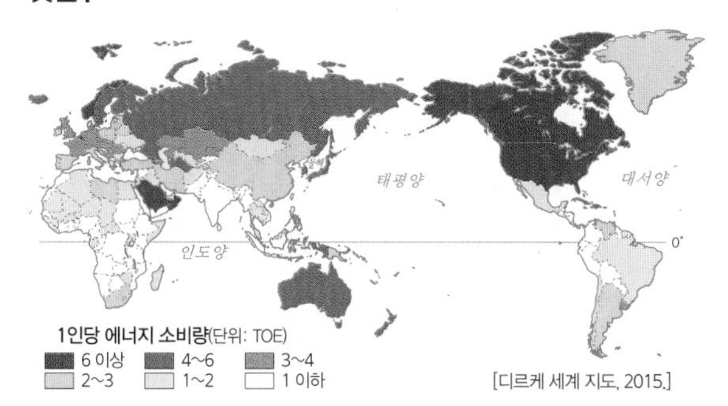

[디르케 세계 지도, 2015.]

보기

ㄱ. 1인당 에너지 소비량은 북반구보다 남반구가 많다.
ㄴ. 에너지 소비는 지역적으로 불균등하게 이루어지고 있다.
ㄷ. 산업 발달 및 경제 수준에 따른 에너지 소비 격차가 나타난다.
ㄹ. 1인당 에너지 소비량이 많은 지역은 모두 자원 매장량이 많은 국가이다.

① ㄱ, ㄴ ② ㄱ, ㄹ ③ ㄴ, ㄷ
④ ㄴ, ㄹ ⑤ ㄷ, ㄹ

06 다음은 국제 연합(UN)의 지속 가능 발전 목표(SDGs)를 나타낸 것이다. 이에 대한 설명으로 옳지 않은 것은?

[국제 개발 협력 시민 사회 포럼, 2016.]

① 성·계층·세대 간 형평성을 중요시한다.
② 현세대와 미래 세대의 동반 성장을 중시한다.
③ 인권, 평화 등 인류의 보편적 가치를 중시한다.
④ 국가 간 경계를 넘어 전 지구적 협력을 필요로 한다.
⑤ 경제적 효율성 극대화를 통한 개발 이익을 강조한다.

07 다음 활동들이 공통적으로 지향하는 목표로 가장 적절한 것은?

- 로컬 푸드 운동: 소비지 인근에서 생산된 농산물을 소비하자는 운동
- 푸드 마일리지 줄이기: 생산지에서 소비지까지 먹을 거리가 이동한 총거리를 줄이자는 의미
- 로하스(LOHAS)족의 생활 방식 사례: 친환경 제품 구매, 전체 사회를 생각하는 의식 있는 삶 선호

① 자원 무기화 방지
② 지속 가능한 발전
③ 양질의 일자리 확대
④ 사회적 약자에 대한 지원
⑤ 시민 사회의 공동체 의식 함양

코딩형

08 다음 주제에 대해 〈게임 방법〉을 따라 게임을 진행했을 때 나온 최종 도착 지점을 게임판의 ㉠~㉤에서 고른 것은?

〈미래 지구촌의 문제 해결 주체〉에 관한 두 관점
- A 관점: 문화권이나 경제권 등을 중심으로 국가 간 협력이 나타날 것이다.
- B 관점: 자국의 이익을 중시하는 움직임이 활발할 것이다.

시작 ➡	영국은 유럽 연합(EU)을 탈퇴하였다.	㉠	미국 대통령은 자국의 이익에 맞춰 FTA 조건을 수정하였다.
			㉡
			테러 집단에 대응하기 위해 인근 국가들이 협의체를 구성하였다.
㉤	㉣	지역 경제 협력체가 늘어나고 있다.	㉢

〈게임 방법〉
- A 관점의 사례이면 한 칸, B 관점의 사례이면 두 칸 앞으로 전진
- ㉠~㉤ 중 한 지점에 도착하면 게임 종료

① ㉠ ② ㉡ ③ ㉢ ④ ㉣ ⑤ ㉤

필수 주제 링크

09 다음 기사 내용과 같은 과학 기술의 발달에 따라 나타날 수 있는 변화로 적절한 내용을 ▌보기▐ 에서 고른 것은?

> **○○ 신문**
>
> 4차 산업 혁명 열기가 뜨겁다. 못하는 게 없는 인공 지능(AI) 로봇, 드론, 사물 인터넷(IoT), 3D 프린팅 등 이전에 없던 새로운 기술이 등장하면서 새로운 산업 지형도를 만들어가고 있다. 정보화 사회인 지금보다 훨씬 빠른 통신망을 근간으로 하는 4차 산업 혁명은 융합과 개인화, 맞춤화 등이 키워드이다.

▌보기▐
ㄱ. 산업의 생산성과 효율성이 떨어질 수 있다.
ㄴ. 인공 지능 로봇에 일자리를 빼앗길 수 있다.
ㄷ. 계층·지역 간 정보 격차가 줄어들 수 있다.
ㄹ. 첨단 과학 기술 분야나 창의성 관련 직업이 새로 생겨날 수 있다.

① ㄱ, ㄴ　② ㄱ, ㄷ　③ ㄴ, ㄷ
④ ㄴ, ㄹ　⑤ ㄷ, ㄹ

▌핵심 point▐ 4차 산업 혁명은 인공 지능에 의해 자동화와 연결성이 극대화되는 산업 환경의 변화를 말한다.

창의형

10 밑줄 친 ㉠에 해당하는 내용으로 옳지 않은 것은?

> 드론은 조종사 없이 무선전파로 조정할 수 있는 무인 비행기로, 최근 들어 기술의 발전에 따라 다양한 용도로 사용 범위가 늘어나고 있다. 미래에는 드론이 인공 지능 기능을 탑재하면서, 사람이 드론을 조종하거나 안내할 필요가 없을 것이다. 인공 지능이 탑재된 드론은 택배 기사가 될 수도 있고, 집에 사람이 없을 때 집을 감시하게 할 수도 있다. 그러나 미래에 드론을 더 안전하게 사용하기 위해서는 ㉠ 생각해 보아야 할 문제도 많다.

① 드론 촬영에 따른 사생활 침해
② 드론 배송으로 인한 일자리 감소
③ 드론의 오작동에 의한 안전 문제
④ 무기로 변형된 드론으로 인한 안보 문제
⑤ 드론 활용에 따른 업무의 생산성·효율성 저하

11 다음 질문을 통해 파악하고자 하는 개념으로 가장 적절한 것은?

> • 지구 온난화 문제를 해결하기 위해 에너지를 절약하려고 노력하는가?
> • 다른 나라의 특이한 문화를 보면 그 나름의 이유가 있다고 생각하는가?
> • 다른 나라에서 아이들이 굶어 죽는다는 소식을 들으면 안타까운 마음이 드는가?
> • 다른 나라에서 부당하게 고통받는 사람이 있다면 적극적으로 도와주어야 한다고 생각하는가?

① 생태 적응력　② 도덕적 판단력
③ 문화 상대주의　④ 세계 시민 의식
⑤ 세계적 경제 감각

12 다음 교사의 질문에 대해 가장 적절한 대답을 한 학생을 고른 것은?

이 주제에 대한 자신의 의견을 발표해 볼까요?

함께하는 미래의 삶을 위해 우리가 가져야 할 태도

갑: 불확실한 미래에 대비하기 위해 분석적이고 비판적인 시각을 가져야 합니다.
을: 미래 사회의 세계 문제를 해결하기 위해서는 폐쇄적인 태도가 필요해요.
병: 경쟁이 심화될 것이므로 항상 자신이 속한 지역의 이익을 우선시해야 해요.
정: 갈등 해결을 위해 전 지구적 차원에서 인류의 보편적 가치를 실현하려는 자세가 필요해요.

① 갑, 을　② 갑, 정　③ 을, 병
④ 을, 정　⑤ 병, 정

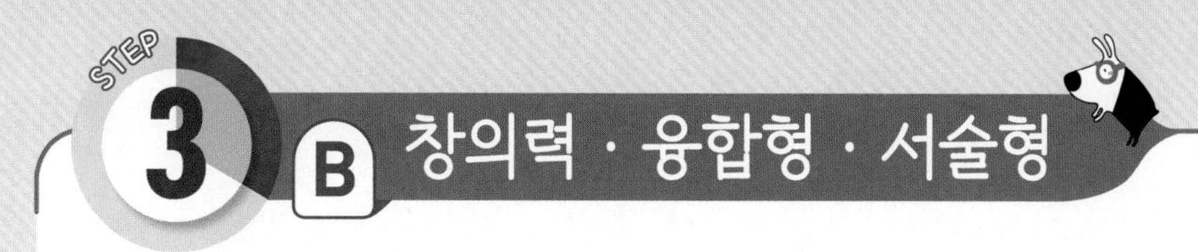

정답과 해설 43쪽

13 다음 글과 관련 있는 자원의 특성을 쓰고, 이와 관련된 자원 문제를 해결하기 위한 방안을 국제·국가적 차원의 노력과 개인적 차원의 노력으로 나누어 서술하시오.

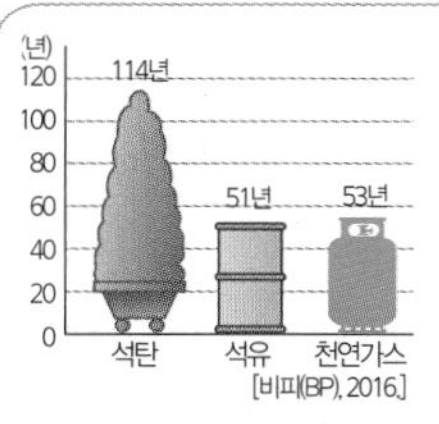

▲ 주요 에너지 자원의 가채 연수(2015)

가채 연수는 확인된 자원의 매장량을 연 생산량으로 나눈 것으로, 자원을 앞으로 몇 년이나 더 사용할 수 있는가를 나타내는 지표이다. 우리가 주로 사용하는 석탄, 석유, 천연가스와 같은 에너지 자원은 가채 연수가 얼마 남지 않은 상황이다.

14 다음 글을 읽고 물음에 답하시오.

유럽 국가 중에서 러시아에 대한 에너지 의존도가 가장 높은 국가는 바로 우크라이나이다. 연간 에너지 소비량의 약 60%를 러시아산 원유와 천연가스로 충당한다. 이렇다 보니 가스 대금 체납, 공급 가격 협상 결렬 등으로 두 국가 간에 충돌이 발생할 때마다 러시아는 석유와 천연가스를 수송하는 파이프라인을 잠가 공급을 중단하는 방식으로 우크라이나를 압박하였다.

– 에너지경제연구원, 2014. –

(1) 윗글을 아래와 같이 정리할 때 ㉠에 들어갈 알맞은 말을 쓰시오.

위 갈등은 근본적으로 자원의 (㉠) 때문에 자원의 분포지와 소비지가 달라 나타난다.

(2) 윗글을 통해 추론할 수 있는 에너지 자원 수급의 문제점을 서술하시오.

15 다음 ㉠에 들어갈 개념을 쓰고, (가)의 유가 철학과 (나)의 ㉠의 공통점을 한 가지만 서술하시오.

(가) 《예기》에서는 "제사 지내게 하지만 희생물로 암컷을 쓰지 못하게 하고, 벌목을 금지하며, 새 둥지를 뒤져서 새를 잡지 못하게 하고, 새끼 밴 새와 짐승을 잡지 못하게 한다."라고 하였다. 유가 철학에서는 …… 생태계를 이용하는 것 자체를 부정하지는 않는다. 그렇다고 생태계의 자율적 조절 역량을 상실시킬 수 있는 무자비한 착취를 허용하지도 않는다. – 김세정, 《환경 윤리에 대한 동양 철학적 접근》 –

(나) (㉠)은(는) 현세대와 미래 세대의 경제 발전, 사회 안정과 통합, 환경 보전이 균형을 이룰 수 있도록 하는 발전을 의미한다.

16 다음은 사회 수업의 필기 내용이다. (가), (나)에 들어갈 내용을 한 가지씩 서술하시오.

〈기술 발전과 미래 사회〉

1. 인공 지능 로봇의 발달
   - 긍정적 미래: ______(가)______
   - 부정적 미래: 특정 일자리 감소로 인한 실업, 인간 소외 현상 등
2. 생명 및 유전 공학의 발달
   - 긍정적 미래: 개인 맞춤형 치료를 통한 인간의 수명 연장
   - 부정적 미래: ______(나)______

Memo.

제1회 모의고사 통합사회

제4교시

01강 ~ 05강

성명 | 반 | 번호

천재고등학교

[01강 인간, 사회, 환경의 탐구와 통합적 관점]

01 다음 대화의 을~정이 사회 현상을 바라보는 관점을 바르게 연결한 것은?

> 갑: 여름 기온이 점점 더 올라가 더워지고 있어.
> 을: 맞아. 1880년 이후부터 현재까지의 흐름을 보면, 이산화 탄소 농도가 계속 증가해서 지구 평균 기온이 상승했어.
> 병: 기후 변화로 그린란드에서는 빙하가 녹고, 남태평양의 작은 섬나라들은 침수 위험에 처해 있어.
> 정: 국제 사회는 구성원들에게 영향력을 행사하는 파리 협정을 맺어서 이 문제를 극복하고자 해.

	을	병	정
①	시간적 관점	사회적 관점	윤리적 관점
②	시간적 관점	공간적 관점	사회적 관점
③	시간적 관점	윤리적 관점	사회적 관점
④	사회적 관점	공간적 관점	시간적 관점
⑤	사회적 관점	시간적 관점	윤리적 관점

02 (가)에 들어갈 내용으로 가장 적절한 것은?

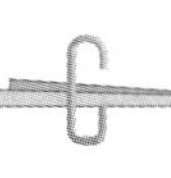

수행 평가

◎ 주제: (가)

- 멧돼지의 개체 수는 예전보다 증가했는데, 그에 비해 먹이가 부족해졌다.
- 무분별한 난개발로 멧돼지의 서식지가 줄어들면서 먹이가 부족해졌다.
- 멧돼지 개체 수를 조절하려면 포획할 수 있어야 하는데, 현행 야생 동물 보호법 때문에 함부로 포획할 수 없다.
- 자연 생태계를 인간을 위한 도구로 보지 말고, 인간과 멧돼지가 공존할 수 있는 방법을 찾아야 한다.

① 멧돼지, 도심 출현의 역사
② 멧돼지의 개체 수를 조절하는 방법
③ 멧돼지가 출현하는 장소에 대한 분석
④ 현행 야생 동물 보호법의 문제점과 한계
⑤ 통합적 관점에서 본 멧돼지 출현 문제의 이해

[02강 행복의 기준과 실현 조건]

03 다음 사상적 입장에서 행복에 대한 물음에 긍정의 대답을 할 질문은?

> 탐욕과 분노, 어리석음이 모두 없어져, 마침내 모든 번뇌가 사라지는 것을 해탈이라고 한다. 우리가 수행을 하는 이유는 해탈에 이르기 위한 것이며, 이 해탈에서 수행은 끝난다.

① 자연 그대로의 모습을 훼손하지 않는 삶이 행복에 이르는 길인가?
② 수행을 통해 악한 본성을 교화해 가는 삶이 행복에 이르는 길인가?
③ 내세를 위해 현세에서 불변하는 자아를 찾는 것이 행복에 이르는 길인가?
④ 사람들과 더불어 살면서 도덕적 본성을 보존하고 인(仁)을 실현하는 것이 행복에 이르는 길인가?
⑤ 청정한 불성을 바탕으로 '나'에 대한 집착을 버리고 중생을 구제하는 삶이 행복에 이르는 길인가?

04 갑은 고대 그리스, 을은 헬레니즘 시대의 사상가이다. 갑, 을의 행복에 대한 입장으로 옳은 것은?

> 갑: 정신의 이성적 활동은 동식물과 달리 인간만이 갖고 있는 기능이다. 덕(德)이 있는 행동을 하는 사람은 반드시 잘 행동하는 사람으로, 그는 덕과 일치하는 정신의 활동을 하는 행복한 사람이다.
> 을: 덕(德)이 있는 사람의 삶이란 자연의 섭리에 따르는 삶이기 때문에 그의 삶은 언제나 이성을 따르는 삶이다.

① 갑: 생명과 감각 활동을 충실하게 실현하는 삶이다.
② 갑: 육체와 정신에 어떤 고통이나 불안도 없는 삶이다.
③ 을: 행복은 쾌락이며, 최대 다수의 최대 행복이 중요하다.
④ 을: 정념에 방해받지 않고, 초연한 삶을 실천하는 것이다.
⑤ 갑, 을: 사회적 혼란과 전쟁의 불안으로부터 해방되는 것이다.

05 (가), (나)의 입장에 대한 옳은 설명을 ▮보기▮에서 고른 것은?

> (가) 행복한 삶의 실현을 위해서는 인권·정의와 같은 보편적 가치에 어긋나거나, 옳지 못한 것에 저항하는 용기가 필요하다. 더불어 다른 사람들과 함께 어울려 살아가기 위한 '배려'도 중요하다.
> (나) 행복한 삶의 실현을 위해서는 무엇보다 생계를 유지하고 자신의 필요를 충족시킬 수 있어야 한다. 그리고 이를 통해 자아를 실현할 수 있는 기회를 가져야 한다.

▮보기▮
- ㄱ. (가): 질 높은 정주 환경과 민주주의의 실현이 중요하다.
- ㄴ. (가): 바람직한 가치와 규범에 대한 도덕적 실천이 중요하다.
- ㄷ. (나): 최소한의 인간다운 삶을 위해 경제적 안정이 중요하다.
- ㄹ. (가), (나): 경제 규모가 큰 국가일수록 국민들의 삶에 대한 만족도가 반드시 높다.

① ㄱ, ㄴ ② ㄱ, ㄷ ③ ㄴ, ㄷ
④ ㄴ, ㄹ ⑤ ㄷ, ㄹ

06 다음 글에 대해 옳은 분석을 한 학생을 고른 것은?

> 이중환의 《택리지》에서는 풍수지리적 명당, 풍부한 산물, 넉넉하고 좋은 이웃 간의 정, 빼어난 경치 등을 이상적 정주 환경의 조건으로 제시하였다. 최근에는 넓은 녹지 및 공원 면적과 의료 및 교육 혜택을 누릴 수 있는 시설 등이 갖추어져 있으며 교통이 편리한 곳을 이상적인 주거지로 본다.

갑: 이상적인 정주 환경의 조건은 시기별로 아주 다르게 나타나.

을: 과거와 현재 모두 주거 환경의 조건으로 자연환경 요소를 중시해.

병: 행복은 정신적인 만족감이므로 기본적인 주거 환경의 충족과는 관련이 없어.

정: 국가에서 최저 주거 기준을 설정하는 것은 주거 약자들의 행복에 있어서 중요해.

① 갑, 을 ② 갑, 병 ③ 을, 병
④ 을, 정 ⑤ 병, 정

[03강 자연환경과 인간 생활]

07 지도의 A~E 지역에 대한 옳은 설명을 ▮보기▮에서 고른 것은?

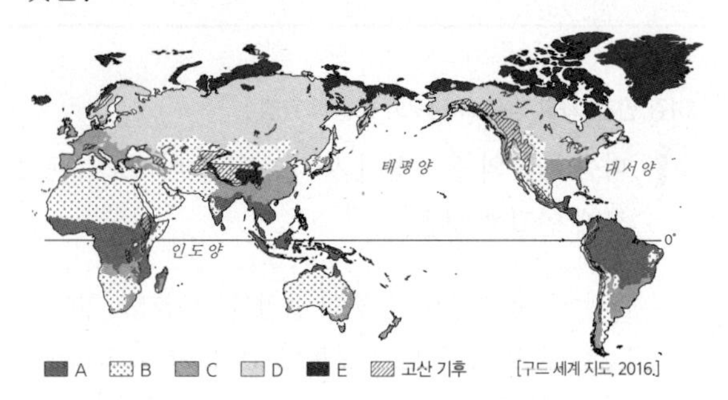

▮보기▮
- ㄱ. A는 연평균 기온이 높아 얇고 간편한 의복이 발달하였다.
- ㄴ. B는 강수량이 적어 지붕 경사가 급한 가옥이 발달하였다.
- ㄷ. C, D는 계절 변화가 있어 더위와 추위에 적응한 생활 양식이 나타난다.
- ㄹ. E는 몹시 춥기 때문에 불을 피워 기름에 볶는 음식이 발달하였다.

① ㄱ, ㄴ ② ㄱ, ㄷ ③ ㄴ, ㄷ
④ ㄴ, ㄹ ⑤ ㄷ, ㄹ

08 다음 자료에서 설명하는 지역을 지도의 A~E에서 고른 것은?

> 이 지역은 석회암이 오랜 시간 동안 빗물이나 지하수에 의해 녹는 과정에서 단단한 부분이 남아 형성된 지형 때문에 독특한 경관이 나타난다. 이 경관을 보러 전 세계에서 많은 관광객이 몰려든다.

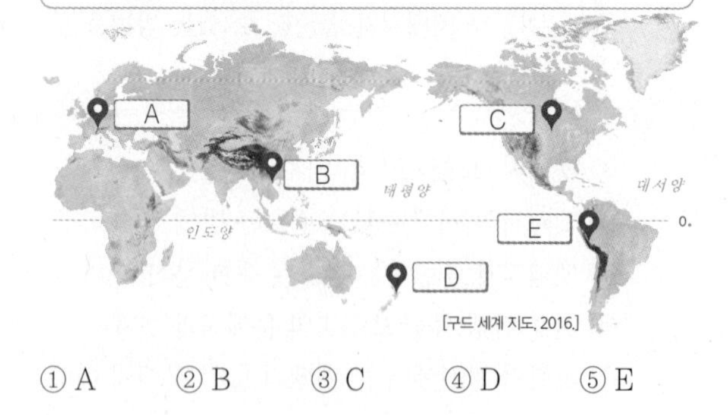

① A ② B ③ C ④ D ⑤ E

09 다음 글에 대한 분석으로 옳지 않은 것은?

> 2004년 12월 26일 아침에 인도네시아 수마트라섬 서부 해안에서 판의 충돌로 발생한 지진의 여파로 높은 파도가 발생해 인근 해안 지역이 순식간에 침수되었다. 조기 경보 체계가 제대로 구축되지 않았던 인도네시아에서는 이 대참사로 25만 명이 목숨을 잃었고, 43만여 채의 가옥이 파괴되었다. 재난 복구 과정에서는 정치적으로 부패한 정부 당국이 국제 사회 원조를 거부하고, 지역별로 원조를 차별하는 등의 문제도 나타났다.

① 지진 해일에 의한 피해가 발생하였다.
② 재해에 대한 사전 예보 체계는 중요하지 않다.
③ 인도네시아 국민들은 안전하게 살 권리를 보장받지 못했다.
④ 재해 예방과 복구 지원을 위한 인도네시아 정부의 노력이 필요하다.
⑤ 앞으로 인도네시아 국민들은 재난 대응 훈련에 적극적으로 참여해야 한다.

[04강 인간과 자연의 바람직한 관계]

10 다음 글에 나타난 자연에 대한 입장으로 가장 적절한 것은?

> 열대 과일 팜의 열매에서 나오는 식물성 기름 팜유는 립스틱, 치약, 도넛, 초콜릿 바 등의 주원료로 이용된다. 팜유의 최대 생산지인 인도네시아는 원시림에 불을 놓아 개간한 다음, 대규모 팜유 농장을 만들어 왔다. 이는 자국의 국민들에게 많은 일자리를 제공한 것은 물론, 경제 성장에도 크게 기여하고 있다. 이렇게 자연환경은 인간의 노력과 지식에 의해 그 가치가 달라지기 때문에, 인간은 자연에 대한 탐구를 통해 삶을 더욱 편리하고 풍요롭게 만들어가야 한다.

① 자연에 대한 인간의 간섭은 최대한 제한되어야 한다.
② 자연은 인간의 목적과 무관한 내재적 가치를 갖는다.
③ 자연의 가치는 인간의 이익과 필요에 의해 결정된다.
④ 자연 생태계는 인간이 보존하고 존중해야 할 자산이다.
⑤ 자연의 가치를 인간의 유용성에 근거하여 판단해서는 안 된다.

11 (가)의 갑, 을의 입장을 (나) 그림으로 표현할 때, A~C에 해당하는 진술로 옳은 것은?

(가)
갑: 생명 공동체의 통합성과 안정성 그리고 아름다움의 보전에 이바지한다면, 그것은 옳다. 그렇지 않다면 그르다.
을: 우리는 자연의 주인이자 소유자가 될 수 있다. 인간은 정신을 소유한 존엄한 존재지만, 자연은 의식이 없는 물질이다.

(나)
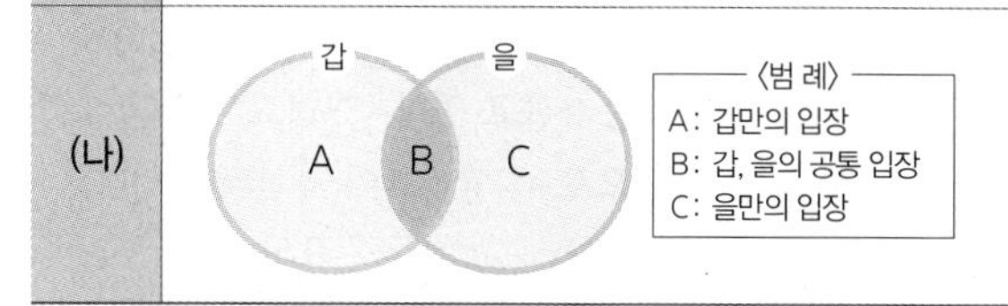

① A: 생명이 없는 존재는 도덕적 존중의 대상이 아니다.
② A: 동식물과 달리 인간은 존엄한 가치를 지닌 존재이다.
③ B: 인간은 생태계 내에서 우월적 지위와 가치를 지닌다.
④ C: 동물과 인간만이 절대적 가치와 존엄성을 갖는 것은 아니다.
⑤ C: 자연과 동물은 각 기관의 배치에 따라 작동하는 자동 기계일 뿐이다.

12 (가), (나)의 사상적 입장에서 모두 긍정의 대답을 할 질문을 ▌보기▐에서 고른 것은?

> (가) 이것이 있기 때문에 저것이 있고, 이것이 일어나므로 저것이 일어난다. 세상의 모든 것은 연기의 원리를 따라 존재한다.
> (나) 가장 훌륭한 덕(德)은 무위(無爲)인데, 이것은 어떤 것을 의도하지 않는 것이다. 우리의 삶은 이것을 본받아야 한다.

▌보기▐
ㄱ. 자연 친화적 삶을 위해 욕망을 절제해야 하는가?
ㄴ. 인간의 삶과 자연 생태계는 서로 무관한 것인가?
ㄷ. 자연과 인간은 서로 분리될 수 없는 유기적 관계에 있는가?
ㄹ. 자연을 현세대가 아닌 미래 세대의 관점에서만 보아야 하는가?

① ㄱ, ㄴ　② ㄱ, ㄷ　③ ㄴ, ㄷ
④ ㄴ, ㄹ　⑤ ㄷ, ㄹ

13 밑줄 친 ㉠~㉤에 대한 설명으로 옳지 않은 것은?

> 오늘날 국내외적으로 대기·수질·토양·해양 오염 등이 발생하고 있고, 전 지구적 차원에서 다양한 환경 문제가 발생하고 있다. 온실가스의 배출량이 늘어나면서 지구의 평균 기온이 점점 상승하는 ㉠ 지구 온난화 현상이 나타나고 있다. 또한 극심한 가뭄과 인간의 과도한 개발로 ㉡ 사막화가 심화되고, 염화 플루오린화 탄소의 사용으로 ㉢ 오존층 파괴가 나타났으며, ㉣ 산성비 피해도 증가하고 있다. 그리고 무분별한 벌목과 개간, 목축 등으로 ㉤ 열대림이 파괴되고 있다.

① ㉠: 화석 에너지의 소비 증가가 주요 원인이다.
② ㉡: 주변 지역의 황사 현상을 심화시킨다.
③ ㉢: 냉장고나 에어컨의 냉매제 사용과 관련이 있다.
④ ㉣: 각종 피부암과 안과 질환을 유발하는 직접적 요인이다.
⑤ ㉤: 동식물의 서식지가 파괴되어 생물 종이 감소한다.

14 (가)에 들어갈 말로 가장 적절한 것은?

① 생활 속에서 환경친화적인 삶의 방식을 실천
② 오염 방지 시설을 운영해 친환경적인 제품을 개발
③ 환경 관련 법령을 정비하고 규제와 지원책을 마련
④ 자원과 에너지를 절약하고 쓰레기 재활용을 생활화
⑤ 환경 문제를 쟁점화하고 환경 정책이나 제도를 감시

[05강 산업화·도시화에 따른 변화]

15 사진은 한 지역의 서로 다른 두 시기의 모습이다. (가), (나) 시기의 특징을 그림으로 나타낼 때, A, B에 들어갈 항목으로 적절한 것은?

(가)

(나)

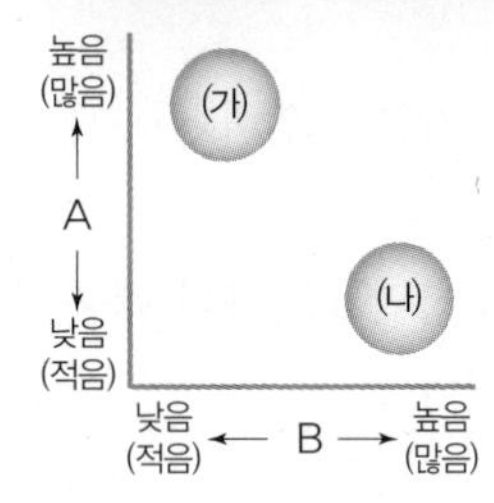

	A	B
①	경지 면적	1차 산업 종사자 비율
②	녹지 면적	아파트 거주 인구
③	시가지 면적	녹지 면적
④	아파트 거주 인구	시가지 면적
⑤	1차 산업 종사자 비율	경지 면적

16 교사의 질문에 적절하지 않은 대답을 한 학생은?

> 교사: 산업이 발달하면서 도시화가 진행된 A 도시는 고층 건물이 밀집된 지역이나 교통량이 많은 도심 지역의 온도가 주변 지역보다 높게 나타납니다. 이 현상에 대해 말해 볼까요?
> 갑: 열섬 현상이라고 부릅니다.
> 을: 자동차나 공장에서 발생하는 인공 열이 그 원인입니다.
> 병: 아스팔트로 덮인 지표 면적이 증가하면서 발생했습니다.
> 정: 이 문제를 해결하려면 건물 사이의 바람길을 차단해야 합니다.
> 무: 녹지 공간을 확대하는 것이 도움이 되니 우리 학교 옥상에도 정원을 가꿔야겠어요.

① 갑 ② 을 ③ 병 ④ 정 ⑤ 무

제2회 모의고사 통합사회

제4교시

06강 ~ 09강

성명 | 반 | 번호

천재고등학교

[06강 교통 · 통신 및 정보화의 발달과 지역 변화]

01 다음 그림을 통해 추론한 내용으로 옳은 것은?

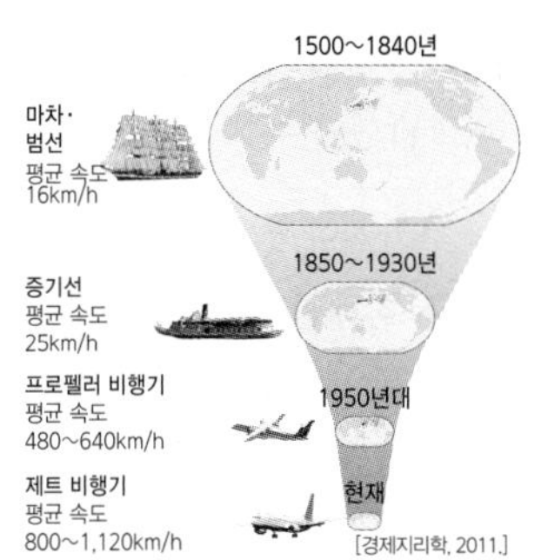

① 지역 간 접근성이 약화되었다.
② 지구의 상대적 크기가 커졌다.
③ 지역 간 이동 시간이 길어졌다.
④ 세계의 시간 거리가 줄어들었다.
⑤ 사람들의 공간 인식 범위가 축소되었다.

02 다음 신문 기사에 대한 옳은 설명만을 ❙보기❙에서 있는 대로 고른 것은?

△△신문

개통 1주년을 맞은 KTX 호남선의 명암이 각 분야에서 교차하고 있다. 수도권에서 광주 · 전남을 찾는 인구는 종전보다 60% 늘었다. 여수 밤바다와 목포 유달산을 찾는 관광객이 증가하고 있으며, 수도권에서 호남권의 각 대학으로 입학하는 신입생도 늘었다. 반면 항공 · 버스 업계는 심각한 타격을 입었다. 또한 KTX가 정차하는 광주 송정역 인근 상인들의 매출은 이전보다 40~50% 증가했으나, KTX가 정차하지 않는 광주역 주변의 상점들은 잇따라 폐업하고 있어 상권 활성화 대책 마련이 필요하다.

❙보기❙
ㄱ. 서울과 목포 간의 접근성이 향상되었다.
ㄴ. 교통 발달로 긍정적인 효과만 나타난다.
ㄷ. 고속 철도 정차역 주변의 상권은 활성화되었다.
ㄹ. 고속 철도 발달로 버스와 항공 교통의 여객 분담률이 감소하였다.

① ㄱ, ㄴ ② ㄴ, ㄷ ③ ㄱ, ㄴ, ㄷ
④ ㄱ, ㄷ, ㄹ ⑤ ㄴ, ㄷ, ㄹ

03 밑줄 친 ㉠~㉤에 대한 설명으로 옳지 않은 것은?

우리는 ㉠ 누리 소통망(SNS)을 통해 다양한 정보를 주고받을 수 있음은 물론 회사에 나가지 않고도 ㉡ 인터넷을 이용해 자택에서 근무를 할 수 있게 되었다. 하지만 ㉢ 사이버 공간에서의 악의적인 비방과 욕설로 인한 인권 침해는 물론 ㉣ 타인의 지나친 간섭과 통제로 인한 문제가 증가하고 있다. 대다수의 국민들은 사이버 공간 안에서 발생하는 문제를 더 이상 ㉤ 사용자의 자율적 규제 역량에만 맡길 수 없다는 데 한 목소리를 내고 있다.

① ㉠: 쌍방향 통신 매체를 이용한 교류 모습이다.
② ㉡: 정보화에 따라 나타난 경제적 영역의 변화이다.
③ ㉢: 익명성을 통한 사이버 폭력의 모습이다.
④ ㉣: 대면적 인간관계가 증가했기 때문에 나타난 문제이다.
⑤ ㉤: 정보 윤리 관련 법령의 강화가 필요하다.

04 지역 조사 과정 중 (가), (나) 단계에서 수행하는 옳은 활동을 ❙보기❙에서 골라 연결한 것은?

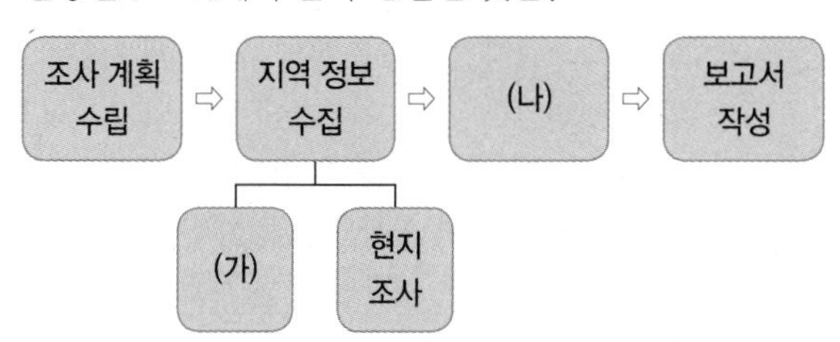

❙보기❙
ㄱ. 행정 기관과 인터넷에서 자료를 수집한다.
ㄴ. 답사 자료를 바탕으로 주제도를 작성한다.
ㄷ. 평소에 관심이 있던 지역을 조사하기로 결정한다.
ㄹ. 지역에 오래 거주한 주민을 대상으로 면담을 한다.

	(가)	(나)
①	ㄱ	ㄴ
②	ㄱ	ㄷ
③	ㄴ	ㄷ
④	ㄴ	ㄹ
⑤	ㄷ	ㄹ

[07강 인권의 의미와 변화 양상]

05 ㉠~㉣에 들어갈 내용을 바르게 연결한 것을 ‖보기‖에서 있는 대로 고른 것은?

※ 학습 주제: 근대 시민 혁명과 인권 보장

1. 시민 혁명의 결과
 · 영국: ㉠ · 미국: ㉡ · 프랑스: ㉢
2. 시민 혁명의 한계와 극복 노력
 · 한계: 재산과 성별 등에 따른 참정권 제한이나 차등 부여
 · 한계 극복 노력: ㉣

‖보기‖
ㄱ. ㉠: 권리 장전을 통해 의회의 동의 없는 과세 금지
ㄴ. ㉡: 국민 주권의 원리와 저항권 등을 보장
ㄷ. ㉢: 봉건적 신분제 유지와 자유와 평등의 이념 확산
ㄹ. ㉣: 여성 노동자들을 중심으로 한 차티스트 운동 전개

① ㄱ, ㄴ ② ㄱ, ㄷ ③ ㄷ, ㄹ
④ ㄱ, ㄴ, ㄹ ⑤ ㄴ, ㄷ, ㄹ

06 밑줄 친 ㉠~㉤에 대한 설명으로 옳지 않은 것은?

〈인권 보장의 역사〉

근대 시민 혁명 이후 ㉠ 자유권과 평등권이 보장되었고, 여러 ㉡ 참정권 운동을 통해 대부분의 사람이 참정권을 보장받았다. 이후 자본주의 발전으로 사회적 약자가 고통받자, ㉢ 최소한의 인간다운 생활을 보장받아야 한다는 주장이 확산되었다. 제2차 세계 대전 이후에는 ㉣ 차별받는 집단의 인권 보호를 위해 국제적 연대와 단결이 필요하다는 인식이 확산되었고, 최근에는 ㉤ 사회 변화에 따라 새롭게 요구되는 인권이 등장하고 있다.

① ㉠은 '인권 3세대론'에 따르면 1세대 인권에 해당한다.
② ㉡은 국민이 국가의 의사 결정 과정에 참여하는 정치적 권리이다.
③ ㉢은 '세계 인권 선언'에서 최초로 명시되었다.
④ ㉣은 연대권과 관련 있다.
⑤ ㉤의 예로는 환경권, 주거권, 안전권 등이 있다.

[08강 인권 보장을 위한 노력과 인권 문제]

07 다음 자료에 대한 옳은 분석을 ‖보기‖에서 고른 것은?

재판 중인 미결 수용자 A 씨의 종교 집회 참석을 구치소가 제한한 것은 위헌이라는 헌법재판소의 결정이 나왔다. 헌법재판소는 "구치소의 열악한 시설을 이유로 미결 수용자의 종교 집회 참석을 제한하는 것은 기본권 중 (가) 을(를) 과도하게 제한한 것이다."라고 밝혔다.

☞ 위 사례에서 A 씨는 구치소의 종교 집회 참석 제한 조치로 ㉠ 종교의 자유를 침해받자 ㉡ 헌법재판소에 (나) 을(를) 청구하여 위헌 결정을 받아냄으로써 자신의 기본권을 구제받았다.

‖보기‖
ㄱ. (가)는 사회권에 해당한다.
ㄴ. (나)는 헌법 소원 심판이다.
ㄷ. ㉠은 '신체의 자유'와 같은 종류의 기본권이다.
ㄹ. ㉡은 법률을 제정하거나 개정한다.

① ㄱ, ㄴ ② ㄱ, ㄷ ③ ㄴ, ㄷ
④ ㄴ, ㄹ ⑤ ㄷ, ㄹ

08 다음 헌법 조항을 통해 공통적으로 보장하고자 하는 기본권에 대한 설명으로 가장 적절한 것은?

헌법 제31조 ① 모든 국민은 능력에 따라 균등하게 교육을 받을 권리를 가진다.
헌법 제34조 ④ 국가는 노인과 청소년의 복지 향상을 위한 정책을 실시할 의무를 진다.

① 정치 과정에 적극적으로 참여할 수 있는 권리이다.
② 국가 권력으로부터 간섭이나 침해를 받지 않을 권리이다.
③ 국가에 대해 인간다운 생활의 보장을 요구할 수 있는 권리이다.
④ 다른 기본권이 침해되었을 때 이를 구제하도록 요구할 수 있는 권리이다.
⑤ 사회생활에서 불합리한 기준에 의해 차별받지 않고 동등하게 대우받을 권리이다.

09 다음 헌법 조항에 대해 옳은 내용을 말한 학생을 고른 것은?

> **제37조** ② 국민의 모든 자유와 권리는 국가 안전 보장 · 질서 유지 또는 공공복리를 위하여 필요한 경우에 한하여 법률로써 제한할 수 있으며, 제한하는 경우에도 자유와 권리의 본질적인 내용을 침해할 수 없다.

- 갑: 기본권을 제한하는 방법과 한계를 규정하고 있어.
- 을: 기본권의 제한을 엄격하게 하기 위한 목적이 있어.
- 병: 보장되는 기본권의 범위를 최소한으로 하는 데 그 목적이 있어.
- 정: 국가 권력이 국민의 기본권을 효율적으로 제한하기 위해 필요해.

① 갑, 을　② 갑, 병　③ 을, 병
④ 을, 정　⑤ 병, 정

10 밑줄 친 ㉠~㉣ 중 옳은 진술을 고른 것은?

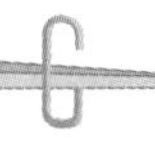

[서술형 평가]

◎ **문제**: 다음 '간디의 소금법 폐지 운동'이 시민 불복종의 사례가 될 수 있는 이유를 서술하시오.

> 영국은 인도를 식민 지배하던 당시 인도인의 소금 채취를 금지하고, 영국이 소금을 판매하여 많은 세금을 징수하는 소금법을 만들었다. 간디는 이 소금법의 부당함을 알리고자 그의 지지자들과 함께 소금을 직접 채취하였고, 감옥에 갇혔다.

◎ **학생 답안**

간디의 소금법 폐지 운동은 ㉠ 사회 정의의 실현을 목표로 하는 행동이었다는 점, ㉡ 철저히 법의 테두리 안에서 이루어졌다는 점, ㉢ 비폭력적인 방법으로 저항했다는 점, ㉣ 위법 행위에 따르는 처벌을 거부하였다는 점에서 시민 불복종의 사례가 될 수 있다.

① ㉠, ㉡　② ㉠, ㉢　③ ㉡, ㉢
④ ㉡, ㉣　⑤ ㉢, ㉣

11 다음 근로 계약서에 대한 분석과 (가), (나)에 들어갈 수 있는 말로 옳은 내용을 |보기|에서 고른 것은?

> **근로 계약서**
>
> 사업자 갑(만 35세)과 근로자 을(만 16세)은 다음과 같이 근로 계약을 체결한다.
>
> 1. 계약 기간: 2018년 7월 1일~2019년 6월 30일
> 2. 근무 장소: ○○ 닭갈비 (수원 □□점)
> 3. 근로 시간: [(가)] (매주 월~금)
> 4. 임금: [(나)] (매달 20일)
>
> ......

|보기|
ㄱ. 을은 만 15세 이상이므로 부모님 동의서 없이 근로가 가능하다.
ㄴ. (가): '하루 근무 시간은 7시간을 초과할 수 없다.'
ㄷ. (나): '성인과 동일한 최저 임금을 적용받으므로……'
ㄹ. (나): '초과 근무를 했을 때는 10%의 가산 임금을 받는다.'

① ㄱ, ㄴ　② ㄱ, ㄷ　③ ㄴ, ㄷ
④ ㄴ, ㄹ　⑤ ㄷ, ㄹ

[09강 자본주의와 시장 경제]

12 그림은 자본주의의 발전 과정과 주요 사건을 나타낸 것이다. ㉠~㉢에 대한 옳은 설명을 |보기|에서 고른 것은?

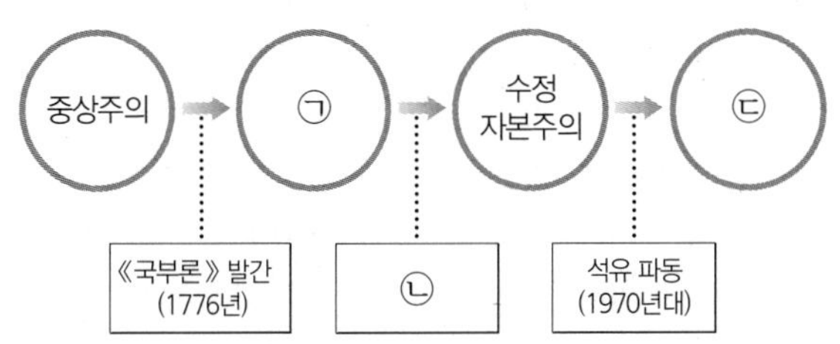

|보기|
ㄱ. ㉠은 애덤 스미스가 내놓은 경제 이론이 사상적 배경이다.
ㄴ. ㉡에는 '스태그플레이션'이 들어갈 수 있다.
ㄷ. ㉢은 정부의 규제 완화 및 철폐를 추구한다.
ㄹ. ㉠과 ㉢은 공통적으로 사회 복지 제도의 강화를 추구한다.

① ㄱ, ㄴ　② ㄱ, ㄷ　③ ㄴ, ㄷ
④ ㄴ, ㄹ　⑤ ㄷ, ㄹ

13 갑, 을의 대화에 대한 분석 및 추론으로 옳은 것은?

갑: 자동차는 혼자 잘 굴러 가지 않습니다. 운전자가 원하는 방향으로 가기 위해 자동차의 방향을 바꿔야 하고, 가속 페달이나 브레이크를 밟으며 속도도 조절해야 합니다. 경제도 마찬가지로 저절로 잘 돌아가지 않습니다.
을: '샤워실의 바보'라는 말이 있습니다. 가만히 기다리면 될 텐데 물이 뜨거우면 찬물 쪽으로, 차가우면 뜨거운 물 쪽으로 수도꼭지를 성급하게 돌려 문제가 해결되지 않는 상황을 비유하는 표현입니다. 경제도 이와 같아서 어떤 의도를 갖고 손을 대면 오히려 문제만 더 악화될 뿐입니다.

① 갑은 애덤 스미스, 을은 케인스의 주장에 가깝다.
② 갑보다 을이 시장의 자기 조절 능력을 신뢰할 것이다.
③ 갑은 정부 실패 가능성을, 을은 시장 실패 가능성을 강조한다.
④ 갑보다 을이 경기 침체 시 정부의 적극적인 개입에 찬성할 것이다.
⑤ 을은 갑과 달리 형평성을 중요한 가치로 여길 것이다.

14 다음 사례에 대한 옳은 분석을 보기에서 고른 것은?

영하는 현재 아르바이트를 하면서 시간당 9,000원을 받고 있다. 오늘 저녁에 대한이가 영화를 보자고 하는데, 아르바이트 시간과 겹쳐서 둘 중 하나를 선택해야 하는 상황이다. 영화를 보려면 아르바이트 두 시간을 빼야 하고, 영화 티켓은 12,000원이다. 영하는 고민하다가 영화를 관람하기로 하고 티켓을 구입하였다.

보기
ㄱ. 영화 관람에 따른 기회비용은 30,000원이다.
ㄴ. 영화 티켓 가격인 12,000원은 암묵적 비용이다.
ㄷ. 아르바이트 두 시간의 임금인 18,000원은 명시적 비용이다.
ㄹ. 영화 티켓이 환불이 불가능하다면 이는 매몰 비용이므로 고려하지 말아야 한다.

① ㄱ, ㄴ ② ㄱ, ㄹ ③ ㄴ, ㄷ
④ ㄴ, ㄹ ⑤ ㄷ, ㄹ

15 (가), (나) 사례에 대한 옳은 설명을 보기에서 고른 것은?

(가) 많은 사람들이 모여 있는 버스 정류장에서 누군가 담배를 피워 주변의 사람들이 피해를 보았다.
(나) 과수원 주변에 양봉업자가 와서 꿀벌을 친 덕분에 과수원 주인은 이전보다 더 많은 과일을 수확하게 되었다. 그러나 과수원 주인은 양봉업자에게 어떤 대가도 지급하지 않았다.

보기
ㄱ. (가)는 외부 불경제의 사례이다.
ㄴ. (나)는 사회적 최적 수준보다 적게 생산된다.
ㄷ. (가)는 (나)와 달리 시장 실패의 원인에 해당한다.
ㄹ. (가), (나)의 문제를 해결하기 위해 작은 정부를 지향해야 한다.

① ㄱ, ㄴ ② ㄱ, ㄷ ③ ㄴ, ㄷ
④ ㄴ, ㄹ ⑤ ㄷ, ㄹ

16 밑줄 친 ㉠의 목적으로 가장 적절한 것은?

㉠ 이 법은 사업자의 시장 지배적 지위의 남용과 과도한 경제력의 집중을 방지한다. 또한 부당한 공동 행위 및 불공정 거래 행위를 규제하여 창의적인 기업 활동을 조장하고 소비자를 보호한다. 아울러 국민 경제의 균형 있는 발전을 도모함을 목적으로 한다.

① 경기 부양 ② 소득 재분배
③ 공정한 경쟁 촉진 ④ 공공재 부족 문제의 개선
⑤ 정부 실패에 따른 부작용 방지

17 시장 경제의 발전을 위한 기업가와 노동자 및 소비자의 역할로 적절하지 않은 것은?

① 노동자는 단체 행동 중 파업을 해서는 안 된다.
② 기업가는 기업 윤리를 토대로 공정하게 경쟁해야 한다.
③ 기업가는 기업가 정신을 발휘하여 이윤을 추구해야 한다.
④ 노동자는 단결권, 단체 교섭권, 단체 행동권을 보장받는다.
⑤ 소비자는 소비자 주권을 통해 기업이 윤리적 상품을 생산하도록 유도할 수 있다.

제3회 모의고사 통합사회

제4교시
10강 ~ 13강

성명		반		번호	

천재고등학교

[10강 국제 분업과 금융 설계]

01 다음 사례를 통해 추론할 수 있는 내용으로 적절한 것은?

아랍 에미리트에는 석유 매장량이 많은 대신 농사지을 수 있는 땅이 거의 없다. 국토 대부분이 물이 부족한 사막 지역이기 때문이다. 그래서 아랍 에미리트는 여러 국가에서 농작물을 수입하는데, 그중에서도 에티오피아에서 가장 많은 양을 수입한다. 에티오피아는 풍부한 노동력과 농경에 적합한 기후 조건을 보유해 전 국토의 약 70%에 달하는 토지에서 농작물 재배가 가능하다. 이러한 에티오피아가 가장 많이 수입하는 품목은 석유로 전체 수입액의 20% 내외를 차지한다. 에티오피아는 교통수단을 움직이는 석유를 전량 수입에 의존하는데, 사우디아라비아와 아랍 에미리트에서 주로 수입하고 있다.

① 같은 상품일 경우 모든 나라의 생산비가 같다.
② 모든 나라는 필요한 재화를 직접 생산할 수 있다.
③ 나라마다 자연환경과 같은 생산 조건은 동일하다.
④ 생산 요소의 지역적 분포의 차이는 국제 분업과 무역을 가져온다.
⑤ 농업보다 천연자원 생산에 투자하는 것이 무역에서 절대적으로 유리하다.

02 다음 자료에 대한 옳은 분석을 【보기】에서 고른 것은?

- 갑국과 을국은 각각 X재와 Y재만을 생산한다.
- 갑국은 X재 1개를 생산하는 데 1명의 노동자가, Y재 1개를 생산하는 데 2명의 노동자가 필요하다.
- 을국은 X재 1개를 생산하는 데 3명의 노동자가, Y재 1개를 생산하는 데 4명의 노동자가 필요하다.

【 보기 】
ㄱ. X재 생산의 기회비용은 갑국이 을국보다 작다.
ㄴ. 을국에서 Y재 1개 생산의 기회비용은 X재 3/4개이다.
ㄷ. 갑국은 Y재 생산에, 을국은 X재 생산에 절대 우위를 갖는다.
ㄹ. 갑국은 X재 생산에, 을국은 Y재 생산에 비교 우위를 갖는다.

① ㄱ, ㄴ ② ㄱ, ㄹ ③ ㄴ, ㄷ
④ ㄴ, ㄹ ⑤ ㄷ, ㄹ

03 다음 대화를 보고, 국제 무역 확대에 대한 갑, 을의 의견을 바르게 분석 및 추론한 내용을 【보기】에서 고른 것은?

【 보기 】
ㄱ. 갑은 기업의 생산성과 효율성이 향상될 것이라고 주장할 것이다.
ㄴ. 을은 경쟁력이 약한 국내 산업이 어려움을 겪을 것이라고 우려할 것이다.
ㄷ. 갑은 을과 달리 국가 간 빈부 격차가 확대될 것이라고 예측할 것이다.
ㄹ. 을은 갑과 달리 국내 소비자가 상품 선택의 폭이 넓어져 풍요로운 생활을 누릴 수 있다고 주장할 것이다.

① ㄱ, ㄴ ② ㄱ, ㄷ ③ ㄴ, ㄷ
④ ㄴ, ㄹ ⑤ ㄷ, ㄹ

04 다음 자료에 대한 설명으로 옳은 것은?

- (가), (나)는 각각 채권과 주식 중 하나이다.
- 표는 (가), (나)의 일반적인 특징을 비교한 것이다.

구분	(가)	(나)
자본 조달 형태	부채	자기 자본
소유자의 권리	확정 이자 수취	경영 참여 등
수익의 형태	이자 등	배당금

① (가)는 (나)보다 안전성이 낮다.
② (가)와 달리 (나)는 만기가 존재한다.
③ (나)는 (가)보다 수익성이 낮다.
④ (나)와 달리 (가)는 시세 차익을 기대할 수 있다.
⑤ (가), (나) 모두 주식회사가 발행할 수 있다.

05 그래프는 생애 주기별 수입과 지출을 보여 준다. 이에 대한 분석 및 추론으로 옳지 않은 것은?

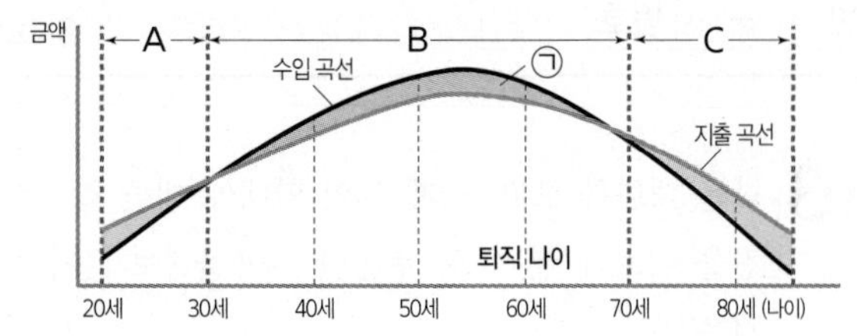

① A 시기는 소득에 비해 소비가 크다.
② 정년이 빨라질수록 ㉠의 면적이 줄어들 것이다.
③ 청년기와 달리 노년기에는 소득이 발생하지 않는다.
④ A~C 시기에 걸쳐 개인의 소비 생활이 이루어지고 있다.
⑤ B 시기는 지출 규모가 증가함에도 불구하고 저축이 가능한 시기이다.

[11강 정의의 실현]

06 그림의 학생들이 모두 옳은 대답을 했다고 할 때, A에 대한 설명으로 가장 적절한 것은?

① 각자에게 같은 몫을 주는 것이다.
② 사회적 강자의 이익을 대변하는 것이다.
③ 개인이 아닌 사회가 지켜야 할 도리이다.
④ 사회를 통합하기 위한 핵심적인 기반이다.
⑤ 사회 구성원을 동등하지 않게 대우하는 것이다.

07 (가)의 갑, 을의 입장에서 (나)의 A에게 할 수 있는 조언으로 가장 적절한 것은?

(가)	갑: 분배는 당사자들이 성취하고 이바지한 정도에 따라 이루어져야 한다. 이러한 분배를 통해 생산성을 향상할 수 있다. 을: 분배는 인간다운 삶을 보장하는 데 기본적 욕구를 충족할 수 있도록 이루어져야 한다. 이러한 분배를 통해 사회적 약자를 배려할 수 있다.
(나)	A는 ○○ 기업의 사장이다. ○○ 기업은 경영진과 모든 직원들의 노력으로 새로운 프로젝트에서 목표한 만큼의 성취를 이룩했고, 회사에 많은 이익이 창출되었다. A는 노력한 직원들에게 보상을 하고 싶었지만 어떤 기준으로 보상을 할 것인지 고민이 되었다.

① 갑: 뛰어난 능력을 가진 사람에게 보상을 해야 합니다.
② 갑: 많은 노력을 기울인 사람에게 보상을 해야 합니다.
③ 을: 부양가족이 더 많은 사람에게 보상을 해야 합니다.
④ 을: 기업의 모든 직원에게 동일한 양의 보상을 해야 합니다.
⑤ 갑, 을: 가장 많은 업적을 남긴 사람에게 보상을 해야 합니다.

08 갑, 을 사상가 모두가 긍정의 대답을 할 질문으로 가장 적절한 것은?

> 갑: 모든 사람은 기본적 자유를 최대한 누려야 한다. 사회 · 경제적 불평등은 모든 사람에게 공정한 기회가 균등하게 개방되고, 모든 사람 특히, 사회의 최소 수혜자에게 최대의 이익이 될 때 허용된다.
> 을: 어떤 사람이 타인에게 피해를 주지 않고 정당하게 소유물을 취득하거나 양도받았다면 개인은 소유물에 대한 권리를 갖는다. 사회 · 경제적 불평등은 정의로운 사회에서도 허용된다.

① 사회적 약자를 위한 분배가 허용되어야 하는가?
② 국가는 모든 분배의 과정에 개입해서는 안 되는가?
③ 공동선을 위해 개인의 소유 권리가 침해될 수 있는가?
④ 개인의 자유는 가장 소중한 가치로 존중되어야 하는가?
⑤ 정의로운 사회에는 사회·경제적 불평등이 존재하지 않는가?

09 다음과 같이 주장한 사상가가 지지할 입장으로 가장 적절한 것은?

분배와 관련된 모든 가치는 사회적 가치입니다. 사회적 가치는 각 사회에서 사회적으로 공유되는 의미에 따라 고유한 영역을 갖습니다. 부는 경제 영역의, 권력은 정치 영역의 사회적 가치입니다. 각각의 사회적 가치들이 자신의 고유한 영역 안에 머무름으로써 다원적 평등이 실현될 때, 정의로운 사회가 실현될 수 있습니다.

① 모든 분배가 사회적 가치와 관련된 것은 아니다.
② 공동체의 특수성은 가치의 분배와 무관한 것이다.
③ 모든 사회에서 동일하다고 인정되는 가치가 존재한다.
④ 분배는 각 개인의 소유 권리를 최대한 인정하는 것이다.
⑤ 서로 다른 가치는 서로 다른 원칙과 절차 및 주체에 의해 분배되어야 한다.

10 을의 입장에서 갑에게 할 수 있는 비판으로 가장 적절한 것은?

갑: 개인의 자유는 침해되어서는 안 될 가장 소중한 가치야. 개인은 사회로부터 독립된 존재로서 존중받아야 해.

을: 아니야. 인간의 삶은 공동체에 뿌리를 두고 있어. 개인은 사회와 분리되어 존재할 수 없는 연고적 자아라고 생각해.

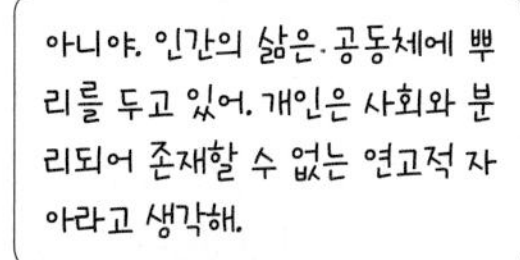

① 개인은 공동체로부터 자유로운 자율적 존재이다.
② 공동체는 개인의 정체성을 형성하는 기반이 된다.
③ 공동체의 지나친 개입은 개인의 자유를 훼손한다.
④ 사회는 자유롭고 독립적인 개인들의 총합일 뿐이다.
⑤ 개인은 공동체에 대한 어떤 도덕적 의무도 갖지 않는다.

[12강 사회 및 공간 불평등 현상과 개선 방안]

11 그래프는 우리나라의 수도권 집중도(2014년)를 보여 준다. 이에 대한 분석 및 추론으로 가장 적절한 것은?

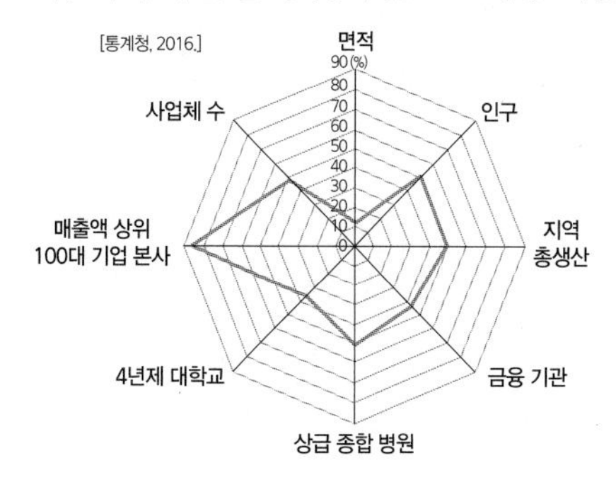

① 균형 개발 방식에 따라 나타난 결과이다.
② 수도권과 비수도권의 주민 간 통합의 요인이다.
③ 위와 같은 양상이 지속되면 비수도권에 인구가 집중될 것이다.
④ 경제적 차원뿐만 아니라 교육·의료 등 사회 전반의 불평등이 나타나고 있다.
⑤ 위 문제를 해결하기 위해서는 수도권 지역에 집중적으로 투자를 하면 된다.

12 (가), (나) 제도의 공통점으로 옳은 내용을 ‖보기‖에서 고른 것은?

(가) 대학의 장은 교육 환경이 열악한 농어촌 지역의 학생을 입학 정원의 2% 이내에서 정원 외로 선발해야 한다.
(나) 국가와 지방 자치 단체의 장은 소속 공무원의 3% 이상을, 50인 이상의 근로자를 채용하고 있는 민간 사업주는 근로자 총 인원의 5% 범위에서 장애인을 고용해야 한다.

‖ 보기 ‖
ㄱ. 역차별 문제가 제기될 수 있다.
ㄴ. 사회적 약자에 대한 적극적인 우대 조치이다.
ㄷ. 국민의 사회적 위험을 보험 방식으로 대비하는 제도이다.
ㄹ. 낙후된 촌락 지역의 생활 여건을 개선할 목적으로 추진된다.

① ㄱ, ㄴ ② ㄱ, ㄷ ③ ㄴ, ㄷ
④ ㄴ, ㄹ ⑤ ㄷ, ㄹ

[13강 다양한 문화권과 문화 변동]

[13~14] 다음은 세계의 주요 문화권을 나타낸 지도이다. 이를 보고 물음에 답하시오.

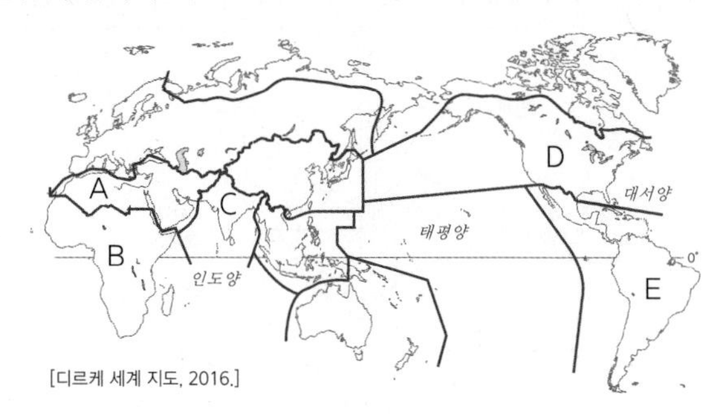

[디르케 세계 지도, 2016.]

13

다음은 (가), (나) 지역의 음식 문화를 설명한 것이다. (가), (나) 지역에 해당하는 문화권을 지도의 A~E에서 골라 바르게 연결한 것은?

(가)	코란에 따라 돼지고기는 식용할 수 없으므로, 대신 닭고기나 양고기를 먹는다.
(나)	대부분 소고기를 먹지 않는 종교의 신자들이라, 주로 닭고기 등을 통해 단백질을 섭취하고 '난'을 만들어 함께 먹는다.

	(가)	(나)
①	A	C
②	A	D
③	B	C
④	B	E
⑤	D	E

14

A~E 문화권에 대한 설명으로 옳은 것은?

① A: 일 년 내내 기온이 높고, 비가 많이 오기 때문에 주민들이 주로 가볍고 얇은 옷을 입는다.
② B: 토속 종교의 영향이 남아 있으며 부족 중심의 생활이 이루어지고 민족과 언어가 다양하게 나타난다.
③ C: 과거 남부 유럽의 식민 지배 영향으로 주로 에스파냐어를 사용한다.
④ D: 주로 건조 기후가 나타나며 여성은 히잡 등의 종교적 의복을 입는다.
⑤ E: 유럽인이 이주하여 세계적인 산업 지역으로 발전한 곳으로, 개신교도의 비율이 높다.

15

㉠~㉣에 대한 옳은 설명을 보기에서 고른 것은?

> [㉠]은(는) 왜 일어나는가? 한 사회 내에서 ㉡ 발견, 또는 ㉢ 발명된 요소가 사회생활에 효과적으로 이용될 수 있다는 점이 밝혀지면, 사회의 다른 구성원들이 학습하면서 전체 사회에 확산된다. 또한 사회 외부 요인에 의해 [㉠]이(가) 일어나기도 한다. 즉, ㉣ 문화 간의 접촉으로 전파되어 들어온 문화 요소가 기존의 문화 요소들과 접촉하는 과정에서 추가적인 변동을 유발하기도 한다.

보기

ㄱ. ㉠: '문화 접변'이 들어가야 한다.
ㄴ. ㉡: 대표 사례로 한글, 불, 전기 등이 있다.
ㄷ. ㉢: 사람들의 삶 속에 수용되지 못하면 문화 변동을 유발할 수 없다.
ㄹ. ㉣: 교역과 정복 활동에 의한 변화는 직접 전파의 사례이다.

① ㄱ, ㄴ ② ㄱ, ㄷ ③ ㄴ, ㄷ
④ ㄴ, ㄹ ⑤ ㄷ, ㄹ

16

(가)~(다)의 문화 변동 양상을 바르게 연결한 것은?

> (가) 18세기 이후 남태평양의 작은 섬나라들은 유럽인들에게 정복되어 그들의 종교 교리에 맞게 사회가 바뀌었다. 추장 중심의 체제에서 교회 중심의 생활로 변하여, 현재는 주민 대부분이 교회에 가 노래하고 기도하는 것을 즐긴다.
> (나) 터키의 성 소피아 성당은 동로마 제국이 지배할 때 크리스트교 건축물로 지어졌으나, 이후 오스만 제국의 지배를 받으면서 이슬람 사원으로 개조되었다.
> (다) 말레이시아의 믈라카는 교통의 요충지에 위치한 항구 도시로 예로부터 다양한 문화의 영향을 받았다. 그 결과 불교, 힌두교 등 다양한 외부 사회의 종교가 유입되었다. 현재 다양한 종교 의식과 문화가 자리 잡고 함께 공존하고 있다.

	(가)	(나)	(다)
①	문화 동화	문화 융합	문화 병존
②	문화 동화	문화 병존	문화 융합
③	문화 융합	문화 동화	문화 병존
④	문화 융합	문화 병존	문화 동화
⑤	문화 병존	문화 융합	문화 동화

제4회 모의고사 통합사회

제4교시
14강 ~ 18강

성명 | 반 | 번호

천재고등학교

[14강 문화 상대주의와 다문화 사회]

01 다음 학생의 일기에 나타난 문화를 이해하는 태도에 대한 설명으로 가장 적절한 것은?

> 20○○년 ○월 ○일
> 디자인이 예쁜 티셔츠도 한글이 쓰여 있으면 왠지 모르게 촌스러운 느낌이다. 반대로 영어가 쓰여 있는 티셔츠는 고급스러운 느낌이 든다. 요즘 한글이 예쁘고 디자인이 우수하다는 사람들이 있는데, 나는 전혀 그렇게 생각하지 않는다. 오히려 영어가 훨씬 아름답고 우수한 글자라는 생각이 든다.

① 각각의 문화가 고유성과 가치를 지닌다고 본다.
② 다양한 문화를 있는 그대로 인정해야 한다고 본다.
③ 타 문화를 맹목적으로 동경하며 자문화를 열등하다고 본다.
④ 자문화의 우월성을 기준으로 다른 문화들을 열등하다고 본다.
⑤ 서로 다른 지역의 문화 간에는 우열이 존재하지 않는다고 본다.

02 다음 글에 나타난 문화의 문제점으로 가장 적절한 것은?

> 전족은 어린 소녀의 발을 인위적으로 묶어 자라지 못하게 하는 중국의 옛 풍습으로, 거의 천 년간 지속되었다. 많은 사람들이 전족 때문에 고통스러운 삶을 살았다. 작은 발을 만드는 과정은 다섯 살 정도에서 시작되어, 여성들은 흉측한 발과 척추의 기형, 무력감과 우울증 등으로 고통받아야 했다. 여성들이 고통과 장애, 불법 행위에 따른 처벌까지 감수하면서 전족을 했던 것은 전족이 미의 기준이자 결혼을 위한 사회적 도구, 남성들의 부의 과시 수단이었기 때문이었다.

① 타 문화에 대한 동경으로 자문화를 훼손하였다.
② 인간존엄성을 훼손하는 것을 문화로 정당화하였다.
③ 보편 윤리라는 엄격한 기준을 통해 문화를 제한하였다.
④ 인간의 기본권 보호를 위해 문화의 발전을 저해하였다.
⑤ 오랜 시간 이어진 전통과 고유한 문화를 존중하지 않았다.

03 (가)에 들어갈 내용으로 가장 적절한 것은?

> 주제: (가)
> 문화의 다양성을 존중하는 태도는 차이와 차별을 구별하여 인식하고, 상대방이 가진 문화를 있는 그대로 수용하는 태도에서 출발한다. 각 문화는 서로 다른 환경과 맥락 속에서 형성되므로, 문화 간에 나타나는 차이를 자연스러운 것으로 인정하고 차별의 근거로 삼지 않아야 한다. 문화 다양성의 존중은 관용의 태도에서 비롯된다. 관용은 다른 사람이나 집단의 문화가 자기 집단의 문화와 다를지라도 이를 존중하는 태도이다. 관용은 편견과 차별을 극복하고 서로 다른 문화 간의 갈등을 예방하는 데 필수적이다.

① 관용을 통한 문화 다양성의 존중
② 문화적 차이와 문화 차별의 공통점
③ 문화 갈등 예방을 위한 동일한 문화 지향
④ 보편적 윤리에 어긋나는 문화에 대한 불관용
⑤ 무제한적인 관용을 통한 극단적 문화 상대주의 정립

04 갑은 부정, 을은 긍정의 대답을 할 질문으로 가장 적절한 것은?

> 갑: 다문화 사회에서는 이민자가 자신의 언어와 문화, 사회적 특성을 포기하고 기존 사회의 일원이 되는 것이 바람직하다.
> 을: 다문화 사회에서는 이민자가 자신의 문화를 유지하면서도 같은 사회의 구성원으로 살아갈 수 있도록 다양한 문화를 존중하는 것이 바람직하다.

① 문화적 다양성보다 사회 통합을 우선하는가?
② 기존 문화와 동일한 문화만을 받아들여야 하는가?
③ 다양한 문화의 공존은 사회 갈등의 원인으로 작용하는가?
④ 기존 문화를 버리고 이민자의 우수한 문화를 수용해야 하는가?
⑤ 주류와 비주류 문화의 구분 없이 문화의 고유성을 인정해야 하는가?

[15강 세계화에 따른 변화]

05 밑줄 친 ㉠~㉤에 대한 설명 중 옳지 않은 것은?

> 패스트푸드의 대명사인 ㉠ '□□ 햄버거' 회사는 세계 각국에 수많은 매장을 두고 있다. 각 국가마다 ㉡ 그 지역에서 생산되는 재료로 만든 햄버거를 만들어 판매하고 있기는 하지만, ㉢ 모든 매장의 옥외 광고 간판과 점원 서비스는 매우 유사하다. 세계 곳곳으로 출장을 다니는 D 씨는 ㉣ 뉴욕에서 친구를 만나 불평을 늘어놓았다. "어디서나 □□ 햄버거 가게를 만나게 되다니 정말 끔찍하군. ㉤ 모든 것이 다 비슷해져 버렸다고!"

① ㉠: 다국적 기업에 해당한다.
② ㉡: 기업의 현지화 전략이다.
③ ㉢: 기업의 핵심 기술이 이전되었다.
④ ㉣: 세계 도시 중 하나이다.
⑤ ㉤: 문화 획일화 현상이 나타나고 있다.

06 다음은 수업 장면의 일부이다. 교사의 질문에 옳은 내용을 말한 학생을 고른 것은?

정

갑	을	병	정
개발 도상국의 자율적 노력만을 통해 빈부 격차를 해소시켜야 합니다.	개발 도상국은 자본 집약적 산업보다는 부가 가치가 높은 농업에 집중 투자해야 합니다.	공정 무역을 통해 상품을 구입하는 등 세계 시민 의식을 갖고 착한 소비 활동을 해야 합니다.	선진국 정부를 비롯한 공공 기관이 개발 도상국의 경제 발전과 사회 복지 증진을 위해 노력해야 합니다.

① 갑, 을 ② 갑, 병 ③ 을, 병
④ 을, 정 ⑤ 병, 정

[16강 국제 평화를 위한 노력]

07 국제 사회의 행위 주체인 ㉠, ㉡에 대한 설명으로 옳은 것은?

> • ㉠ 국제 연합 식량 농업 기구(FAO)는 외부 세계로부터 식량 원조가 필요한 국가가 34개국이라고 발표했다. FAO는 이라크와 시리아, 예멘 등이 전쟁으로 말미암아 농업 생산량이 크게 줄었다며 인도주의적 지원을 촉구했다.
> • 아이티 대지진으로 인해 25만 명이 희생되고 100만 명의 이재민이 발생했다. 이에 ㉡ 한국 정부는 추가로 아이티에 1,000만 달러의 사회 구호 지원을 보냈고, 의료 지원을 위해 자원봉사 팀을 파견했다.

① ㉠은 독립된 주권을 가진 국제 사회의 행위 주체이다.
② ㉡은 일정한 영역과 국민을 바탕으로 하는 대표적 행위 주체이다.
③ ㉠은 ㉡보다 자국의 이익을 추구하는 경향이 높다.
④ ㉡은 ㉠보다 개인, 민간단체 주도로 만들어진 조직체이다.
⑤ ㉠, ㉡은 모두 두 국가 이상으로 구성된 조직체이다.

08 (가)의 갑, 을의 입장에서 (나)의 A국 상황을 평가한 것으로 적절하지 않은 것은?

(가)	갑: 평화는 전쟁과 테러가 사라지고 물리적 폭력의 가능성이 모두 제거된 상태를 의미한다. 종전은 곧 평화를 의미한다. 을: 평화는 물리적 폭력뿐만 아니라 사회 제도와 관습, 경제적 상태, 억압과 착취 등으로 인해 발생하는 모든 폭력이 제거된 상태를 의미한다.
(나)	A국은 오랜 내전이 끝난 후 안정을 되찾았다. 하지만 인플레이션이 심해져 실업률이 75%에 이르는 등 경제 위기가 찾아왔다. 이러한 상황에 가뭄까지 겹쳐 농업의 기반이 무너지는 등 A국의 위기가 가중되고 있다.

① 갑: 물리적 폭력이 제거된 상태이다.
② 갑: 전쟁이나 테러는 없으므로 평화가 실현되어 있다.
③ 을: 구조적 폭력은 해소되지 않았다.
④ 을: 인간다운 삶을 지속하지 못하는 상황도 일종의 폭력이다.
⑤ 갑, 을: 진정한 평화는 소극적 평화의 실현으로 완성된다.

09 그림의 강연자가 통일에 관해 지지할 입장으로 적절한 것을 【보기】에서 고른 것은?

【보기】
ㄱ. 분단 비용을 절감할 수 있다.
ㄴ. 통일에 따른 비용은 국민에게 부담만 된다.
ㄷ. 통일은 긍정적 효과보다 부정적 효과가 더 크다.
ㄹ. 남북의 자본과 자원이 결합되어 생산성이 향상될 수 있다.

① ㄱ, ㄴ ② ㄱ, ㄹ ③ ㄴ, ㄷ
④ ㄴ, ㄹ ⑤ ㄷ, ㄹ

10 학생이 표시한 답이 옳은 것을 ㉠~㉣ 중에서 고른 것은?

〈형성 평가〉

1학년 ○반 ○번 □□□

※ 글쓴이가 지지할 주장으로 옳으면 '예', 틀리면 '아니요'에 '✓'를 표시하시오.

국제 사회의 평화를 위한 우리나라의 노력

우리나라는 국가적 차원에서 국제 사회의 평화를 실현하기 위해 다양한 노력을 하고 있으며, 개인과 민간단체들도 국제 비정부 기구에 참여하여 반전 및 평화 운동을 펼치는 등의 다양한 활동을 하고 있다. 앞으로도 우리는 세계 시민 의식을 갖고 초국가적인 문제를 함께 해결하기 위해 노력해야 할 것이다.

- 주장 1: 한반도 통일은 국내적 평화 노력이므로 세계 평화와는 무관하다. 예 [✓] 아니요 [ ] ……… ㉠
- 주장 2: 제3 세계의 기아, 빈부 격차 심화 해소를 위한 지원을 해야 한다. 예 [✓] 아니요 [ ] ……… ㉡
- 주장 3: 주변 국가 간의 갈등을 중재하고 소통에 이바지해야 한다. 예 [ ] 아니요 [✓] ……… ㉢
- 주장 4: 국제 평화를 위한 노력은 주권을 가진 국가만이 할 수 있다. 예 [ ] 아니요 [✓] ……… ㉣

① ㉠, ㉡ ② ㉠, ㉢ ③ ㉡, ㉢
④ ㉡, ㉣ ⑤ ㉢, ㉣

[17강 인구 문제의 양상과 해결 방안]

11 다음은 세계 인구 분포를 나타낸 지도이다. 이에 대한 옳은 설명을 【보기】에서 고른 것은?

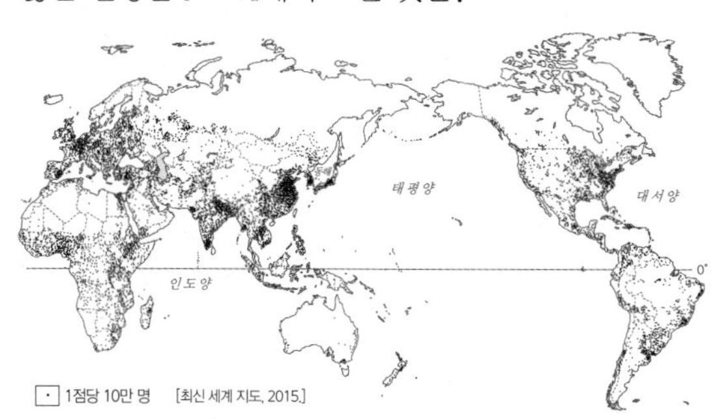

· 1점당 10만 명 [최신 세계 지도, 2015.]

【보기】
ㄱ. 위도가 높아질수록 인구가 많이 분포한다.
ㄴ. 세계의 인구는 대륙별로 균등하게 분포한다.
ㄷ. 적도 주변의 열대 우림 지역은 인구가 적게 분포한다.
ㄹ. 서부 유럽은 경제 활동의 기회가 풍부하여 많은 인구가 모여든다.

① ㄱ, ㄴ ② ㄱ, ㄷ ③ ㄴ, ㄷ
④ ㄴ, ㄹ ⑤ ㄷ, ㄹ

12 (가), (나) 국가의 인구 현황을 바르게 분석 및 추론한 학생을 고른 것은?

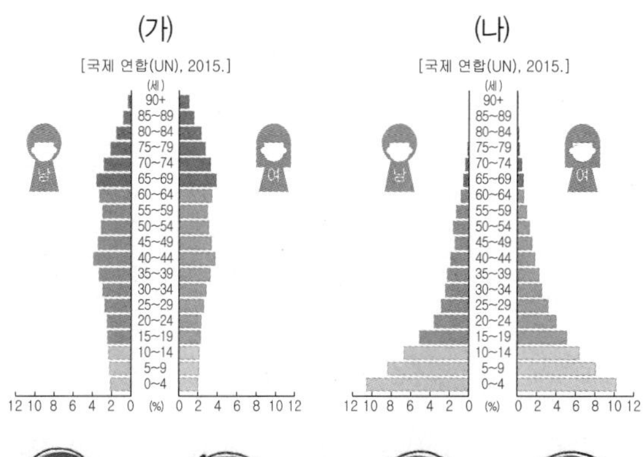

갑: (가)는 유소년층 인구 비중이 작아, 미래에 노동력이 부족할 수 있어.
을: (나)는 노년층 비중이 작고, 피라미드형 인구 구조가 나타나.
병: (가)는 (나)보다 국민들의 평균 기대 수명이 짧아.
정: (가)와 달리 (나)는 노인 복지 비용이 많이 들 거야.

① 갑, 을 ② 갑, 병 ③ 을, 병
④ 을, 정 ⑤ 병, 정

13 (가), (나) 국가의 인구 문제와 인구 정책에 대한 추론으로 옳지 않은 것은?

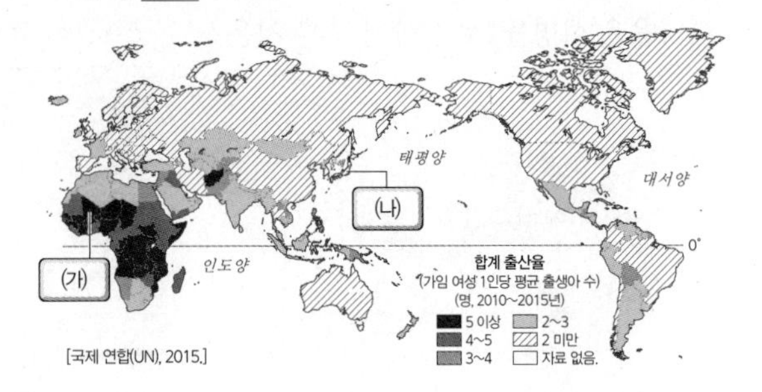

① (가)는 기아, 빈곤 등의 문제가 나타날 것이다.
② (가)는 인구 부양력을 키우기 위해 노력해야 한다.
③ (나)는 생산 연령 인구의 감소가 나타날 것이다.
④ (나)는 출산과 양육을 지원하는 국가적 시스템을 마련하기 위해 노력할 것이다.
⑤ (가)는 (나)보다 노인 일자리 창출에 더 많은 예산을 집행할 것이다.

[18강 지속 가능한 발전과 미래 지구촌]

14 지도는 주요 에너지 자원의 분포와 이동을 나타낸 것이다. (가), (나) 자원에 대한 설명으로 옳은 것은? (단, (가), (나)는 석유, 석탄 중 하나이다.)

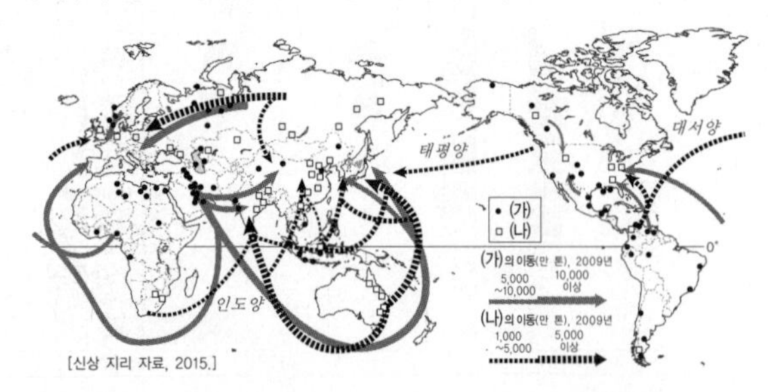

① (가)는 산업 혁명 당시 주요 연료로 이용되었다.
② (나)는 주로 자동차와 항공기의 연료로 이용된다.
③ (나)는 (가)보다 편재성이 커서 국제 이동량이 많은 편이다.
④ (나)는 (가)보다 세계 에너지 소비 구조에서 차지하는 비중이 크다.
⑤ (가), (나)는 모두 화석 연료로, 사용 시 온실가스를 배출한다.

15 다음의 생활 방식을 실천하는 사람들의 성향으로 옳은 것을 ▌보기▐에서 있는 대로 고른 것은?

- 환경 보호에 적극적으로 참여
- 재생 원료를 사용한 제품 구매
- 친환경 제품의 기대 효과 적극 홍보
- 환경에 미칠 영향을 고려하여 구매
- 생산지 주민의 삶을 해치지 않는 방식으로 생산된 제품 구매

▌보기▐
ㄱ. 윤리적 상품을 선호한다.
ㄴ. 자원 소비를 줄이기 위해 노력한다.
ㄷ. 경제 정책에서 효율성을 가장 중시한다.
ㄹ. 빈부 격차와 경제적 양극화를 줄여나가기 위해 노력한다.

① ㄱ, ㄴ ② ㄱ, ㄷ ③ ㄷ, ㄹ
④ ㄱ, ㄴ, ㄹ ⑤ ㄴ, ㄷ, ㄹ

16 다음 글에서 강조하는 미래 삶의 자세로 적절하지 않은 것은?

오늘날에는 지구촌이라는 말이 자연스러울 정도로 전 세계가 하나의 공동체로 통합되고 있다. 따라서 우리는 미래에 한 국가의 국민으로서만이 아니라 지구촌의 구성원으로서 자신을 인식하며 살아가야 한다.

① 국제 사회의 정치적 문제에 관심을 갖는다.
② 단일 민족 의식을 가지고 우리 고유의 문화를 지킨다.
③ 지구촌 문제에 책임 의식을 가지고 해결을 위해 적극 동참한다.
④ 인간존엄성, 인권 등의 보편적 가치를 중시하는 자세를 갖는다.
⑤ 열린 자세를 바탕으로 다양한 사람들을 배려할 줄 아는 관용의 정신을 갖는다.

내신

다품

천재교육

내신

다품

정답과 해설

고등 통합사회

내신

다품

정답과 해설

01강 인간, 사회, 환경의 탐구와 통합적 관점

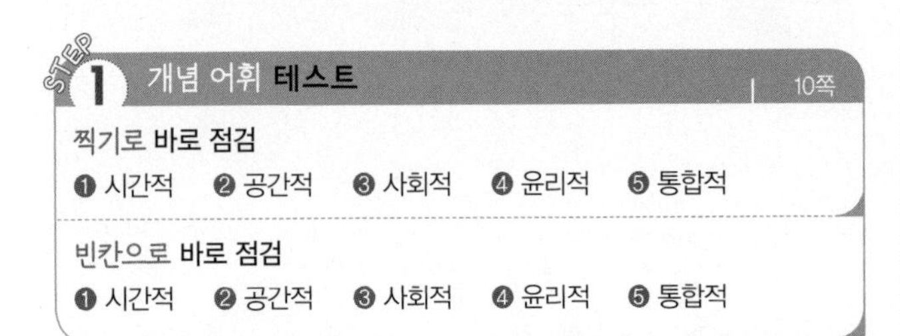

STEP 1 개념 어휘 테스트 | 10쪽

찍기로 바로 점검
❶ 시간적 ❷ 공간적 ❸ 사회적 ❹ 윤리적 ❺ 통합적

빈칸으로 바로 점검
❶ 시간적 ❷ 공간적 ❸ 사회적 ❹ 윤리적 ❺ 통합적

STEP 2 기출 기초 테스트 | 11쪽

1-2 ② **2-2** ⑤

1-2

공간적 관점은 인간 생활과 사회 현상을 위치와 장소, 분포 패턴, 이동과 네트워크 등 공간적 맥락에서 살펴보는 것이다. 커피가 주로 생산되는 지역과 소비되는 지역을 분석하는 것은 장소와 분포 유형 등을 나타내고 있는 것으로, 공간적 관점에 해당한다.

|오답 체크|

① 시간적 관점은 사회 현상의 시대적 배경과 맥락을 살펴보는 것이고, ③ 사회적 관점은 사회 현상과 관련된 사회 구조 및 사회 제도의 영향을 분석하고 예측하는 것이다. ④ 윤리적 관점은 사회 현상을 규범적 방향성이나 도덕적 가치의 관점에서 살펴보는 것이다.

2-2

화장장 건설과 같이 여러 분야의 문제가 복잡하게 얽혀 있는 갈등을 깊이 있게 이해하고 해결하기 위해서는 통합적 관점이 필요하다. 통합적 관점은 인간, 사회, 환경을 탐구할 때 시간적, 공간적, 사회적, 윤리적 관점을 모두 고려하여 통합적으로 살펴보는 것이다. 통합적 관점을 통해 우리는 복잡한 사회 현상을 정확히 이해하고, 문제에 대한 근본적인 해결책을 찾아낼 수 있다.

개념 마스터 인간, 사회, 환경을 보는 다양한 관점

시간적 관점	현재의 모습이 있기까지 변화해 온 자취를 통해 시대적 배경과 맥락을 살펴보는 것
공간적 관점	사회 현상이나 인간 생활을 위치, 장소, 분포 패턴, 영역, 이동, 네트워크 등의 공간적 맥락에서 살펴보는 것
사회적 관점	어떤 사회 현상이나 개인의 행위가 나타나게 된 배경을 사회 구조 및 사회 제도의 측면에서 분석하고 예측하며, 그 대안을 살펴보는 것
윤리적 관점	어떤 인간의 행위가 도덕적 행위인지, 그 기준을 탐색하고 바람직한 삶의 모습을 살펴보는 것

STEP 3 Ⓐ 교과서 기본 테스트 | 12~15쪽

01 ① **02** ② **03** ② **04** ⑤ **05** ④
06 ⑤ **07** ⑤ **08** ② **09** ① **10** ②
11 ① **12** ⑤ **13** 해설 참조 **14** 해설 참조 **15** 해설 참조
16 해설 참조

01

(가)는 과거부터 현재까지의 이산화 탄소 농도와 지구 평균 기온의 상관관계를 살펴보았으므로 시간적 관점, (나)는 기후 변화에 따른 지역별 영향을 나타냈으므로 공간적 관점에 해당한다.

02

② 청장년층이 일자리를 찾아 도시로 이동하면서 농촌 지역의 고령 인구 비율이 도시 지역보다 높게 나타난다. 이는 공간적 관점에서 고령화 현상을 살펴본 것이다.

|오답 체크|

①은 50년간의 변화를 살펴보았으므로 시간적 관점, ③은 고령화로 사회 복지 부담이라는 사회 문제가 나타남을 보여 주므로 사회적 관점, ④는 고령화에 따른 문제를 해결하기 위해 필요한 사회 제도를 이야기하므로 사회적 관점, ⑤는 노인 부양을 누가 책임져야 하는지에 관해 사람들의 가치관을 고려했으므로 윤리적 관점에 해당한다.

03

제시된 글은 커피 문화가 전 세계로 확산된 시대적 배경과 맥락을 다루고 있다. 시간적 관점은 현재의 모습이 있기까지 변화해 온 자취를 통해 시대적 배경과 맥락을 살펴보는 것이다.

|오답 체크|

①, ⑤는 윤리적 관점, ④는 사회적 관점에 대한 설명이다. ③ 공간적 관점은 사회 현상에 대한 자연 및 인문 환경의 영향을 살펴본다.

04

제시된 글에서는 은어 문화를 대중문화의 모습을 반영한 것으로 보고 있다. 즉 인간의 은어 문화를 사회 구조의 영향을 받은 것으로 보고 있으므로 사회적 관점에 해당한다. ㄱ은 윤리적 관점, ㄴ은 공간적 관점에 대한 설명이다.

05

사회적 관점은 사회 현상과 관련된 사회 제도 및 사회 구조의 영향력을 분석하고 예측하는 것이다.

|오답 체크|

㉡은 시간적 관점, ㉠, ㉢은 공간적 관점, ㉤은 윤리적 관점과 관련된 탐구 질문이다.

06

신문 기사에는 아동 노동 착취 문제와 아동 납치 등의 문제를 다루고 있다. 이 신문 기사를 읽으며 가져야 할 관점은 규범적 방향성과 도덕적 가치의 관점에서 사회 현상을 살펴보는 윤리적 관점이다. 윤리적 관점에서는 어떤 인간의 행위가 도덕적 행위인지, 그 기준을 탐색하고 바람직한 삶의 모습을 살펴본다.

|오답 체크|

①, ②는 시간적 관점, ③, ④는 공간적 관점에 대한 설명이다.

07

갑. 한옥이 우리 사회에서 지닌 의미를 살펴보는 것은 사회적 관

점이다. 을. 한옥의 구조에 우리나라의 자연환경이 어떤 영향을 미쳤는지 살펴보는 것은 공간적 관점에 해당한다.

08

ⓛ은 시간적 관점, ⓒ은 공간적 관점, ⓔ은 윤리적 관점과 관련 있다.

|오답 체크|

ㄴ. ㄴ의 설명은 사회적 관점에 대한 것이다. ㄷ. ⓒ의 공간 정보에는 자연 및 인문 환경 정보가 모두 포함된다.

개념 마스터 통합적 관점

통합적 관점은 사회 현상을 탐구할 때 시간적, 공간적, 사회적, 윤리적 관점을 모두 고려하여 통합적으로 살펴보는 것이다. 통합적 관점을 통해 복잡한 사회 현상을 정확하고 깊이 있게 이해하고, 이를 바탕으로 문제에 대한 근본적인 해결책을 찾아 인류의 삶을 개선할 수 있다.

09

개별 관점으로 보면 간편하지만, 복잡한 사회 현상의 다양한 측면을 파악하기 어렵다.

개념 마스터 개별 관점을 통한 탐구의 한계

어떤 물건의 일부만 만져 보면 그 물건의 특성을 종합적으로 파악하기 어렵다. 마찬가지로 개별 관점만으로 사회 현상을 바라보면 다양한 측면을 종합적으로 파악하기 어렵다.

10

쓰레기장 건설과 관련된 갈등의 원인과 해결 방안을 찾는 문제나 우리나라 고령화 현상에 대한 논의는 복잡하고 다양한 측면의 요인이 뒤섞여 나타나는 사회 현상이므로, 통합적 관점을 통해 바라보아야 한다.

|오답 체크|

ㄴ은 공간적 관점, ㄹ은 시간적 관점과 밀접한 관련이 있는 탐구 주제이다.

11

사회 문제를 특정한 관점으로만 분석하면 그 문제의 속성을 깊이 있게 이해할 수 없어 적절한 대책을 세우기 어렵다. 따라서 사회 문제를 탐구할 때는 통합적으로 살펴보아야 한다.

|오답 체크|

②는 윤리적 관점, ③은 공간적 관점, ④는 시간적 관점, ⑤는 사회적 관점과 관련 있다.

12

사회 현상의 시대적 배경과 맥락을 살펴보는 것은 시간적 관점이다. 그리고 복잡한 사회 현상을 정확히 이해하고 문제의 해결책을 찾기 위해서는 통합적 관점이 필요하다. 따라서 B 방향으로 세 칸 이동하고, 다시 A 방향으로 두 칸 이동하면 ⓜ이다.

STEP 3 B 창의력·융합형·서술형 | 15쪽

13

모범 답안 (가)는 시간적 관점, (나)는 공간적 관점에서 고령화 현상을 바라보고 있다. (가) 시간적 관점은 사회 현상의 시대적 배경과 맥락을 살펴보는 것이고, (나) 공간적 관점은 사회 현상이나 인간 생활을 위치, 장소, 분포 패턴, 영역, 이동, 네트워크 등의 공간적 맥락에서 살펴보는 것이다.

|핵심 단어|

시간적 관점, 공간적 관점, 시대적 배경과 맥락, 공간적 맥락

구분	채점 기준
상	(가), (나) 관점을 쓰고, 각 관점의 의미를 모두 바르게 서술한 경우
중	(가), (나) 관점은 썼으나, 각 관점의 의미를 모호하게 서술한 경우
하	(가), (나)의 관점만 쓴 경우

14

모범 답안 윤리적 관점, 윤리적 관점은 도덕적 가치 판단과 규범을 토대로 다양한 사회 현상을 설명하고 평가한다.

|핵심 단어|

윤리적 관점, 도덕적 가치 판단과 규범, 평가

구분	채점 기준
상	윤리적 관점을 쓰고, 이 관점의 탐구 방법을 바르게 서술한 경우
중	윤리적 관점을 썼으나, 이 관점의 탐구 방법을 미흡하게 서술한 경우
하	윤리적 관점만 쓴 경우

15

모범 답안 ㉠은 공간적 관점, ㉡은 윤리적 관점, ㉢은 사회적 관점, ㉣은 시간적 관점이다. ㉢ 사회적 관점은 사회 구조와 법, 제도가 사회 현상에 미치는 영향을 파악하고, 정책 대안을 마련하는 데 도움을 준다.

|핵심 단어|

공간적·윤리적·사회적·시간적 관점, 사회 구조, 법, 제도, 정책 대안 마련

구분	채점 기준
상	㉠~㉣을 모두 쓰고, 사회적 관점의 특징을 바르게 서술한 경우
중	㉠~㉣은 모두 썼으나, 사회적 관점의 특징을 미흡하게 서술한 경우
하	㉠~㉣만 쓴 경우

16

모범 답안 (1) 통합적

(2) 복잡한 사회 현상을 정확히 파악하고, 문제에 대한 근본적인 해결책을 찾아낼 수 있기 때문이다.

|핵심 단어|

복잡한 사회 현상, 정확히 파악, 근본적인 해결책

구분	채점 기준
상	제시어를 모두 사용하여 필요성을 바르게 서술한 경우
중	제시어 중 한 개만 사용하여 필요성을 서술한 경우
하	제시어를 사용하지 않고 필요성을 서술한 경우

02강 행복의 기준과 실현 조건

STEP 1 개념 어휘 테스트 | 18~19쪽

찍기로 바로 점검
❶ 다양 ❷ 평화 ❸ 도가 ❹ 자연 ❺ 신 ❻ 장기간, 정신적 ❼ 주관적 ❽ 경제적 ❾ 민주주의

선 긋기로 바로 점검
❶ (1) ㉠ (2) ㉡ ❷ (1) ㉢ (2) ㉠ (3) ㉡

빈칸으로 바로 점검
❶ 만족감 ❷ 도덕, 인(仁) ❸ 불성, 해탈 ❹ 이성 ❺ 헬레니즘 ❻ 쾌락 ❼ 정신 ❽ 주관적 ❾ 지리, 생리, 인심, 산수 ❿ 경제적 ⓫ 참여 ⓬ 성찰

STEP 2 기출 기초 테스트 | 20~21쪽

1-2 ④ 2-2 ③ 3-2 ⑤ 4-2 ④

1-2
제시문의 전반부에서는 행복한 삶의 기준을 건조 지역, 경제적 빈곤 지역, 차별이나 구속이 있는 지역으로 나누어 설명하고 있다. 그리고 후반부에서는 선사 시대와 중세 시대로 나누어 행복한 삶에 영향을 미치는 요소가 무엇이었는지 설명하고 있다. 즉 제시문은 지역적 여건과 시대적 상황에 따라 행복한 삶의 기준이 다양하게 나타남을 보여 주고 있다.

| 오답 체크 |
제시문은 경제적 안정과 자유, 신앙을 통한 신과의 합일 등을 행복의 다양한 기준으로 제시하고 있지만, 이 요소들을 비교하며 어떠한 요소를 특별히 더 강조하고 있지는 않다.

2-2
제시문은 인위적으로 일을 도모하지 말고, 삶과 죽음 또한 자연의 질서에 맡겨야 한다고 주장하는 도가 사상가(장자)의 입장이다. 도가에서는 인간의 행복을 자연의 소박한 덕의 실천에 두기 때문에 인위를 부정하고 자연적 질서를 따를 것을 강조한다.

| 오답 체크 |
①은 불교, ②는 서양의 공리주의, ④는 서양의 중세 시대, ⑤는 유교에서 보는 행복이다.

3-2
제시문의 사상가는 이성의 기능을 잘 발휘할 때 행복을 이룰 수 있다고 주장한 아리스토텔레스이다. 그는 동식물과 달리 오직 인간만이 탁월성으로서 정신의 이성적 활동을 지닌다고 주장하며, 참된 행복은 덕과 일치하는 정신의 활동에 있음을 강조했다.

4-2
제시문은 흥겹게 깔깔거리며 웃고 있는 길가의 거지를 보고 충격을 받은 아우구스티누스의 이야기이다. 그는 거짓 없는 행복한 거지의 모습을 통해 명예와 인정을 얻기 위해 살아온 자신의 삶을 반성(성찰)하고 있다. 따라서 행복한 삶을 위해서는 자신의 삶에 대한 성찰이 중요하다는 결론을 이끌어낼 수 있다.

| 오답 체크 |
행복한 삶을 위해서 경제적 안정, 깨끗한 자연환경과 질 높은 정주 환경, 인권과 시민의 참여를 중시하는 민주주의의 실현이 필요하지만, 제시문은 도덕적 성찰의 중요성에 대해 설명하고 있다.

개념 마스터 행복한 삶을 실현하기 위한 조건

질 높은 정주 환경	• 자연환경: 깨끗한 물, 대기, 토양 등 • 인문 환경: 발달된 교통 · 통신 시설, 문화 · 치안 · 교육 · 보건 시설 등
경제적 안정	• 경제적 성장과 안정 • 고용 안정과 사회 복지를 위한 여러 제도
민주주의의 실현	• 민주적 제도(의회 제도, 권력 분립 제도) • 시민의 활발한 정치 참여
도덕적 실천	• 도덕적 삶 • 도덕적 성찰

STEP 3 A 교과서 기본 테스트 | 22~25쪽

01 ④ 02 ⑤ 03 ③ 04 ③ 05 ②
06 ④ 07 ⑤ 08 ④ 09 ④ 10 ⑤
11 ② 12 ⑤ 13 해설 참조 14 해설 참조 15 해설 참조
16 해설 참조

01
행복의 기준은 시대적 상황과 지역적 여건(자연환경 및 인문 환경)에 따라 매우 다양하게 나타난다. 오늘날에는 물질적 풍요뿐만 아니라, 건강, 인간관계, 사회 복지 등 행복의 기준이 매우 다양하다.

02
(가)의 갑은 고대 그리스인의 행복관을, 을은 고대 중국인의 행복관을 설명하고 있다. 제시문에 의하면, 고대 그리스인은 행복에서 자율성을, 고대 중국인은 집단 안에서의 조화로운 인간관계를 중요하게 여기고 있다.

| 오답 체크 |
① 갑, 을 모두 행복을 인간이 추구해야 할 목표로 볼 것이다. ② 을이 '조화로움'을 중시한다. ③ 행복을 인간관계에서 찾는 것은 을이다. ④ 을이 무욕의 삶을 강조하는 것은 아니다.

03
제시문은 행복에 대한 불교의 입장이다. 불교에서는 '나'를 버리는 수행과 중생을 구제하는 삶의 실천으로 해탈의 경지에 이르는 것을 행복으로 본다. ②는 서양 중세 시대의 행복론이다.

개념 마스터 동양의 행복론

유교	행복은 도덕적 본성을 보존 및 함양하여 인(仁)을 실현하는 것
불교	행복은 청정한 불성을 바탕으로 집착을 버리는 수행과 중생을 구제하는 실천을 통해 해탈의 경지에 이르는 것
도가	행복은 인위적인 것을 더하지 않고 자연 그대로의 모습으로 살아가는 것

04

제시문은 도가 사상가인 노자의 사상이다. 노자는 인위적인 욕심인 과욕과 탐욕을 비판하고, 무위자연의 삶과 물처럼 살아가는 삶을 행복이라고 보았다. 즉 욕망의 충족이나 인위가 아닌 자연의 질서를 따르는 삶을 행복이라고 본 것이다.

|오답 체크|

①은 유교, ②는 불교의 행복론이다. ④는 정의의 측면에서 할 수 있는 이야기이다. ⑤는 서양 중세 시대의 행복의 기준이다.

05

갑은 동양의 도가 사상가인 노자, 을은 서양의 에피쿠로스학파이다. 두 사상은 공통적으로 자연적인 것을 따르면서 단순하고 소박한 삶을 사는 것이 행복이라고 가르친다.

|오답 체크|

ㄴ. 유교에서는 행복한 삶을 도덕적 본성을 따르는 것으로 본다.
ㄷ. 고대 그리스의 아리스토텔레스는 행복이 이성의 기능을 잘 발휘할 때 실현된다고 보았다.

06

제시문은 헬레니즘 시대에 대해 설명하고 있으며, 이 시대에는 전쟁이나 사회적 혼란과 같은 사회적 불안으로부터 벗어나 평온하며 자연적인 질서를 따르는 삶을 강조했다. 이 시대의 대표적인 사상으로, 에피쿠로스학파(을)와 스토아학파(병)가 있다.

|오답 체크|

정. 서양의 중세 시대에는 유한한 인간이 신앙을 통해 영원하고 완전한 존재인 신과 하나가 되는 것을 진정한 행복으로 보았다.

개념 마스터 서양의 행복론

고대 그리스	삶의 궁극적 목적이며, 이성의 기능을 잘 발휘할 때 실현됨.
헬레니즘 시대	• 전쟁과 사회적 혼란으로부터 벗어나 마음의 평온을 얻는 것 • 에피쿠로스학파: 육체에 고통이 없고, 마음에 불안이 없는 평온한 삶 • 스토아학파: 정념에 방해받지 않는 초연한 태도로 자연의 질서를 따르는 삶
중세	유한한 인간이 신앙을 통해 영원하고 완전한 존재인 신과 하나가 되는 것
근대	• 칸트: 자신의 복지와 처지에 관해 만족하는 것 • 벤담, 밀: 쾌락을 행복으로 봄.

07

세계 행복 지수는 여러 객관적 지표와 주관적 삶의 만족도 점수를 합산하여 조사하므로, 1인당 국내 총생산이 제일 많더라도 행복 순위는 더 낮을 수 있다.

㉠은 행복, ㉡은 객관적 지표, ㉢은 주관적 삶의 만족감이다. ② ㉢의 항목들을 살펴보면 사회 구성원으로서 누리는 사회적 여건도 행복의 중요한 요소로 보고 있다. ④ 국민의 행복도는 객관적 지표뿐만 아니라 다양한 주관적 항목도 함께 고려해야 한다.

개념 마스터 다양한 행복 측정법

행복 지수	주요 항목
인간 개발 지수	1인당 국민 소득, 교육 수준, 평균 수명 등
더 나은 삶 지수	소득, 직업, 공동체, 시민 참여, 삶의 만족 등 11개 지표
세계 행복 지수	객관적 지표(1인당 국내 총생산, 건강 기대 수명), 주관적 삶의 만족감(사회적 지원, 자신의 인생을 결정할 자유 등)

08

행복과 관련해 부탄의 GNH는 심리적 만족감, 건강, 교육, 문화 다양성, 시간 이용, 좋은 정부, 공동체 활력, 생태 다양성, 삶의 수준 등의 가치들 간의 조화를 중시한다.

ㄴ. 제시문은 행복한 삶을 위해 다양한 전통문화의 이해를 강조하고 있다. 따라서 단일한 하나의 문화 형성이 아니라, 전통문화의 다양성에 대한 이해와 존중을 중시한다고 볼 수 있다.

09

항산이란 일정한 생업으로, 기본적인 경제적 조건의 충족을 의미한다. 맹자는 항산이 충족되지 않으면 항심(도덕적인 마음)을 유지할 수 없다고 주장하고 있으므로, 행복한 삶을 위해서는 안정적인 경제적 · 물질적 조건의 충족이 중요하다는 점을 추론할 수 있다.

|오답 체크|

제시문은 삶의 기본적 토대인 경제적 안정이 이루어져야 삶에 대한 성찰과 도덕적 삶이 가능하다고 주장하고 있다. 자연 및 사회적 환경과 민주주의의 실현이 행복한 삶을 위해 필요한 조건이기는 하지만, 제시문에서 강조한 내용은 아니다.

10

제시된 표를 보면, 민주주의 지수 순위가 높은 나라들이 대체로 행복 지수에서도 높은 순위를 차지하고 있다. 민주주의의 발전은 시민의 행복과 관련이 있다. 시민의 정치적 의사가 잘 반영되는 민주 국가일수록 시민의 인권이 존중되기 때문이다.

11

제시문은 행복한 삶을 위해 경제적 안정과 민주주의의 실현, 도덕적 실천이 필요하다고 주장하고 있다. 행복한 삶을 위해서는 시민의 정치 참여를 보장하고, 도덕적 가치를 실천해야 한다.

|오답 체크|

[주장 2] → 예(✓)
[주장 4] → 아니요(✓) 최소한의 삶의 조건을 충족하려면 일정 수준 이상의 소득이 필요하다.

12

(가)는 시대에 따라 행복의 기준이 다르다는 점을 제시하면서 물질적 조건의 중요성도 언급하고 있고, (나)는 기본적인 소득의 안정적 보장이 행복의 핵심 요소임을 주장하고 있다.

|오답 체크|

① (가)에는 시대에 따라 행복의 기준이 달라짐이 드러나 있다. ② (가)에서도 물질적인 풍요가 행복의 기준이라고 언급했다. ③ (나)는 경제적 안정이 중요하다고 본다. ④ (가)는 오늘날의 행복의 기준이 매우 다양함을 이야기했다.

STEP 3 B 창의력·융합형·서술형 | 25쪽

13

모범 답안 ㉠ 인, ㉡ 이성, 갑은 동양의 유교, 을은 고대 그리스의 아리스토텔레스가 말한 행복에 대한 입장이다.

|핵심 단어|
인, 이성, 유교, 아리스토텔레스

구분	채점 기준
상	인, 이성을 쓰고, 갑, 을과 관련된 사상(사상가)을 서술한 경우
중	갑, 을과 관련된 사상(사상가)만 서술한 경우
하	인, 이성만 쓴 경우

14

모범 답안 (1) 스토아학파
(2) 에피쿠로스학파는 육체에 고통이 없고, 마음에 불안이 없는 평온한 삶을 행복이라고 보았다.

|핵심 단어|
육체, 고통, 마음, 불안, 평온

구분	채점 기준
상	스토아학파를 쓰고, ㉡의 행복에 대한 입장을 바르게 서술한 경우
하	스토아학파만 쓴 경우

15

모범 답안 (1) ㉠ 지리, ㉡ 생리, ㉢ 인심, ㉣ 산수
(2) (가), (나) 모두 쾌적한 자연환경과 경제 활동에 유리한 환경을 이상적인 정주 환경으로 보았다. 그런데 (가)에서는 풍수 사상에 근거한 명당과 이웃 간의 정을 중요한 조건으로 본 반면, (나)에서는 교통의 편리성, 공공 및 편의 시설과의 접근성 등 사회·문화적 환경을 중요한 조건으로 여긴다.

|핵심 단어|
쾌적한 자연환경, 경제 활동에 유리한 환경, 풍수 사상, 명당, 이웃 간의 정, 사회·문화적 환경

구분	채점 기준
상	㉠~㉣을 쓰고, (가), (나)에 나타난 이상적인 정주 환경의 공통점과 차이점을 바르게 서술한 경우
중	㉠~㉣을 썼으나, (가), (나)에 나타난 이상적인 정주 환경의 공통점과 차이점 중 하나만 서술한 경우
하	㉠~㉣만 쓴 경우

16

모범 답안 성찰, 삶에 대한 성찰을 바탕으로 한 도덕적 실천을 하는 과정에서 개인은 삶의 만족감과 행복감을 얻을 수 있고, 사회 구성원 간에 사회적 신뢰가 형성되어 사회 전체의 행복 수준도 높아질 수 있기 때문이다.

|핵심 단어|
성찰, 도덕적 실천, 만족감, 행복감, 신뢰

구분	채점 기준
상	㉠을 쓰고, 행복에 있어서 ㉠, ㉡이 중요한 이유를 바르게 서술한 경우
중	행복에 있어서 ㉠, ㉡이 중요한 이유만 서술한 경우
하	㉠만 쓴 경우

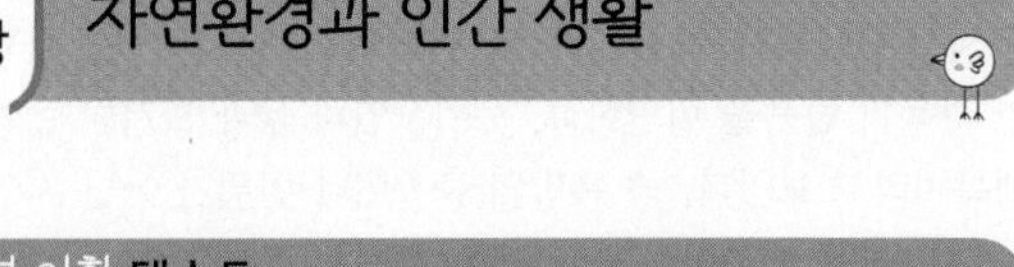

03강 자연환경과 인간 생활

STEP 1 개념 어휘 테스트 | 28~29쪽

찍기로 바로 점검
❶ 개방적 ❷ 한대 ❸ 벼농사 ❹ 통나무집 ❺ 산지 ❻ 화산 ❼ 기상 ❽ 열대 저기압 ❾ 화산 활동

선 긋기로 바로 점검
❶ (1) ㉠ (2) ㉡ ❷ (1) ㉢ (2) ㉡ (3) ㉠

빈칸으로 바로 점검
❶ 향신료 ❷ 고상 ❸ 이동식 ❹ 수목 ❺ 흰 ❻ 폐쇄 ❼ 관광 ❽ 탑 카르스트 ❾ 자연재해 ❿ 지진 해일 ⓫ 권리 ⓬ 내진 설계

STEP 2 기출 기초 테스트 | 30~31쪽

1-2 ⑤ 2-2 ③ 3-2 ⑤ 4-2 ②

1-2

A는 열대 기후, B는 건조 기후, C는 온대 기후, D는 냉대 기후, E는 한대 기후이다. ① 열대 기후 지역은 몹시 덥기 때문에 얇고 가벼운 옷을 주로 입는다. ② 건조 기후 지역 중 사막에서는 주변에서 쉽게 구할 수 있는 흙으로 집을 짓는다. ③ 온대 기후 지역은 계절 변화가 뚜렷하여 더위와 추위에 적응한 생활 양식이 나타난다. ④ 냉대 기후 지역은 타이가라고 불리는 침엽수림이 발달해 있다. ⑤ 한대 기후 지역은 기온이 매우 낮아 농경을 하기에 불리하여 곡물보다는 육류를 주로 먹는다.

2-2

제시된 글은 평야 지역에 대한 것이다. 평야 지역은 지형이 평탄하여 벼농사나 밀 농사 등의 농업이 발달하고, 사람이 모여들기 때문에 도시를 형성하는 경우가 많다.

|오답 체크|
ㄱ은 산지 지역, ㄹ은 독특한 화산 지형이 나타나는 지역에 대한 설명이다.

3-2

자연재해는 자연환경 요소들이 인간의 안전한 생활을 위협하면서 피해를 주는 현상이다. 홍수로 인해 침수 피해가 일어나거나 지진 해일로 인해 해안가가 침수되는 것이 그 사례이다.

|오답 체크|
ㄱ. 지진, 화산 활동은 지질 또는 지형 재해에 해당한다. ㄴ. 가뭄으로 인한 피해이다.

4-2

국가는 시민이 안전하고 쾌적한 환경에서 살아갈 권리를 보장하기 위해 시민의 안전권을 보호해야 한다.

STEP 3 A 교과서 기본 테스트 | 32~35쪽

01 ③ **02** ② **03** ③ **04** ④ **05** ⑤
06 ④ **07** ② **08** ③ **09** ⑤ **10** ④
11 ② **12** ⑤ **13** 해설 참조 **14** 해설 참조 **15** 해설 참조
16 해설 참조 **17** 해설 참조

01

(가)는 건조 기후 지역에 대한 설명이므로 B, (나)는 냉대 기후 지역에 대한 설명이므로 D이다.

|오답 체크|

A는 열대 기후 지역, C는 온대 기후 지역, E는 한대 기후 지역이다.

자료 마스터 + 세계의 기후 지역

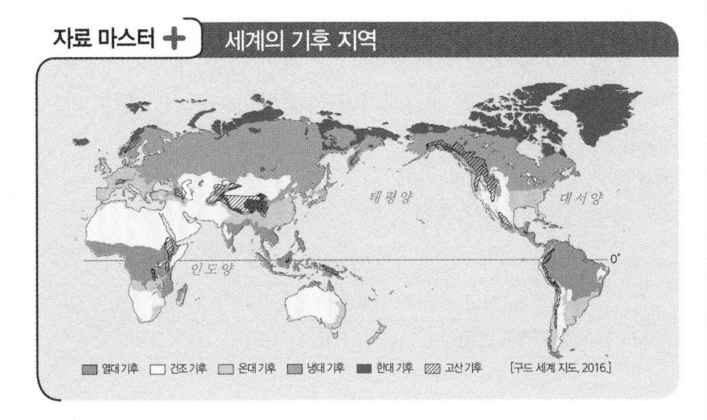

02

사진과 같은 한대 기후 지역은 몹시 춥기 때문에 동물의 가죽 또는 털로 만든 의복을 입는다. 이 지역 사람들은 주로 수렵을 하거나 순록을 유목한다.

|오답 체크|

① 올리브, 포도 등을 재배하는 수목 농업은 온대 기후 지역 중 여름이 뚜렷하게 건조한 지역에서 주로 이루어진다. ③ 벼농사가 발달한 아시아에서 발달했다. ④ 대추야자와 밀 등은 건조 기후 지역에서 관개 농업으로 재배하는 대표적인 작물이다. ⑤ 연중 기온이 높은 열대 기후 지역에서 발달했다.

03

(가) 지역은 지붕의 경사가 급하고 창문이 큰 가옥이 나타나는 것으로 보아 열대 기후 지역이고, (나) 지역은 창문이 작고 하얀색의 벽이 특징적인 가옥이 나타나는 것으로 보아 온대 기후 지역 중 여름이 고온 건조한 지역이다. (나) 지역은 (가) 지역보다 여름철이 건조하고 계절 변화가 뚜렷하다.

|오답 체크|

ㄱ과 ㄹ은 (가) 지역의 특징이다.

개념 마스터 자연환경과 가옥 구조

구분	내용
열대 기후	통풍을 위한 개방적인 구조, 비가 잘 흘러내리도록 한 급경사의 지붕, 바닥을 지면에서 띄운 고상 가옥
건조 기후	• 사막: 지붕이 평평한 흙벽돌집 • 초원: 이동 생활에 적응한 이동식 천막집
온대 기후	여름이 건조하고 햇볕이 강한 지역은 하얀색 집
냉대 기후	침엽수를 이용한 통나무집
한대 기후	폐쇄적인 구조, 동물의 가죽이나 눈을 이용한 집

04

나시 고렝은 동남아시아의 전통적인 볶음밥이다. 동남아시아는 연중 기온이 높고 습해 음식물의 부패가 쉽게 진행될 수 있기 때문에 향신료를 사용하거나 볶는 요리가 발달했다.

|오답 체크|

①은 냉·온대 기후 지역, ②는 한대 기후 지역, ③은 열대 고산 지역, ⑤는 강수량이 적은 지역에 대한 설명이다.

05

(가) 지역은 산지 지역, (나) 지역은 평야 지역이다. 평야 지역은 산지 지역보다 산업 시설의 발달 정도가 높다.

|오답 체크|

②는 (나) 지역, ③은 해안 지역에 대한 설명이다. ④ 산지 지역은 평야 지역보다 교통로를 건설하기에 불리하다.

개념 마스터 평야 지역과 산지 지역

구분	내용
평야 지역	넓은 경지를 이용한 농사 발달, 교통로 건설에 유리하여 도시 성장 및 산업 발달
산지 지역	인간 거주에 불리, 밭농사, 고산 지대에서 가축 사육, 관광 산업 발달

06

제시된 자료는 뉴질랜드 북섬의 화산 지형이 있는 지역에서 발달한 관광 산업을 보여 준다.

|오답 체크|

A는 알프스 산지, B는 탑 카르스트로 유명한 베트남의 할롱 베이, C는 북아메리카 중앙부의 대규모 밀 재배 지역, E는 안데스 산지이다.

07

(가) 지형은 석회암이 오랜 시간 동안 서서히 지하수나 빗물에 의해 녹는 과정에서 단단한 부분이 남아 형성된 뾰족한 탑 모양의 탑 카르스트이다.

08

자연재해는 기후, 지형 등의 자연환경 요소들이 인간의 안전한 생활을 위협하면서 피해를 입히는 현상이다. 그 유형으로 홍수, 태풍, 강풍, 폭설 등과 같은 기상 재해와 지진, 화산 활동 등과 같은 지질 및 지형 재해가 있다. 이러한 자연재해는 특정 지역에서 반복적으로 발생하는 경향이 있으며, 발생 시 막대한 피해를 가져온다.

개념 마스터 자연재해의 유형

구분	내용
기상 재해	• 홍수: 일시에 많은 비가 내릴 때 → 시가지와 농경지의 침수 피해 • 폭설: 눈이 단시간에 집중해서 내릴 때 → 교통 마비, 구조물 붕괴 유발 • 가뭄: 오랫동안 비가 내리지 않을 때 → 농작물 피해, 각종 용수 부족 • 열대 저기압: 강한 바람과 많은 강수를 동반 → 풍수해 유발
지질(지형) 재해	• 화산 활동: 용암, 화산 가스, 화산재 등이 분출 → 농작물과 주거지 매몰, 화재 유발 • 지진: 땅이 갈라지고 흔들림. → 건축물과 도로 등의 붕괴 • 지진 해일(쓰나미): 바다 밑에서 발생한 지진이나 화산 활동으로 인한 거대한 파도 발생 → 해안 지역 피해

09

(가)~(라)는 모두 옳은 진술이다. (가)는 폭설, (나)는 열대 저기압, (다)는 화산 활동, (라)는 지진 해일에 의한 피해 모습이다.

10

제시된 글은 지진을 대비하기 위한 요령이다. 지진은 지구 내부의 힘에 의해 지질 또는 지형이 변화하여 땅이 갈라지거나 흔들리는 현상이다.

|오답 체크|

①은 열대 저기압, ②는 한파 혹은 폭설, ③은 폭염, ⑤는 화산 활동이다.

11

시민은 안전하고 쾌적한 환경에서 살아가기 위해 사전에 재해 대비 안전 교육에 참여해야 하고, 이를 위해 정부는 다양한 정책을 수립해야 한다.

|오답 체크|

ㄴ. 재해 복구에 대한 책임은 국가와 시민 모두에게 있다. ㄹ. 국가는 자연재해 양상 파악 및 예보 체계를 마련하고 재해 발생 시 즉각적인 복구와 피해 보상 지원을 해야 한다.

개념 마스터 시민의 권리 확보를 위한 정부의 노력

법적 장치 마련	다양한 법률을 제정하여 국민의 생명과 재산의 보호를 법적으로 보장
사전 대비책 마련	• 조기 예보 및 경보 체계 구축 • 대피 요령 마련 • 내진 설계 의무화
복구 체계 구축	• 재난 관리 시스템 구축 • 재해민에 대한 보상과 지원 대책 마련

12

우리나라는 헌법을 통해 자연재해의 피해를 막기 위해 국가가 노력해야 함을 강조하고 있다.

STEP 3 B 창의력·융합형·서술형

35쪽

13

(1) 모범 답안 (가)는 지붕의 경사가 급하고 창문의 크기가 크다. 반면 (나)는 지붕이 평평하고 창문의 크기가 작다.

|핵심 단어|

급경사, 큰 창문, 평평한 지붕, 작은 창문

구분	채점 기준
상	(가), (나) 가옥의 특징을 지붕 경사와 창문 크기의 측면에서 바르게 서술한 경우
하	(가), (나) 가옥의 특징을 지붕 경사와 창문 크기의 측면 중 한 가지만 서술한 경우

(2) 모범 답안 강수량의 차이 때문이다. (가)와 같은 가옥 구조가 나타나는 열대 기후 지역은 비가 많이 내려 지붕의 경사가 급하고, (나)와 같은 가옥 구조가 나타나는 건조 기후 지역은 비가 적게 내려 지붕의 경사가 완만하다.

|핵심 단어|

강수량의 차이

구분	채점 기준
상	강수량의 차이를 근거로 내용을 명확히 서술한 경우
하	강수량의 차이를 작성하지 못한 경우

14

모범 답안 (1) (가) 사막 기후, (나) 한대 기후

(2) 사막 기후 지역에서는 강한 햇빛과 모래바람으로부터 몸을 보호하기 위해 온몸을 감싼 의복을 입는다. 반면 한대 기후 지역에서는 혹독한 추위로부터 몸을 보호하기 위해 동물의 가죽이나 털로 만든 의복을 입는다.

|핵심 단어|

강한 햇빛, 모래바람, 혹독한 추위

구분	채점 기준
상	기후 지역을 쓰고, 각 의복이 나타난 원인을 기후와 관련하여 서술한 경우
하	기후 지역만 쓴 경우

15

모범 답안 산지, 밭농사를 짓거나 가축 사육을 한다.

|핵심 단어|

밭농사, 가축 사육

구분	채점 기준
상	산지를 쓰고, 산지 지역의 생활 방식을 서술한 경우
하	산지만 쓴 경우

16

모범 답안 (1) 지진, 화산 활동

(2) 지진으로 인해 땅이 갈라지거나 흔들리면 건축물과 도로 등의 붕괴가 일어날 수 있고, 화산 활동으로 인해 용암이 분출하면 농작물과 주거지가 매몰될 수 있다.

|핵심 단어|

건물 붕괴, 주택 매몰

구분	채점 기준
상	자연재해를 쓰고, 그로 인한 피해를 각각 바르게 서술한 경우
중	자연재해를 썼으나, 그로 인한 피해를 미흡하게 서술한 경우
하	자연재해만 쓴 경우

17

모범 답안 지진 해일의 피해를 예방하기 위해서 A국은 조기 경보 체계와 대피 요령을 마련해야 하고, A국의 국민은 사전에 안전 교육에 참여해야 한다.

|핵심 단어|

조기 경보 체계, 대피 요령 마련, 사전 안전 교육 참여

구분	채점 기준
상	국가와 국민의 차원에서 모두 바르게 서술한 경우
하	국가와 국민의 차원 중 한 가지만 서술한 경우

04강 인간과 자연의 바람직한 관계

STEP 1 개념 어휘 테스트 | 38~39쪽

찍기로 바로 점검
❶ 도구적 ❷ 인간 ❸ 생태 ❹ 허용하지 않는다 ❺ 동양
❻ 유교 ❼ 오존층 파괴 ❽ 시민 단체

선 긋기로 바로 점검
❶ (1) ㉠ (2) ㉡ (3) ㉢ ❷ (1) ㉠ (2) ㉢ (3) ㉡

빈칸으로 바로 점검
❶ 본래적 ❷ 이분법적 ❸ 전일론적 ❹ 환경 파시즘 ❺ 무위자연
❻ 연기 ❼ 지구 온난화 ❽ 산성비 ❾ 환경 협약 ❿ 신 · 재생
⓫ 녹색 ⓬ 윤리

STEP 2 기출 기초 테스트 | 40~41쪽

1-2 ④ 2-2 ② 3-2 ① 4-2 ④

1-2

제시문의 갑은 베이컨이고, 을은 데카르트이다. 두 사상가는 공통적으로 근대 인간 중심주의 자연관을 대표하는 인물이다. 인간 중심주의는 이분법적 관점을 지니고 있어 인간이 자연보다 우월하다고 본다. 이 때문에 인간의 자연 지배와 도구적 자연관을 정당화한다. 그리고 자연을 순전히 인간의 이익이나 필요에 따라 평가한다.

|오답 체크|

ㄷ. 갑, 을 모두 인간의 자연 지배와 정복을 옳다고 본다.

2-2

제시문의 사상가는 생태 중심주의적 자연관을 가지고 있는 레오폴드이다. 그는 공동체의 범위를 대지로 확장할 것을 주장하였다.

|오답 체크|

① 인간을 자연보다 우월하다고 보지 않는다. ③~⑤ 옳은 것의 기준을 대지라는 생명 공동체의 통합성과 아름다움, 안정성에 기여하는지에 두었다.

3-2

(가)는 불교, (나)는 도가이다. 불교에서는 자비를, 도가에서는 인간과 자연의 조화를 강조한다.

|오답 체크|

ㄷ. 천인합일의 경지를 지향한 것은 유교이다. ㄹ. 불교와 도가 모두 공통적으로 인간과 자연의 조화로운 관계를 주장하기 때문에 인간 중심주의적 자연관에 대해 비판적이다.

4-2

환경 문제의 해결을 위해서는 개인은 물론, 정부, 기업, 시민 단체의 역할이 중요하다. ④ 오염 물질 배출에 대한 처벌 및 부담금 부과는 정부의 역할이다.

STEP 3 A 교과서 기본 테스트 | 42~45쪽

01 ④	02 ③	03 ④	04 ⑤	05 ⑤
06 ⑤	07 ③	08 ①	09 ②	10 ③
11 ④	12 ③	13 해설 참조	14 해설 참조	15 해설 참조
16 해설 참조	17 해설 참조			

01

A는 인간 중심주의이다. 인간 중심주의에 의하면, 자연은 인간의 욕구 충족을 위한 도구로, 그 유용성을 중시해야 한다.

|오답 체크|

①, ②, ③, ⑤는 생태 중심주의적 관점이다.

02

갑은 베이컨, 을은 데카르트로, 모두 인간 중심주의 입장이다. 인간 중심주의는 자연을 인간의 편리와 풍요를 위한 유익한 수단(도구)으로 파악한다.

|오답 체크|

①, ②, ④, ⑤는 베이컨과 데카르트가 모두 부정의 대답을 할 질문에 해당한다.

03

제시문의 갑은 인간만이 절대적 가치를 갖는다고 주장하는 인간 중심주의 관점, 을은 자연 생태계 그 자체가 가치를 갖는다고 주장하는 생태 중심주의 관점을 제시하고 있다. ④ 자연의 인간에 대한 효용의 가치를 강조하는 것은 인간 중심주의 관점이다.

개념 마스터 인간 중심주의와 생태 중심주의 사상가

인간 중심주의	• 베이컨: "방황하고 있는 자연을 사냥해서 노예로 만들어 인간의 이익에 봉사하도록 해야 한다." • 데카르트: "우리는 자연의 주인이자 소유자가 될 수 있다. 인간은 정신을 소유한 존엄한 존재지만, 자연은 의식이 없는 물질이다."
생태 중심주의	레오폴드: 생명 공동체의 아름다움과 통합성, 안정성에 기여하는 것은 옳고, 그 반대는 그르다.

04

제시문은 레오폴드의 《모래 군의 열두 달》이다. 레오폴드에 따르면 인간은 생명 공동체를 이루는 평범한 구성원이기 때문에 생태계에 지나치게 개입해서는 안된다.

|오답 체크|

ㄱ과 ㄴ은 이분법적 관점과 도구적 자연관을 갖는 인간 중심주의 관점이다.

05

제시된 사례에서는 생태 중심주의 관점을 엿볼 수 있다. 생태 중심주의는 생태계 전체의 이익을 위해 개별 생명체의 가치가 경시될 수 있다는 한계를 갖는다.

|오답 체크|

①~④는 인간 중심주의 관점의 한계에 해당한다.

06

오늘날에는 친환경적인 삶과 지속 가능한 발전을 강조한다.

|오답 체크|

(가) 근대 이전에는 인간이 자연을 두려워하고, 자연에 순응하면서 살았다. (나) 근대 이후에는 과학 기술이 발달하면서 인간 중심적 사고가 확산하였다. 이로 인해 인간은 자연을 이용하고 지배하는 대상으로 인식하였다.

07

갑은 불교, 을은 도가에서 강조하는 내용이다. 두 사상 모두 인간과 자연을 분리될 수 없는 유기적 관계로 본다.

|오답 체크|

① 인간의 이상적인 삶의 기준을 무위자연에 두는 것은 도가(을)이다. ② 천인합일을 지향하는 것은 유교이다. ④ 자비를 강조한 것은 불교(갑)이다. ⑤ 인의 실현을 강조한 것은 유교이다.

개념 마스터 동양의 자연관

유교	만물이 본래적 가치를 지닌다고 보며, 인간과 자연이 조화를 이루는 천인합일(天人合一)의 경지를 지향함.
불교	만물이 독립적으로 존재할 수 없으며 서로 연결되어 상호 의존하고 있다는 연기(緣起)를 깨닫고, 모든 생명을 소중히 여기며 자비를 베풀 것을 강조함.
도가	사람의 힘이 더해지지 않은 자연 그대로의 질서를 따르는 무위자연(無爲自然)을 추구하며, 자연의 한 부분인 인간이 자연과 조화를 이루어야 한다고 봄.

08

환경 문제는 일부 국가만의 문제가 아니라 전 지구적인 문제이다.

09

제시된 지도는 지구 온난화로 인한 영향을 나타낸 것이다. 지구 온난화는 온실가스의 과도한 배출로 인해 발생한다.

|오답 체크|

①은 사막화의 영향, ③은 지구 온난화의 영향, ⑤는 사막화의 원인이다. ④ 염화 플루오린화 탄소의 사용으로 오존층이 파괴되자 현재는 사용을 금지하였다.

개념 마스터 환경 문제의 종류

지구 온난화	• 원인: 화석 연료 사용과 삼림 파괴로 인한 온실가스 배출 증가 • 영향: 빙하 면적 감소, 해수면 상승, 이상 기후 발생, 동식물의 서식 환경 변화 등
사막화	• 원인: 장기간의 가뭄과 인간의 과도한 개발 • 영향: 식량 생산량 감소, 황사 심화 등
열대림 파괴	• 원인: 무분별한 벌목과 개간, 목축 • 영향: 동식물의 서식지 파괴 → 생물 종 감소
오존층 파괴	• 원인: 염화 플루오린화 탄소 사용 증가 • 영향: 피부암, 안과 질환 유발 등
산성비	• 원인: 대기 오염 물질과 빗물의 결합 • 영향: 건축물 부식, 삼림 파괴 등

10

환경 문제는 전 지구적 차원의 문제이기 때문에 국제 사회의 협력이 필요하다. 또한 인간과 자연의 공존을 모색해야 한다.

|오답 체크|

ㄱ. 일부 국가에만 책임을 전가하는 것은 옳지 못하다. ㄹ. 개인은 과학 기술 만능주의를 경계해야 한다.

11

④ 몬트리올 의정서는 오존층 파괴 물질의 생산 및 사용을 규제하기 위한 협약이다. 국제적으로 중요한 습지를 보호하기 위해 체결한 협약은 람사르 협약이다.

개념 마스터 국제 환경 협약

람사르 협약	국제적으로 중요한 습지 보호
몬트리올 의정서	염화 플루오린화 탄소의 생산 · 사용 규제
바젤 협약	유해 폐기물의 국가 간 이동 · 처리 통제
기후 변화 협약	온실가스의 배출량 규제
생물 다양성 협약	생물 종 보호

12

(가)는 시민 단체, (나)는 기업이다. 시민 단체는 정부나 기업의 행위를 감시하고 비판하는 역할을 한다. 기업은 제품을 생산할 때 오염 물질을 배출하지 않도록 노력해야 한다.

|오답 체크|

갑. 환경 관련 법을 만들 수 있는 주체는 정부이다. 정. 기업이 최대 이윤만을 목표로 할 경우 환경에 미치는 영향을 간과할 수 있다.

개념 마스터 환경 문제 해결을 위한 노력

국가	• 환경 관련 제도 및 정책 시행 • 국제 협약 체결 및 이행
시민 단체	• 정부 정책 및 기업의 활동 감시 및 비판 역할 • 시민의 관심과 참여 독려
기업	• 오염 물질 배출 최소화 • 환경친화적 제품 개발
개인	• 환경친화적인 생활 실천 • 환경 윤리 의식 함양

STEP 3 B 창의력·융합형·서술형 45쪽

13

모범 답안 (1) 인간 중심주의

(2) 인간 중심주의는 자연의 도구적 가치만 강조하여 자연을 남용하고 훼손한 결과, 자원 고갈, 환경 오염, 생태계 파괴 등 현대 사회의 환경 위기를 초래하였다는 한계가 있다.

|핵심 단어|

도구적 가치, 환경 위기 초래

구분	채점 기준
상	인간 중심주의를 쓰고, 그 한계를 환경 위기라는 단어를 사용하여 정확하게 서술한 경우
중	인간 중심주의를 썼으나, 그 한계를 미흡하게 서술한 경우
하	인간 중심주의만 쓴 경우

14

모범 답안 (1) 생태 중심주의

(2) 생태 중심주의는 생태계의 중요한 가치 실현에 인간의 어떤 개입도 허용하지 않는다는 비현실적인 측면이 있다는 것과 생태계 전체의 이익을 우선 고려하여 개별 생명체의 희생을 강요할 수 있다는 점에서 환경 파시즘적 성격이 있다는 한계를 지닌다.

|핵심 단어|

비현실적 측면, 환경 파시즘

구분	채점 기준
상	생태 중심주의를 쓰고, 그 한계를 환경 파시즘이라는 단어를 사용하여 정확하게 서술한 경우
중	생태 중심주의를 썼으나, 그 한계를 미흡하게 서술한 경우
하	생태 중심주의만 쓴 경우

15

모범 답안 유교, 불교, 도가 모두 인간과 자연이 서로 분리되어 존재하는 것이 아니라 자연 속에서 더불어 존재한다고 여기고, 인간과 자연이 조화를 이루어야 한다고 여긴다.

|핵심 단어|

인간, 자연, 조화

구분	채점 기준
상	유교, 불교, 도가의 공통점을 바르게 서술한 경우
하	유교, 불교, 도가의 공통점을 미흡하게 서술한 경우

16

모범 답안 (1) 지구 온난화

(2) 지구의 평균 기온이 상승하면 빙하가 녹아 해수면이 상승한다. 이로 인해 일부 해안 저지대는 침수 피해를 입는다.

|핵심 단어|

빙하 감소, 해수면 상승, 해안 저지대 침수

구분	채점 기준
상	지구 온난화를 쓰고, 그 영향을 세 가지 측면에서 모두 바르게 서술한 경우
중	지구 온난화를 쓰고, 그 영향을 두 가지 측면에서 바르게 서술한 경우
하	지구 온난화를 쓰고, 그 영향을 한 가지 측면에서 바르게 서술한 경우

17

모범 답안 정부는 환경 관련 제도와 정책을 강화하여야 하고, 국제 사회와 환경 협약을 체결함으로써 환경 문제에 공동으로 대응해야 한다. 개인은 환경친화적인 생활 방식을 실천하며, 생활 속에서 환경 윤리 의식을 함양해야 한다.

|핵심 단어|

환경 관련 제도 마련, 환경 협약 체결, 환경친화적인 생활, 환경 윤리 의식 함양

구분	채점 기준
상	환경 문제 해결 방안을 정부와 개인의 차원에서 각각 두 가지씩 모두 서술한 경우
중	환경 문제 해결 방안을 정부와 개인의 차원에서 각각 한 가지씩 서술한 경우
하	환경 문제 해결 방안을 정부와 개인 중 한 가지 차원에서만 서술한 경우

05강 산업화·도시화에 따른 변화

STEP 1 개념 어휘 테스트 | 48~49쪽

빈칸으로 바로 점검

❶ 산업화 ❷ 도시화 ❸ 분화 ❹ 대도시권 ❺ 도시성 ❻ 개인주의 ❼ 도시 문제 ❽ 열섬 ❾ 인간 소외 ❿ 실업 ⓫ 도시 재개발 사업

찍기로 바로 점검

❶ 2·3차 ❷ 도시 ❸ 집약적 ❹ 포장 ❺ 다양화 ❻ 약화 ❼ 심화 ❽ 자전거

선 긋기로 바로 점검

❶ (1) ㉠ (2) ㉢ (3) ㉡ ❷ (1) ㉠ (2) ㉡

STEP 2 기출 기초 테스트 | 50~51쪽

1-2 ⑤ 2-2 ⑤ 3-2 ③ 4-2 ⑤

1-2

⑤ 산업화와 도시화가 이루어지면 녹지 면적의 감소 등으로 인해 생물 종의 다양성은 감소한다.

2-2

산업화와 도시화로 인해 집단의 목표보다 개인의 목표를 중요시하는 개인주의 가치관이 확산되었다.

3-2

(가)는 도시 문제, (나)는 인간 소외 현상에 대한 설명이다.

4-2

도시화로 인한 스모그 현상은 공장 매연과 자동차 배기가스에서 배출되는 오염 물질이 대기 중 수증기와 만나면서 형성된다. 따라서 정부는 스모그를 줄이기 위해서 공장 매연과 자동차 배기가스의 배출 기준을 강화하여 오염 물질의 배출을 규제해야 한다.

STEP 3 A 교과서 기본 테스트 | 52~55쪽

01 ⑤ 02 ① 03 ④ 04 ⑤ 05 ②
06 ④ 07 ③ 08 ④ 09 ③ 10 ⑤
11 ③ 12 ③ 13 해설 참조 14 해설 참조 15 해설 참조
16 해설 참조

01

〈우리나라 산업 구조의 변화〉 그래프를 보면, 1차 산업의 비중이 감소하고 2·3차 산업의 비중이 빠르게 증가하면서 산업 구조가 고도화되고 있다. 〈우리나라 도시화율의 변화〉 그래프를 보면, 도시에 거주하는 인구가 빠르게 증가하여 2015년 전체 인구 중 91% 이상이 도시에 거주하고 있다. 따라서 농가 수는 감소하고, 촌락의 거주 인구 비율이 낮아졌다.

자료 마스터 + 우리나라의 산업 구조와 도시화율 변화

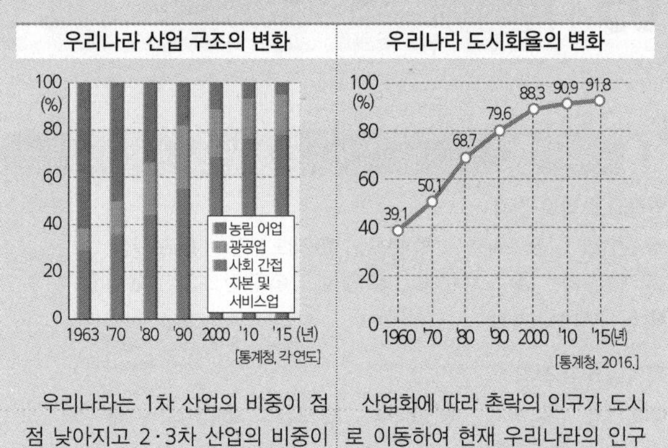

우리나라는 1차 산업의 비중이 점점 낮아지고 2·3차 산업의 비중이 높아져 산업 구조가 고도화되었음.

산업화에 따라 촌락의 인구가 도시로 이동하여 현재 우리나라의 인구 10명 중 9명은 도시에 거주하고 있음.

02

(가)에서 (나) 시기로 가면서 임야와 논밭의 면적은 축소되고, 대지와 도로의 면적이 증가한 것으로 보아 (가)는 (나) 시기에 비해 산업화 · 도시화 수준이 낮다는 것을 알 수 있다. 따라서 (가)는 (나)보다 도시화율이 낮고, 경지 면적은 넓다.

|오답 체크|

ㄷ. 산업화 · 도시화로 자연 상태의 토지가 감소하면서 (가)에 비해 (나)는 생물 종이 감소하였다. ㄹ. (나)는 (가)보다 녹지 면적의 비율이 낮다.

개념 마스터 산업화 · 도시화에 따른 생활 공간의 변화

거주 공간의 변화	• 토지의 집약적 이용 • 도시 내부의 공간 분화 • 대도시권의 형성
생태 환경의 변화	• 시가지 확대로 녹지 면적 감소 → 생물 종 감소 • 오염 물질의 과도한 배출 → 생활 환경 악화

03

도시는 성장하면서 그 내부가 각 기능에 따라 분화되어 도심과 주변 지역 등을 형성한다. 도심은 주변 지역보다 교통이 편리하고 지가가 비싸 고층 건물이 많이 나타난다.

|오답 체크|

ㄱ. (가)는 도심, (나)는 주변 지역이다. ㄷ. 도심이 주변 지역보다 지가가 비싸다.

자료 마스터 + 서울의 내부 공간 분화

도심	주변 지역
• 교통이 편리하고 지가가 비쌈. • 업무와 상업 기능 집중	• 지가가 저렴함. • 주거와 공업 기능 발달

04

① 고양이섬은 소나무 숲 대신 공장 지대가 들어서면서 환경 오염이 증가했다. ② 고양이섬은 바다를 메우는 간척 사업으로 흔적이 없어졌다. ③ 공장과 집이 늘었기 때문에 도시적 경관이 증가했다고 볼 수 있다. ④ 간척 사업과 소나무 숲 벌목으로 자연 상태의 토지 면적은 감소하였다. ⑤ 인구가 과도하게 집중한 반면, 도시 기반 시설은 그만큼 증가하지 않아 도시 문제가 발생하고 있다.

05

A에는 산업화·도시화 이전에 높게 나타난 항목을, B에는 산업화·도시화 이후에 높게 나타난 항목을 연결해야 한다. 산업화·도시화 이전에는 공동체 의식이 높고 평균 가구원 수가 많았던 반면, 산업화·도시화 이후에는 직업의 수가 많아지고, 물질적으로 풍요로워졌으며 도시성이 확산되었다.

개념 마스터 산업화 · 도시화에 따른 생활 양식의 변화

도시성의 확산	효율성과 합리성 추구, 자율성과 다양성 존중, 사회적 유대감 약화, 익명성을 띤 2차적 인간관계 확대
직업의 분화	2·3차 산업이 발달하면서 직업이 분화되고 전문성이 증가함. → 도시 거주민의 직업이 다양화됨.
개인주의 가치관의 확산	공동체보다 개인을 강조하는 경향이 커짐, 핵가족과 1인 가구의 증가
물질적 풍요	산업화로 대량 생산과 대량 소비가 가능해지면서 소득 증대 → 생활 수준 향상

06

2018년은 1968년에 비해 산업화·도시화가 이루어진 시기이다. 1968년 일기에서는 공동 노동, 마을 잔치 등의 내용을 발견할 수 있는 반면, 2018년 일기 내용에서는 이웃이 누구인지 모른다는 내용을 발견할 수 있다. 이는 개인주의 가치관 확산과 타인에 대한 무관심이 확대되었기 때문이다.

|오답 체크|

①, ⑤ 제시된 일기 내용으로는 알 수 없다. ②, ③ 공동체 의식과 사회적 유대감이 약화된 모습을 볼 수 있다.

07

제시된 노래는 신해철의 〈도시인〉이다. 제시된 노랫말의 '쫓기는 사람', '함께 있지만 외로운 사람들'이라는 대목에서 도시화로 인해 변화된 생활 양식을 엿볼 수 있다. 또한 이를 통해 사람들 간 유대감이 약화되었다는 것을 알 수 있다.

|오답 체크|

ㄱ. 속도 지향적인 현대 사회의 모습이 나타난다. ㄹ. 노랫말에 정확하게 드러나 있지는 않지만, 산업화·도시화로 공동체보다는 개인을 강조하는 경향이 커졌다.

08

울산은 산업화·도시화로 인해 녹지 면적이 감소하면서 생물 종의 다양성이 감소하였다. 또한 주택 및 공장이 밀집하면서 수질이 오염되었고, 교통량이 증가하였다. ④ 도시의 규모가 작을 때는 도시의 기능(업무·상업, 공업, 주거 등)이 한곳에 혼재되어 있다가 산업화 이후에는 각 기능이 지역별로 분화된다.

09

(가) 지역의 기온이 높은 이유는 자동차, 공장에서의 인공 열 배출과 콘크리트나 아스팔트 등의 포장 면적 증가, 녹지 면적의 감소로 인해 열섬 현상이 발생했기 때문이다. ③ 바람길을 고려하여 건물을 배치하면 열섬 현상이 완화된다.

10

도시화에 따라 도시로 기능이 과도하게 집중하면 도농 격차는 심화된다. 산업화로 인해 인간이 노동 과정에서 객체나 수단으로 전락하는 인간 소외 현상이 나타났다. 따라서 '진술 1'은 틀린 것이므로 B 방향으로 세 칸, '진술 2'는 맞는 것이므로 A 방향으로 두 칸 이동하면 정답은 ㉤이다.

개념 마스터 산업화 · 도시화에 따른 문제점

도시 문제	인구와 각종 기능이 도시로 과도하게 집중하여 주택 문제, 교통 문제, 환경 문제 등이 발생함.
노동 문제	실업 문제, 노동자와 사용자 사이의 이해관계 충돌로 인한 노사 갈등이 발생함.
공동체 의식 약화	타인에 대한 무관심과 이기주의 확산 등으로 개인 중심의 생활이 확대됨.
인간 소외 현상	생산 과정의 자동화로 인해 인간을 마치 기계의 부속품처럼 여기게 되어 노동에서 얻는 만족감과 성취감이 약화됨.
지역 간 불균형	도시에 각종 기능이 집중되면서 도시와 농촌 간의 지역 격차가 심화됨.

11

공동체 주택은 이웃 간의 소통과 교류를 늘리고 커뮤니티 공간을 갖추는 새로운 주거 형태이다. 이는 산업화·도시화로 나타나고 있는 개인주의 가치관의 확대와 공동체 의식의 부족, 이웃 간의 무관심 등을 해결하기 위한 방안이다.

|오답 체크|

①, ②, ④, ⑤는 제시된 자료와 관련이 적다.

12

서울시 차원에서 텃밭을 가꾸어 녹지 공간을 조성하고 있다. 녹지 공간을 마련하면 열섬 현상은 완화될 수 있다.

|오답 체크|

ㄱ. 서울시에서 추진하고 있으므로 사회적 차원의 해결 방안이다.
ㄹ. 녹지 공간은 빗물이 토양에 잘 흡수되도록 돕는다.

개념 마스터 산업화 · 도시화에 따른 문제의 해결 방안

사회적 차원	• 주택 문제 해결: 도시 재개발 사업 및 신도시 건설로 주택난 해결 • 교통 문제 해결: 대중교통 수단 확충 및 공영 주차장 확대 • 환경 문제 해결: 녹지 공간 확대 및 오염 물질 배출 규제 • 사회 문제 해결: 사회 복지 제도 확충 및 지역 공동체 회복 • 지역 격차 해결: 인구의 지방 정착 유도
개인적 차원	• 환경친화적 행동 실천 • 공동체 의식 함양

STEP 3 B 창의력·융합형·서술형 | 55쪽

13

모범 답안 농림 어업 중심에서 서비스업 중심으로 산업 구조가 고도화되었다. 이에 따라 직업이 다양해져 그 수가 늘어났다.

|핵심 단어|

산업 구조의 고도화, 다양한 직업

구분	채점 기준
상	산업 구조와 직업 수의 차원에서 모두 정확하게 서술한 경우
하	산업 구조와 직업 수 중 한 가지만 서술한 경우

14

(1) 모범 답안 1925년에서 2010년 사이에 도시 수와 도시 인구가 증가하였다.

|핵심 단어|

도시 수 증가, 도시 인구 증가

구분	채점 기준
상	도시 수와 도시 인구수의 차원에서 모두 정확하게 서술한 경우
하	도시 수와 도시 인구수 중 한 가지만 서술한 경우

(2) 모범 답안 우리나라는 많은 도시 인구가 수도권 및 남동부에 집중하여 지역 간 격차가 커졌다는 문제가 있다. 이를 해결하기 위해서는 도시 기능 분산이나 지방 도시 육성을 통해 인구의 지방 정착을 유도해야 한다.

|핵심 단어|

지역 격차 심화, 지방 정착 유도

구분	채점 기준
상	지역 격차 심화를 쓰고, 해결 방안을 바르게 서술한 경우
중	지역 격차 심화를 썼으나, 해결 방안을 미흡하게 서술한 경우
하	지역 격차 심화만 쓴 경우

15

모범 답안 (나) 지역은 (가) 지역보다 접근성이 낮아 지가가 저렴하기 때문에 상대적으로 토지 이용의 집약도가 낮다.

|핵심 단어|

낮은 접근성, 낮은 지가, 낮은 토지 집약도

구분	채점 기준
상	제시된 단어를 모두 사용하여 (나) 지역의 특징을 정확하게 서술한 경우
중	제시된 단어 중 두 가지만 사용하여 (나) 지역의 특징을 서술한 경우
하	제시된 단어 중 한 가지만 사용하여 (나) 지역의 특징을 서술한 경우

16

모범 답안 (1) 개인주의 가치관 확산(혹은 타인에 대한 무관심)
(2) 이웃에게 관심을 두고 배려하며, 타인과 더불어 살아가려는 의식을 가진다.

|핵심 단어|

관심, 배려, 공동체 의식

구분	채점 기준
상	개인주의 가치관 확산을 쓰고, 해결 방안을 바르게 서술한 경우
중	개인주의 가치관 확산을 썼으나, 해결 방안을 미흡하게 서술한 경우
하	개인주의 가치관 확산만 쓴 경우

06강 교통·통신 및 정보화의 발달과 지역 변화

STEP 1 개념 어휘 테스트 | 58~59쪽

찍기로 바로 점검
❶ 완화, 확대 ❷ 증가 ❸ 활성화, 쇠퇴 ❹ 증가 ❺ 수평적
❻ 정보 격차 ❼ 지역 정보 분석 ❽ 약화

선 긋기로 바로 점검
❶ (1) ㉡ (2) ㉠ (3) ㉢ ❷ (1) ㉡ (2) ㉠

빈칸으로 바로 점검
❶ 빨대 효과 ❷ 생태 통로 ❸ 선박 평형수
❹ 위성 위치 확인 시스템(GPS) ❺ 지리 정보 시스템(GIS)
❻ 전자 상거래 ❼ 대면적 ❽ 사이버 범죄 ❾ 정보 격차
❿ 지역 조사 ⓫ 지역 정보 ⓬ 지방 자치 단체

STEP 2 기출 기초 테스트 | 60~61쪽

1-2 ② 2-2 ② 3-2 ③ 4-2 ②

1-2
교통수단이 발달하면서 세계의 시·공간적 제약이 줄어들었고, 이로 인해 사람들의 생활 공간이 확대되었다.

2-2
정보화로 인해 가상 공간에서의 의견 표출이 가능해져 아이슬란드 국민들의 정치 참여가 확대되었다.

|오답 체크|
①, ③, ④, ⑤는 제시된 글과 관련이 없다.

3-2
개인의 행동이나 기록이 타인에게 노출되거나 악용되는 것을 사생활 침해라고 한다.

|오답 체크|
①은 정보 소유와 접근 정도에 따라 지역 간, 계층 간 격차가 발생하는 것, ②는 스스로 인터넷 사용 조절이 불가능한 것, ④는 가상 공간에서 일어나는 범죄, ⑤는 인간의 지적 창작 활동의 결과물이 보호받지 못하는 것을 말한다.

4-2
지역 조사 과정은 (가) 조사 계획 수립 → (다) 지역 정보 수집 → (나) 지역 정보 분석 → (라) 보고서 작성의 순서로 진행된다. 따라서 정답은 ②이다.

STEP 3 Ⓐ 교과서 기본 테스트 | 62~65쪽

01 ④ 02 ⑤ 03 ② 04 ④ 05 ②
06 ① 07 ① 08 ① 09 ⑤ 10 ④
11 ③ 12 ② 13 해설 참조 14 해설 참조 15 해설 참조
16 해설 참조 17 해설 참조

01
교통·통신의 발달로 인해 사람과 물자의 이동이 용이하게 되어 지역 간 접근성이 향상되었다. ④ 고속 철도의 발달로 시·공간적 제약이 완화되었고, 이로 인해 서울과 부산이 반나절 생활권이 되었다.

|오답 체크|
① 근거리 무선망(Wi-Fi)와 태블릿 컴퓨터를 이용하여 이동 중에 회의 준비가 가능해졌으므로 통신의 발달로 업무 효율성이 높아졌다고 볼 수 있다. ② 서울-부산 간 물리적 거리는 바뀌지 않았고, 시간 거리가 줄어들었다. ③ 제시된 사례로는 알 수 없는 내용이다. ⑤ 제시된 사례와 관련 없으며, 일반적으로 새로운 도로가 건설되거나 교통수단이 증가하면 생물 다양성은 감소한다.

02
항공 교통의 발달로 장거리 이동이 가능해지면서 해외여행이 증가하고 있다. 이로 인해 다양한 문화 체험의 기회가 확대되었다.

|오답 체크|
ㄱ. 여가 공간이 확대되었다. ㄴ. 국경의 의미가 강화되었다고 볼 수 없고, 지역 간 교류가 계속 증가하고 있다.

03
철도 노선이 서울 주변 지역까지 확장되면서 서울로의 접근성이 향상되었다. 이로 인해 대도시권이 확대되었고, 서울과 주변 도시(춘천 포함) 간 교류가 증가하였다.

|오답 체크|
ㄴ. 철도 노선의 총길이는 길어졌다. ㄹ. 지도에 나타난 통근·통학자의 평균 이동 거리는 늘어났고, 통근·통학자의 비율은 높아졌다.

자료 마스터 + 교통 발달에 따른 생활 공간의 확대

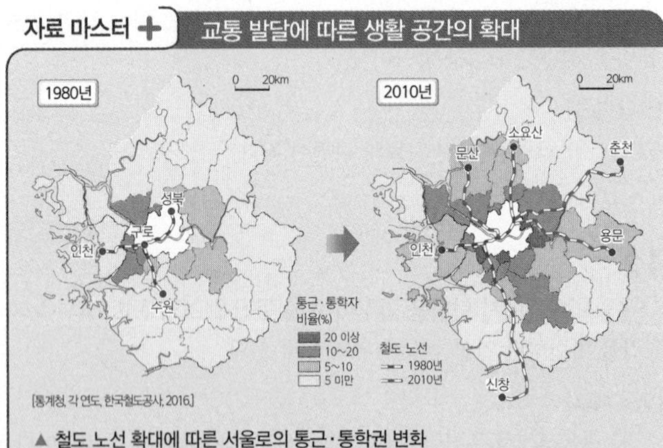

▲ 철도 노선 확대에 따른 서울로의 통근·통학권 변화

1980년에는 통근·통학자 비율 5% 이상인 지역이 서울의 인근 시·군에 한정되어 있었지만, 2010년에는 통근·통학자 비율 5% 이상인 지역이 서울에서 비교적 거리가 먼 곳까지 확대되었다.

04
수운 교통 중심에서 철도와 도로 교통 중심으로 변화하면서 강경은 쇠퇴의 길을 걷게 되었다. ④ 새로운 철도와 도로가 발달하여 중심지가 또다시 바뀌었다는 내용이므로 수운 교통의 수요 증가와는 관련이 없다.

개념 마스터 교통 · 통신 발달에 따른 지역 격차 발생

문제점	교통 · 통신이 발달된 지역은 경제 활동이 활성화되지만, 교통 · 통신 조건이 불리한 지역은 경제가 쇠퇴함.
해결 방안	• 새로운 교통 기반 시설 확충 • 경제가 위축된 지역의 특성에 맞는 자원 개발로 지역 경쟁력 강화

05

도로에서 동물들이 치여 죽는 '로드킬'을 줄이기 위해서는 도로 건설 시 생태 통로를 만들거나 도로 주변에 교통 안전 표지판을 설치해야 한다.

|오답 체크|

ㄴ은 선박 평형수를 통해 유입되는 외래 생물 종을 막기 위한 방안이고, ㄹ은 교통수단에서 배출되는 환경 오염 물질을 줄이기 위한 방안이다.

개념 마스터 교통 · 통신 발달에 따른 생태 환경 변화

문제점	• 새로운 도로 건설 과정에서 삼림 훼손 및 동식물 서식지 파괴 • 외래 생물 종 전파로 인한 생태계 교란 • 교통수단에서 발생하는 오염 물질 증가
해결 방안	• 도로 건설 시 생태 통로 및 환경 친화적 도로 건설 • 선박 평형수 처리 장치의 의무적 설치 • 교통수단의 환경 오염 물질 배출 최소화

06

〈설명 1〉은 누리 소통망, 〈설명 2〉는 지리 정보 시스템이다. 이 글자들을 퍼즐판에서 모두 지우면 '위성 위치 확인 시스템'이라는 단어가 남는다.

|오답 체크|

②는 인터넷 중독, ③은 빨대 효과, ④는 선박 평형수, ⑤는 정보 격차이다.

07

정보화로 인해 대면 접촉은 줄어들고, 누리 소통망 등을 통해 사회적 관계를 형성하는 경우가 늘고 있다. ②, ③은 정치 · 행정적 변화, ④는 경제적 변화, ⑤는 사회 · 문화적 변화에 해당한다.

개념 마스터 정보화에 따른 생활 양식의 변화

정치 · 행정적 변화	• 전자 투표, 가상 공간을 통한 시민의 정치 참여 증가 • 인터넷을 통한 민원 서류 발급
경제적 변화	• 원격 근무나 화상 회의를 통한 효율적 업무 수행 • 전자 상거래 활성화 • 인터넷 뱅킹을 이용한 은행 업무 처리
사회 · 문화적 변화	• 누리 소통망(SNS)을 통한 쌍방향 소통 활발 • 다양한 정보 공유 → 수평적 인간관계로 변화

08

정보화로 인해 온라인 쇼핑 거래액이 지속적으로 증가하고 있다. 이러한 전자 상거래의 확대로 상품을 진열하는 실제 매장의 필요성이 감소하여 무점포 상점이 증가하고, 구매한 상품의 유통을 위해 택배 산업이 함께 성장한다.

|오답 체크|

ㄷ. 쇼핑 활동의 시 · 공간적 제약이 줄어든다. ㄹ. 상품 구매를 위해 소비자가 이동하는 거리가 줄어든다.

09

일반 국민과 비교했을 때 장애인, 저소득층, 농어민, 장노년층의 정보화 수준이 낮으므로, 모두 정보 소외 계층이라고 할 수 있다. 이와 같은 현상으로 인해 사회 불평등을 야기할 수 있다.

|오답 체크|

ㄱ. 정보의 소유와 접근 정도에 따라 지역 간, 계층 간 정보화의 혜택을 다르게 받고 있다. ㄴ. 정보 격차는 저소득층보다 농어민이 더 크게 나타나고 있다.

10

제시된 그래프는 해킹, 인터넷 사기, 사이버 금융 범죄 등 사이버 범죄 발생 현황을 나타낸 것이다. 사이버 범죄는 가상 공간에서의 익명성을 이용한 모든 범죄를 의미한다.

|오답 체크|

① 사이버 범죄를 보여 주는 그래프이다. ② 해킹 영역에서는 발생 건수가 다소 감소하였다. ③ 정보화로 인한 부정적 변화를 보여 준다. ⑤ 이 문제를 막기 위해서는 정보 보안 관련 기구 및 전문 인력을 강화하고 정보 윤리 교육을 시행해야 한다. 개인 정보 처리 과정 공개는 사생활 침해 문제를 해결하는 방법이다.

11

(가)는 실내 조사, (나)는 지역 정보 분석이다. 실내 조사 단계에서는 지도, 문헌 자료 등을 통해 지역을 조사하고, 지역 정보 분석 단계에서는 수집된 자료를 바탕으로 지도, 통계표 등을 작성한다. 따라서 (가)는 ㄴ, (나)는 ㄷ에 해당한다.

|오답 체크|

ㄱ은 조사 계획 수립 단계, ㄹ은 현지(야외) 조사 단계에서 수행하는 활동이다.

12

농경지가 크게 줄면서 시가지가 발달했으므로 녹지 공간을 마련해야 하고, 지역의 문제를 해결하기 위해 주민들의 의견을 적극적으로 반영해야 한다.

|오답 체크|

ㄴ. 이미 산업화가 진행되었으므로 1차 산업의 비중을 늘리기는 현실적으로 어렵다. ㄷ. 토지를 더 집약적으로 이용하면 현재 발생하는 문제들이 더욱 심화될 것이다.

STEP 3 B 창의력·융합형·서술형

65쪽

13

모범 답안 교통수단의 발달로 이동에 걸리는 시간 거리가 크게 줄어들어 지역 간 접근성이 향상되었다. 이로 인해 지구의 상대적 크기는 점차 축소되었다.

|핵심 단어|
시간 거리 축소, 지역 간 접근성 향상, 지구의 상대적 크기 축소

구분	채점 기준
상	과거와 비교한 오늘날의 상대적 특징을 제시된 단어를 사용하여 정확하게 서술한 경우
하	과거와 비교한 오늘날의 상대적 특징을 제시된 단어를 사용하지 않고 서술한 경우

14

모범 답안 (1) 빨대 효과
(2) 고속 철도의 개통으로 서울이 중소 도시의 인구와 경제력을 흡수했기 때문이다.

|핵심 단어|
고속 철도 개통, 서울의 중소 도시 인구·경제력 흡수

구분	채점 기준
상	빨대 효과를 쓰고, 그 원인을 정확하게 서술한 경우
중	빨대 효과를 썼으나, 그 원인을 미흡하게 서술한 경우
하	빨대 효과만 쓴 경우

15

모범 답안 위성 위치 확인 시스템(GPS)을 활용하여 내비게이션으로 최단 경로 파악이 가능해졌고, 실시간 버스 도착 정보도 확인할 수 있게 되었다. 또한 지리 정보 시스템(GIS)을 교통, 토지, 최적 입지 분석 등에 활용하게 되었다.

|핵심 단어|
위성 위치 확인 시스템(GPS), 최단 경로 파악, 실시간 버스 도착 정보 확인, 지리 정보 시스템(GIS), 최적 입지 분석

구분	채점 기준
상	정보화에 따른 공간 이용 방식을 정확하게 서술한 경우
하	정보화에 따른 공간 이용 방식을 미흡하게 서술한 경우

16

모범 답안 (1) 정보 격차
(2) 활용 부문, 정보화 활용 교육을 시행해야 한다.

|핵심 단어|
활용 부문, 정보화 활용 교육

구분	채점 기준
상	정보 격차를 쓰고, 가장 심각한 부문과 해결 방안을 모두 바르게 서술한 경우
중	정보 격차와 가장 심각한 부문을 썼으나, 해결 방안을 미흡하게 서술한 경우
하	정보 격차만 쓴 경우

17

모범 답안 (가)는 문헌 자료 및 통계 자료 수집, 인터넷 검색, 설문지 작성 등이 있고, (나)는 면담, 설문 조사, 관찰, 촬영 등이 있다.

|핵심 단어|
자료 수집, 인터넷 검색, 설문지 작성, 면담, 설문 조사, 관찰, 촬영

구분	채점 기준
상	(가), (나)를 각각 두 가지씩 모두 바르게 제시한 경우
중	(가), (나)를 각각 한 가지씩 제시한 경우
하	(가), (나) 중 한 가지만 제시한 경우

07강 인권의 의미와 변화 양상

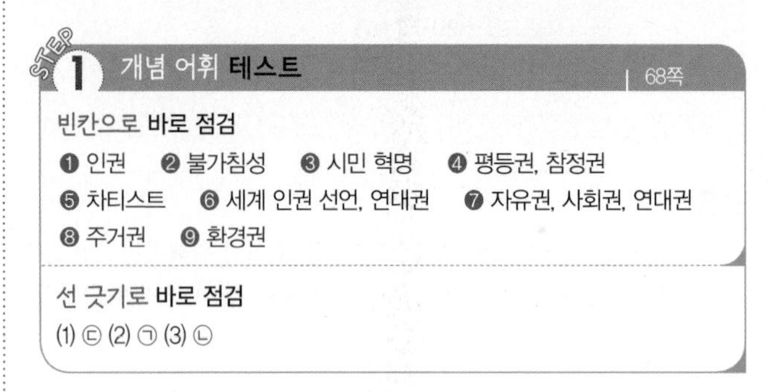

STEP 1 개념 어휘 테스트 | 68쪽

빈칸으로 바로 점검
❶ 인권 ❷ 불가침성 ❸ 시민 혁명 ❹ 평등권, 참정권
❺ 차티스트 ❻ 세계 인권 선언, 연대권 ❼ 자유권, 사회권, 연대권
❽ 주거권 ❾ 환경권

선 긋기로 바로 점검
(1) ㉢ (2) ㉠ (3) ㉡

STEP 2 기출 기초 테스트 | 69쪽

1-2 ③ **2-2** ⑤

1-2

제시문은 인권의 특징을 나타낸다. '인류 구성원 모두'라는 점에서 인권의 보편성이(ㄴ), '원래부터 존엄성'이라는 점에서 천부 인권 사상이 나타난다(ㄷ).

|오답 체크|
ㄱ. 인권은 모든 인류 구성원에게 주어지는 것이므로, 범죄자는 해당하지 않는다고 볼 수 없다. ㄹ. 자유권을 비롯하여 모든 인권은 양도할 수 없다.

2-2

세 혁명 모두 계몽사상, 사회 계약설, 천부 인권 사상의 영향을 받았다.

|오답 체크|
① 의회의 권력이 강화되고, 왕권이 제한되었다. ② 미국 독립 혁명은 영국 명예혁명보다 시기적으로 늦다. ③ 선거권을 얻은 주체는 '일정 이상의 재산을 가진 성인 남자인 시민'에 한정되어 있었다. ④ 미국 독립 혁명과 프랑스 혁명 모두 천부 인권 사상을 중시하였다.

STEP 3 A 교과서 기본 테스트 | 70~73쪽

01 ② **02** ④ **03** ② **04** ⑤ **05** ②
06 ② **07** ③ **08** ② **09** ② **10** ③
11 ⑤ **12** ③ **13** 해설 참조 **14** 해설 참조 **15** 해설 참조
16 해설 참조 **17** 해설 참조

01

㉠은 인권이다. 인권의 특징으로는 보편성, 천부성, 항구성, 불가침성을 들 수 있다. 을. 인권은 사람이라면 누구나 태어나면서부터 당연히 가지는 권리이다.

|오답 체크|
갑. 인권은 인종, 성별, 종교, 사회적 신분 등과 관계없이 누구나 갖는 권리이다. 병. 인권은 타인에게 양도할 수 없는 권리이다. 정. 인권은 법이나 제도가 만들어지지 않아도 보장받아야 하는 권리이다. 무. 인권은 다른 사람의 이익을 위해 침해할 수 없다.

02

④ 교육을 받을 권리는 2세대 인권에 해당한다.

|오답 체크|

①은 2세대 인권, ②, ③은 3세대 인권, ⑤는 1세대 인권에 해당한다.

03

프랑스 인권 선언은 계몽사상과 사회 계약설의 영향을 받아 천부 인권, 자유권, 저항권, 국민 주권, 권력 분립, 소유권 불가침의 원칙 등을 규정하였다.

|오답 체크|

ㄴ. 그 당시 권리의 주체는 시민(일정 이상의 재산을 가진 성인 남자)에 한정되어 있었다. ㄹ. 사회권을 헌법에 최초로 명시한 것은 바이마르 헌법이다.

04

제시문은 프랑스 혁명 직전 시기, 즉 '구제도의 모순'을 나타낸다.

|오답 체크|

① 제3 신분은 정치 참여가 매우 어려웠다. ② 제3 신분은 신체적·경제적 자유를 제대로 보장받지 못했다. ③ 제1 신분과 제2 신분과 달리 제3 신분의 참정권이 제한되었다. ④ 영국 명예혁명이 아니라, 프랑스 혁명이 발생하게 되는 직접적인 계기가 되었다.

05

(가) 차티스트 운동은 영국의 노동자들이 1832년 선거법 개정으로도 참정권을 얻지 못하자 실시한 운동으로, 당시 참정권은 소수에게만 독점적으로 부여되고 있었다.

|오답 체크|

① 차티스트 운동 이후 참정권의 범위는 남성 노동자에게까지 확대되었다. ③ 참정권을 보장받기 위한 운동이었다. ④, ⑤ 차티스트 운동은 성인 남성 노동자의 참정권 확대를 주장했으므로, 해당 내용들은 ㉠에 들어갈 수 없다.

06

(가)는 프랑스 인권 선언, (나)는 세계 인권 선언이다. 두 선언 모두 인간이 태어나면서부터 인권을 지니고 있음을 강조하고 있다.

|오답 체크|

ㄹ. (나) 세계 인권 선언은 인권 문제 해결을 위한 인류 공동의 노력을 강조하였다.

개념 마스터 세계 인권 선언

제2차 세계 대전 이후 다시는 반인권적 참상이 일어나서는 안 된다는 반성의 과정에서, 국제 연합(UN)은 인권 보장의 국제적 기준인 세계 인권 선언을 채택하였다. 이는 인권 보장이 한 국가나 집단에게만 구속되는 것이 아닌, 인류가 보편적으로 추구해야 할 가치임을 선포한 것으로 이후 여러 나라에서는 이를 토대로 인권 보장을 헌법에 명시하였다.

07

㉠은 권리 장전이며, ㉡은 사회권이다. ③ 영국의 명예혁명 – 프랑스 혁명 – 독일의 바이마르 헌법 제정 순서로 전개되었다.

|오답 체크|

① 프랑스 혁명 후에도 여성의 선거권은 한동안 제한되었다. ② 차티스트 운동은 명예혁명 이후에 발생하였다. ④ 권리 장전에는 의회의 권리를 강화시킨다는 내용이 담겨 있다. ⑤ ㉡은 사회권이다.

08

아동 및 청소년의 인권, 환경권, 안전권, 주거권, 문화권 등은 현대 사회에서 강조되고 있는 인권에 해당한다.

09

㉠은 안전권, ㉡은 문화권이다. 안전권과 문화권 모두 현대 사회에서 인권 의식이 향상됨에 따라 새롭게 등장하였다.

|오답 체크|

ㄹ. 안전권과 문화권 모두 사회 구성원 전체에게 보장되어야 한다.

10

옐로 카펫은 어린이의 안전권 보장을 위한 시설물이다. 따라서 ㉠은 안전권이다. 안전권은 자연재해를 비롯하여 인간에 의한 범죄 및 각종 사고가 증가함에 따라 등장한 인권이다.

|오답 체크|

①, ②는 해당 인권과 등장 배경이 각각 바르게 연결되었으나, ④ 문화권의 등장 배경은 '여가 시간의 증가'와 '사회적 약자의 문화생활 기회 제한'이다.

11

갑국 정부는 ○○이 잊힐 권리를 보장하는 장치를 충분히 마련하지 않았다는 이유로 벌금을 부과하였다.

|오답 체크|

④ '알 권리'는 '잊힐 권리'와 상대되는 것이다.

12

(가)는 인권이다. 인권은 시대에 따라 그 구체적인 내용이 변해 왔으며, 함부로 제한하거나 침해되어서는 안 된다. 인권 중 연대권은 바이마르 헌법이 아니라 세계 인권 선언에서 보장하였으며, 바이마르 헌법은 사회권을 최초로 명시하였다. 또한 최근 도시 환경의 변화로 주거권, 안전권, 환경권 등 새로운 인권이 새롭게 요구되고 있다.

첫 번째 질문에 대해서는 '예'의 답을 하므로 두 칸 앞으로 이동하며, 두 번째 질문에 대해서도 '예'의 답을 하므로 두 칸 앞으로 이동한다. 세 번째 질문에 대해서는 '아니요'의 답을 하므로 한 칸 이동하여 ㉢에서 놀이가 종료된다.

STEP 3 B 창의력·융합형·서술형

73쪽

13

(1) 모범 답안 (라)–(다)–(나)–(가)

(2) 모범 답안 (나)를 통해 천부 인권, 국민 주권, 권력 분립, 저항권, 재산권 보장, 자유권, 평등권 등을 규정하였고, (다)를 통해 천부 인권, 국민 주권의 원리, 저항권 등을 규정하였다.

|핵심 단어|

천부 인권, 국민 주권, 저항권, 재산권, 자유권, 평등권

구분	채점 기준
상	(나), (다)에 담긴 내용을 각각 두 가지씩 모두 바르게 서술한 경우
하	(나), (다)에 담긴 내용을 각각 한 가지씩만 서술한 경우

(3) 모범 답안 시민들이 국가 권력에 대해 자유와 평등을 요구한 것으로, 시민의 인권 보장에 큰 영향을 미쳤다.

|핵심 단어|

자유, 평등, 시민, 인권 보장

구분	채점 기준
상	(나)~(라)가 갖는 의의를 바르게 서술한 경우
하	(나)~(라)가 갖는 의의를 미흡하게 서술한 경우

14

모범 답안 (가)는 최초로 사회권을 명시한 헌법으로, 이후 여러 복지 국가의 헌법 제정에 영향을 주었다. (나)는 모든 대상에게 자유권부터 연대권까지 포괄적인 인권을 제시하였으며, 수많은 국제 인권법의 토대가 되었다.

|핵심 단어|

사회권, 복지 국가, 연대권, 포괄적인 인권, 국제 인권법

구분	채점 기준
상	(가), (나)의 의의를 제시된 단어를 모두 사용하여 바르게 서술한 경우
하	(가), (나)의 의의를 제시된 단어 중 한 가지만 사용하여 서술한 경우

15

모범 답안 시민 혁명을 통해 많은 사람들에게 참정권이 보장되었으나, 여성들은 여전히 참정권을 보장받지 못했기 때문이다.

|핵심 단어|

시민 혁명, 참정권

구분	채점 기준
상	'시민 혁명' 이후의 상황을 언급하며 해당 운동의 배경을 서술한 경우
하	'시민 혁명' 이후의 상황을 언급하지 않고 해당 운동의 배경을 서술한 경우

16

모범 답안 ㉠ 1세대 인권에는 신체의 자유, 사상·양심·종교의 자유, 집회 및 결사, 표현의 자유, 자유로운 선거를 통해 정부의 의사 결정에 참여할 수 있는 권리가 해당한다. ㉡ 2세대 인권에는 근로의 권리, 교육받을 권리, 사회 보장을 받을 권리, 인간다운 생활을 할 권리, 쾌적한 환경에서 살 권리가 해당한다. ㉢ 3세대 인권에는 자결권, 발전의 권리, 평화의 권리, 재난으로부터 구제받을 권리, 지속 가능한 환경에 대한 권리가 해당한다.

|핵심 단어|

자유, 사회 보장, 자결권 등

구분	채점 기준
상	㉠~㉢에 해당하는 내용을 모두 한 가지씩 서술한 경우
중	㉠~㉢ 중 두 가지에 해당하는 내용만 서술한 경우
하	㉠~㉢ 중 한 가지에 해당하는 내용만 서술한 경우

17

모범 답안 문화권, 문화권은 누구나 차별받지 않고 문화생활에 접근하고 참여하며, 자신의 문화적 정체성을 유지·표현할 권리이다.

|핵심 단어|

차별, 문화생활, 접근, 참여, 문화적 정체성, 표현

구분	채점 기준
상	문화권의 의미를 제시된 단어를 모두 사용하여 바르게 서술한 경우
하	문화권의 의미를 제시된 단어 중 일부만 사용하여 서술한 경우

08강 인권 보장을 위한 노력과 인권 문제

STEP 1 개념 어휘 테스트 | 77쪽

찍기로 바로 점검

❶ 헌법 ❷ 법치주의 ❸ 위헌 법률 심판 ❹ 참정권 ❺ 법률 ❻ 대의 민주주의 ❼ 7

빈칸으로 바로 점검

❶ 국회, 정부, 법원, 권력 분립 ❷ 자유권 ❸ 시민 불복종 ❹ 사회적 소수자 ❺ 인권 지수

STEP 2 기출 기초 테스트 | 78~79쪽

1-2 ② 2-2 ② 3-2 ⑤ 4-2 ④

1-2

우리나라 헌법은 인권 보장을 위해 권력 분립 제도, 국민 주권의 원리, 법치주의 등을 규정하고 있다. ㄱ. 복수 정당제를 통해 다양한 정치적 의사가 정책에 반영될 수 있다. ㄹ. 선거로 선출된 대표자를 통해 정치에 국민의 의사가 반영된다.

|오답 체크|

ㄴ. 특정 국가 기관에 권력이 집중되면 권력 남용으로 이어져 국민의 기본권을 제대로 보장할 수 없게 될 가능성이 높다. ㄷ. 법률 제정 및 개정은 국회(입법부)의 권한이다. 국민 투표는 헌법 개정과 국가의 중요한 정책에 대해 실시한다.

2-2

㉠은 참정권이다. ② 시민 혁명 이후 영국의 노동자들은 차티스트 운동을 통해 참정권을 보장받고자 하였다.

|오답 체크|

①, ⑤는 자유권, ③, ④는 사회권에 대한 설명이다.

3-2

간디의 '소금법' 거부 운동(1930)은 시민 불복종의 사례이다. ⑤ 시민 불복종은 다른 합법적인 수단을 모두 사용한 후, 최후의 방법으로 행해져야 한다.

4-2

㉠은 사회적 소수자이다. ㄴ. 상황과 여건에 따라 누구나 사회적 소수자로 규정될 수 있으므로, 그 기준은 상대적이다. ㄹ. 사회적 소수자의 차별 문제를 해결하기 위해서는 다양성 존중과 관용의 자세가 필요하다.

|오답 체크|

ㄱ. 사회적 소수자는 단순히 수가 적음으로 규정되는 것이 아니다. ㄷ. 사회적 소수자에 해당하는 구성원이 많을수록 해당 사회의 통합 정도가 높다고 볼 수 없다.

STEP 3 A 교과서 기본 테스트 | 80~83쪽

01 ④	02 ②	03 ②	04 ②	05 ②
06 ①	07 ②	08 ③	09 ⑤	10 ⑤
11 ④	12 ②	13 해설 참조	14 해설 참조	15 해설 참조
16 해설 참조	17 해설 참조	18 해설 참조		

01

인권 보장을 위해 우리나라 헌법에서는 권력 분립 제도, 국민 주권의 원리, 복수 정당제, 헌법재판소의 기본권 구제 등을 보장하고 있다.

|오답 체크|

우리나라는 일당제(㉢)가 아니라 복수 정당제이며, 기본권 구제를 위해 법원(㉤)이 아니라 헌법재판소가 위헌 법률 심판과 헌법 소원 심판을 담당한다.

02

ㄱ. (가)는 위헌 법률 심판, 헌법 소원 심판을 통해 국민의 기본권을 구제하는 기관으로, 헌법재판소이다. ㄷ. ㉠의 사례로는 국가인권위원회, 국민권익위원회를 들 수 있다.

|오답 체크|

ㄴ. 입법부에 해당하는 기관은 국회이며, 헌법재판소는 헌법상 독립된 기관이다. ㄹ은 위헌 법률 심판에 대한 설명이다.

개념 마스터 위헌 법률 심판과 헌법 소원 심판

위헌 법률 심판	법원이 재판 중인 사건에서 다루는 법률이 헌법에 위반되는지 여부를 심사해 달라고 요청했을 때, 이를 심판하는 것
헌법 소원 심판	공권력의 행사 또는 불행사, 헌법에 위배되는 법률로 인해 기본권을 침해받은 자가 직접 헌법재판소에 그 권리의 구제를 신청했을 때, 그 위헌 여부를 심판하는 것

03

(가)는 평등권, (나)는 자유권, (다)는 참정권, (라)는 사회권이다. ② 자유권은 헌법에 열거되지 않은 권리도 인정되는 포괄적 성격의 권리이다.

|오답 체크|

①, ③은 청구권, ④는 참정권에 대한 설명이다. ⑤ 현대 복지 국가에서는 사회권의 중요성이 강해지고 있다.

개념 마스터 헌법에 열거되지 않은 권리의 보장

관련 헌법 조항	헌법 제37조 ① 국민의 자유와 권리는 헌법에 열거되지 아니한 이유로 경시되지 아니한다.
의의	일조권, 수면권, 건강권, 문화권 등 사회가 변화하면서 인간의 존엄을 위해 필요하다고 여겨지는 새로운 권리를 광범위하게 보장하고 있음.

04

제시된 헌법 조항이 공통으로 보장하는 기본권은 사회권이다. ② 사회권은 교육을 받을 권리, 근로의 권리, 사회 보장을 받을 권리를 포함한다.

|오답 체크|

① 사회권은 보통 복지 국가일수록, 해당 국적의 국민일수록 보장될 가능성이 높다. ③은 청구권, ④는 자유권, ⑤는 참정권이다.

05

우리나라에서는 헌법을 통해 기본권을 보장하고 있으며, 기본권 제한의 한계도 명확히 규정하고 있다. ㄱ. 집회 및 결사의 자유는 자유권에 해당한다. ㄹ. 기본권을 제한하더라도 자유와 권리의 본질적인 내용은 침해할 수 없다.

|오답 체크|

ㄴ. 기본권은 법률뿐만 아니라 헌법에 의해서도 보장된다. ㄷ. 기본권을 제한할 때는 국회에서 제정된 법률의 근거가 있어야 한다.

개념 마스터 헌법에 규정된 기본권의 제한과 한계

제37조 ② 국민의 모든 자유와 권리는 국가 안전 보장 · 질서 유지 또는 공공복리를 위하여 필요한 경우에 한하여 법률로써 제한할 수 있으며, 제한하는 경우에도 자유와 권리의 본질적인 내용을 침해할 수 없다.

방법상의 한계 / 목적상의 한계 / 내용상의 한계 / 형식상의 한계

06

우리나라 국민의 준법 의식 수준은 낮은 편이고, 이런 상황이 계속되면 사회 질서 유지에 어려움이 생긴다.

|오답 체크|

병. 특정 계층이 범죄 행위를 하고도 처벌받지 않거나 낮은 처벌을 받는 등 법이 공정하게 적용되지 않는다고 생각하는 사람들이 많다. 정. 조사 결과 준법이 이루어지지 않는 가장 큰 이유는 법대로 살면 손해라고 생각하는 사람이 많기 때문인 것으로 나타났다.

07

제시된 시는 정치적 무관심의 폐해를 비판하는 내용이다. 따라서 '시민 참여의 중요성'이 수업의 주제로 가장 적절하다.

08

시민 참여란 시민이 정치 과정이나 사회의 공공 문제에 적극 개입하여 영향을 미치는 행위이다. 시민 참여의 방법으로, (가)는 투표, (나)는 1인 시위, (다)는 국민 참여 재판, (라)는 공청회이다.

개념 마스터 시민 참여의 다양한 방법

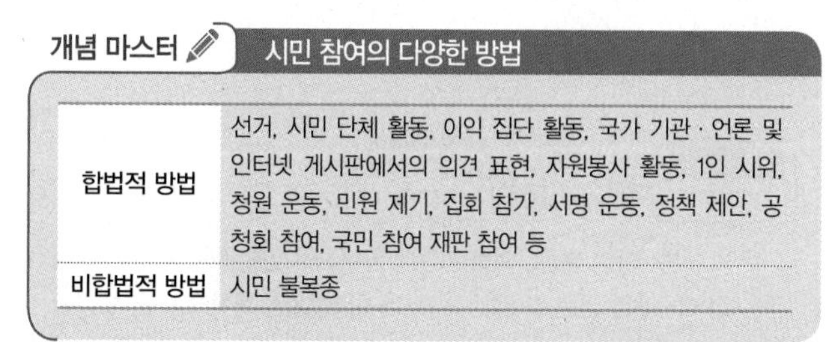

합법적 방법	선거, 시민 단체 활동, 이익 집단 활동, 국가 기관 · 언론 및 인터넷 게시판에서의 의견 표현, 자원봉사 활동, 1인 시위, 청원 운동, 민원 제기, 집회 참가, 서명 운동, 정책 제안, 공청회 참여, 국민 참여 재판 참여 등
비합법적 방법	시민 불복종

09

㉠은 사회적 소수자이다. 사회적 소수자는 사회의 주류 집단과 성별, 인종, 장애 유무 등이 다르다는 이유로 차별받는 경우가 많으며, 이들에 대한 차별은 사회 통합을 저해하는 요인이다.

|오답 체크|

ㄱ. 사회적 소수자로의 규정 여부는 시대나 지역 등 상황과 여건에 따라 상대적이다. ㄴ. 사회적 소수자는 절대적인 수가 적은 사람들을 의미하는 것이 아니다.

10

ⓒ 을은 18세 미만이므로 1일 근로 시간이 휴게 시간을 제외하고 하루에 7시간을 초과하지 못한다. ㉣ 청소년 근로자의 임금은 반드시 근로자에게 직접(현금이나 통장 입금) 주어야 한다. ㉤ 사용자는 근로 계약 불이행에 대한 위약금을 예정하는 계약을 체결할 수 없다.

11

질문자는 만 17세이므로 아르바이트가 가능하며, 성인과 동일한 최저 임금을 적용받는다. 또한 초과 근무를 했을 때 50%의 가산 임금을 받을 수 있다. ④ 첫 번째 질문부터 세 번째 질문까지는 모두 '예'의 답을 하므로 두 칸씩 앞으로 이동하며, 네 번째 질문에 대해서는 '아니요'의 답을 하므로 한 칸 이동하여 ㉣에서 게임이 종료된다.

|오답 체크|

하루 근로 시간이 7시간을 초과할 수 없다.

12

진한 색으로 표시된 국가일수록 성 격차 지수가 크며, 이는 '완전 평등'에 가까움을 의미한다. ② 대체로 선진국의 양성평등 정도가 높다.

STEP 3 B 창의력·융합형·서술형 83쪽

13

모범 답안 권력 분립 제도, 권력의 집중과 남용을 방지하여 국민의 기본권을 보장하기 위함이다.

|핵심 단어|

권력 분립 제도, 권력의 집중과 남용 방지, 국민의 기본권 보장

구분	채점 기준
상	권력 분립 제도를 쓰고, 그 궁극적인 목적을 바르게 서술한 경우
하	권력 분립 제도만 쓴 경우

자료 마스터 + 권력 분립 제도

입법부(국회)
법률 제정
법률안 거부권
대법원장 임명 동의권
국민
국정 감사권, 탄핵 소추권
위헌 법률 심사 제청권
행정부(정부)
법률 집행
대법원장 임명권, 사면권
명령·규칙 심사권
사법부(법원)
법률 적용

우리나라는 삼권 분립주의를 헌법에 규정하여 입법권은 국회에, 행정권은 정부에, 사법권은 법원에 속하도록 하고 있다. 화살표는 견제 권한의 행사를 의미한다.

14

모범 답안 (가)는 참정권으로, 국가의 의사 결정 과정에 참여할 수 있는 정치적 권리이다. (나)는 자유권으로, 국가로부터 개인의 자유로운 생활이나 활동을 간섭받지 않을 권리이다. (다)는 청구권으로, 다른 기본권이 침해되었을 때, 이를 구제받고 보상받을 권리이다.

|핵심 단어|

참정권, 참여, 자유권, 간섭, 청구권, 구제, 보상

구분	채점 기준
상	(가)~(다)의 명칭과 의미를 모두 정확히 서술한 경우
중	(가)~(다) 중 두 가지의 의미와 명칭만 정확히 서술한 경우
하	(가)~(다) 중 한 가지의 의미와 명칭만 정확히 서술한 경우

15

모범 답안 국가 안전 보장, 질서 유지, 공공복리를 위해 필요한 경우에 한하여 법률로써 기본권을 제한할 수 있다.

|핵심 단어|

국가 안전 보장, 질서 유지, 공공복리

구분	채점 기준
상	'목적상의 한계' 세 가지를 모두 포함하여 정확하게 서술한 경우
중	'목적상의 한계' 중 두 가지만 포함하여 서술한 경우
하	'목적상의 한계' 중 한 가지만 포함하여 서술한 경우

16

모범 답안 사익이 아닌 공익을 위해 행해져야 하며, 비폭력적이어야 한다. 또한 위법 행위에 따르는 처벌을 감수해야 하고, 다른 모든 수단을 동원해도 해결되지 않을 때 최후의 수단으로 행해져야 한다.

|핵심 단어|

공익성, 비폭력성, 처벌 감수, 최후의 수단

구분	채점 기준
상	정당화 조건 네 가지를 모두 정확히 서술한 경우
중	정당화 조건을 세 가지만 서술한 경우
하	정당화 조건을 두 가지만 서술한 경우

17

모범 답안 사회적 소수자, 개인적 차원에서는 사회적 소수자에 대한 편견을 극복하고 다양성을 존중하는 자세를 확립한다. 사회적 차원에서는 차별 금지나 불평등 해소를 위한 법률이나 제도를 도입하고, 지속적인 인권 교육과 의식 개선 활동을 한다.

|핵심 단어|

사회적 소수자, 편견 극복, 다양성 존중, 법률, 제도, 인권 교육

구분	채점 기준
상	사회적 소수자를 쓰고, 개인적·사회적 차원의 노력을 모두 바르게 서술한 경우
중	사회적 소수자를 쓰고, 개인적·사회적 차원의 노력 중 한 가지만 서술한 경우
하	사회적 소수자만 쓴 경우

18

모범 답안 빈곤, 개인적 차원에서는 세계 시민 의식과 책임감을 가지고 빈곤 국가의 아이들을 지원하는 일에 참여할 수 있고, 사회적 차원에서는 국제기구 및 비정부 기구를 통해 빈곤 국가의 사회 기반 시설 확충이나 경제적 지원 등을 할 수 있다.

|핵심 단어|

빈곤, 세계 시민 의식, 국제기구, 경제적 지원

구분	채점 기준
상	빈곤을 쓰고, 개인적·사회적 차원의 방안을 모두 바르게 서술한 경우
중	빈곤을 쓰고, 개인적·사회적 차원의 방안 중 한 가지만 서술한 경우
하	빈곤만 쓴 경우

09강 자본주의와 시장 경제

STEP 1 개념 어휘 테스트 | 86~87쪽

찍기로 바로 점검

❶ 시장 경제 체제 ❷ 유통, 생산 ❸ 작은 정부 ❹ 케인스, 해야 한다
❺ 석유 파동, 신자유주의 ❻ 편익, 기회비용 ❼ 세제 혜택, 늘린다
❽ 윤리적 소비

선 긋기로 바로 점검

❶ (1) ㉢ (2) ㉠ (3) ㉡ ❷ (1) ㉠ (2) ㉡ (3) ㉢

빈칸으로 바로 점검

❶ 자유방임주의 ❷ 수정 자본주의 ❸ 뉴딜 ❹ 편익 ❺ 시장 실패
❻ 공공재, 외부 ❼ 외부 불경제, 부정적 ❽ 기업가 정신
❾ 사회적 책임 ❿ 단결권 ⓫ 소비자 주권 ⓬ 윤리적

STEP 2 기출 기초 테스트 | 88~89쪽

1-2 ⑤ 2-2 ③ 3-2 ④ 4-2 ④

1-2

(나)는 산업 자본주의, (라)는 신자유주의이다. ⑤ 석유 파동과 스태그플레이션을 정부가 해결하지 못하자(정부 실패) 등장한 신자유주의는 정부의 역할을 제한하고 민간의 자유로운 경제 활동을 강조하여 기업에 대한 세금 감면과 공기업의 민영화를 추구하였다.

|오답 체크|

① 상업 자본주의는 상업을 중시하는 중상주의 정책을 추진하였다. ② 산업 자본주의는 정부보다 시장의 역할을 강조하였다. ③ '보이지 않는 손'의 역할을 강조한 것은 산업 자본주의이다. ④ 신자유주의는 정부 실패로 인해 등장하였다.

2-2

(가)는 편익, (나)는 매몰 비용, (다)는 기회비용이다. ㄴ. 매몰 비용은 회수할 수 없으므로 고려하지 말아야 한다. ㄷ. 기회비용은 명시적 비용과 암묵적 비용으로 구성된다.

|오답 체크|

ㄱ. 편익에는 물질적인 것뿐만 아니라 심리적 만족감과 같은 비물질적인 가치도 포함된다. ㄹ. 합리적 선택은 기회비용보다 편익이 큰 선택이다.

3-2

㉠은 공공재이다. ④ 공공재는 시장 경제에서 사회가 필요로 하는 만큼 공급되지 않는다.

4-2

A는 가계, B는 정부, C는 기업이다. 가계는 기업으로부터 재화와 서비스를 구매하는 소비자(ㄴ)이기도 하며, 정부는 가계와 기업에 도로, 항만 등의 공공재를 제공(ㄹ)한다.

|오답 체크|

ㄱ. C(기업)에 대한 설명이다. ㄷ. B(정부)는 C(기업)의 독과점 횡포를 규제한다.

자료 마스터 + 경제 활동의 순환

임금, 지대, 이자
노동, 토지, 자본
가계 A
기업 C
상품 구매 대금
재화, 서비스
공공재 공공재
세금 세금
B 정부

• 가계는 재화와 서비스의 수요자이며, 생산 요소(노동, 토지, 자본)의 공급자이다. 가계가 제공하는 생산 요소는 소득의 원천이 된다.
• 기업은 재화와 서비스의 공급자이며 생산 요소의 수요자이다. 또한 기업은 생산 활동을 통해 사회에 이바지한다.
• 정부는 가계와 기업으로부터 세금을 걷고 이들에게 공공재를 공급한다.

STEP 3 Ⓐ 교과서 기본 테스트 | 90~93쪽

01 ⑤	02 ③	03 ⑤	04 ③	05 ⑤
06 ①	07 ②	08 ④	09 ③	10 ②
11 ③	12 ②	13 해설 참조	14 해설 참조	15 해설 참조
16 해설 참조	17 해설 참조	18 해설 참조		

01

㉠은 자본주의이다. ⑤ 자본주의는 정부의 계획이 아닌, 시장의 수요와 공급에 따라 상품의 생산 및 소비가 이루어진다.

02

(가)는 산업 자본주의, (나)는 수정 자본주의이다. ㄴ. 산업 자본주의 시기에는 정부의 시장 개입을 최소화하는 작은 정부를 강조하였다. ㄷ. 수정 자본주의 시기에는 시장 실패를 보완하기 위해 정부 개입의 필요성을 강조하였다.

|오답 체크|

ㄱ. 산업 자본주의는 자유방임주의와 관련 있고, 중상주의 정책은 상업 자본주의와 관련 있다. ㄹ. 수정 자본주의는 시장의 기능은 인정하되, 시장에 대한 정부의 적극적인 개입을 강조하였다.

03

(가)는 18세기 이전의 상업 자본주의, (나)는 18세기 이후의 산업 자본주의, (다)는 20세기 후반의 신자유주의, (라)는 20세기 중반의 수정 자본주의이다. ⑤ 신자유주의는 수정 자본주의에 비해 효율성을 중시하였다.

04

(가)는 수정 자본주의를 주장한 케인스, (나)는 신자유주의를 주장한 하이에크이다. 하이에크는 경제를 시장에 맡겨야 한다고 주장하였고, 케인스는 정부의 적극적 역할을 중시하여 분배의 형평성을 강조하였다.

|오답 체크|

ㄱ은 (나)의 경제관에 부합한다. ㄹ. (가)가 (나)에 비해 정부의 적극적 역할을 중시한다.

05

뉴딜 정책은 케인스의 수정 자본주의 이론에 따른 것으로, 이는 시장 실패를 해결하기 위해 시장에 대한 국가의 적극적인 역할을 강조하였다.

|오답 체크|

① 자본주의는 사유 재산제를 특징으로 한다. ②, ③은 신자유주의와 관련 있다. ④ 자본주의는 기본적으로 시장 가격에 따라 자원을 배분하는 시장 경제 체제를 특징으로 한다.

06

(가)는 매몰 비용, (나)는 기회비용이다. ㄱ. 이미 구매해서 환불이 불가능한 항공권은 매몰 비용이니 고려하지 말아야 한다. ㄴ은 기회비용의 의미에 해당한다.

|오답 체크|

합리적 선택을 위해서는 매몰 비용을 고려하지 말고, 기회비용보다 편익이 큰 것을 선택해야 한다.

07

㉠은 명시적 비용, ㉡은 암묵적 비용이며, 기회비용은 이 둘의 합인 300만 원이다. 합리적 선택은 편익(만족이나 이득)이 기회비용보다 큰 것을 선택하는 것이며, 이때 매몰 비용은 고려하지 말아야 한다.

|오답 체크|

ㄹ. 환불이 불가능한 여행 상품 비용은 매몰 비용이므로 고려하지 말아야 하고, 여행을 가지 않았을 때의 편익이 더 크다면 가지 않는 것이 합리적 선택이다.

08

제시된 상황은 시장 실패인 외부 불경제가 나타난 것으로, 이는 사회적으로 적정 수준보다 많이 생산·소비된다.

|오답 체크|

①, ② 외부 불경제 상황이다. ③ 시장에서 자원이 효율적으로 배분되지 않는 시장 실패가 나타났다. ⑤ 정부는 외부 불경제가 있는 행위에 대해 오염 물질 배출량 제한, 세금 부과와 같은 부정적 유인을 제공하여 생산과 소비를 줄여야 한다.

개념 마스터 외부 효과의 사례

외부 경제 (긍정적 외부 효과)	담장을 허물고 정원을 가꾸면 집주인뿐만 아니라 이웃도 즐겁다. 그러나 담장을 허물어 정원을 가꾸는 집은 많지 않다.
외부 불경제 (부정적 외부 효과)	어떤 기업이 제품 생산 과정에서 대기 오염을 일으키는 물질을 배출하였다. 공장 주변 공기의 질이 나빠지고 호흡기 질환을 호소하는 사람들이 증가하였지만, 아무도 보상해 주지 않았다.

09

(가)는 공공재 부족, (나)는 일감 몰아주기와 같은 불공정 거래 행위이며, 둘 다 시장 실패를 보여 준다. 정부는 이를 해결하기 위해 공공재를 생산하고, 공정거래위원회를 통해 불공정 거래 행위를 감시하게 한다.

|오답 체크|

누진세는 빈부 격차 문제를 개선하기 위한 것이고, 외부 효과 개선은 외부 경제와 외부 불경제 행위를 개선하기 위한 것이다. 독과점 기업 횡포 규제는 독과점 때문에 시장에서 경쟁이 제대로 이루어지지 않는 경우를 개선하기 위한 것이다.

10

② 을은 기업이 이윤을 사회에 환원하는 활동도 해야 한다고 주장하므로 기업의 장학 및 자선 사업을 긍정적으로 볼 것이다.

|오답 체크|

① 갑은 기업의 발전이 곧 사회의 발전이라고 볼 것이다. ③ 제시된 대화만으로는 파악하기 어렵다. ④ 갑보다 을이 기업의 사회적 책임 범위를 폭넓게 볼 것이다. ⑤ 갑, 을 모두 기업의 영리 추구 활동을 부정적으로 보지 않는다.

11

진술 '1', '3', '4'는 옳고, '2'는 틀렸으므로, 바늘이 ㉢에 도착한다. 노동자는 노동 삼권을 통해 단결권을 보장받는다.

12

(가)는 효율성을 추구하는 합리적 소비, (나)는 사회와 환경을 생각하는 윤리적 소비의 입장이다. (나)의 사례로는 친환경 상품과 공정 무역 상품을 구매하는 것을 들 수 있다.

|오답 체크|

ㄴ은 (나)에 대한 설명이다. ㄹ. (나)는 (가)보다 상품 선택에서 인권과 노동의 가치를 더 중시한다.

STEP 3 B 창의력·융합형·서술형

93쪽

13

모범 답안 신자유주의, 정부의 지나친 시장 개입을 비판하고 민간의 자유로운 경제 활동을 강조하였다. 주요 정책으로는 기업에 대한 세금 감면, 공기업의 민영화, 노동 시장의 유연화, 복지 축소 등이 있다.

|핵심 단어|

신자유주의, 정부 시장 개입 비판, 민간의 자유로운 경제 활동, 공기업의 민영화, 노동 시장의 유연화, 복지 축소

구분	채점 기준
상	신자유주의를 쓰고, 특징과 주요 정책을 모두 바르게 서술한 경우
중	신자유주의는 썼으나, 특징과 주요 정책 중 한 가지만 서술한 경우
하	신자유주의만 쓴 경우

14

모범 답안 ㉠ 명시적, ㉡ 암묵적, (가) 친구들과 뷔페식당을 가는 것의 편익(만족감)이 3만 원의 기회비용보다 크다면 뷔페를 가고, 그렇지 않다면 아르바이트를 하세요.

|핵심 단어|

명시적, 암묵적, 편익(만족감), 기회비용

구분	채점 기준
상	㉠, ㉡에 들어갈 말을 쓰고, 합리적 선택의 관점에서 조언을 바르게 서술한 경우
중	㉠, ㉡에 들어갈 말을 썼으나, 합리적 선택의 관점에서 조언하지 않은 경우
하	㉠, ㉡만 쓴 경우

15

모범 답안 (가)는 외부 경제(긍정적 외부 효과), (나)는 외부 불경제(부정적 외부 효과)이다. 정부는 (가)에 대해 보조금 지급, 세제 혜택 등 긍정적 유인을 제공하여 생산과 소비를 늘리고, (나)에 대해 세금 부과 등 부정적 유인을 제공하여 생산과 소비를 줄인다.

|핵심 단어|
외부 경제, 외부 불경제, 보조금 지급, 세제 혜택, 세금 부과, 긍정적·부정적 유인

구분	채점 기준
상	(가), (나)의 외부 효과를 구분하고, 이를 해결하기 위한 정부의 역할을 바르게 서술한 경우
중	(가), (나)의 외부 효과를 구분하여 썼으나, 이를 해결하기 위한 정부의 역할을 미흡하게 서술한 경우
하	(가), (나)의 외부 효과만 구분하여 쓴 경우

16

모범 답안 기업가 정신, 기업의 생산성이 향상되고 소비자의 만족도가 증가하며, 노사 관계의 안정 등을 통해 경제가 발전한다.

|핵심 단어|
기업가 정신, 생산성 향상, 소비자 만족, 노사 관계 안정, 경제 발전

구분	채점 기준
상	기업가 정신을 쓰고, 그 효과를 바르게 서술한 경우
하	기업가 정신만 쓴 경우

17

모범 답안 노동 삼권에는 단결권, 단체 교섭권, 단체 행동권이 있다. 단결권은 노동자들이 근로 조건의 개선을 위해 노동조합을 결성할 수 있는 권리이고, 단체 교섭권은 노동조합이 사용자와 근로 조건에 관하여 교섭하고 협약을 체결할 수 있는 권리이며, 단체 행동권은 근로 조건의 유지 및 개선을 위해 근로자가 사용자에 대항하여 파업 등의 단체 행동을 할 수 있는 권리이다.

|핵심 단어|
단결권, 단체 교섭권, 단체 행동권

구분	채점 기준
상	노동 삼권의 종류와 세 가지 권리의 의미를 모두 바르게 서술한 경우
중	노동 삼권의 종류는 썼으나, 권리의 의미를 미흡하게 서술한 경우
하	노동 삼권의 종류만 쓴 경우

18

모범 답안 ㉠ 소비자 주권, ㉡의 사례로는 일반 상품보다 가격이 좀 더 비싸더라도 공정 무역 상품과 친환경 상품을 구매하는 것을 들 수 있다.

|핵심 단어|
소비자 주권, 공정 무역 상품, 친환경 상품

구분	채점 기준
상	소비자 주권을 쓰고, 윤리적 소비의 사례를 두 가지 모두 바르게 서술한 경우
중	소비자 주권을 썼으나, 윤리적 소비의 사례를 한 가지만 서술한 경우
하	소비자 주권만 쓴 경우

10강 국제 분업과 금융 설계

STEP 1 개념 어휘 테스트

96~97쪽

빈칸으로 바로 점검
❶ 국제 분업 ❷ 무역 ❸ 절대 우위 ❹ 비교 우위
❺ 자산, 금융 자산 ❻ 주식 ❼ 포트폴리오 ❽ 생애 주기

선 긋기로 바로 점검
❶ (1) ㉠ (2) ㉢ (3) ㉡ ❷ (1) ㉠ (2) ㉡

찍기로 바로 점검
❶ 다르기 ❷ 확대 ❸ 자유 무역 ❹ 높은, 편중 ❺ 확대
❻ 규모 ❼ 커진다 ❽ 채권 ❾ 예금, 주식 ❿ 배당 ⓫ 연금
⓬ 중·장년기

STEP 2 기출 기초 테스트

98~99쪽

1-2 ④ 2-2 ② 3-2 ⑤ 4-2 ⑤

1-2

㉠은 절대 우위, ㉡은 비교 우위, ㉢은 기회비용이다. ④ 비교 우위는 생산 요소의 지역적 분포 차이로 인한 경제 여건의 차이가 생산비의 차이로 이어져서 나타난다.

|오답 체크|
① ㉠은 절대 우위, ㉡은 비교 우위이다. ② ㉢은 기회비용이다. ③ 한 국가가 모든 재화의 생산에서 절대 우위를 갖는 경우라고 하더라도 비교 우위 상품을 특화하여 생산한 뒤 무역을 통해 교환하면 이익이 된다. ⑤ 오늘날 국가 간 무역의 발생 이유는 비교 우위로 설명할 수 있다.

2-2

ㄱ. 기업은 외국에서 원자재를 싸게 산 후, 비교 우위 상품을 대량으로 생산함으로써 생산비를 절감하는 규모의 경제를 실현할 수 있다. ㄷ. 국제 무역의 확대로 인해 경쟁력이 약한 개발 도상국과 선진국의 빈부 격차가 확대될 수 있다.

|오답 체크|
ㄴ. 국제 무역의 확대로 정부가 독자적 경제 정책을 시행하기 어려우며, 이는 국제 무역 확대에 따른 부정적 영향이다. ㄹ. 국제 무역의 확대로 개발 도상국의 자본 유입은 증가하며, 이로 인해 개발 도상국이 경제적으로 발전할 기회가 생긴다.

3-2

제시된 자료에서 A는 요구불 예금, B는 저축성 예금, C는 채권, D는 주식이다. ⑤ 채권이 주식에 비해 수익성이 낮은 반면 안전성은 높다.

|오답 체크|
① A는 요구불 예금, B는 저축성 예금이다. ② 요구불 예금은 주식보다 유동성이 높다. ③ 저축성 예금은 채권보다 안전성이 높다. ④ C는 채권, D는 주식이다.

4-2

A는 노년기, B는 아동기, C는 청년기로, 생애 주기 단계는 B → C → A의 순서로 진행된다. ①, ② 평균 수명의 연장으로 은퇴 이후를 대비한 자산 관리가 중요해졌다.

STEP 3 A 교과서 기본 테스트 | 100~103쪽

01 ①	02 ②	03 ④	04 ⑤	05 ④
06 ①	07 ③	08 ③	09 ②	10 ④
11 ⑤	12 ②	13 해설 참조	14 해설 참조	15 해설 참조
16 해설 참조				

01

경제학자 A는 무역의 발생 원리를 비교 우위로 설명하고 있다. ① 상대적으로 기회비용이 적은 상품을 특화하여 생산한 후 무역을 통해 교환하면 양국 모두 이익을 얻을 수 있다.

|오답 체크|

②, ④ 두 나라가 모두 무역의 이익을 얻기 위해서는 비교 우위 상품을 특화해야 한다. ③, ⑤ 상대국보다 더 적은 기회비용으로 생산할 수 있는 제품을 특화하여 생산한 후 수출하는 것이 유리하다.

02

한 국가가 필요한 재화나 서비스를 모두 만드는 것보다는 상대적으로 잘 만들 수 있는 것만 생산하여 교역하면 이익을 얻을 수 있다. 따라서 한 나라의 시기별 주요 수출 품목을 보면 상대적으로 우위에 있는 상품이 무엇인지 알 수 있다. ㄱ. 비교 우위에 있는 품목, 즉 수출 품목은 시기별로 변화하고 있다. ㄷ. 주요 수출 품목이 명주실이나 가발과 같은 노동 집약적인 품목에서 반도체나 자동차 등과 같은 기술 집약적인 품목으로 재편되고 있다.

|오답 체크|

ㄴ. 1960년대에는 자본과 기술이 부족하고 제조업의 발달이 미약하여 광물 자원이나 공업 원료를 주로 수출하였다. ㄹ. 최근 우리나라는 풍부한 자본과 뛰어난 기술을 바탕으로 생산한 품목의 경쟁력이 높아지고 있다.

03

④ X재 1개 생산의 기회비용은 갑국이 Y재 3/2개, 을국이 Y재 9/5개로 갑국이 을국보다 적다.

|오답 체크|

① 을국이 갑국에 비해 X재, Y재 생산 모두에 절대 우위가 있다. ② 을국의 X재 1개 생산의 기회비용은 Y재 9/5개이다. ③ 갑국은 X재, 을국은 Y재 생산에 비교 우위가 있다. ⑤ Y재 1개 생산의 기회비용은 갑국이 X재 2/3개, 을국이 X재 5/9개로 갑국이 을국보다 많다.

자료 마스터 ✚ 기회비용 계산

구분	갑국	을국
X재 1개 생산의 기회비용	Y재 3/2개	Y재 9/5개
Y재 1개 생산의 기회비용	X재 2/3개	X재 5/9개

04

⑤ A사는 세계 시장에서 외국 기업과 경쟁하여 이기기 위해 기술 개발에 힘써 성공하였다.

|오답 체크|

①~④는 제시된 글과 관련이 없다. 그리고 무역이 확대되면 경쟁력이 낮은 산업은 위축되어 실업률이 높아지고(①), 국가 간 상호 의존성이 심화되어 정부가 독자적인 정책을 시행하기 어렵고(②), 선진국과 개발 도상국 간 빈부 격차가 심화되며(③), 규모의 경제 실현으로 기업의 생산비가 줄어든다(④).

05

④ 자유 무역 협정(FTA)을 통해 무역 장벽이 깨지고 관세율이 낮아지면서 수입품의 가격이 인하된다.

06

① 제시된 자료는 다양한 상황에 필요한 돈에 대한 계획이 필요함을 나타내고 있다. 이는 자산 관리가 필요함을 의미한다.

|오답 체크|

②~⑤는 제시된 자료와는 거리가 먼 주제이다.

07

(가)는 안전성, (나)는 수익성, (다)는 유동성에 대한 설명이다. 효율적인 자산 관리를 위해서는 이 기본 원칙들을 고려해야 한다.

08

제시된 자료에서 (가)는 채권이다. 채권은 주식에 비해 안전성이 높으나 수익성은 낮다. 그리고 채권은 채권 발행 기관에서 약속한 이자와 시세 차익을 기대할 수 있고, 주식과 달리 배당을 기대할 수는 없다. ③ 첫 번째 질문과 두 번째 질문에 대해서는 '예'의 답을 하므로 각각 두 칸 앞으로 이동하며, 세 번째 질문에 대해서는 '아니요'의 답을 하므로 한 칸 이동하여 'ⓒ'에서 놀이가 종료된다.

09

제시된 자료에서 A는 채권, B는 예금, C는 주식이다. 채권과 주식 모두 시장에서 거래하는 과정에서 시세 차익을 얻을 수 있다.

|오답 체크|

을. 주식은 배당을 기대할 수 있다. 정. 채권과 예금 모두 이자 수익을 기대할 수 있다.

개념 마스터 금융 자산의 일반적인 특성

예금	안전성은 높으나 수익성이 낮음.
주식	수익성은 높으나 안전성이 낮음.
채권	예금보다 안전성이 낮지만 수익성은 높음. 주식보다 안전성은 높지만 수익성은 낮음.

10

④ 제시문의 포트폴리오 투자는 수익성과 안전성을 높이기 위한 분산 투자를 의미한다. 이는 한 바구니에 모든 달걀을 담으면 사고가 생겼을 때 달걀이 모두 깨질 수 있으니 여러 곳에 나누어 담으라는 의미의 '달걀을 한 바구니에 담지 말라.'는 말과 관련이 깊다.

|오답 체크|

①, ②, ③, ⑤ 포트폴리오 투자와는 거리가 먼 진술이다.

11

제시된 자료의 '100−나이'의 원칙에 따르면 연령이 낮을수록 수익성 위주의 자산에, 높을수록 안전성 위주의 자산에 투자하는 것이 합리적이다. ⑤ 40대의 경우 100에서 40을 뺀 값인 60% 정도는 수익성 위주의 자산에 투자하고, 나머지 40% 정도는 안전성 위주의 자산에 투자하는 것이 좋다.

|오답 체크|

① 젊은 사람일수록 수익성을 높이는 투자를 하는 것이 좋다. ② 30대의 경우 자산의 70% 정도는 수익성이 높은 자산에 투자하는 것이 좋다. 예금은 안전성이 높은 자산이다. ③, ④ 제시된 원칙과는 거리가 먼 진술이다.

12

ㄱ. A 시기에는 수입 곡선이 지출 곡선보다 낮다. ㄹ. 평균 수명의 연장으로 은퇴 이후를 대비한 자산 관리가 중요해졌다.

|오답 체크|

ㄴ. B 시기에는 안정적인 소득이 생겨 소득과 소비가 모두 많아진다. ㄷ. 소득을 얻을 수 있는 기간은 한정적이므로 퇴직 이후에는 소득이 급격히 줄어든다.

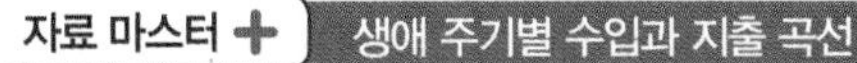

생애 주기별 수입과 지출 곡선

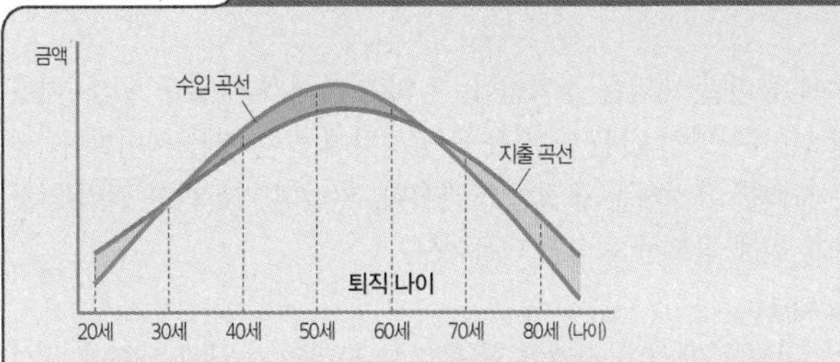

• 생애 주기 동안 시기별로 수입이 지출을 초과하는 시기가 있고 반대로 지출이 수입을 초과하는 시기가 있다.
• 일반적으로 30~50대에 수입이 지출보다 많으므로 이 시기에 충분한 금융 자산을 확보해 두어야 한다.

STEP 3 B 창의력·융합형·서술형 | 103쪽

13

(1) 모범 답안 반팔티 1벌 생산의 기회비용은 갑국이 반바지 1/3벌, 을국이 반바지 2/7벌이고, 반바지 1벌 생산의 기회비용은 갑국이 반팔티 3벌, 을국이 반팔티 7/2벌이다.

|핵심 단어|

반바지 1/3벌, 반바지 2/7벌, 반팔티 3벌, 반팔티 7/2벌

구분	채점 기준
상	양국의 반팔티와 반바지 1벌 생산의 기회비용을 각각 정확히 비교하여 서술한 경우
하	양국의 반팔티와 반바지 1벌 생산의 기회비용 중 한 가지만 비교하여 서술한 경우

(2) 모범 답안 을국은 두 상품 생산에 모두 절대 우위를 갖는다. 하지만 각국이 상대적으로 더 적은 기회비용으로 생산할 수 있는 비교 우위 상품을 특화하여 생산한 뒤 무역을 통해 교환하면 서로에게 이익이 된다. 따라서 갑국은 반바지를, 을국은 반팔티를 생산하여 교환하면 된다.

|핵심 단어|

기회비용, 비교 우위, 특화

구분	채점 기준
상	기회비용의 개념을 사용하였고, 비교 우위 상품을 각자 생산하여 무역을 하면 더 큰 이익이 된다는 내용을 서술한 경우
중	기회비용의 개념을 사용하였지만, 비교 우위 상품을 각자 생산하여 무역을 하면 더 큰 이익이 된다는 내용을 미흡하게 서술한 경우
하	기회비용의 개념을 사용하지 않고 서술한 경우

14

모범 답안 개인적 차원에서는 선택할 수 있는 재화와 서비스의 폭이 확대되어 더욱 풍요로운 소비 생활을 할 수 있고, 기업적 차원에서는 기업 간 경쟁이 촉진되어 기업의 생산성이 향상된다. 국가적 차원에서는 국가 간 교류가 확대되면서 새로운 아이디어나 기술이 전파되어 경제가 성장할 기회가 생긴다.

|핵심 단어|

소비 품목 확대, 생산성 향상, 국가 간 교류 확대, 경제 성장

구분	채점 기준
상	국제 무역 확대에 따른 긍정적 영향을 개인·기업·국가의 세 가지 차원에서 모두 정확하게 서술한 경우
중	국제 무역 확대에 따른 긍정적 영향을 개인·기업·국가 중 두 가지 차원에서만 서술한 경우
하	국제 무역 확대에 따른 긍정적 영향을 개인·기업·국가 중 한 가지 차원에서만 서술한 경우

15

모범 답안 (1) ㉠ 안전성, ㉡ 수익성, ㉢ 유동성

(2) 일반적으로 수익성과 안전성은 상충되는 경우가 많다. 예를 들어 주식의 경우 수익성은 높은 반면 안전성이 낮으며, 예금의 경우 수익성은 낮은 반면 안전성은 높다.

|핵심 단어|

상충, 주식, 예금

구분	채점 기준
상	㉠~㉢을 쓰고, 안전성과 수익성의 관계를 사례를 들어 정확히 서술한 경우
중	㉠~㉢을 썼으나, 안전성과 수익성의 관계를 사례를 제시하지 않고 서술한 경우
하	㉠~㉢만 쓴 경우

16

모범 답안 (1) A 예금, B 채권, C 주식

(2) (가): 이자 수익을 기대할 수 있다. (나): 시세 차익을 기대할 수 있다.

|핵심 단어|

이자 수익, 시세 차익

구분	채점 기준
상	A~C에 해당하는 금융 자산을 쓰고, (가), (나)에 해당하는 내용을 모두 정확히 서술한 경우
중	A~C에 해당하는 금융 자산을 썼으나, (가), (나)에 해당하는 내용 중 하나만 서술한 경우
하	A~C만 쓴 경우

11강 정의의 실현

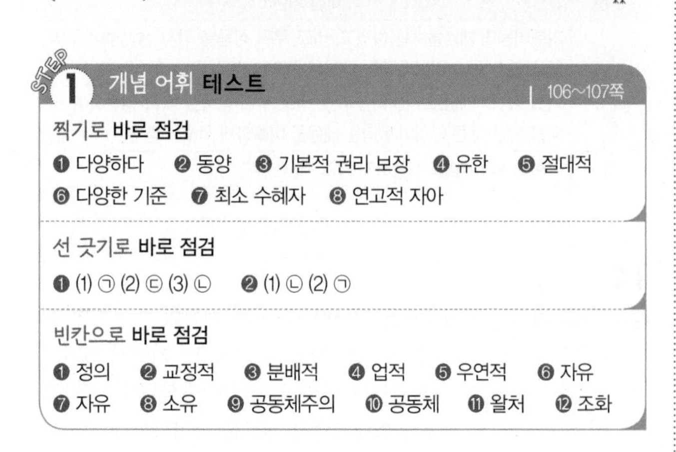

STEP 1 개념 어휘 테스트 | 106~107쪽

찍기로 바로 점검

❶ 다양하다 ❷ 동양 ❸ 기본적 권리 보장 ❹ 유한 ❺ 절대적
❻ 다양한 기준 ❼ 최소 수혜자 ❽ 연고적 자아

선 긋기로 바로 점검

❶ (1) ㉠ (2) ㉢ (3) ㉡ ❷ (1) ㉡ (2) ㉠

빈칸으로 바로 점검

❶ 정의 ❷ 교정적 ❸ 분배적 ❹ 업적 ❺ 우연적 ❻ 자유
❼ 자유 ❽ 소유 ❾ 공동체주의 ❿ 공동체 ⓫ 왈처 ⓬ 조화

STEP 2 기출 기초 테스트 | 108~109쪽

1-2 ⑤ **2-2** ⑤ **3-2** ⑤ **4-2** ④

1-2

㉠은 정의이다. 정의란 개인이 지켜야 할 올바른 도리 또는 사회를 구성하고 유지하는 공정한 도리로, 개인이나 사회가 추구해야 할 기본적인 덕목이라고 할 수 있다. 정의는 '각자에게 각자의 몫'을 주는 것이며, 공동체의 발전과 사회 통합을 위해, 그리고 사회 구성원의 기본적 권리 보장을 위해 필요한 사회의 핵심 덕목이다.

2-2

갑은 능력, 을은 필요, 병은 업적을 기준으로 한 분배를 주장한다. 따라서 병은 갑보다 개인의 업적을 더 강조한다.

|오답 체크|

① 업적에 따른 분배는 병이 주장한다. ② 능력에 따른 분배는 갑이 주장한다. ③ 필요에 따른 분배는 을이 주장한다. ④ 사회적 약자를 더 고려하는 것은 갑이 아닌 을이다.

3-2

갑은 롤스, 을은 노직이다. 롤스는 모든 사람은 동등한 기본적 자유를 최대한 누려야 하며, 공정한 절차를 통해 합의된 것은 정의롭다고 보는 공정으로서의 정의를 주장했다. 노직은 자유 지상주의의 입장에서 개인의 자유와 소유 권리를 최우선으로 보장하는 것이 정의롭다고 보는 소유 권리로서의 정의를 주장했다. ⑤ 롤스와 노직은 모두 자유주의적 정의관을 기반으로 한다는 점에서 공통적이다.

|오답 체크|

①, ② 분배에서 국가 개입의 최소화를 주장하고 개인의 소유 권리를 최우선으로 해야 함을 주장한 것은 노직(을)이다. ③ 노직(을)은 개인의 소유권을 보호하는 역할만 하는 최소 국가를 지지하였다. ④ 노직은 절대적 평등이 아니라 소유물에 대한 개인의 권리를 강조하였다.

4-2

(가)는 매킨타이어, (나)는 왈처로, 둘 다 공동체주의적 입장을 가지고 있다. 공동체주의는 인간의 삶이 공동체에 뿌리를 두고 있음을 강조하는 사상이며, 공동체의 영향 아래 자신의 역할을 담당하는 연고적 자아를 강조한다. 따라서 (가), (나)는 모두 공동체를 개인 정체성의 기반이라 인식한다.

|오답 체크|

①, ②, ③, ⑤는 모두 공동체보다 개인의 자유를 더 중시하는 자유주의적 입장이다.

STEP 3 A 교과서 기본 테스트 | 110~113쪽

01 ① **02** ② **03** ④ **04** ④ **05** ②
06 ⑤ **07** ⑤ **08** ⑤ **09** ① **10** ②
11 ③ **12** ② **13** 해설 참조 **14** 해설 참조 **15** 해설 참조
16 해설 참조

01

㉠에 들어갈 개념은 정의이다. 정의란 사회적 대우나 보상, 처벌 등에 있어 '마땅히 받을 만한 몫'을 공정하게 받는 것을 의미한다. 정의는 사회를 유지하는 공정한 도리이며, 인간의 기본적인 권리를 보장하기 위해 필요한 핵심적 덕목이다.

|오답 체크|

ㄷ. 정의는 개인이 지켜야 할 올바른 도리인 동시에 사회를 구성하고 유지하는 공정한 도리이므로 개인적·사회적 차원에서 모두 실현되어야 하는 것이다. ㄹ. 정의는 '같은 경우를 같게, 다른 경우를 다르게' 취급하는 것이다.

02

정의는 사회 구성원이 자신의 몫을 공정하게 분배받을 수 있게 하며, 구성원 간 이해 갈등을 공정하게 처리해 준다.

|오답 체크|

을. 정의는 공동선과 개인선을 함께 실현할 수 있게 해 준다. 정. 사회가 정의롭지 못하면, 정당한 노력보다 권력이나 뇌물을 이용하여 부당한 이익을 얻으려는 사람이 늘어난다.

03

(가)에 들어갈 적절한 발표 주제는 '분배적 정의의 실현'이다. 분배적 정의는 각자의 정당한 몫에 맞게 권력, 명예, 재화를 분배함으로써 공정함을 실현하는 것이다. [사례 1]은 업적에 따른 분배, [사례 2]는 능력에 따른 분배의 사례이므로 공통적으로 분배적 정의의 모습을 보여 준다.

04

제시된 분배 기준은 능력이다. 능력에 따른 분배는 신체적·정신적 능력이 뛰어난 사람에게 더 많은 분배와 보상을 할 수 있다는 장점이 있지만, 능력 중 일부가 우연적·선천적으로 결정될 수 있다는 단점이 있다.

|오답 체크|

①, ⑤ 필요에 따른 분배의 문제점이다. ②, ③ 업적에 따른 분배의 문제점이다.

개념 마스터 분배 기준의 장단점

구분	장점	단점
업적에 따른 분배	• 용이한 평가 • 공정성 확보 • 생산성 향상	• 서로 다른 종류의 업적 비교 곤란 • 경쟁 과열 • 사회적 약자에 대한 배려 부족
능력에 따른 분배	• 능력에 따른 우대 • 개인의 잠재력 실현 • 업무 효율성 제고	• 능력에 대한 기준 모호 • 선천적 · 우연적 요소의 개입
필요에 따른 분배	• 사회적 약자 고려 • 인간다운 삶 보장	• 모두의 필요를 충족시키기 어려움. • 경제적 효율성 저하

05

김장을 많이 담근 사람에게 김치를 많이 주는 것은 개인의 업적에 따른 분배라 할 수 있다. 업적을 기준으로 분배하면 성취동기를 높여 생산성이 향상된다. 다만, 사회적 약자를 고려하지 못할 수 있다.

06

갑은 필요에 따른 분배를, 을은 절대적 평등에 따른 분배를 주장한다. 필요에 따른 분배는 사회 구성원의 기본적 욕구를 충족할 수 있고, 사회적 불평등을 완화할 수 있다. 또한 절대적 평등은 각자에게 동일한 몫을 분배하여 경제적 평등을 실현하고 차별 없는 사회를 만들 수 있다. ⑤ 절대적 평등에 따른 분배는 모든 사람을 동등한 인격체로 보아, 기회와 혜택을 동일하게 분배해야 한다는 것이다.

|오답 체크|

①은 을의 주장이다. ②, ④는 업적에 따른 분배에 대한 설명이다. ③은 능력에 따른 분배에 대한 설명이다.

07

갑은 롤스, 을은 노직이다. 롤스는 모든 사람이 기본적 자유를 최대한 누려야 하며 공정한 절차를 통해 정의를 실현하는 공정으로서의 정의를 주장한다. 노직은 개인의 자유와 소유 권리의 보장을 최우선으로 하는 소유 권리로서의 정의를 주장한다. 갑, 을 모두 정의로운 사회에도 경제적·사회적 불평등이 존재한다고 본다.

|오답 체크|

①은 국가 개입의 최소화를 주장하는 을의 입장이다. ② 노직은 국가 개입의 최소화를 주장한다. ③ 갑, 을 모두 자유주의적 정의관을 기반으로 한다. ④ 사회적 약자에 대한 고려는 을보다 갑이 강조한다.

개념 마스터 자유주의적 정의관의 사상가

롤스	• 공정으로서의 정의: 공정한 절차를 통해 합의된 것은 정의로움. • 사회적 약자의 복지를 배려하기 위해 사회적 · 경제적 불평등을 최소화하려는 국가 역할의 필요성을 인정함.
노직	• 소유 권리로서의 정의: 개인의 자유와 소유 권리를 보장하는 것이 정의로움. • 개인의 권리를 보호하는 역할만 하는 최소 국가를 지지하면서 국가의 소득 재분배 정책인 조세 정책이나 복지 제도에 반대함.

08

갑은 노직으로, 개인의 자유와 소유 권리의 보장을 강조한다. 노직의 입장에서 볼 때, 세금으로 사회적 약자를 위한 복지 정책을 집행하는 것은 개인의 소유 권리를 침해한 것으로 부당한 행위이다.

|오답 체크|

①은 공리주의의 관점에서 지지할 입장이다. ② 개인의 소유 권리를 침해하는 행위이다. ③ 개인에게서 세금을 걷어 사회적 약자를 고려하는 것은 부당한 행위이다. ④ 노직은 최소 수혜자에 대한 고려보다 개인의 소유 권리 보장이 더 중요하다고 본다.

09

㉠에 들어갈 개념은 공동체주의이다. 공동체주의에 따르면 인간은 공동체를 선택하기 전에 이미 특정한 공동체 안에서 태어났고, 공동체가 추구하는 가치와 목적의 영향 아래 바람직한 역할을 요구받으며 살아가는 연고적 자아이다. ① 공동체주의에서는 정의 실현을 위한 적극적 국가 개입을 인정하고 가치 지향적인 국가의 역할을 강조한다.

10

제시문은 공동체주의 사상가인 왈처이다. 왈처는 공동체가 개인 정체성의 기반이며, 개인은 공동체의 전통에 영향을 받는다고 보았다.

|오답 체크|

ㄴ, ㄷ은 모두 자유주의적 관점이다.

11

제시문에 나타난 조례는 대형 유통업체의 독점을 막고, 영세 상인의 생존권을 보장하여 대기업과 중소 유통업체가 상생할 수 있는 길을 마련해야 한다는 측면에서 제정된 것이다. 이러한 조치를 통해 노동 단축으로 인한 노동자의 권리 또한 보장할 수 있다. 그러나 이러한 공익 실현을 위한 정부의 조치에 반대하는 입장도 존재한다. 그들은 공익을 이유로 개인의 이익 추구 권리를 제한할 수 있다는 점을 근거로 들 것이다.

12

헌법 제23조의 1항은 재산권의 보장, 2항은 공공복리에의 적합성에 대해 이야기하고 있으므로 개인선인 재산권과 공공복리인 공동선의 조화를 강조하고 있다.

STEP 3 B 창의력·융합형·서술형 113쪽

13

모범 답안 각자가 지닌 가치에 따라 권력, 명예, 재화 등을 분배하는 것이다.

|핵심 단어|

각자의 가치, 재화, 분배

구분	채점 기준
상	핵심 단어를 사용하여 의미를 정확히 서술한 경우
하	핵심 단어를 사용하지 않고 미흡하게 서술한 경우

개념 마스터 아리스토텔레스의 정의

일반적 정의	공익 실현을 위한 법을 준수하는 것
특수적 정의	• 분배적 정의: 각 사람이 지닌 가치에 따라 권력, 명예, 재화 등을 분배하여 공정함을 실현하는 것 • 교정적 정의: 손해와 이익에서 사람들 간의 동등하지 않음을 바로잡는 것 • 교환적 정의: 교환의 결과를 공정하게 하는 것

14

모범 답안 (1) 업적에 따른 분배

(2) 업적에 따른 분배는 과열 경쟁을 유발하고, 사회적 약자에 대한 배려가 부족하며, 서로 다른 종류의 업적 간에 비교가 어렵다는 문제점이 있다.

|핵심 단어|

과열 경쟁, 사회적 약자 배려 부족, 업적 간 비교의 어려움

구분	채점 기준
상	업적에 따른 분배를 쓰고, 문제점을 두 가지 모두 서술한 경우
중	업적에 따른 분배를 썼으나, 문제점을 한 가지만 서술한 경우
하	업적에 따른 분배만 쓴 경우

개념 마스터 성과 연봉제

성과 연봉제란 개인의 업무에 대한 성과 평가에 따라 급여가 결정되는 임금 체계이다. 직급 내 성과 평가에 따라 급여 수준의 차이가 발생한다. 기업의 성과 연봉제는 근로자의 노력을 극대화하여 기업의 생산성을 향상하려는 전략적인 선택이라고 할 수 있다.

15

모범 답안 (1) 갑: 노직, 을: 왈처

(2) 갑은 개인을 공동체로부터 독립적인 자율적 존재로 인식하고, 을은 개인을 공동체 속에서 바람직한 역할을 수행하는 연고적 자아로 인식한다.

|핵심 단어|

공동체로부터 독립된 개인, 자율적 존재, 공동체 속에서 바람직한 역할을 수행하는 개인, 연고적 자아

구분	채점 기준
상	갑, 을에 해당하는 사상가를 쓰고, 개인과 공동체의 관계를 갑, 을의 입장에서 모두 서술한 경우
중	갑, 을에 해당하는 사상가를 쓰고, 개인과 공동체의 관계를 갑, 을 중 하나의 입장에서만 서술한 경우
하	갑, 을에 해당하는 사상가만 쓴 경우

16

모범 답안 지나친 사익 추구로 인해 공익이 훼손되지 않도록 양자를 조화롭게 추구해야 한다.

|핵심 단어|

사익과 공익의 조화

구분	채점 기준
상	해결 방안에 대해 사익과 공익의 조화라는 용어를 사용하여 서술한 경우
하	해결 방안을 미흡하게 서술한 경우

12강 사회 및 공간 불평등 현상과 개선 방안

STEP 1 개념 어휘 테스트 116쪽

빈칸으로 바로 점검

❶ 사회 불평등 ❷ 양극화 ❸ 사회적 약자 ❹ 유리 천장 ❺ 공간 불평등 ❻ 사회 복지 제도 ❼ 역차별

찍기로 바로 점검

❶ 성장 거점 개발 ❷ 사회 보험, 공공 부조 ❸ 수도권, 비수도권

STEP 2 기출 기초 테스트 117쪽

1-2 ① **2-2** ②

1-2

(가)는 사회 계층의 양극화, (나)는 사회적 약자에 대한 차별 현상이다.

|오답 체크|

②, ③은 (나)에 대한 설명이다. ④는 공간 불평등에 대한 설명이다. ⑤는 (가)에 대한 설명이다.

2-2

제시된 제도는 모두 사회 보험에 해당한다. 사회 보험은 일상생활의 다양한 사회적 위험을 사전에 예방하는 것을 목적으로 한다.

|오답 체크|

①, ③ 사회 보험의 목적과는 거리가 멀다. ④ 공공 부조의 목적에 해당한다. ⑤ 사회 서비스의 목적에 해당한다.

STEP 3 A 교과서 기본 테스트 118~121쪽

01 ① **02** ③ **03** ⑤ **04** ② **05** ⑤
06 ② **07** ② **08** ② **09** ③ **10** ②
11 ⑤ **12** ⑤ **13** 해설 참조 **14** 해설 참조 **15** 해설 참조
16 해설 참조 **17** 해설 참조

01

제시된 그래프에서 소득 5분위 배율은 2012년을 제외하고 계속 증가하고 있다. 이는 하위 20%의 평균 소득에 비해 상위 20%의 평균 소득이 증가하고 있음을 의미한다. 즉, 소득 불평등 현상이 지속적으로 심화되고 있음을 알 수 있다.

|오답 체크|

②, ③ 제시된 그래프를 통해서는 알 수 없는 내용이다. ④, ⑤ 소득 불평등으로 인해 경제적 불평등 현상과 계층 간 양극화 현상은 심화된다.

02

제시된 그래프에서 우리나라 중산층의 비율은 감소하고 있다. 이는 고소득층과 저소득층의 비율이 증가하였다는 의미이다. 따라서 사회 계층의 양극화가 심화되고 있음을 알 수 있다.

|오답 체크|

①, ② 제시된 그래프로는 파악할 수 없는 내용이다. ④ 고소득층과 저소득층의 비율은 증가하고 있다. ⑤ 중산층 또는 저소득층에 대한 지원을 늘릴 필요가 있다.

03

제시된 자료에서 아버지 직업이 단순 노무직일 때 자녀가 관리 전문직이 된 경우는 14.0%에 불과하지만, 아버지 직업이 관리 전문직일 때 자녀 역시 관리 전문직이 된 경우는 42.9%에 달한다. 따라서 제시된 자료는 부모의 계층이 자녀에게 대물림된다는 주장을 뒷받침하는 근거로 사용할 수 있다.

|오답 체크|

① 부모의 직업과 자녀의 직업은 관련이 있다. ② 개인의 능력이나 업적에 의한 계층 이동이 제한되고 있다. ③ 제시된 자료로는 파악할 수 없다. ④ 개방적인 사회 구조가 폐쇄적인 사회 구조로 변화하는 요인으로 작용한다.

04

북한 이탈 주민은 사회적 약자로, 출신 지역에 대한 편견으로 인해 차별이 나타나고 있다.

|오답 체크|

ㄴ. 지역 격차와는 무관한 내용이다. ㄹ. 제시된 글에는 역차별과 관련된 내용이 나타나 있지 않다.

05

우리나라는 개인의 능력이나 업적을 제대로 인정해 주지 않고, 사회적 약자에게 불평등한 처우를 해 유리 천장 지수가 매우 낮다.

06

제시된 그래프를 통해 수도권에 각종 기능이 집중되었다는 것을 알 수 있다. 이는 수도권을 중심으로 한 성장 거점 개발 방식 때문이다.

|오답 체크|

ㄴ, ㄹ. 귀농과 관련된 지원을 확대하거나 혁신 도시를 개발하면 수도권 집중 현상이 완화된다.

07

신문 기사에서 이 씨는 국민 건강 보험의 혜택을 받았다. ② 국민 건강 보험은 사회 보험에 해당한다.

|오답 체크|

④ 사회 보험은 사전 예방적 성격을 갖는다. ⑤ 사회 보험은 국가, 기업, 개인이 비용을 공동으로 부담한다.

개념 마스터 사회 복지 제도

사회 보험	개인과 정부, 기업이 국민에게 발생할 사회적 위험을 보험 방식으로 사전에 대비하는 제도
공공 부조	국가가 전액 지원하여 생활이 어려운 국민의 최저 생활을 보장하는 제도
사회 서비스	사회적 취약 집단에게 상담, 재활, 돌봄 등의 개별적인 서비스를 제공하는 제도

08

㉠은 사회 서비스로, B에 해당한다. 사회 서비스는 노인, 장애인 등 사회적 취약 집단에게 비금전적 지원을 하는 제도이다.

|오답 체크|

D는 사회 보험, E는 공공 부조에 해당한다.

09

제시된 자료는 '장애인 고용 촉진법'에 관한 내용이다. 이는 장애인에 대한 적극적 우대 조치에 해당한다.

|오답 체크|

①, ②, ④, ⑤ 제시된 법률과는 거리가 먼 개념이다.

10

② 갑은 사회적 약자에 대한 적극적 우대 조치가 필요하다고 주장한다. 적극적 우대 조치는 사회적 약자에 대한 우선적 배려, 즉 차등적 배려를 통해 실질적 평등을 실현하는 제도이다.

|오답 체크|

① 을이 지지할 주장이다. ③ 갑이 지지할 주장으로 보기 어렵다. ④, ⑤ 갑이 지지할 주장이다.

11

(가)에는 불평등 문제를 해결하기 위한 법률이 들어갈 수 있다. ㄴ, ㄷ, ㄹ. 해당 법률은 각각 성 불평등, 공간 불평등, 연령에 따른 불평등을 해결하기 위한 목적의 법률이다.

|오답 체크|

ㄱ. 자율형 사립고등학교의 설립 및 운영은 불평등 문제의 해결과 거리가 멀다.

12

(가)는 지역 격차 완화를 위한 지방 자치 단체의 노력, (나)는 공간 불평등을 해소하기 위한 정부의 정책이다.

|오답 체크|

① (가)는 지방 자치 단체 주도로 이루어진다. ② 성장 거점 개발과 관련이 없다. ③ (나)로 인해 공간 불평등은 완화된다. ④ 비수도권의 도시를 육성하는 정책이다.

개념 마스터 공공 기관의 지방 이전

정부는 수도권 인구 집중을 완화하고 지방의 자립도를 높이기 위해 2003년 6월 국가 균형 발전을 위한 공공 기관 이전 추진 방침을 발표하였다. 이후 2005년 6월 공공 기관 지방 이전 계획을 수립·발표하고 10개 혁신 도시를 선정하여 공공 기관 이주를 추진하였다. 2016년 8월 현재 154개 공공 기관이 이전 계획을 승인·완료하였다.

STEP 3 B 창의력·융합형·서술형

121쪽

13

(1) 모범 답안 최하위 소득 10% 집단과 최고 소득 10% 집단의 소득 격차가 큰 것으로 보아 소득 불평등 현상이 나타난다.

|핵심 단어|

소득 불평등

구분	채점 기준
상	소득 불평등이라는 용어를 사용하여 문제점을 바르게 서술한 경우
하	소득 불평등이라는 용어를 사용하지 않고 문제점을 서술한 경우

(2) 모범 답안 소득 불평등이 사회 전반의 불평등으로 이어져 사회 계층의 양극화가 심화되고, 이에 따라 계층 간 위화감 조성으로 갈등이 심화되어 사회 통합을 저해할 수 있다.

|핵심 단어|

사회 계층의 양극화, 갈등, 사회 통합 저해

구분	채점 기준
상	사회 계층의 양극화, 갈등, 사회 통합 저해라는 용어를 모두 사용하여 문제점을 바르게 서술한 경우
하	사회 계층의 양극화, 갈등, 사회 통합 저해 중 일부만 사용하여 문제점을 서술한 경우

14

모범 답안 공간 불평등, 공간 불평등의 원인은 정부 주도의 성장 거점 개발 정책에 따른 수도권 집중화이다.

|핵심 단어|

공간 불평등, 성장 거점 개발

구분	채점 기준
상	공간 불평등을 쓰고, 그 원인을 바르게 서술한 경우
하	공간 불평등만 쓴 경우

15

모범 답안 부당한 차별을 받는 사회적 약자를 보호하기 위하여 마련한 제도로 인해 오히려 사회적 약자가 아닌 사람들이 역차별을 받지 않도록 유의해야 한다.

|핵심 단어|

역차별

구분	채점 기준
상	역차별이라는 용어를 사용하여 바르게 서술한 경우
하	역차별이라는 용어를 사용하지 않고 유의점을 서술한 경우

16

모범 답안 유리 천장, ㉡의 해결 방안으로는 여성에게 채용이나 승진 및 공직 진출의 혜택을 제공하는 여성 할당제 등의 적극적 우대 조치를 들 수 있다.

|핵심 단어|

유리 천장, 혜택 제공, 적극적 우대 조치

구분	채점 기준
상	유리 천장을 쓰고, 문제의 해결 방안을 바르게 서술한 경우
하	유리 천장만 쓴 경우

17

모범 답안 수도권에 집중된 공공 기관을 지방으로 이전함으로써 공간 불평등을 해소하고, 국토의 균형 발전을 이루기 위해서이다.

|핵심 단어|

공간 불평등 해소, 균형 발전

구분	채점 기준
상	공간 불평등 해소라는 용어를 사용하여 이유를 바르게 서술한 경우
하	공간 불평등 해소라는 용어를 사용하지 않고 이유를 서술한 경우

13강 다양한 문화권과 문화 변동

STEP 1 개념 어휘 테스트 | 124~125쪽

찍기로 바로 점검

❶ 문화 ❷ 정착 ❸ 힌두교 ❹ 건조 ❺ 영어 ❻ 발명 ❼ 문화 동화 ❽ 문화 융합

선 긋기로 바로 점검

❶ (1) ㉢ (2) ㉠ (3) ㉡ ❷ (1) ㉢ (2) ㉡ (3) ㉠

빈칸으로 바로 점검

❶ 문화권 ❷ 유목 ❸ 크리스트교, 이슬람교 ❹ 아프리카 ❺ 계절풍 ❻ 문화 변동 ❼ 전파 ❽ 자극 전파 ❾ 문화 병존(공존) ❿ 문화 융합 ⓫ 전통문화

STEP 2 기출 기초 테스트 | 126~127쪽

1-2 ③ 2-2 ② 3-2 ⑤ 4-2 ②, ⑤

1-2

고기·유제품이 주식인 지역은 중국의 시짱(티베트)고원 지역, 쌀이 주식인 지역은 화남 및 화중 지역, 밀이 주식인 지역은 화북 지역이다. 중국은 위도가 높아질수록 강수량이 줄어드는 경향이 있으며, 시짱(티베트)고원 지역은 해발 고도가 높고 건조하다.

③ 밀이 주식인 지역은 만두와 같은 밀가루 음식을 주식으로 한다.

자료 마스터 + 중국의 주식 문화권

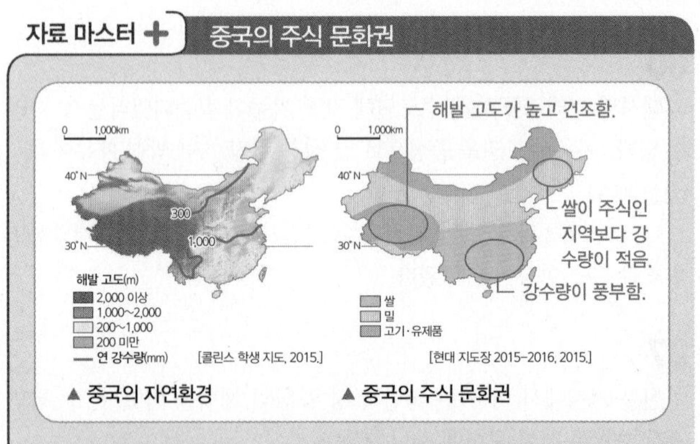

▲ 중국의 자연환경 ▲ 중국의 주식 문화권

- 쌀이 주식인 지역: 평야가 넓고 대하천이 발달해 있으며, 계절풍의 영향으로 여름 강수량이 풍부해 벼농사에 유리하다.
- 밀이 주식인 지역: 쌀이 주식인 지역보다는 건조하여 쌀보다 밀 재배가 활발하다.
- 고기·유제품이 주식인 지역: 높고 험준한 지형 조건과 건조한 기후 조건 때문에 농작물 재배에 불리하여, 가축을 길러 고기와 유제품을 얻는다.

2-2

A는 건조(이슬람) 문화권, B는 유럽 문화권, C는 남부 아시아(인도) 문화권, D는 동남아시아 문화권, E는 라틴 아메리카 문화권이다. ② 유럽 문화권은 크리스트교의 영향을 크게 받는다.

|오답 체크|

①은 아프리카 문화권의 특징이다. ③ 힌두교도들은 소를 신성시하여 먹지 않는다. ④는 동부 아시아 문화권의 특징이다. ⑤ 라틴 아메리카 주민 대부분은 에스파냐어와 포르투갈어를 사용한다.

3-2

실크 로드(비단길)를 통해 동·서양의 문화가 직접적으로 접촉하여 전파되었으므로, 문화 변동의 외재적 요인 중 직접 전파의 사례이다.

4-2

(가)는 문화 동화, (나)는 문화 융합이다. 아메리카 원주민들이 자신들의 고유문화(토속 신앙)를 잃고 새로운 문화(크리스트교)로 대체된 것은 문화 동화, 산신각은 문화 융합의 사례이다.

|오답 체크|

①은 발명, ③은 문화 융합, ④는 문화 병존(공존)의 사례이다.

자료 마스터 + 문화 변동의 양상

① A+B ➡ A
② A+B ➡ A, B
③ A+B ➡ C

* A, B, C: 개별 문화 요소
* + : 접촉
* ➡ : 변화

문화 동화(①)	기존의 문화 요소가 다른 사회에서 전파된 문화 체계에 흡수되거나 대체되는 현상 → 고유문화의 정체성 상실
문화 병존(②)	기존의 문화 요소와 전파된 다른 사회의 문화 요소가 고유한 정체성을 유지하면서 함께 공존하는 현상
문화 융합(③)	기존의 문화 요소와 외래의 문화 요소가 결합하여 이전의 두 문화와는 다른 새로운 문화가 나타나는 현상

STEP 3 A 교과서 기본 테스트

128~131쪽

01 ⑤	02 ③	03 ①	04 ③	05 ③
06 ①	07 ①	08 ③	09 ④	10 ⑤
11 ③	12 ⑤	13 해설 참조	14 해설 참조	15 해설 참조
16 해설 참조	17 해설 참조			

01

제시된 몽골어와 솔론족의 언어 사례는 지역의 자연 및 인문 환경에 맞추어 각기 다른 언어적 특성을 갖게 되었음을 보여 준다. 즉, 지역 주민이 그 지역의 환경에 적응한 삶의 방식을 보여 주고 있다.

몽골은 기후가 건조하여 가축을 유목하며 살기 때문에 말과 관련된 용어가 세분화되어 있고, 한대 기후 지역에 사는 솔론족은 의식주의 많은 부분을 순록에 의존하며 살기 때문에 순록과 관련된 단어가 많다.

|오답 체크|

①은 제시문과 관련이 없다. ② 지역에 따라 발달된 언어 분야가 다르다. ③ 몽골과 북극해 연안은 기후가 다르다. ④ 자연환경은 문화에 큰 영향을 미친다.

02

① 세계의 의식주 문화는 자연 및 인문 환경의 차이로 지역마다 다르게 나타난다. ② 건조 기후 지역은 햇볕이 강하고 모래바람이 세게 불어 온몸을 감싸는 헐렁한 의복을 입는다. ④ 빵의 주재료인 밀은 쌀보다 건조하고 한랭한 곳에서도 잘 자란다. ⑤ 인도는 힌두교를 믿어 소를 신성시하므로 소고기를 먹지 않는다.

③ 유목 문화 지역에서는 가축에 먹일 물과 풀을 찾아 여러 번 이동하며 생활한다.

03

㉠은 흙, ㉡은 통나무, ㉢은 가축의 털과 가죽이다. (가)는 사막 기후 지역의 흙집, (나)는 냉대 기후 지역의 통나무집, (다)는 순록의 털과 가죽으로 만든 이동식 가옥이다.

04

농경 문화권에서는 협동 노동이 필요해 공동체 문화가 발전하였으며, 유목 문화권에서는 가축 사육을 통해 의복·음식·가옥의 재료를 얻는다.

05

C는 건조(이슬람) 문화권으로, 이슬람교를 믿는 지역이므로 종교적 금기에 따라 돼지고기를 먹지 않는다. 양은 건조한 환경에서도 잘 크기 때문에, C 문화권에서는 다른 육류에 비해 양고기 소비가 많은 편이다.

자료 마스터 + 다양한 문화권의 특징

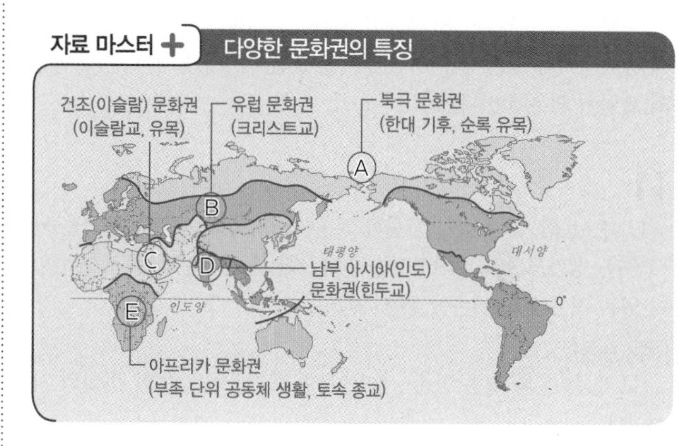

06

(가)는 크리스트교, (나)는 이슬람교, (다)는 힌두교이다. 크리스트교는 유럽 문화권(B), 이슬람교는 건조(이슬람) 문화권(C), 힌두교는 남부 아시아(인도) 문화권(D)에 큰 영향을 준다.

07

(가)는 사회 내적으로 새로운 문화 요소인 한글을 발명한 것이고, (나)는 교역과 정복으로 인해 직접적으로 문화 요소가 전달된 것이므로 직접 전파이다. ㉠은 발명·발견이고, ㉡은 직접 전파, ㉢은 간접 전파, ㉣은 자극 전파이다.

08

간다라 양식은 헬레니즘 문화가 인도의 문화와 결합하여 새로운 양식으로 탄생한 것이므로 문화 변동의 양상 중 문화 융합에 해당한다.

|오답 체크|

ㄱ. 간다라 양식은 인도의 고유문화와 다른 사회의 문화 요소(헬레니즘 문화)가 결합한 사례이다. ㄹ. 고유문화가 흡수되거나 대체되어 사라진 것이 아니라, 다른 문화 요소와 결합하여 새로운 문화 요소가 탄생한 것이다. ㄱ, ㄹ은 문화 동화에 대한 설명이다.

09

(가)는 아프리카 부족들이 자신들의 종교를 상실하고 새로운 종교를 받아들였다고 하였으므로 문화 동화의 사례이고, (나)는 우리나라와 중국의 풍습이 모두 함께 나타난다고 하였으므로 문화 병존(공존)의 사례이다.

|오답 체크|

문화 융합은 고유문화와 외부의 문화 요소가 결합하여 새로운 문화 요소를 만들어 내는 것이다. 라이스버거와 같은 융합(퓨전) 음식이나 불교와 우리나라 산신 숭배 신앙이 결합된 산신각을 사례로 들 수 있다.

10

'1'은 새로 유입된 유럽의 문화로 인해 지역의 고유문화가 상실된 문화 동화의 사례이다. '2'는 새로운 문화가 유입되었을 때 기존의 문화와 새로운 문화가 함께 공존하고 있으므로 문화 병존(공존)의 사례이다. 즉, 외부에서 새로운 문화 요소가 들어왔을 때, 고유문화가 정체성을 상실하고 없어진 사례와 정체성을 유지하고 다른 문화와 함께 공존하는 사례인 것이다.

|오답 체크|

①, ② 필기 내용은 고유문화의 가치나 문화 변동에 걸리는 시간을 다루고 있지 않다. ③ 제시된 사례는 새로운 문화가 유입되었을 때 동화되거나 병존(공존)하는 경우이다. ④ 두 사례 모두 문화 변동의 요인이 외부에 있다.

11

(가)는 문화 동화, (나)는 문화 병존(공존), (다)는 문화 융합을 나타낸다. 싱가포르와 말레이시아에 다양한 종교 경관과 종교 기념일이 있는 것은 문화 병존(공존)의 사례이다.

|오답 체크|

①, ⑤는 문화 병존(공존), ②는 문화 융합, ④는 문화 동화의 사례이다.

12

제시문은 김치의 역사와 현재의 의미 및 가치를 설명하고 있다. '김치'라는 전통 음식 문화를 창조적으로 계승해 나가기 위해서는 고유의 정체성을 유지하면서 시대적 변화에 맞게 재구성 · 재창조하는 자세를 가져야 한다.

김치로 유명한 지역은 이를 소재로 하여 세계적인 경쟁력(①)을 갖출 수 있다. 김치는 우리나라의 문화 정체성을 나타내며(②), 세계의 음식 문화 다양성 증진에 이바지(③)한다. 김치가 다른 나라와의 교류로 현재의 모습을 갖춘 것처럼, 전통문화는 시대적 변화에 맞춰 재구성 · 재창조(④)된다.

STEP 3 B 창의력·융합형·서술형

131쪽

13

모범 답안 몽골은 건조 기후 지역으로 강수량이 적어 곡물 재배에 불리한 대신 풀이 잘 자라 유목이 발달하였다. 물과 풀을 찾아 이동하는 생활을 하므로 조립과 분해가 쉬운 이동식 가옥이 발달하였다.

|핵심 단어|

건조 기후, 유목, 이동식 가옥

구분	채점 기준
상	건조 기후와 유목을 모두 포함하여 바르게 서술한 경우
하	건조 기후와 유목 중 한 가지만 포함하여 서술한 경우

14

(1) 모범 답안 이슬람교, 술과 돼지고기를 먹지 않는다. 라마단 시기에 단식을 한다. 등

|핵심 단어|

이슬람교, 술과 돼지고기 금기, 라마단 시기 단식

구분	채점 기준
상	이슬람교를 쓰고, 그 특징을 바르게 서술한 경우
하	이슬람교만 쓴 경우

(2) 모범 답안 한자와 젓가락을 사용하고, 유교와 불교문화가 발달했다.

|핵심 단어|

한자, 젓가락, 유교, 불교

구분	채점 기준
상	문화적 공통점을 두 가지 이상 바르게 서술한 경우
하	문화적 공통점을 한 가지만 서술한 경우

15

모범 답안 (1) A 문화 융합, B 문화 병존(공존), C 문화 동화

(2) A의 사례로는 융합(퓨전) 음악과 춤인 레게와 탱고 등을 들 수 있고, C의 사례로는 아메리카 원주민의 문화가 유럽 문화에 동화된 것을 들 수 있다.

|핵심 단어|

융합(퓨전) 음악, 아메리카 원주민, 유럽 문화에 동화

구분	채점 기준
상	문화 변동 양상을 각각 쓰고, A, C 사례를 한 가지씩 바르게 서술한 경우
중	문화 변동 양상을 각각 쓰고, A, C 사례 중 한 가지만 바르게 서술한 경우
하	문화 변동 양상만 쓴 경우

16

모범 답안 (가) 문화 융합, (나) 기존의 문화와 전파된 다른 사회의 문화가 고유한 정체성을 유지하며 함께 공존하기 때문이다.

|핵심 단어|

문화 융합, 고유한 정체성 유지, 공존

구분	채점 기준
상	(가), (나)에 들어갈 말을 모두 바르게 서술한 경우
하	(가), (나)에 들어갈 말을 미흡하게 서술한 경우

17

모범 답안 전통문화란, 한 사회에 오랜 기간 이어져 내려와 그 사회의 고유한 가치로 인정받는 문화이다. 전통문화를 창조적으로 계승하려면 전통문화만의 고유성과 독창성을 찾아 현실적 여건에 맞게 재구성·재창조해야 한다.

|핵심 단어|

고유한 가치, 독창성, 재구성, 재창조

구분	채점 기준
상	전통문화의 의미와 계승 방안을 바르게 서술한 경우
하	전통문화의 의미만 서술한 경우

14강 문화 상대주의와 다문화 사회

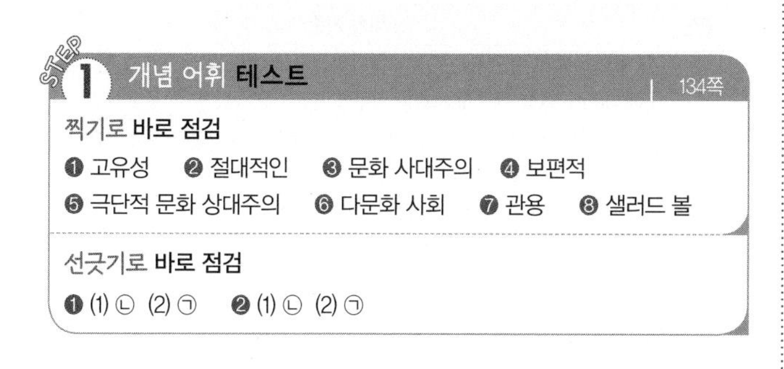

STEP 1 개념 어휘 **테스트** | 134쪽

찍기로 **바로 점검**

❶ 고유성 ❷ 절대적인 ❸ 문화 사대주의 ❹ 보편적
❺ 극단적 문화 상대주의 ❻ 다문화 사회 ❼ 관용 ❽ 샐러드 볼

선긋기로 **바로 점검**

❶ (1) ㉡ (2) ㉠ ❷ (1) ㉡ (2) ㉠

STEP 2 기출 기초 **테스트** | 135쪽

1-2 ④ **2-2** ④

1-2

서로 다른 다양한 문화를 존중하기 위해서는 각 문화의 가치와 고유성을 존중하는 문화 상대주의의 태도를 갖춰야 하지만, 그것이 지나쳐 윤리 상대주의로 흘러서는 안 된다. 문화가 상대적이라고 해서 윤리의 상대성을 인정해야 하는 것은 아니므로 각각의 문화는 보편 윤리의 관점에서 평가되어야 한다. (가)의 입장에서 볼 때, (나)의 사티 풍습은 여성의 생명과 자유를 훼손하는 문화이므로 보편 윤리의 관점에서 존중할 수 없다.

2-2

갑은 용광로에서 여러 가지 재료가 녹아 새로운 물질을 만들어 내듯, 이민자가 주류 문화에 적응하고 통합되도록 해야 한다는 용광로 이론(동화주의 관점), 을은 재료 각각의 맛을 잃지 않으면서도 재료들 간에 조화를 이루는 샐러드처럼 주류와 비주류의 구분 없이 이민자의 고유한 문화를 존중해야 한다는 샐러드 볼 이론(다문화주의 관점)을 설명하고 있다. ④ 을은 자신의 문화와 다르더라도 관용의 자세를 가지고 이민자의 문화를 존중해야 한다고 본다.

|오답 체크|

① 을의 입장이다. ② 을은 각각의 문화가 가치와 고유성이 있다고 본다. ③ 이민자의 문화를 존중하는 것은 을이다. ⑤ 을이 아닌 갑만 주류 문화가 사회의 중심이 되어야 한다고 본다.

STEP 3 Ⓐ 교과서 기본 **테스트** | 136~139쪽

01 ② **02** ⑤ **03** ① **04** ② **05** ①
06 ① **07** ④ **08** ④ **09** ② **10** ③
11 ④ **12** ② **13** 해설 참조 **14** 해설 참조 **15** 해설 참조
16 해설 참조 **17** 해설 참조

01

(가)는 각 사회의 문화가 고유성과 가치가 있고, 이를 존중해야 한다고 보는 문화 상대주의의 입장이다. 문화 상대주의는 세계에 존재하는 다양한 문화들이 정해진 하나의 방향으로만 발전하는 것이 아니므로, 문화의 우열을 가릴 수 없다고 본다. (가)의 입장에서 (나) 문화는 죽음의 의미를 다르게 해석하는 문화일 뿐이므로 문화 상대주의의 입장에서 존중해야 한다고 평가할 것이다.

02

제시된 신문 사설은 어린이들이 영어를 무조건 멋진 것으로 인식하고, 한국어는 무조건 촌스러운 것으로 인식하는 일종의 문화 사대주의의 문제점을 지적하고 있다. 문화 사대주의는 타 문화를 맹목적으로 동경하며 자신의 문화를 열등하게 여기는 태도이다. 따라서 신문 사설의 제목으로 가장 적절한 것은 ⑤ '아이들의 지나친 영어 사대주의는 주의해야'이다.

03

갑은 문화 절대주의 관점, 을은 문화 상대주의 관점을 강조하는 입장이다. 문화 절대주의는 문화 상대주의를 부정하고 문화의 우열을 가리려는 태도이며, 문화 상대주의는 문화를 그 사회의 특수한 환경과 역사적 상황 및 사회적 맥락 속에서 이해하려는 태도이다.

|오답 체크|

② 세계에는 다양한 문화가 존재하는가? → 갑, 을 모두 '예'
③ 다양한 문화를 존중해야 하는가? → 갑은 '아니요', 을은 '예'
④ 문화는 각 사회의 맥락에서 이해해야 하는가? → 갑은 '아니요', 을은 '예'
⑤ 문화의 다양성보다 문화의 우월성이 우선되는가? → 갑은 '예', 을은 '아니요'

04

조선의 세종 대왕은 훈민정음을 창제하였으나, 일부 사대부들은 중국의 문물과 제도를 우리나라의 것보다 우월하다고 여겨 중국의 언어와 제도를 따라야 한다고 주장하였다. 이는 중국 문화에 대한 사대주의를 보여 주는 사례이다. 문화 사대주의는 서로 다른 문화에는 우열이 존재한다고 보고(ㄱ), 자신의 문화를 열등하게 여겨 사회 구성원 간의 소속감과 일체감을 약화(ㄷ)시킨다.

|오답 체크|

ㄴ. 자문화 중심주의의 입장이다. ㄹ. 자문화 중심주의의 순기능에 해당한다.

05

제시문은 서로 다른 문화를 그 사회의 특수한 환경과 맥락에서 이해하고 존중해야 한다는 문화 상대주의의 입장이다.

|오답 체크|

'문화 간의 우열을 가려야 한다.'와 ' 문화를 평가하는 절대적인 기준이 존재한다.'는 문화 절대주의의 입장이다.

06

제시문의 '나'는 각 문화가 가진 상대성을 존중하면서도 인간의 존엄성, 생명 존중, 자유와 평등 등의 보편 윤리의 관점에서 문화를 성찰하는 태도가 필요함을 주장한다. 반면 제시문의 '어떤 사람'은 문화의 상대성뿐만 아니라 윤리의 상대성까지 주장한다. '나'의 입장에서 보았을 때, '어떤 사람'은 문화가 상대적이어도 윤리는 보편적이라는 사실을 간과하고 있다.

07

그래프를 통해 외국인 주민의 수와 비중이 시간이 갈수록 증가 추세임을 알 수 있다. 국내에 거주하는 외국인 주민 수가 증가하면서 다문화 사회로의 변화(①)가 진행되었고, 이는 저출산에 따른 노동력 부족 문제에 도움(③)이 될 수 있다. 그리고 서로 다른 문화를 가진 주민들이 모여 살다 보니 나타나는 주민들 간의 문화적 차이를 극복하는 교육 프로그램이 늘어날 것(⑤)으로 예측할 수 있다. 한편, 외국인과 내국인의 일자리 경쟁이 심화되어 사회적 갈등이 일어날 수 있다(②)는 것 또한 예측 가능하다.

④ 다문화 사회로 변화되면서 단일 민족 의식은 약화되고 다양한 문화를 수용하는 의식이 강화될 것이다.

08

다문화 사회는 다양한 문화의 공존으로 풍요로운 문화를 형성하고 노동력 부족과 같은 사회 문제를 해결하는 데 도움을 줄 수 있지만, 기존 문화와 이주민 문화 간의 갈등이나 내국인과 외국인 사이의 일자리 경쟁 등으로 인한 새로운 갈등을 야기한다.

09

자료는 우리나라의 다문화 수용성이 다른 선진국에 비해 낮은 편임을 보여 준다. 한국인의 다문화 수용성 지수를 높이기 위해서는 세계 시민 의식을 함양하여 타 민족의 문화를 존중하고 포용해야 한다.

10

(가)의 입장은 서로 다른 문화에 대한 존중을 통해 다양한 문화의 공존을 추구하는 샐러드 볼 이론(다문화주의 관점)이다. 샐러드 볼 이론 입장에서는 이민자가 자신의 문화를 유지하면서도 다른 문화와 조화를 이루는 정책을 추진하는 것이 옳다고 본다. 따라서 (가)의 입장에서 (나)의 A 씨에게 이주민의 문화를 존중하면서 기존 문화와 조화롭게 어우러질 수 있는 정책을 추진하라고 조언할 수 있다.

11

제시문의 입장은 기존의 주류 문화를 중심으로 이민자가 동화되어 하나의 통합된 문화를 형성해야 한다는 용광로 이론(동화주의 관점)이다. 용광로 이론의 관점에서는 이민자들이 주류 문화에 동화될 수 있도록 언어를 교육하고, 기존 문화에 적응할 수 있도록 여러 정책적 지원을 실시하고자 할 것이다.

|오답 체크|

ㄱ, ㄷ은 이민자 고유의 문화를 존중하고 인정하는 샐러드 볼 이론(다문화주의 관점)의 입장에서 지지할 정책이다.

12

다양한 인종과 민족의 문화를 인정하는 캐나다의 모자이크 정책과 오스트레일리아의 다문화 정책은 모두 다문화주의(샐러드 볼 이론)를 보여 준다.

STEP 3 B 창의력·융합형·서술형 139쪽

13

모범 답안 (가)는 자문화 중심주의, (나)는 문화 사대주의 태도이다. (가), (나)는 모두 문화를 평가하는 절대적 기준이 있어 문화의 우열을 가릴 수 있다는 문화 절대주의 관점을 보여 준다.

|핵심 단어|

자문화 중심주의, 문화 사대주의, 문화 절대주의

구분	채점 기준
상	(가), (나)에 드러난 문화 이해 태도를 각각 쓰고, 공통적으로 가진 문화에 대한 관점을 바르게 서술한 경우
중	(가), (나)에 드러난 문화 이해 태도를 각각 썼으나, 공통적으로 가진 문화에 대한 관점을 미흡하게 서술한 경우
하	(가), (나)에 드러난 문화 이해 태도만 쓴 경우

14

모범 답안 인간의 존엄성과 기본적인 인권을 훼손하는 사례이기 때문에 보편 윤리의 관점에서 문화로서 존중하기 어렵다.

|핵심 단어|

인간의 존엄성, 인권, 보편 윤리

구분	채점 기준
상	'보편 윤리'를 써서 문화로서 존중받을 수 없는 이유를 서술한 경우
하	'보편 윤리'라는 용어를 쓰지 않고 이유를 서술한 경우

15

모범 답안 다문화 사회, 다문화 사회가 되면서 저출산·고령화에 따른 노동력 부족 문제가 해소되고, 새로운 문화의 유입으로 문화 다양성이 증대될 수 있다.

|핵심 단어|

다문화 사회, 노동력 부족 문제 해소, 문화 다양성 증대

구분	채점 기준
상	다문화 사회를 쓰고, 긍정적인 측면을 바르게 서술한 경우
중	다문화 사회를 썼으나, 긍정적인 측면을 미흡하게 서술한 경우
하	다문화 사회만 쓴 경우

16

모범 답안 ㉠은 이주민이 기존 문화에 융화·흡수되어 단일한 정체성을 이루어야 한다는 관점이고, ㉡은 이주민 문화가 평등하게 인정되어 기존 문화와 조화를 이루어야 한다는 관점이다.

|핵심 단어|

기존 문화, 융화, 흡수, 평등, 인정, 조화

구분	채점 기준
상	㉠, ㉡의 의미를 모두 바르게 서술한 경우
하	㉠, ㉡의 의미 중 하나만 적절하게 서술한 경우

17

모범 답안 (가), (나)는 모두 다른 문화에 대한 편견과 차별로 인권 침해가 발생했음을 보여 준다. 이는 다른 문화를 존중하지 못해서 발생하는 문제이므로, 다른 사람이나 집단의 문화가 자신이 속한 사회의 문화와 다르더라도 이를 존중할 수 있는 관용의 자세를 가져야 한다.

|핵심 단어|

편견, 차별, 다른 문화의 존중, 관용의 자세

구분	채점 기준
상	(가), (나)의 문제점을 쓰고, 다문화 사회에서 필요한 관용의 자세까지 모두 서술한 경우
중	다문화 사회에서 필요한 관용의 자세만 서술한 경우
하	(가), (나)의 문제점만 쓴 경우

15강 세계화에 따른 변화

STEP 1 개념 어휘 테스트 142쪽

찍기로 바로 점검

❶ 세계화 ❷ 장소 마케팅 ❸ 중심지 ❹ 다국적 ❺ 획일화
❻ 늘어나고 ❼ 공정 ❽ 보편

선 긋기로 바로 점검

❶ (1) ㉠ (2) ㉡ ❷ (1) ㉢ (2) ㉠ (3) ㉡

STEP 2 기출 기초 테스트 143쪽

1-2 ④ 2-2 ⑤

1-2

(가)는 세계 각지에서 상품이 들어온다고 했으므로 세계화를 의미하고, (나)는 지역 축제가 전 세계에서 인기를 얻고 있다고 했으므로 지역화를 나타낸다. (나)의 송끄란 축제는 전 세계인이 즐기러 오는 세계적인 축제라는 점에서 세계화의 요소도 같이 드러난다.

|오답 체크|

산업화는 농업 중심의 사회가 광공업과 서비스업 중심의 사회로 변화해 가는 현상을 말한다.

2-2

제시된 글의 N사는 전 세계를 대상으로 생산과 판매를 하고 있으므로 다국적 기업이다. 다국적 기업은 관리, 연구, 생산 등의 기능을 서로 다른 지역에 입지시키는 공간적 분업을 통해 기업의 이윤을 극대화한다. ③ N사의 경우 경영 기획 및 관리 기능을 하는 본사는 미국에 입지한다. ⑤ 연구 및 개발을 담당하는 연구소의 경우 기술 수준이 높은 선진국의 대학 및 연구 시설이 밀집한 곳에 입지하는 경향이 있다. 인건비 절약을 위해 개발 도상국에 위치시키는 기능은 생산 기능이다.

STEP 3 A 교과서 기본 테스트 144~147쪽

01 ② 02 ③ 03 ⑤ 04 ② 05 ①
06 ① 07 ⑤ 08 ③ 09 ③ 10 ②
11 ④ 12 ④ 13 해설 참조 14 해설 참조 15 해설 참조
16 해설 참조

01

제시된 노트의 내용은 세계화와 관련된 것이다. ② '오스트리아 잘츠부르크의 모차르트를 활용한 홍보'는 지역화의 사례로, 지역화 전략 중 장소 마케팅의 사례이다.

02

지역 축제는 지역화 전략의 하나로, 지역이 지닌 특수한 요소들을 발전시켜 세계적 가치를 얻음으로써 지역 경제를 활성화시킬 수 있는 방법이다.

|오답 체크|

① 국가 간 상호 의존성을 파악하려면 경제 및 정치 구조 등의 자료가 제시되어야 한다. ②, ⑤ 세계화로 인해 지역 간 경쟁이 심화되어 지역의 특수성을 상품화하는 것이 중요해졌다. ④ 제시된 글은 보편 윤리와 특수 윤리 간 갈등에 대한 내용이 아니다.

03

A는 세계 도시이다. 세계 도시는 다국적 기업의 본사, 국제 금융 업무 등이 집중되어 있는 만큼 세계의 자본 및 고급 노동력이 집중된다.

04

ㄱ. 교통과 통신의 발달은 다국적 기업의 영향력이 전 세계로 확대되는 데 기여하였다. ㄹ. 생산 공장은 이윤을 극대화하기 위해 인건비가 저렴한 개발 도상국에 입지하거나, 무역 장벽을 피하고 현지 시장 점유를 늘리기 위해 선진국에 입지한다.

|오답 체크|

ㄴ. 기업이 성장하면서 기업의 활동 범위가 세계화되어 본사의 관리 기능이 미치는 범위도 세계로 확대되었다. ㄷ. 기술 연구소는 주로 고급 인력이 풍부한 곳에 입지한다.

개념 마스터 다국적 기업의 공간적 분업

기업 조직	기능	입지 특성
본사	경영 기획 및 관리	자본 및 정보 수집에 용이한 본국의 대도시에 입지
연구소	연구 및 개발	기술 수준이 높은 선진국의 대학 및 연구 시설이 밀집한 곳에 입지
생산 공장	생산	• 저렴한 노동력이 풍부한 개발 도상국에 입지 • 무역 장벽을 극복할 수 있는 선진국에 입지

05

다국적 기업의 생산 시설 철수로 인해 지역 경제가 전반적으로 침체되고, 관련 기업들 역시 폐업 위기에 놓일 수 있다. ① 산업 시설이 빠져나가면 보통 지역의 인구도 함께 빠져나가 인구가 감소한다.

06

자료에는 M사 점포가 세계 각지에 진출해 있으며, M사의 매출액이 증가하고 있다는 것을 보여 준다. 이는 세계화의 영향으로 M사의 햄버거가 전 세계로 전파되면서 음식 문화의 다양성이 줄어드는 음식 문화의 획일화 현상이 나타난다는 것을 보여 준다.

07

제시문에는 세계화에 따라 영어가 널리 쓰이고 소수 언어가 소멸되는 문화 획일화가 나타나 있다. 문화 획일화를 방지하기 위해서는 외래문화를 받아들이되, 자국의 문화가 소멸되거나 정체성이 훼손되지 않도록 주체적인 의식과 자세를 가질 필요가 있다.

|오답 체크|

① 문화를 소비 상품으로만 대해서는 안된다. ② 소수 민족의 언어를 편견 없이 바라봐야 한다. ③ 언어나 문화는 가치를 매길 수 없다. ④ 교류를 위해 영어를 사용하더라도 자국의 언어를 유지·계승해야 한다.

08

세계화에 따른 시장 확대와 경쟁으로 세계의 빈부 격차가 심화되고 있다.

|오답 체크|

ㄱ. 세계의 부가 불평등하게 분배되고 있다. ㄹ. 빈국과 부국 모두 1975년에 비해 2015년에 1인당 국내 총생산이 증가했다.

09

③ 공정 무역은 제품의 유통 구조를 단순화하여 선진국이나 대형 유통업체들의 개입을 줄이면서 생산자에게 더 많은 이익이 돌아갈 수 있도록 한다.

10

'설명 1'은 지역 축제, '설명 2'는 보편 윤리이다. 이에 해당하는 용어를 표에서 모두 지우면 '세계 도시'라는 단어가 남는다. 세계 도시는 경제·정치·문화 등 다양한 측면에서 전 세계적으로 중심지 역할을 수행하는 도시를 의미한다.

|오답 체크|

①은 문화 획일화, ③은 특수 윤리, ④는 세계 시민 의식, ⑤는 도시이다.

11

세계화에 따라 인류의 보편적 가치를 추구하는 보편 윤리와 지역의 특수성을 반영한 특수 윤리 간의 갈등이 나타나는데, 파키스탄의 명예 살인이 대표적인 사례이다.

|오답 체크|

①, ②, ⑤ 관련된 용어가 제시되지 않았다. ③ 명예 살인, 개고기 식용은 지역의 특수한 문화이다.

12

공공 시설물 파손에 대해 태형을 집행하는 싱가포르의 특수 윤리가 보편 윤리를 위배한 사례이다.

개념 마스터 보편 윤리와 특수 윤리

보편 윤리	• 모든 사회에서 구성원의 행위를 규제하고 사회 질서를 유지·통합하는 윤리 • 인간존엄성, 인권, 자유, 평화 등 인류의 보편적 가치를 추구함.
특수 윤리	• 특정 사회에서만 준수하는 특수한 윤리 • 특정 국가 시민으로서 국가의 주권이나 자국 시민의 복지를 보편적 가치보다 우선시함.

STEP 3 B 창의력·융합형·서술형 147쪽

13

모범 답안 전 세계 사람들이 관람한다는 점이 세계화의 요소이고, 우리의 전통문화를 소재로 한 것이 세계적인 인기를 얻었다는 점이 지역화의 요소이다.

|핵심 단어|

전 세계인의 관람, 전통문화 이용

구분	채점 기준
상	세계화와 지역화의 요소를 모두 정확하게 서술한 경우
하	세계화와 지역화의 요소 중 한 가지만 서술한 경우

14

(1) 모범 답안 중국의 인건비가 계속 상승하여 기업이 생산비 감축을 위해 인건비가 상대적으로 낮은 지역을 찾아 베트남으로 이동한 것이다.

|핵심 단어|

생산비 감축, 인건비

구분	채점 기준
상	㉠의 원인을 생산비(인건비)라는 단어를 사용하여 바르게 서술한 경우
하	㉠의 원인을 미흡하게 서술한 경우

(2) 모범 답안 지역 내 일자리가 늘어나 경제가 활성화되며, 다국적 기업의 기술을 습득할 수 있다.

|핵심 단어|

일자리 증가, 지역 경제 활성화, 기술 습득

구분	채점 기준
상	㉡의 긍정적 영향을 바르게 서술한 경우
하	㉡의 긍정적 영향을 미흡하게 서술한 경우

15

모범 답안 그래프에는 각 지역의 고유한 언어가 소멸할 위기에 놓여 있다는 문제가 나타나있다. 이 문제를 해결하기 위해서는 인류의 문화적 다양성이 훼손되지 않도록 세계 시민 의식을 갖추고 노력해야 한다.

|핵심 단어|

고유 언어 소멸 위기, 세계 시민 의식

구분	채점 기준
상	고유 언어 소멸 위기라는 문제를 쓰고, 문제의 해결 방안을 세계 시민 의식이라는 단어를 사용하여 바르게 서술한 경우
중	고유 언어 소멸 위기라는 문제를 썼으나, 문제의 해결 방안을 미흡하게 서술한 경우
하	고유 언어 소멸 위기만 쓴 경우

16

모범 답안 (1) (가) 독일, (나) 에티오피아

(2) (가) 독일과 같은 선진국은 부가 가치가 높은 공업 제품을 수출하고, (나) 에티오피아와 같은 개발 도상국은 부가 가치가 낮은 1차 상품을 주로 수출하여 선진국과 개발 도상국 간의 빈부 격차(경제적 격차)가 심화된다.

|핵심 단어|

부가 가치, 빈부 격차 심화

구분	채점 기준
상	(가), (나)를 쓰고, 무역 구조가 세계의 빈부 격차에 미치는 영향을 바르게 서술한 경우
중	(가), (나)를 썼으나, 무역 구조가 세계의 빈부 격차에 미치는 영향을 미흡하게 서술한 경우
하	(가), (나)만 쓴 경우

16강 국제 평화를 위한 노력

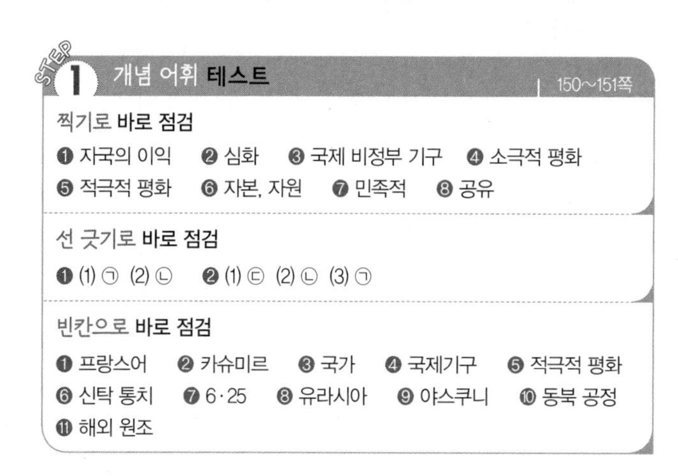

STEP 1 개념 어휘 테스트 | 150~151쪽

찍기로 바로 점검

❶ 자국의 이익 ❷ 심화 ❸ 국제 비정부 기구 ❹ 소극적 평화 ❺ 적극적 평화 ❻ 자본, 자원 ❼ 민족적 ❽ 공유

선 긋기로 바로 점검

❶ (1) ㉠ (2) ㉡ ❷ (1) ㉢ (2) ㉡ (3) ㉠

빈칸으로 바로 점검

❶ 프랑스어 ❷ 카슈미르 ❸ 국가 ❹ 국제기구 ❺ 적극적 평화 ❻ 신탁 통치 ❼ 6·25 ❽ 유라시아 ❾ 야스쿠니 ❿ 동북 공정 ⓫ 해외 원조

STEP 2 기출 기초 테스트 | 152~153쪽

1-2 ④ 2-2 ④ 3-2 ② 4-2 ⑤

1-2

국제 사회의 행위 주체는 국가, 국제기구, 국제 비정부 기구 등으로 분류된다. 제시된 글은 국제 비정부 기구에 대한 설명이다. ④ 국제 사면 위원회(국제 앰네스티)는 대표적인 국제 비정부 기구이다.

|오답 체크|

①은 국가, ②, ⑤는 국제기구이다.

2-2

제시된 글은 평화를 전쟁 등 물리적 폭력이 발생하지 않아 직접적 폭력이 제거된 상태인 '소극적 평화'로 보고 있다. ④ 제시된 글에는 물리적 폭력 이외의 다른 폭력에 대한 언급이 없다.

3-2

제시된 사례에는 북한의 무력 도발로 인한 인적 희생이 나타나 있다. 통일이 되면 이와 같은 군사적 대립과 전쟁의 위협에서 벗어나 정치적 안정과 평화를 얻을 수 있을 것이다.

|오답 체크|

①, ④는 개인·민족적 차원, ③은 경제적 차원, ⑤는 사회·문화적 차원의 필요성에 해당한다.

4-2

학습 목표에 제시된 사례들은 동아시아의 역사 갈등 중 역사 인식 문제와 관련이 있다. 일본의 역사 왜곡과 중국의 동북 공정으로 동아시아는 역사 갈등을 겪고 있다.

|오답 체크|

①~④는 제시된 사례와 관련이 적다.

STEP 3 Ⓐ 교과서 기본 테스트 | 154~157쪽

01 ③ 02 ⑤ 03 ④ 04 ③ 05 ④
06 ② 07 ⑤ 08 ① 09 ⑤ 10 ②
11 ③ 12 ② 13 해설 참조 14 해설 참조 15 해설 참조
16 해설 참조 17 해설 참조 18 해설 참조

01

제시문은 수십 년간 치열하게 전개되고 있는 수단과 남수단의 갈등을 보여 준다. 국제 관계는 자국의 이익을 바탕으로 형성되기 때문에 치열한 경쟁의 양상을 보이며, 영토·언어·종교·경제 등 다양한 요인이 복합적으로 작용하여 발생한다.

|오답 체크|

ㄱ. 국제 협력에 관한 설명이다. ㄹ. 국제 갈등은 국가 간에 서로 영향을 주고받으며 살아가기 때문에 발생한다.

02

제시된 글의 '그린피스'는 환경 보존과 세계 평화를 위해 활동을 전개하는 민간단체이므로 국제 비정부 기구에 해당한다.

03

㉠은 국제기구, ㉡은 국가, ㉢은 국제 비정부 기구이다. 국가는 일정한 영역과 국민을 바탕으로 주권을 가진 국제 사회의 가장 대표적인 행위 주체이며, 국제기구는 각 나라의 정부를 구성단위로 하여 국제적 목적을 위해 구성된 조직체이다. 또한 국제 비정부 기구는 개인이나 민간단체 주도로 만들어진 조직으로 인류 공동의 이익을 위해 활동한다. ④ 국가는 독립적 주권을 행사한다.

|오답 체크|

① 민간단체 주도로 만들어진 조직은 국제 비정부 기구(㉢)이다. ② 두 국가 이상으로 구성된 조직체는 국제기구(㉠)이다. ③ 자국의 이익을 최우선으로 추구하는 것은 국가(㉡)이다. ⑤ 국가(㉡)가 국제 비정부 기구(㉢)보다 강제력 행사가 강하다.

04

(다)의 카스피해 영유권 분쟁은 석유와 천연가스 등 자원을 둘러싼 갈등이다.

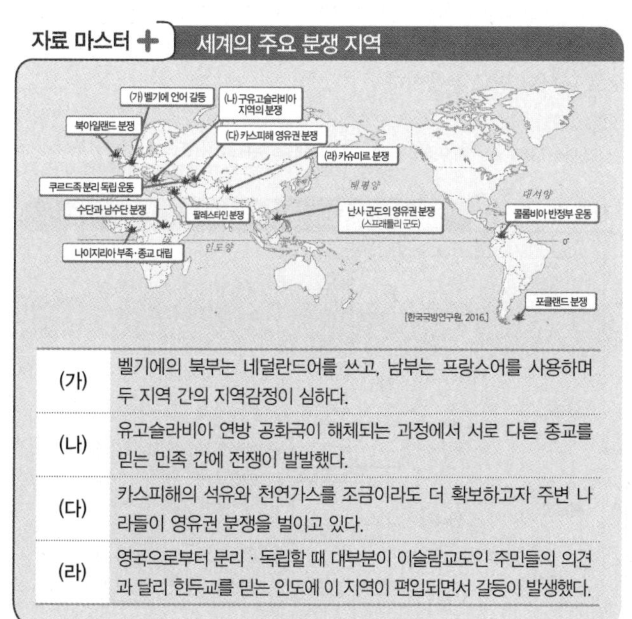

자료 마스터 + 세계의 주요 분쟁 지역

(가)	벨기에의 북부는 네덜란드어를 쓰고, 남부는 프랑스어를 사용하며 두 지역 간의 지역감정이 심하다.
(나)	유고슬라비아 연방 공화국이 해체되는 과정에서 서로 다른 종교를 믿는 민족 간에 전쟁이 발발했다.
(다)	카스피해의 석유와 천연가스를 조금이라도 더 확보하고자 주변 나라들이 영유권 분쟁을 벌이고 있다.
(라)	영국으로부터 분리·독립할 때 대부분이 이슬람교도인 주민들의 의견과 달리 힌두교를 믿는 인도에 이 지역이 편입되면서 갈등이 발생했다.

05

갑은 소극적 평화, 을은 적극적 평화를 주장한다. 소극적 평화는 직접적 폭력의 제거를 통해 실현되지만, 적극적 평화는 직접적 폭력의 제거를 넘어 폭력의 이면에 작동하는 구조적·문화적 폭력까지 제거됨으로써 실현된다.

|오답 체크|

① '직접적 폭력의 제거로 평화는 완성되는가?'에 대해 갑은 예, 을은 아니요로 답할 것이므로 B에 들어갈 수 있다. ② '평화는 구조적 폭력의 제거를 포함하는가?'에 갑은 아니요, 을은 예라고 답할 것이다. ③ '사회 구조와 문화 자체도 폭력일 수 있는가?'에 갑은 아니요, 을은 예라고 답할 것이다. ⑤ '물리적 폭력 제거는 평화의 충분조건인가?'에 갑은 예, 을은 아니요로 답할 것이므로 B에 들어갈 수 있다.

06

제시된 글에는 인종 차별과 억압으로 인해 적극적 평화가 침해된 상태가 나타나 있다.

|오답 체크|

ㄴ. 물리적 폭력뿐만 아니라 구조적·문화적 폭력이 제거되어야 해결되는 문제이다. ㄹ. 흑인에 대한 차별과 억압으로 인해 구조적·문화적 폭력이 나타나고 있는 상태이다.

07

8·15 광복 → 모스크바 3국 외무 장관 회의 → 5·10 총선거 → 6·25 전쟁의 과정을 거쳐 분단이 고착화되었다. 따라서 정답은 ㄹ－ㄷ－ㄱ－ㄴ이다.

08

제시된 표는 통일로 인해 한국이 경제적으로 발전하고 번영을 이룰 수 있음을 보여 준다.

|오답 체크|

②는 사회·문화적 차원, ③과 ④는 개인·민족적 차원, ⑤는 정치적 차원의 필요성이다.

09

A는 쿠릴 열도, B는 센카쿠 열도, C는 시사 군도, D는 난사 군도로, 모두 복잡하게 얽힌 역사적 배경이나 해양 자원 확보 등의 원인으로 나타난 영토 분쟁이다.

|오답 체크|

①은 B, ②는 A, ③은 D, ④는 C에 대한 설명이다.

자료 마스터 + 동아시아의 영토 분쟁 지역

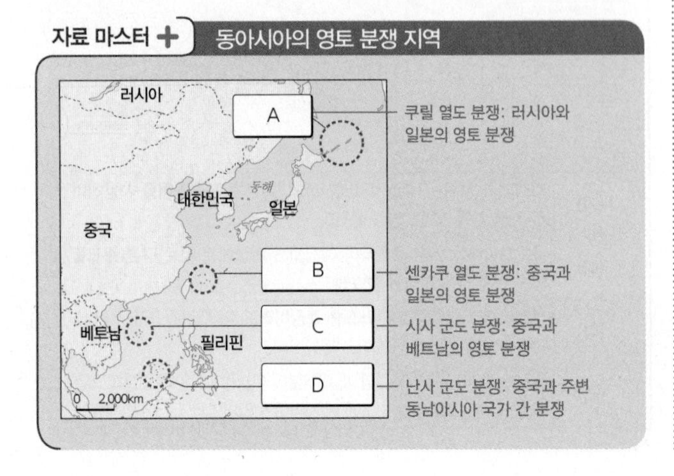

10

일본은 식민지 지배와 침략 전쟁을 미화하는 등 역사를 왜곡하고 있으며, 중국은 국경 지역의 안정을 도모하기 위해 동북 공정을 진행하고 있다.

|오답 체크|

을. 고조선, 고구려, 발해 등 우리 역사를 자신들의 역사로 왜곡하려는 것은 중국의 주장이다. 정. 고위 정치인들의 야스쿠니 신사 참배는 일본에서 일어나는 모습이다.

11

제시된 글에는 일본군'위안부' 문제가 나타나 있다. 한국 피해자의 증언이 있는데도 불구하고, 일본은 현재 이를 축소하고 은폐하려고 하고 있다. 이러한 역사 인식의 왜곡 문제는 서로 간의 갈등을 심화시키는 요인으로 작용한다. 따라서 일본은 과거의 잘못을 인정하고 반성하는 태도가 필요하다.

|오답 체크|

① 함께 역사를 왜곡하는 것은 좋은 방법이 아니다. ② 국제적 연대도 필요하지만 양국 간 역사 인식 공유가 더 중요하다. ④ 역사 갈등을 해결하기 위해 편협한 민족주의적 역사 인식을 배제하고 공존할 수 있는 미래를 추구해야 한다. ⑤ 과거사에 대한 진정한 반성이 있어야 양국 간 평화를 이룰 수 있다.

12

우리나라는 국제 사회의 평화를 위해 다양한 노력을 기울여야 한다. ② 갑은 통일을 통한 전쟁 위협의 제거를 주장하므로 소극적 평화를 지향한다.

|오답 체크|

① 통일의 필요성 가운데 정치적 차원과 관련된 주장이다. ③ 을은 국제기구의 일원으로서 해외 원조를 해야 한다고 주장한다. ④ 국제 연합 평화 유지군은 전 세계의 다양한 분쟁 지역에 파견된다. ⑤ 을은 적극적 평화 실현을 위해 적극적으로 노력해야 한다고 주장한다.

STEP 3 B 창의력·융합형·서술형

157쪽

13

모범 답안 국제 비정부 기구, 국제 비정부 기구는 개인이나 민간단체 주도로 조직되어 인류 공동의 이익을 위해 활동한다.

|핵심 단어|

국제 비정부 기구, 개인, 민간단체, 인류 공익

구분	채점 기준
상	국제 비정부 기구를 쓰고, 그 특징을 모두 바르게 서술한 경우
중	국제 비정부 기구를 쓰고, 그 특징을 서술하였으나 미흡한 경우
하	국제 비정부 기구만 쓴 경우

14

모범 답안 ㉠은 전쟁, 테러 등 물리적 폭력이 발생하지 않아 직접적인 폭력의 사용이나 위협이 없는 상태이며, ㉡은 직접적 폭력뿐만 아니라 빈곤, 기아 등 구조적·문화적 폭력까지 제거된 상태이다.

|핵심 단어|
물리적 폭력, 직접적 폭력, 구조적·문화적 폭력

구분	채점 기준
상	㉠, ㉡의 의미를 핵심 단어를 사용하여 모두 바르게 서술한 경우
중	㉠, ㉡의 의미 중 한 가지만 바르게 서술한 경우
하	㉠, ㉡의 의미를 제대로 서술하지 못한 경우

15

모범 답안 진정한 평화를 이루기 위해서는 수단 또한 평화적이어야 한다. 따라서 무력으로 개입하려는 ㉠은 바람직하지 않다.

|핵심 단어|
평화적 수단, 무력 개입

구분	채점 기준
상	(가)의 입장을 들어 ㉠의 바람직하지 않음을 적절하게 서술한 경우
하	(가)의 입장과 무관하게 ㉠의 바람직하지 않음을 서술한 경우

16

모범 답안 ㉠에는 남한의 자본 및 기술과 북한의 자원 및 노동력의 결합으로 인한 경제 성장, 분단 비용의 절감 등이 들어갈 수 있고, ㉡에는 분단으로 인한 민족의 이질화 극복, 이산가족의 아픔 해소 등이 들어갈 수 있다.

|핵심 단어|
경제 성장, 분단 비용 절감, 이질화 극복, 이산가족 아픔 해소

구분	채점 기준
상	㉠, ㉡에 들어갈 내용을 모두 서술한 경우
중	㉠, ㉡에 들어갈 내용 중 한 가지만 서술한 경우
하	㉠, ㉡에 들어갈 내용을 제대로 서술하지 못한 경우

17

모범 답안 (1) 일본군'위안부' 문제 축소·은폐, 독도에 대한 부당한 영유권 주장 등
(2) 동아시아의 평화와 번영을 위해 역사 왜곡을 바로잡아야 한다. 이를 위해 한·중·일이 서로의 역사 인식을 공유해야 한다.

|핵심 단어|
역사 인식 공유

구분	채점 기준
상	(가)의 사례를 두 가지 모두 쓰고, (가)와 (나) 문제의 해결 방안을 바르게 서술한 경우
중	(가)의 사례를 하나만 쓰고, (가)와 (나) 문제의 해결 방안을 미흡하게 서술한 경우
하	(가)의 사례를 하나만 쓴 경우

18

모범 답안 한반도 통일을 통해 전쟁 위협을 제거하여 세계 평화에 기여해야 하며, 빈곤·기아·차별 등 세계의 다양한 문제를 해결하기 위해 적극 지원해야 한다.

|핵심 단어|
한반도 통일, 전쟁 위협 제거, 세계 문제 해결, 지원

구분	채점 기준
상	세계 평화를 위한 우리나라의 노력을 두 가지 서술한 경우
중	세계 평화를 위한 우리나라의 노력을 한 가지만 서술한 경우
하	세계 평화를 위한 우리나라의 노력을 적절하게 서술하지 못한 경우

17강 인구 문제의 양상과 해결 방안

STEP 1 개념 어휘 테스트 | 160쪽

찍기로 바로 점검
❶ 조밀 ❷ 낮고, 길어, 작고, 크기, 높다 ❸ 정치적 ❹ 하락 ❺ 억제

빈칸으로 바로 점검
❶ 산업 혁명 ❷ 아시아 ❸ 남초 ❹ 인구 과잉 ❺ 고령화 ❻ 친가족적

STEP 2 기출 기초 테스트 | 161쪽

1-2 ④ 2-2 ②

1-2

A 지역은 서부 유럽, B 지역은 사하라 사막, C 지역은 중국 동부, D 지역은 알래스카이다. A 지역은 기후가 온화하고 산업이 발달하여 인구가 조밀하고, C 지역 또한 기후가 온화하고 벼농사 및 산업이 발달하여 인구가 밀집되어 있다.

|오답 체크|
① 북반구에 대륙이 더 많아 인구가 더 많이 분포한다. ② 아시아 대륙에 인구가 가장 많이 분포한다. ③ 대체로 개발 도상국에서 선진국으로 인구 이동이 이루어진다. ⑤ B 지역은 너무 건조하고, D 지역은 너무 추워 농업에 불리하므로 인구가 적다.

2-2

제시된 스웨덴의 육아 휴직 제도는 출산 장려 정책이며, 이는 선진국의 저출산 문제에 대한 해결 방안이다.

|오답 체크|
①은 육아 휴직 제도와 관련이 적다. ③은 주로 개발 도상국에서 나타나는 문제이다. ④, ⑤는 육아 휴직 제도와 관련이 없다.

STEP 3 A 교과서 기본 테스트 | 162~165쪽

01 ④ 02 ③ 03 ② 04 ③ 05 ①
06 ③ 07 ② 08 ④ 09 ② 10 ③
11 ⑤ 12 ⑤ 13 해설 참조 14 해설 참조 15 해설 참조
16 해설 참조

01

산업 혁명 이후 의료 기술의 발달, 경제 성장 및 생활 수준 향상으로 사망률이 감소하고 평균 기대 수명이 연장되어 인구가 급증하였다. 선진국은 20세기 초까지 인구가 급성장하다가 최근에는 인구가 정체되어 있고, 개발 도상국은 20세기 중반 이후부터 인구가 급증하고 있다. ②, ③ 선진국은 보통 D 단계에 해당한다.

자료 마스터 + 인구 변천 모형

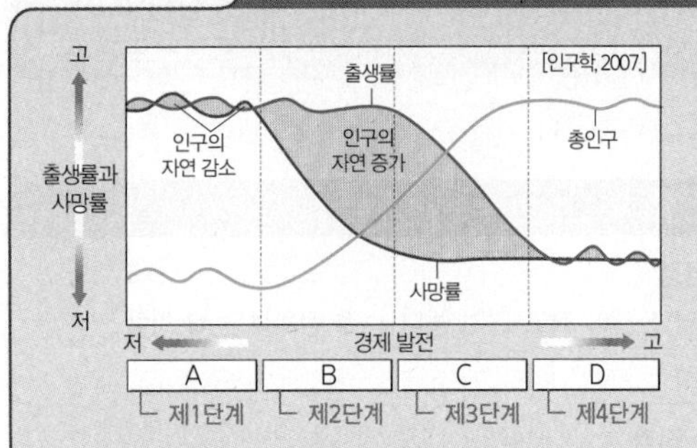

- 제1단계: 출생률과 사망률이 높음. → 인구 정체
- 제2단계: 출생률이 높고 사망률이 급격하게 감소(경제 성장 및 생활 수준 향상 때문) → 인구 증가
- 제3단계: 출생률이 급격하게 감소(여성의 사회 진출, 자녀에 대한 가치관 변화)하고 사망률이 완만히 감소 → 인구 증가
- 제4단계: 출생률과 사망률이 낮음. → 인구 정체

02

세계의 인구 분포는 자연적 요인과 사회·경제적 요인의 영향을 받는데, 공업이 발달한 미국 북동부와 서부 유럽은 개발 도상국에서 일자리를 찾아 온 사람들이 많이 유입된다.

|오답 체크|

ㄱ. 아프리카 대륙은 인구가 비교적 적게 분포하지만, 합계 출산율이 매우 높다. ㄹ. 러시아와 캐나다 북부 지역은 추운 기후가 나타나 농업에 불리하여 인구가 적게 분포한다. 밀림이 분포하여 인구가 적게 분포하는 지역은 적도 주변이다.

03

(가)는 선진국(일본), (나)는 개발 도상국(니제르)이다. (가)는 (나)보다 출생률이 낮고 평균 기대 수명이 길기 때문에 유소년층 비중이 작고 노년층 비중이 크다.

|오답 체크|

을. (가)가 (나)보다 중위 연령이 더 높다. 중위 연령은 특정 지역이나 국가의 전체 인구를 연령 순서대로 세웠을 때 그 중앙에 위치한 사람의 연령이다. 병. (가)는 방추형, (나)는 피라미드형 인구 구조가 나타난다.

04

A는 노동 이주자로 경제적 이동, B는 난민 및 망명자로 정치적 이동에 해당한다. 지도상에서 난민 및 망명자는 주로 주변 국가나 유럽으로 이동하고 있다.

|오답 체크|

① A는 경제적 이동이다. ② A는 대부분 유럽, 앵글로아메리카로 이주한다. ④ 경제적 이동이 더 활발하게 이루어진다. ⑤ A가 노동 이주자, B가 난민이다.

05

경제적 인구 이동은 개발 도상국에서 선진국으로 이루어지는 경우가 대부분이므로 필리핀보다 홍콩이 1인당 국민 소득이 더 높을 것이다.

06

1, 2. 선진국은 합계 출산율이 낮은 편이고, 노년층 인구 비중이 크게 나타난다. 반면 개발 도상국은 합계 출산율이 높은 편이고, 유소년층 인구 비중이 크게 나타난다. 3. 선진국은 생산 연령 인구 감소에 따른 노동력 부족으로 경제 침체 위기에 놓여 있다. 4. 아프리카는 인구 부양력이 낮은데, 합계 출산율이 높아 인구 과잉 문제가 나타난다.

07

저출산에 따른 생산 연령 인구 감소로 생산성이 감소하는 문제가 나타나, 결과적으로 잠재 성장률이 낮아진다. 잠재 성장률이란, 한 국가의 경제가 과도한 물가 상승을 유발하지 않고, 자본, 노동, 총요소 생산성 등을 최대한 효율적으로 사용하여 달성할 수 있는 국내 총생산(GDP) 증가율이다.

개념 마스터 인구 관련 개념

- 합계 출산율: 가임 여성 1인당 평균 출생아 수
- 인구 부양비: ((노년층 인구 + 유소년층 인구)/청장년층 인구) * 100
- 노년 인구 부양비: (노년층 인구/청장년층 인구) * 100
- 유소년 인구 부양비: (유소년층 인구/청장년층 인구) * 100

08

난민들이 많이 유입된 에스파냐, 이탈리아 등은 이주민 수용과 관련하여 사회적 비용이 증가하는 문제와, 기존 주민과 이주민 간의 갈등 문제가 나타날 수 있다.

|오답 체크|

ㄱ, ㄷ은 인구 유출 지역에서 나타날 수 있는 변화이다.

09

개발 도상국은 인구 과잉 문제로 기아, 빈곤, 각종 도시 문제 등을 겪고 있으며, 이를 해결하기 위해 산아 제한 정책, 식량 증산 정책 등이 필요하다.

|오답 체크|

노동력 감소, 출산 장려 정책은 선진국의 인구 문제 및 해결 방안과 관련된 내용이다.

10

1970년대에는 인구 과잉 문제를 해결하기 위해 출산 억제를 장려하는 표어를, 1990년대에는 성비 불균형 문제를 해결하기 위한 표어를, 2000년대에는 저출산 문제를 해결하기 위해 출산을 장려하는 표어를 만들었다.

|오답 체크|

ㄱ. 2000년대에는 출생률이 낮아 출산 장려 정책을 펼쳤다. ㄹ. 1970년대에는 인구 과잉 문제, 2000년대에는 저출산 문제가 대두되었다.

11

정년 연장 정책은 노년층의 노후 소득을 늘려줄 수 있으나, 기업의 부담 증가로 청장년층의 신규 채용이 줄어들 수 있어 찬반 의견이 갈린다.

|오답 체크|
갑. 정년 연장을 실시하면 청장년층의 노인 부양 부담이 줄어든다.
을. 평균 기대 수명 연장으로 노년층 인구는 계속 늘어날 것이다.

12

제시된 자료는 저출산 문제에 대응한 출산 장려 정책들이다. 선진국은 결혼 및 자녀에 대한 가치관 변화 등으로 저출산 문제가 심각한데, 이를 해결하기 위해서는 출산 장려 정책 시행, 가족 친화적 가치관 확립, 양성평등 문화 확산 등이 필요하다.

STEP 3 B 창의력·융합형·서술형

165쪽

13

(1) 모범 답안 상대적으로 (가) 국가는 유소년층 비중이 작고, 중위 연령이 높은 반면, (나) 국가는 유소년층 비중이 크고, 중위 연령이 낮다.

|핵심 단어|
유소년층 비중, 중위 연령

구분	채점 기준
상	제시된 두 단어의 측면에서 특징을 바르게 서술한 경우
하	제시된 단어 중 한 가지 단어의 측면에서만 특징을 서술한 경우

(2) 모범 답안 인구 과잉에 따른 기아, 빈곤, 실업 등의 문제가 나타난다. 이를 해결하기 위해서는 산아 제한 정책을 실시하고, 인구 부양력을 높이기 위한 경제 발전과 식량 증산 정책을 실시해야 한다.

|핵심 단어|
인구 과잉, 기아, 빈곤, 실업, 산아 제한 정책, 인구 부양력 증대, 식량 증산 정책

구분	채점 기준
상	인구 문제를 쓰고, 그 해결 방안을 바르게 서술한 경우
하	인구 문제만 쓴 경우

14

모범 답안 고령화 현상으로 노년 인구 부양비가 증가하고 노인 복지 비용이 늘어난다. 또한, 노인 부양 부담을 지는 청장년층과 노년층 간의 갈등이 발생할 수 있다.

|핵심 단어|
고령화, 노년 인구 부양비 증가, 노인 복지 비용 증가, 세대 간 갈등

구분	채점 기준
상	고령화로 나타날 수 있는 문제점을 두 가지 이상 서술한 경우
하	고령화로 나타날 수 있는 문제점을 한 가지만 서술한 경우

15

모범 답안 (1) 정치적 이동
(2) 긍정적 영향으로는 노동력 확보로 경제가 활성화되고, 문화적 다양성이 증대된다는 점을, 부정적 영향으로는 이주민과 기존 주민 간의 경제적 · 문화적 갈등이 발생한다는 점을 들 수 있다.

|핵심 단어|
노동력 확보, 문화적 다양성, 경제적·문화적 갈등

구분	채점 기준
상	인구 이동 유형을 쓰고, 유럽에서 나타나는 긍정적·부정적 영향을 한 가지씩 서술한 경우
중	인구 이동 유형을 썼으나, 유럽에서 나타나는 긍정적·부정적 영향 중 한 가지만 서술한 경우
하	인구 이동의 유형만 쓴 경우

16

모범 답안 저출산·고령화 문제, 저출산 문제를 해결하려면 출산 장려 정책을 시행하고 양성평등 문화를 확산해야 한다. 고령화 문제를 해결하려면 노년층 일자리 확대 및 정년 연장을 통해 노인의 경제적 자립을 지원해야 하며, 노인 복지 시설을 확충하고 사회 보장 제도를 강화해야 한다.

|핵심 단어|
저출산·고령화 문제, 출산 장려 정책, 노년층 일자리 확대, 사회 보장 제도 강화

구분	채점 기준
상	우리나라의 인구 문제를 쓰고, 해결 방안을 바르게 서술한 경우
중	우리나라의 인구 문제를 썼으나, 해결 방안을 미흡하게 서술한 경우
하	우리나라의 인구 문제만 쓴 경우

18강 지속 가능한 발전과 미래 지구촌

STEP 1 개념 어휘 테스트

168~169쪽

찍기로 바로 점검
❶ 증가 ❷ 유한성 ❸ 민족주의 ❹ 넓은, 적다 ❺ 강화
❻ 단축 ❼ 세계 시민

선 긋기로 바로 점검
❶ (1) ㉢ (2) ㉡ (3) ㉠ ❷ (1) ㉠ (2) ㉡

빈칸으로 바로 점검
❶ 자원 ❷ 유한, 편재 ❸ 화석 연료 ❹ 석유, 천연가스 ❺ 고갈
❻ 지속 가능한 발전 ❼ 친환경 ❽ 윤리적 소비 ❾ 미래학
❿ 사생활 침해 ⓫ 관용 ⓬ 보편

STEP 2 기출 기초 테스트

170~171쪽

1-2 ③ 2-2 ④ 3-2 ③ 4-2 ⑤

1-2

석유, 석탄, 천연가스는 화석 연료로, 인구 증가와 산업 발달로 그 소비량이 지속적으로 증가해 왔다.

자료 마스터 + 세계 에너지 소비 구조 변화

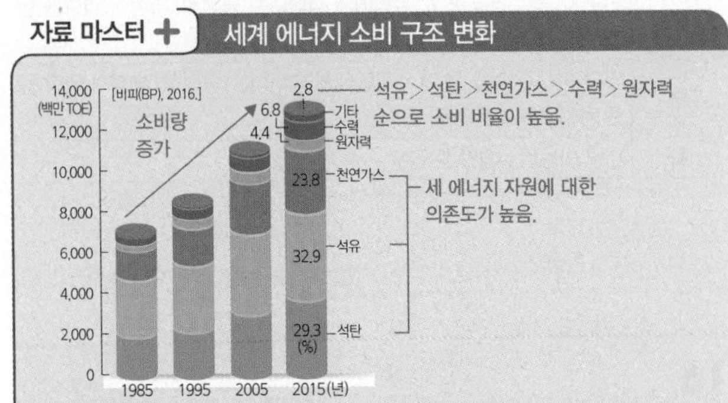

세계적으로 인구가 증가하고 산업이 발달하면서 에너지 자원의 소비량이 지속적으로 증가하고 있다. 특히 석탄, 석유, 천연가스는 전체 에너지 소비에서 큰 비중을 차지하고 있다.

2-2

A는 서남아시아에서 주로 생산되고 국제 이동량이 많은 석유이다. 석유는 세계에서 가장 많이 소비되는 에너지 자원이다.

|오답 체크|

①, ②, ③은 석탄에 대한 설명이다. ⑤는 천연가스에 대한 설명이다.

3-2

지속 가능한 발전은 경제 성장, 환경 보전, 사회 안정 및 통합을 함께 이루는 발전이다. 자유 무역의 효율성만 중시하면 국가 간 빈부 격차가 심화될 수 있다. 지속 가능한 발전은 부의 공정한 분배를 추구한다.

4-2

㉠은 미래 지구촌의 모습을 부정적으로 예측하였다. ⑤는 미래를 긍정적으로 예측한 주장이다.

STEP 3 A 교과서 기본 테스트 172~175쪽

01 ④	02 ②	03 ②	04 ③	05 ③
06 ⑤	07 ②	08 ③	09 ④	10 ⑤
11 ④	12 ②	13 해설 참조	14 해설 참조	15 해설 참조
16 해설 참조				

01

현재 에너지 소비 비중은 '석유>석탄>천연가스' 순으로 나타난다. 따라서 A는 천연가스, B는 석유, C는 석탄이다.

|오답 체크|

① 에너지 소비량은 꾸준히 증가하고 있다. ② 석유는 연소 시 오염 물질을 배출하는 화석 연료이다. 상대적으로 천연가스가 사용 시 대기 오염 물질을 적게 배출하여 청정 에너지라고 불린다. ③ 카스피해에는 석유, 천연가스가 매장되어 있어 이를 확보하기 위한 인근 국가들 간의 갈등이 심각하다. ⑤ A~C는 화석 연료로, 자원의 '유한성' 때문에 언젠가 고갈되므로 이에 대비해야 한다.

02

갈등의 대상이 되는 에너지 자원은 석유, 천연가스 등이고, 이들 자원의 유한성, 편재성 때문에 국가 간 갈등이 나타난다. 석유와 천연가스는 환경 오염을 유발하는 화석 연료이다.

|오답 체크|

을. 에너지 자원이 특정 지역에 편재되어 있기 때문에 발생하는 갈등이다. 정. 신·재생 에너지의 확보와 관련된 갈등이 아니다.

03

ㄱ. 석유, 석탄, 천연가스는 모두 화석 연료이나, 천연가스는 연소 시 대기 오염 물질을 가장 적게 배출하여 청정 에너지라고 불린다. ㄷ. 석탄은 주로 제철 공업용이나 화력 발전용으로 이용되고, 석유는 주로 수송용·산업용으로 많이 이용된다.

|오답 체크|

ㄴ. 석유가 천연가스와 더불어 신생대 제3기층의 배사 구조에서 주로 발견된다. 반면, 석탄은 주로 고생대 지층에서 발견된다. ㄹ. 석유가 세계에서 가장 많이 소비(2015년 기준, 석유>석탄>천연가스>수력>원자력)되는 자원이다.

자료 마스터 + 주요 에너지 자원의 분포와 이동

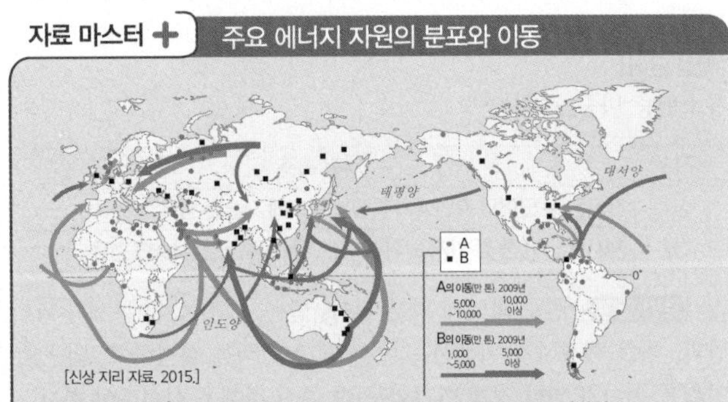

국제적 이동량이 많은 A는 석유, 비교적 넓은 범위에 분포하는 B는 석탄임.

석탄의 주요 수출국은 오스트레일리아, 인도네시아 등이며, 주요 수입국은 아시아의 공업 국가인 인도, 중국, 일본 등이다. 석유의 주요 수출국은 사우디아라비아, 러시아, 아랍 에미리트 등이며, 주요 수입국은 산업이 발달한 미국, 아시아의 공업 국가들이다.

04

A(석유)와 관련하여 자원 민족주의로 두 차례에 걸친 석유 파동이 나타났으며, A를 오래 사용하기 위해서는 에너지 고효율 상품을 개발해야 한다. A, B는 모두 화석 연료이므로 연소 시 대기 오염 물질을 배출한다. ③ B(석탄)는 화석 연료로, 언젠가 고갈된다.

05

에너지 소비량이 많은 지역은 선진국이거나 공업이 발달한 국가, 자원 매장량이 많은 국가가 대부분이다.

|오답 체크|

ㄱ. 1인당 에너지 소비량이 많은 국가들은 오스트레일리아를 제외하면 주로 북반구에 있다. ㄹ. 일본이나 우리나라처럼 에너지 소비량이 많은 지역이지만 자원 매장량이 적은 국가도 있다.

06

국제 연합(UN)은 2030년까지 정부, 민간 기업, 시민 사회 등 모든 국가의 이해관계자가 실천해 나가야 하는 지속 가능 발전 목표(SDGs)를 제시하였다. 지속 가능한 발전은 ⑤의 경제적 효율성을 앞세운 개발 이익보다는 형평성 등을 우선시한다.

07

제시된 활동은 이산화 탄소의 배출을 줄여 생태계의 지속 가능성을 높이고, 윤리적 소비를 통해 생산자와 소비자 모두에게 긍정적인 영향을 주는 것들이다. 즉, 이 활동들은 지속 가능한 발전을 위해 개인이 생활 속에서 실천할 수 있는 생활 방식들이다.

개념 마스터 지속 가능한 발전을 위한 개인적 노력

로컬 푸드 운동	소비지 인근에서 생산된 농산물을 소비하자는 운동이며, 이를 통해 안전하고 신선한 먹을거리 소비, 지역 농민의 소득 증가, 지구 온난화 완화를 목표로 한다.
푸드 마일리지 줄이기	푸드 마일리지는 생산지에서 소비지까지 먹을거리가 이동한 총거리를 나타낸 것으로, 먹을거리의 이동으로 발생하는 환경 부담의 정도를 알 수 있다. 푸드 마일리지를 줄이려는 노력으로 온실가스 배출 감소에 기여할 수 있다.
로하스족	건강한 삶과 환경 보존을 동시에 추구하고 실천하려는 사람들을 의미한다.

08

미래 지구촌의 문제를 해결하는 주체에 관한 다양한 주장이 있는데, 자국의 이익을 중시하는 움직임이 활발해질 것이라는 주장, 문화권과 경제권을 중심으로 한 협력체가 힘을 얻을 것이라는 주장, 지구촌 정부가 탄생할 것이라는 주장 등이 있다. 게임판의 첫 번째, 두 번째 글은 B 관점의 사례, 세 번째, 네 번째 글은 A 관점의 사례이다. 세 번째 글이 A 관점의 사례라 한 칸만 앞으로 이동하므로, ㉢에서 게임이 종료된다.

09

4차 산업 혁명으로 생산성과 효율성이 비약적으로 높아지는 대신, 인간의 일자리가 크게 줄어들 수 있다.

|오답 체크|

ㄱ. 생산성과 효율성이 비약적으로 증가할 것이다. ㄷ. 정보 접근성에 따라 저소득–고소득 계층, 선진국–개발 도상국, 도시–농촌 간의 정보 격차 문제가 더 커질 수 있다.

10

최근 이용 분야가 확장되고 있는 드론은 제조업, 유통업, 안전 분야에 획기적인 생산성 · 효율성 증대를 가져올 것으로 예상된다.

11

세계를 공동체로 인식하고 지구촌 문제에 관심을 갖고 있는가를 묻고 있으므로 세계 시민 의식을 파악하고자 한 것임을 알 수 있다.

|오답 체크|

① 생태 적응력(생물이 환경에 맞추어 변화하는 능력), ⑤ 세계적 경제 감각(세계의 경제 이슈에 대한 인지 정도)은 제시된 질문과 관련이 없다. ② 도덕적 판단력(옳고 그름에 대한 사고 과정), ③ 문화 상대주의(세계 문화의 다양성을 인정하고 이해하는 관점)는 제시된 질문 전체를 포함하지는 못하는 개념이다.

12

불확실한 미래에 대비하기 위해 현대 사회를 과학적으로 분석하고 사회 현상을 비판적으로 바라보는 자세가 필요하며, 세계 시민 의식을 함양하여 지구 공동의 문제 해결을 위해 노력해야 한다.

|오답 체크|

을. 미래 사회의 세계 문제를 해결하기 위해서는 구성원 간 소통과 화합을 위한 개방적 태도와 관용의 자세가 필요하다. 병. 미래 지구촌 사회에서는 개별 사회 집단의 이익보다 인류의 보편적 가치를 중시해야 한다.

STEP 3 B 창의력·융합형·서술형

175쪽

13

모범 답안 유한성, 국제·국가적 차원에서는 화석 연료를 대체할 신·재생 에너지를 개발해야 하고, 개인적 차원에서는 자원 및 에너지 절약을 실천해야 한다.

|핵심 단어|

유한성, 신·재생 에너지 개발, 자원 및 에너지 절약

구분	채점 기준
상	유한성을 쓰고, 해결 방안을 국제·국가적 차원과 개인적 차원의 노력 측면에서 각각 바르게 서술한 경우
중	유한성을 썼으나, 해결 방안을 국제·국가적 차원과 개인적 차원의 노력 중 한 가지만 서술한 경우
하	유한성만 쓴 경우

14

모범 답안 (1) 편재성

(2) 에너지 자원의 편재성으로 인해 자원 무기화(자원 민족주의) 현상과 자원 수급의 불균형 문제가 나타날 수 있다.

|핵심 단어|

자원 무기화(자원 민족주의), 에너지 자원의 수급 불균형

구분	채점 기준
상	편재성을 쓰고, 에너지 자원 수급의 문제점을 바르게 서술한 경우
하	편재성만 쓴 경우

15

모범 답안 지속 가능한 발전, 유가 철학과 지속 가능한 발전은 모두 인간의 필요에 따라 자연을 이용하되, 생태계의 지속 가능성(자정 능력)을 유지해야 한다는 점을 중요하게 여긴다.

|핵심 단어|

지속 가능한 발전, 생태계의 지속 가능성

구분	채점 기준
상	지속 가능한 발전을 쓰고, (가), ㉠의 공통점을 바르게 서술한 경우
하	지속 가능한 발전만 쓴 경우

16

모범 답안 (가) 인간의 노동 시간이 감소하고 삶의 질이 향상된다.

(나) 유전자 조작 및 인간 복제 등에 따라 인간존엄성 훼손과 같은 윤리적 문제가 발생한다.

|핵심 단어|

노동 시간 감소, 삶의 질 향상, 인간존엄성 훼손, 윤리적 문제

구분	채점 기준
상	(가), (나)에 들어갈 내용을 바르게 서술한 경우
하	(가), (나) 중 한 가지만 서술한 경우

제1회 모의고사

177~180쪽

01 ②	02 ⑤	03 ⑤	04 ④	05 ③
06 ④	07 ②	08 ②	09 ②	10 ③
11 ⑤	12 ②	13 ④	14 ③	15 ②
16 ④				

01 인간, 사회, 환경을 바라보는 관점 파악하기 답 ②

을은 현재의 사회 현상을 있게 한 시대적 배경을 살폈고, 병은 기후 변화에 따른 지역별 영향을 이야기했으며, 정은 국제 사회 구성원에게 영향을 미치는 국제 협약을 말하였다.

개념 마스터 인간, 사회, 환경을 보는 다양한 관점

시간적 관점	현재의 모습이 있기까지 변화해 온 자취를 통해 시대적 배경과 맥락을 살펴보는 것
공간적 관점	사회 현상이나 인간 생활을 위치, 장소, 분포 패턴, 영역, 이동, 네트워크 등의 공간적 맥락에서 살펴보는 것
사회적 관점	어떤 사회 현상이나 개인 행위가 나타나게 된 배경을 사회 구조 및 사회 제도의 측면에서 분석하고 예측하며, 그 대안을 살펴보는 것
윤리적 관점	어떤 인간의 행위가 도덕적 행위인지, 그 기준을 탐색하고 바람직한 삶의 모습을 살펴보는 것

02 통합적 관점 이해하기 답 ⑤

제시된 내용은 멧돼지 도심 출현 문제의 원인과 해결 방안을 다양한 관점에서 살펴본 것이다.

개념 마스터 통합적 관점

사회 현상을 탐구할 때 시간적, 공간적, 사회적, 윤리적 관점을 모두 고려하여 통합적으로 살펴보는 것이다. 통합적 관점을 통해 복잡한 사회 현상을 정확하고 깊이 있게 이해하고, 이를 바탕으로 문제에 대한 근본적인 해결책을 찾아 인류의 삶을 개선할 수 있다.

03 불교의 행복론 파악하기 답 ⑤

제시문은 불교의 사상적 입장이다. 불교에서는 탐욕, 성냄, 어리석음에서 벗어나기 위해 '나'를 버리는 수행과 중생을 구제하는 삶의 실천을 통해 해탈(열반)하는 삶이 행복이라고 본다.

|오답 체크|

① 도가에서 긍정의 대답을 할 질문이다. ② 불교에서 인간의 본성이 악하다고 보지는 않는다. ③ 불교에서는 생사의 윤회에서 벗어난 해탈을 행복으로 보며, 자아는 다른 조건과 상호 의존하며 변화하므로 불변하는 것으로 볼 수 없다. ④ 유교에서 긍정의 대답을 할 질문이다.

04 아리스토텔레스와 스토아학파의 행복론 비교하기 답 ④

갑은 덕과 일치하는 정신의 활동이 행복이라고 주장하는 아리스토텔레스이고, 을은 자연의 섭리에 따르는 이성적 삶이 행복이라고 주장하는 스토아학파이다. 스토아학파는 정념에 지배받지 않는 이성적이고 초연한 삶을 행복이라고 주장한다.

|오답 체크|

① 아리스토텔레스는 식물은 생명의 기능만을, 동물은 생명과 감각, 운동 기능을, 인간은 동식물과 달리 이성적 활동을 한다고 하였다. ② 에피쿠로스학파의 행복론이다. ③ 벤담과 밀의 공리주의이다. ⑤ 사회적 혼란과 전쟁의 불안에서 해방된 삶이 행복이라고 보는 것은 헬레니즘 시대의 행복론이다.

개념 마스터 서양의 행복론

고대 그리스	삶의 궁극적 목적이며, 이성의 기능을 잘 발휘할 때 실현됨.
헬레니즘 시대	• 전쟁과 사회적 혼란으로부터 벗어나 마음의 평온을 얻는 것 • 에피쿠로스학파: 육체에 고통이 없고, 마음에 불안이 없는 평온한 삶 • 스토아학파: 정념에 방해받지 않는 초연한 태도로 자연의 질서를 따르는 삶
중세	유한한 인간이 신앙을 통해 영원하고 완전한 존재인 신과 하나가 되는 것
근대	• 칸트: 자신의 복지와 처지에 관해 만족하는 것 • 벤담, 밀: 쾌락을 행복으로 봄.

05 행복의 실현 조건 파악하기 답 ③

행복을 위한 조건 중, (가)는 도덕적 삶, (나)는 경제적 안정의 중요성을 이야기하고 있다.

|오답 체크|

ㄱ. (가)에 질 높은 정주 환경은 언급되지 않았다. ㄹ. (나)에서 경제적 안정을 행복의 중요한 조건으로 이야기했지만, 경제 규모가 큰 국가라고 해서 구성원의 삶의 만족도가 반드시 높은 것은 아니다.

개념 마스터 행복의 실현 조건

질 높은 정주 환경	• 자연환경: 깨끗한 물·대기·토양 등 • 인문(사회·문화적) 환경: 발달된 치안·교육·보건·문화 시설 및 서비스
경제적 안정	• 기본적인 생계유지를 위한 일정 수준 이상의 소득 • 최소한의 인간다운 삶과 자아실현 기회의 부여
민주주의 실현	• 시민의 자발적 정치 참여 보장 • 권력의 남용과 부패 방지
도덕적 삶	• 인권·정의 등의 보편적 가치 추구 • 부정의에 저항하는 용기와 배려의 삶 실천 • 도덕적 사고, 도덕적 감정, 도덕적 성찰과 실천

06 질 높은 정주 환경의 조건 파악하기 답 ④

을. 《택리지》에서 제시한 가거지 중 하나인 산수는 빼어난 경치를 의미하며 오늘날에도 녹지 면적을 중시하는 것으로 보아, 과거와 현재 모두 자연환경 요소를 중시함을 알 수 있다. 정. 오늘날 많은 국가가 최저 주거 기준을 세워 주거 약자들의 기본적인 주거 환경을 보장하고 있다.

|오답 체크|

갑. 이상적인 정주 환경의 조건은 시기별로 조금씩 차이가 있지만, 공통점도 많이 있다. 병. 질 높은 주거 환경도 행복의 중요한 기준이다.

개념 마스터 택리지 '가거지'

사람이 살 터로는 첫째로 지리(풍수지리적 명당)가 좋아야 하고, 둘째는 생리(풍부한 산물)가 좋아야 하며, 셋째는 인심(넉넉하고 좋은 이웃 간의 정)이 좋아야 하며, 넷째로 산수(빼어난 경치)가 좋아야 한다.

07 기후와 인간 생활 이해하기 답 ②

A는 열대 기후, B는 건조 기후, C는 온대 기후, D는 냉대 기후, E는 한대 기후이다. ㄱ. 연중 기온이 높은 열대 기후 지역에서는 얇고 간편한 의복이 발달하였다. ㄷ. 계절의 변화가 있는 냉·온대 기후 지역에서는 더위와 추위에 적응한 생활 양식이 나타난다.

|오답 체크|

ㄴ. 건조 기후 지역은 강수량이 매우 적기 때문에 지붕이 평평한 가옥이 발달하였다. ㄹ. 한대 기후 지역은 불을 피울 연료가 부족하고 음식이 잘 상하지 않기 때문에 주로 고기를 날 것으로 먹는다. 기름에 볶는 음식이 발달한 지역은 열대 기후 지역이다.

자료 마스터 + 세계의 기후 구분

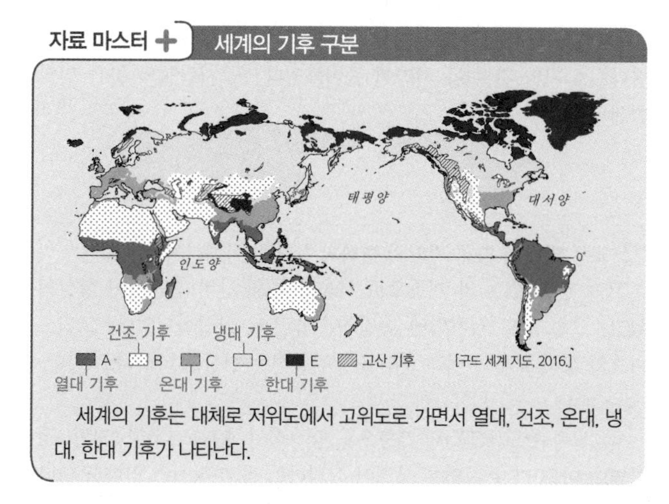

세계의 기후는 대체로 저위도에서 고위도로 가면서 열대, 건조, 온대, 냉대, 한대 기후가 나타난다.

08 지형과 인간 생활 이해하기 답 ②

제시된 자료는 탑 카르스트 지형으로 유명한 베트남 할롱 베이와 관련된 것이다.

|오답 체크|

A는 알프스 산지, C는 북아메리카 중앙부의 대규모 밀 재배 지역, D는 뉴질랜드 북섬, E는 안데스 산지이다.

09 자연재해와 시민의 안전권 파악하기 답 ②

① 해안에서 발생한 지진으로 인해 거대한 파도가 발생해 해안 지역에 피해를 입히는 자연재해는 지진 해일이다. ② 인도네시아는 재해에 대한 사전 예보 체계의 미비로 인해 큰 피해가 발생했다. ③ 인도네시아 정부의 미흡한 대처로 인해 국민의 안전권이 침해당했다. ④ 인도네시아는 판의 경계에 위치하고 있기 때문에 지각이 불안정하여 화산 활동이나 지진 등 자연재해가 자주 발생한다. 따라서 인도네시아 정부는 재해 예방과 복구 지원을 위해 노력하여 국민의 안전권을 보장해야 한다. ⑤ 국민들 역시 피해를 최소화하기 위해 평소 재난 대응 훈련에 적극 참여하는 등 노력해야 한다.

개념 마스터 안전한 환경에서 살아갈 시민의 권리 보장을 위한 노력

국가의 노력	• 시민의 안전권을 보장하기 위한 정책 수립 • 자연재해 양상 파악 및 예보 체계의 마련 • 지속적인 재난 대응 훈련의 실시 • 재해 발생 시 즉각적인 복구와 피해 보상 지원
개인의 노력	• 재난 대응 훈련에 적극적으로 참여 • 스스로 안전에 관한 권리 인식 • 재해 발생 시 행동 요령에 따라 대응 • 성숙한 시민 의식 함양

10 인간 중심주의 자연관 파악하기 답 ③

제시문에는 인간 중심주의 자연관이 나타나 있다. 인간 중심주의는 자연을 인간의 필요에 따라 평가하는 관점이다. ①, ②, ④, ⑤는 생태 중심주의 자연관에 해당한다. ②, ⑤ 인간 중심주의 자연관은 자연을 인간에 대한 유용성의 관점에서 파악하기 때문에 자연의 내재적 가치를 인정하지 않는다.

11 생태 및 인간 중심주의 자연관 파악하기 답 ⑤

제시문의 갑은 대지 윤리를 주장하는 레오폴드이고, 을은 인간 중심주의적 자연관을 가지고 있는 데카르트이다. 을은 인간만이 절대적 가치를 지닌다고 주장하는 반면, 갑은 인간이 대지 공동체의 평범한 구성원일 뿐이라고 주장한다.

|오답 체크|

①, ②, ③ 인간만의 절대적 가치와 존엄성을 주장하는 것은 데카르트이다. ④ 생명이 있는 모든 존재는 물론, 생명이 없는 존재에 대해서까지 도덕적 배려를 주장하는 것은 레오폴드의 대지 윤리이다.

개념 마스터 자연을 바라보는 두 입장

인간 중심주의	• 베이컨: 자연을 해석하고 지배하기 위한 인간의 지식 강조 • 데카르트: 인간은 정신을 소유하지만, 자연은 물질일 뿐이라고 주장하며 이분법적·기계론적 자연관을 제시함.
생태 중심주의	레오폴드: 생명 공동체의 안정성, 통합성, 아름다움을 강조하며, 전일주의적 관점의 대지 윤리를 주장함.

12 불교와 도가의 자연관 파악하기 답 ②

(가)는 만물의 존재 원리를 연기에 의해 설명하는 불교의 입장이고, (나)는 무위자연의 삶을 도(道)의 관점에서 제시하는 도가의 입장이다. (가), (나) 모두 동양의 자연관을 대표하며, 인간과 자연이 상호 의존적 관계, 즉 유기적 관계임을 주장한다. 따라서 욕망을 절제하는 삶이 바람직하다고 가르친다.

|오답 체크|

ㄴ. 인간의 삶과 자연 생태계를 유기적 관계로 본다. ㄹ. (가), (나) 모두 미래 세대만을 고려하라고 주장하지 않는다.

13 다양한 환경 문제 이해하기 답 ④

각종 피부암과 안과 질환을 유발하는 환경 문제는 오존층 파괴이다. 산성비에 의한 피해로는 건축물 부식, 삼림 파괴 등이 있다.

개념 마스터 환경 문제의 종류

지구 온난화	• 원인: 화석 연료 사용과 삼림 파괴로 인한 온실가스 배출 증가 • 영향: 빙하 면적 감소, 해수면 상승, 이상 기후 발생, 동식물의 서식 환경 변화 등
사막화	• 원인: 장기간의 가뭄과 인간의 과도한 개발 • 영향: 식량 생산량 감소, 황사 심화 등
열대림 파괴	• 원인: 무분별한 벌목과 개간, 목축 • 영향: 동식물의 서식지 파괴 → 생물 종 감소
오존층 파괴	• 원인: 염화 플루오린화 탄소 사용 • 영향: 피부암, 안과 질환 유발 등
산성비	• 원인: 대기 오염 물질과 빗물의 결합 • 영향: 건축물 부식, 삼림 파괴 등

14 환경 문제 해결을 위한 정부의 노력 파악하기 답 ③

환경 문제의 해결을 위해 정부는 환경 관련 법과 제도를 정비해야 하고, 환경 부담금 부과와 같은 환경 오염 규제책과 보조금 지원 등 환경 오염 예방책을 마련해야 한다.

|오답 체크|

①, ④는 개인적 차원의 노력, ②는 기업 차원의 노력, ⑤는 시민 단체의 노력에 더 부합한다.

15 산업화·도시화에 따른 변화 추론하기 답 ②

산업화·도시화 이전에는 경지 면적과 녹지 면적이 넓고 1차 산업 종사자 비율이 높았지만, 신업화·도시화 이후 시가지 면적은 확대되고 아파트 거주 인구가 증가하였다.

16 열섬 현상의 해결 방안 파악하기 답 ④

도심 지역의 온도가 주변 지역보다 높게 나타나는 현상을 열섬 현상이라고 부른다. 열섬 현상은 인공 열 발생, 포장 면적의 증가, 고층 건물에 의한 바람길 차단 등으로 인해 발생한다. 이를 완화하기 위해서는 인공 열 배출을 줄이고 녹지 면적을 확대하며, 바람길을 고려하여 건물을 배치해야 한다.

제2회 모의고사

181~184쪽

01 ④	02 ④	03 ④	04 ①	05 ①
06 ③	07 ③	08 ③	09 ①	10 ②
11 ③	12 ②	13 ②	14 ②	15 ①
16 ③	17 ①			

01 교통수단 발달에 따른 변화 파악하기 답 ④

제시된 그림은 교통 수단의 발달로 세계의 시간 거리가 크게 단축되었음을 보여 준다.

|오답 체크|

① 지역 간 접근성은 향상되었다. ② 지구의 상대적 크기가 작아졌다. ③ 지역 간 이동 시간이 줄어들었다. ⑤ 사람들의 공간 인식 범위는 확대되었다.

02 교통 발달에 따른 지역의 변화와 문제점 이해하기 답 ④

고속 철도(KTX)의 개통으로 서울과 목포 간의 접근성이 향상되었고, 고속 철도 정차역인 송정역은 상권이 활성화되었다. 그리고 버스와 항공 교통의 여객 분담률이 감소하는 현상도 나타나고 있다.

|오답 체크|

ㄴ. 고속 철도(KTX)의 개통으로 긍정적인 효과도 나타났지만, 정차역이 아닌 다른 지역은 상권이 쇠퇴하는 등 부정적인 영향도 나타났다.

자료 마스터 + 고속 철도 개통에 따른 변화

개통 1주년을 맞은 KTX 호남선의 명암이 각 분야에서 교차하고 있다.(교통 발달에 따른 긍정적·부정적 영향이 있다.) 수도권에서 광주·전남을 찾는 인구는 종전보다 60% 늘었다. 여수 밤바다와 목포 유달산을 찾는 관광객이 증가하고 있으며,(서울과 목포 간 접근성이 향상되었다.) 수도권에서 호남권의 각 대학으로 입학하는 신입생도 늘었다. 반면 항공·버스 업계는 심각한 타격을 입었다.(버스와 항공 교통의 여객 분담률이 감소하였다.) 또한 KTX가 정차하는 광주 송정역 인근 상인들의 매출은 이전보다 40~50% 증가했으나,(고속 철도 정차역 주변 상권은 활성화되었다.) KTX가 정차하지 않는 광주역 주변의 상점들은 잇따라 폐업하고 있어 상권 활성화 대책 마련이 필요하다.

03 정보화에 따른 변화와 문제점 분석하기 답 ④

ㄹ 사이버 공간에서 타인을 간섭하고 통제하는 사생활 침해는 개인 정보가 타인에게 쉽게 노출되는 사이버 공간의 한계 때문에 발생한다.

04 지역 조사 과정 이해하기 답 ①

지역 조사 과정에 따라 (가)에는 실내 조사, (나)에는 지역 정보 분석과 관련된 내용이 들어가야 한다. (가) 실내 조사 단계에서는 지도, 통계 자료 등을 수집하고, (나) 지역 정보 분석 단계에서는 수집된 자료를 바탕으로 지도, 통계표 등을 작성한다.

|오답 체크|

ㄷ은 조사 계획 수립 단계, ㄹ은 지역 정보 수집 단계 중 현지 조사에 해당한다.

개념 마스터 지역 조사 과정

조사 계획 수립	조사 주제와 지역, 방법을 선정함.
지역 정보 수집	• 실내 조사: 문헌, 통계 자료, 지형도, 항공 사진 등을 통한 지역 정보 수집, 설문지 작성 및 답사 경로 계획 등 현지 조사를 위한 준비 • 현지(야외) 조사: 설문 조사, 면담, 관찰, 실측 등을 통한 정보 수집
지역 정보 분석	• 수집된 자료를 조사 항목별로 구분하고 정리함. • 중요한 지리 정보를 선별하여 도표, 그래프, 통계표, 지도 등으로 작성함.
보고서 작성	조사 방법, 지역 변화 및 문제점, 해결 방안 등을 포함하여 보고서를 작성함.

05 시민 혁명의 결과 파악하기 답 ①

ㄱ. 영국 명예혁명의 결과 권리 장전을 통해 국왕에게 청원할 권리, 언론의 자유, 의회의 동의 없는 과세 금지, 의원 선거의 자유 등을 보장하였다. 즉 의회가 왕권을 제한하도록 하였다. ㄴ. 미국은 '미국 독립 선언'에서 국민 주권의 원리, 저항권 등을 보장하였다.

|오답 체크|

ㄷ. 프랑스 혁명의 결과, 봉건 체제는 붕괴되고 자유와 평등의 이념이 확산되었다. ㄹ. 시민 혁명 이후에도 참정권이 제한되자, 영국의 남성 노동자들을 중심으로 한 차티스트 운동이 전개되었다.

06 인권 확장의 역사 이해하기 답 ③

③ 사회권은 독일 바이마르 헌법에 최초로 명시되었다. 세계 인권 선언은 인권 보장을 인류 보편적 가치로 선포하고 인권 보장의 국제적 기준을 제시하였다. ① 1세대 인권은 자유권, 2세대 인권은 사회권, 3세대 인권은 연대권과 관련 있다.

개념 마스터 현대 사회에서 확장된 인권

구분	환경권	주거권	안전권
의미	건강하고 쾌적한 환경에서 살아갈 권리	쾌적하고 안정적인 주거 환경에서 생활할 권리	각종 위험으로부터 안전을 보호받을 권리
배경	대기 및 수질 오염, 소음 등 각종 환경 문제의 발생	주택 부족, 주거비 증가, 빈곤층의 열악한 주거 환경 등	재해나 전염병의 피해, 갈등 및 범죄의 증가 등
보장 노력	국민의 권리 및 의무로 규정, 국제 협약 이행 등	주거비 지원 및 유지, 주거 환경 정비, 최저 주거 기준 설정으로 주거 약자 지원	재난 안전 관리 관련 법과 정책 마련

개념 마스터 카렐 바작의 '인권 3세대론'

1세대 인권	개인의 자유를 위해 국가로부터의 불간섭을 요구하는 권리
2세대 인권	인간다운 삶을 보장받기 위해 국가가 적극적으로 개입할 것을 요구하는 권리
3세대 인권	여성, 장애인, 아동, 난민 등 차별받는 집단의 인권 보호에 주목하여 연대와 단결을 강조하는 권리

07 인권 보장을 위한 헌법재판소의 역할 파악하기 답 ③

A 씨는 헌법재판소에 헌법 소원 심판을 청구하였고, 헌법재판소는 A 씨가 자유권을 침해받았다고 판단하여 해당 사례에 위헌 결정을 내렸다. ㄴ. (나)는 개인이 헌법재판소에 청구할 수 있는 제도인 헌법 소원 심판이다. ㄷ. 종교의 자유는 신체의 자유와 함께 자유권에 해당한다.

|오답 체크|

ㄱ. (가)는 자유권이다. ㄹ. 법률을 제정하거나 개정하는 기관은 국회이다.

개념 마스터 위헌 법률 심판과 헌법 소원 심판

위헌 법률 심판	법원이 재판 중인 사건에서 다루는 법률이 헌법에 위반되는지 여부를 심사해 달라고 요청했을 때, 이를 심판하는 것
헌법 소원 심판	공권력의 행사 또는 불행사, 헌법에 위배되는 법률로 인해 기본권을 침해받은 자가 직접 헌법재판소에 그 권리의 구제를 신청했을 때, 그 위헌 여부를 심판하는 것

08 사회권의 의미 파악하기 답 ③

사회권은 국가에 대해 인간다운 생활의 보장을 요구할 수 있는 권리이며, 교육을 받을 권리, 근로의 권리, 사회 보장을 받을 권리 등이 이에 해당한다.

|오답 체크|

①은 참정권, ②는 자유권, ④는 청구권, ⑤는 평등권에 대한 설명이다.

09 기본권 제한의 근거와 한계 파악하기 답 ①

제시된 헌법 조항은 국가 권력에 의한 기본권 제한의 근거와 한계를 명시하고 있다. 갑. 해당 조항은 기본권을 필요한 경우에 한하여 법률로써 제한하되, 자유와 권리의 본질적인 내용을 침해할 수 없음을 규정하고 있다. 을. 해당 조항은 기본권 제한을 함부로 하지 못하게 하여 기본권을 보다 철저하게 보장하고자 하는 목적이 담겨 있다.

10 시민 불복종 운동의 정당화 조건 파악하기 답 ②

시민 불복종 운동의 정당화 조건으로는 '공익성(공공성), 비폭력성, 처벌 감수, 최후의 수단'이 있다. ㉠ 사회 정의의 실현, 즉 공익을 추구하는 행동, ㉢ 비폭력적인 방법으로 저항하는 것은 시민 불복종 운동의 정당화 조건에 해당한다.

|오답 체크|

㉡ 시민 불복종 운동은 잘못된 법이나 정의롭지 못한 정책에 대해 복종을 거부하는 것이다. ㉣ 위법 행위에 따르는 처벌을 받아들이고도 참여할 의사가 있어야 한다.

11 청소년의 근로 기준 파악하기 답 ③

을은 만 16세이므로 청소년 근로자에 해당한다. 청소년은 하루 7시간, 일주일에 35시간을 초과하여 일할 수 없으며, 당사자 사이의 합의에 따라 1일에 1시간, 1주일에 5시간을 한도로 연장할 수 있다. 또한 청소년 근로자도 성인과 동일한 최저 임금을 적용받는다.

|오답 체크|

ㄱ. 사용자는 연소 근로자의 연령을 증명하는 가족 관계 기록 사항에 관한 증명서와 친권자 또는 후견인의 동의서를 사업장에 갖춰 두어야 한다. ㄹ. 휴일에 일하거나 초과 근무를 했을 때 50%의 가산 임금을 받을 수 있다.

개념 마스터 청소년 아르바이트 십계명

① 만 15세 이상 청소년만 근로가 가능해요.
② 부모님 동의서와 나이를 알 수 있는 증명서가 필요해요.
③ 근로 계약서를 반드시 작성해야 해요.
④ 성인과 동일한 최저 임금을 적용받아요.
⑤ 하루 7시간, 일주일에 35시간을 초과해서 일할 수 없어요.
⑥ 휴일에 일하거나 초과 근무를 했을 경우 50%의 가산 임금을 받을 수 있어요.
⑦ 일주일을 개근하고 15시간 이상 일을 하면 하루의 유급 휴일을 받을 수 있어요.
⑧ 청소년은 위험한 일이나 유해 업종의 일을 할 수 없어요.
⑨ 일을 하다 다치면 산재 보험으로 치료와 보상을 받을 수 있어요.
⑩ 상담은 청소년 근로권익센터(1644-3119)로 전화하세요.

12 자본주의의 발전 과정 이해하기 답 ②

㉠은 산업 자본주의, ㉡은 대공황, ㉢은 신자유주의이다. ㄱ. 산업 자본주의 시기에는 애덤 스미스의 자유방임주의가 지지를 얻었다. 자유방임주의는 개인의 자유로운 경제 활동을 최대한 보장하려는 경제 사상으로, 작은 정부를 강조한다. ㄷ. 신자유주의는 시장의 자유를 강조하므로, 시장에 대한 정부의 규제 완화 및 철폐를 추구한다.

|오답 체크|

ㄴ. 수정 자본주의는 시장 실패에 따른 대공황이 그 배경이다. 스태그플레이션은 석유 파동에 따른 결과로, 신자유주의의 등장 배경이다. ㄹ. 사회 복지 제도의 강화를 추구한 것은 수정 자본주의이다.

자료 마스터 자본주의 전개 과정

중상주의 → ㉠ 산업 자본주의 → 수정 자본주의 → ㉢ 신자유주의

《국부론》 발간 (1776년) / ㉡ 대공황 / 석유 파동 (1970년대)

산업 자본주의	• 배경: 18세기 후반 산업 혁명에 따른 상품의 대량 생산 가능 • 특징: 상품의 생산 과정에서 이윤 추구, 개인의 경제 활동의 자유를 최대한 보장하는 자유방임주의 추구
수정 자본주의	• 배경: 1929년 대공황으로 나타난 경기 침체, 기업 도산, 실업 • 특징: 정부가 시장에 적극적으로 개입하여 여러 가지 경제 문제를 해결해야 한다고 봄. → 큰 정부를 강조하여 공공사업을 실시하고, 사회 보장 제도를 강화함.
신자유주의	• 배경: 두 차례의 석유 파동과 스태그플레이션 → 정부 실패 대두 • 특징: 정부의 역할을 제한하고 민간의 자유로운 경제 활동 강조 예 기업에 대한 세금 감면, 공기업 민영화, 노동 시장의 유연화, 복지 축소 등

13 자본주의의 특징 이해하기 답 ②

갑은 시장에 대한 정부 개입의 필요성을 강조하며, 을은 시장에 대한 정부 개입의 부작용을 강조하고 있다. ② 을은 시장에 대한 정부의 개입이 오히려 문제를 악화시킨다고 주장하므로, 갑보다 시장의 자기 조절 능력을 신뢰한다고 볼 수 있다.

|오답 체크|

① 갑은 케인스, 을은 애덤 스미스의 주장에 가깝다. ③ 갑은 시장 실패의 가능성을, 을은 정부 실패의 가능성을 강조한다. ④ 을보다 갑이 경기 침체 시 정부의 적극적인 개입에 찬성할 것이다. ⑤ 을은 효율성을 중시할 것이다.

14 기회비용과 합리적 선택 이해하기 답 ②

ㄱ. 영화 관람에 따른 기회비용은 명시적 비용인 영화 티켓 가격 12,000원과 암묵적 비용인 아르바이트 2시간 임금 18,000원의 합인 30,000원이다. ㄹ. 이미 구입한 영화 티켓이 환불이 불가능하다면, 이것은 매몰 비용이므로 선택할 때 고려하지 말아야 한다.

|오답 체크|

ㄴ. 영화 티켓 가격은 선택한 대안을 위해 지출한 비용인 명시적 비용이다. ㄷ. 아르바이트 두 시간의 임금은 포기한 대안의 가치로 암묵적 비용이다.

개념 마스터 합리적 선택의 의미와 고려 사항

• **합리적 선택**: 선택에 따른 편익이 기회비용보다 큰 것을 선택해야 하고, 매몰 비용을 고려해서는 안 됨.
• **기회비용**: 어떤 것을 선택함으로써 포기해야 하는 대안들 중 가장 가치 있는 것(명시적 비용+암묵적 비용)

명시적 비용	어떤 경제 행위를 할 때 직접 화폐로 지출한 비용
암묵적 비용	어떤 경제 행위를 함으로써 포기한 것의 가치(화폐로 지출하지는 않지만 발생하는 비용)

• **편익**: 어떤 선택을 통해 얻게 되는 만족이나 이득

15 유형별 외부 효과의 특징 파악하기 답 ①

(가)는 외부 불경제, (나)는 외부 경제의 사례이다. ㄱ. (가)는 다른 사람에게 손해를 끼치지만 그에 대한 보상을 하지 않는 경우를 나타내므로 외부 불경제의 사례이다. ㄴ. 외부 경제는 다른 사람에게 혜택을 주지만 그에 대한 대가를 받지 않는 경우를 의미하며, 사회적으로 적정한 수준, 즉 사회적 최적 수준보다 적게 생산 또는 소비된다.

|오답 체크|

ㄷ. 외부 불경제와 외부 경제 모두 외부 효과이며, 외부 효과는 시장 실패의 원인에 해당한다. ㄹ. 외부 효과를 개선하기 위해서는 정부가 개입하여 긍정적·부정적 유인을 제공해야 한다.

개념 마스터 정부의 외부 효과 개선 방안

• **외부 경제가 있는 행위**: 보조금 지급, 세제 혜택 등 긍정적 유인 제공 → 생산·소비를 늘림.
• **외부 불경제가 있는 행위**: 오염 물질 배출량 제한, 세금 부과 등 부정적 유인 제공 → 생산·소비를 줄임.

16 시장 경제의 발전을 위한 정부의 역할 파악하기 답 ③

㉠은 독점 규제 및 공정 거래에 관한 법률이다. 이 법은 독과점 문제를 개선하고 기업 간의 공정하고 자유로운 경쟁을 보장하여 시장 경제의 원리를 확립하기 위해 제정되었다.

17 시장 경제 발전을 위한 경제 주체의 역할 파악하기 답 ①

헌법에서 보장하는 노동 삼권에는 근로 조건의 유지 및 개선을 위해 근로자가 사용자에 대항하여 파업 등의 단체 행동을 할 수 있는 단체 행동권이 있다.

개념 마스터 노동 삼권

단결권	노동자들이 근로 조건을 개선하기 위해 노동조합을 결성할 수 있는 권리
단체 교섭권	노동조합이 사용자와 근로 조건에 관하여 교섭하고 단체 협약을 체결할 수 있는 권리
단체 행동권	근로 조건의 유지 및 개선을 위해 근로자가 사용자에 대항하여 파업 등의 단체 행동을 할 수 있는 권리

제3회 모의고사

185~188쪽

01 ④	02 ②	03 ①	04 ⑤	05 ③
06 ④	07 ③	08 ④	09 ⑤	10 ②
11 ④	12 ①	13 ①	14 ②	15 ⑤
16 ①				

01 국제 분업과 무역의 발생 원리 파악하기 답 ④

아랍 에미리트는 석유 생산에, 에티오피아는 농작물 생산에 유리하여 각각의 재화를 특화하여 생산한 후 무역을 통해 이익을 얻고 있다. 이는 생산 요소의 지역적 분포의 차이로 인해 국제 분업과 무역이 발생함을 나타낸다.

|오답 체크|

① 같은 상품이라도 나라마다 생산 조건이 다르기 때문에 생산비는 다르다. ② 생산 여건의 한계로 인해 직접 생산할 수 없는 재화도 존재한다. ③ 나라마다 자연환경과 같은 생산 조건이 다르다. ⑤ 각국이 비교 우위에 있는 상품을 특화·생산하여 교환하면 무역 당사국 모두에게 이익이 된다.

02 절대 우위와 비교 우위 이해하기 답 ②

양국의 X재와 Y재 생산에 따른 기회비용은 다음 표와 같다.

구분	갑국	을국
X재 1개 생산의 기회비용	Y재 1/2개	Y재 3/4개
Y재 1개 생산의 기회비용	X재 2개	X재 4/3개

ㄱ. X재 생산의 기회비용은 갑국이 Y재 1/2개로 을국의 Y재 3/4개보다 작다. ㄹ. 갑국은 X재 생산에, 을국은 Y재 생산에 있어 기회비용이 작으므로 각각 해당 재화의 생산에 비교 우위를 갖는다.

|오답 체크|

ㄴ. 을국에서 Y재 1개 생산의 기회비용은 X재 4/3개이다. ㄷ. 갑국은 X재와 Y재 생산 모두에 절대 우위를 갖는다.

개념 마스터 절대 우위와 비교 우위

절대 우위	한 국가가 어떤 상품을 다른 국가보다 적은 생산비로 생산하는 것
비교 우위	한 국가가 다른 국가에 비해 상대적으로 더 적은 기회비용으로 상품을 생산하는 것

03 국제 무역 확대의 긍정적·부정적 영향 파악하기 답 ①

국제 무역 확대가 우리 삶에 미친 영향 중 갑은 긍정적 영향을, 을은 부정적 영향을 이야기하고 있다. 따라서 갑은 기업의 경쟁력 향상을, 을은 경쟁력이 약한 국내 기업의 도태를 주장할 것이다.

|오답 체크|

ㄷ. 을은 갑과 달리 국가 간 빈부 격차 확대에 대해 우려할 것이다. ㄹ. 갑은 을과 달리 소비자의 혜택에 초점을 맞춰 국제 무역 확대를 바라볼 것이다.

개념 마스터 국제 무역 확대에 따른 영향

긍정적 영향	• 국내에서 생산되지 않거나 비싼 상품을 쉽고 저렴하게 구매할 수 있음. → 소비자의 상품 선택 폭 확대 • 규모의 경제 실현: 외국에서 원자재를 싸게 산 후, 비교 우위 상품을 대량으로 생산함으로써 생산비를 절감함. • 경쟁력 강화: 외국 기업과 경쟁하면서 생산성이 향상됨. • 국가 간 기술이나 자본이 전파되어 경제가 성장함.
부정적 영향	• 세계 시장에서 경쟁력이 떨어지는 국내 산업이 위축될 수 있음. • 국가 간 상호 의존으로 정부가 독자적인 경제 정책을 시행하기 어려움. • 국외의 경제 상황이 국내 경제에 큰 영향을 끼칠 수 있음. • 자본과 기술이 풍부한 선진국과 상대적으로 경쟁력이 떨어지는 개발 도상국이 자유 무역을 하면 빈부 격차가 더욱 커질 수 있음.

04 주식과 채권의 특징 파악하기 답 ⑤

제시된 자료에서 (가)는 채권, (나)는 주식이다. ⑤ 채권은 돈을 빌리면서 언제까지 빌리고 이자를 언제, 얼마를 줄 것인지 약속한 증서이며, 주식은 기업이 자금 조달을 위해 회사 소유권의 일부를 투자자에게 주는 증표이다. 주식과 채권 모두 주식회사가 회사 운영에 필요한 자금 조달을 위해 발행할 수 있다.

|오답 체크|

① 채권은 주식보다 안전성이 높다. ② 만기가 존재하는 것은 채권이다. ③ 주식은 채권보다 수익성이 높다. ④ 채권과 주식 모두 시세 차익을 기대할 수 있다.

05 생애 주기별 수입과 지출 곡선 이해하기 답 ③

제시된 그림은 생애 주기 곡선이다. 생애 주기 곡선이란 한 개인의 전 생애를 통해 소득과 소비의 성향을 나타낸 것으로서 이는 노후의 합리적인 자산 관리 계획을 세우는 기초가 된다. ③ 청년기와 노년기 모두 소득이 발생한다.

06 정의의 특징 이해하기 답 ④

A는 정의이다. 정의는 동일한 경우를 동일하게 취급하고 다른 것은 다르게 취급하는 것으로 개인과 공동체의 측면에서 어떻게 분배하는 것이 공정한지를 결정하는 기준이 된다. 이러한 측면에서 정의는 사회를 통합하기 위한 핵심적 기반으로 작용한다.

|오답 체크|

① 각자에게 각자의 몫을 주는 것이다. ② 정의는 모든 구성원의 이익을 동등하게 대변하는 것이다. ③ 개인과 사회가 모두 지켜야 할 도리이다. ⑤ 사회 구성원을 동등하게 대우하는 것이다.

07 분배의 실질적 기준 이해하기 답 ③

분배적 정의를 실현하는 데 적용하는 대표적 기준은 업적, 능력, 필요이다. 업적은 각자가 성취하고 이바지한 정도에 따른 분배를, 능력은 육체적 · 정신적 능력에 따른 분배를, 필요는 인간의 기본적인 욕구 충족에 따른 분배를 주장한다. 갑은 업적에 따른 분배를, 을은 필요에 따른 분배를 주장한다. 따라서 ③ 을은 부양가족 수나 직원의 경제 형편을 고려하여 보상하라고 조언할 것이다.

|오답 체크|

① 능력에 따른 분배이다. ② 노력에 따른 분배이다. ④ 절대적 평등에 따른 분배이다. ⑤ 업적에 따른 분배이므로 갑에게만 해당된다.

개념 마스터 분배적 정의의 기준

업적에 따른 분배	• 의미: 당사자들이 성취하고 이바지한 정도에 따라 분배하는 것 • 장점: 용이한 평가, 공정성 확보, 생산성 향상 • 단점: 서로 다른 종류의 업적 비교 곤란, 경쟁 과열, 사회적 약자에 대한 배려 부족
능력에 따른 분배	• 의미: 육체적 · 정신적 능력에 따라 분배하는 것 • 장점: 능력에 따른 우대, 개인의 잠재력 실현, 업무 효율성 제고 • 단점: 능력에 대한 기준 모호, 디고난 능력이나 사회적 환경 등 선천적 · 우연적 요소의 개입
필요에 따른 분배	• 의미: 인간에게 필요한 기본적인 욕구를 충족할 수 있도록 분배하는 것 • 장점: 사회적 약자 고려, 인간다운 삶 보장 • 단점: 모두의 필요를 충족시키기 어려움, 경제적 효율성 저하
절대적 평등에 따른 분배	• 의미: 모든 사람에게 절대적으로 동일한 몫을 분배하는 것 • 장점: 경제적 평등 • 단점: 결과에 대한 책임감 약화, 생산성 저하

08 롤스와 노직의 정의관 이해하기 답 ④

갑은 롤스, 을은 노직이다. 갑은 모든 사람은 동등한 기본적 자유를 최대한 누려야 한다고 주장하며 공정한 절차를 통해 합의된 것을 정의롭다고 보는 공정으로서의 정의를 주장한다. 을은 자유주의의 입장에서 개인의 자유와 소유 권리를 최우선으로 보장하는 것이 정의롭다고 보는 소유 권리로서의 정의를 주장한다. ④ 갑, 을 모두 자유주의적 정의관의 관점에서 개인의 자유를 가장 소중한 가치로 존중한다.

|오답 체크|

①에 대해 롤스는 긍정, 노직은 부정의 답을 할 것이다. ②에 대해 롤스와 노직 모두 부정의 답을 할 것이다. ③에 대해 롤스는 긍정, 노직은 부정의 답을 할 것이다. ⑤에 대해 롤스와 노직 모두 부정의 답을 할 것이다.

09 왈처의 공동체주의적 정의관 이해하기 답 ⑤

자료에 제시된 사상가는 왈처이다. 왈처는 공동체주의적 정의관의 입장에서 분배적 정의와 관련된 모든 가치가 사회적 가치이며, 사회적 가치는 각 공동체의 역사적 · 문화적 소산으로 공동체의 특수성과 사회적으로 공유되는 의미에 따라 갖는 고유한 영역에서 서로 다른 원칙과 절차 및 주체에 의해 분배되어야 함을 주장한다.

|오답 체크|

① 모든 분배는 사회적 가치와 관련되어 있다. ② 공동체의 특수성에 따라 가치가 분배된다. ③ 각 사회마다 인정되는 가치는 다르다. ④ 노직의 주장이다.

10 자유주의와 공동체주의의 관점 비교하기 답 ②

갑은 자유주의적 입장, 을은 공동체주의적 입장이다. 자유주의는 개인의 자유가 무엇보다 소중한 가치라고 여기는 사상이고, 공동체주의는 인간의 삶이 공동체에 뿌리를 두고 있음을 강조하는 사상이다. 을은 갑에게 공동체가 개인의 정체성을 형성하는 기반이라고 비판할 수 있다.

|오답 체크|

①, ③, ④, ⑤는 모두 갑의 입장에서 을에게 할 수 있는 비판이다.

개념 마스터 자유주의와 공동체주의

자유주의	• 의미: 개인의 자유를 가장 소중한 가치로 여기는 사상 • 특징: 개인은 사회에 우선하고, 사회는 자유롭고 독립적인 개인들의 총합일 뿐이라고 봄.
공동체주의	• 의미: 인간의 삶에서 공동체가 가지는 의미를 중시하는 사상 • 특징: 개인을 공동체의 문화와 역사 등의 영향을 받으며 살아가는 연고적 자아로 봄.

11 공간 불평등 현상 이해하기 답 ④

우리나라는 빠른 경제 성장을 이룩하기 위해 성장 가능성이 큰 수도권을 중심으로 개발하였다. 이로 인해 경제·교육·의료·문화 등 다양한 차원에서의 사회 불평등이 야기되었다.

|오답 체크|

① 성장 거점 개발 방식의 결과이다. ② 수도권과 비수도권의 주민 간 갈등의 요인이다. ③ 각종 기능이 수도권에 집중되면 인구 역시 수도권으로 몰려들 것이다. ⑤ 공간 불평등 현상을 해결하기 위해서는 상대적으로 낙후된 비수도권과 촌락 지역에 대한 투자를 늘려야 한다.

개념 마스터 공간 불평등

원인	성장 거점 개발 방식에 따른 대도시와 그 외 지역 간 투자 차이
양상	• 수도권과 대도시: 인구와 산업, 편의 시설 등이 집중됨. • 비수도권과 촌락: 인구가 지속적으로 유출되고 지역 경제가 침체됨. • 도시 내에서도 고소득층과 저소득층이 거주하는 지역 간에 기반 시설과 주택의 질 차이가 나타남.
문제점	• 경제적 차원뿐만 아니라 교육·의료·문화 등 사회 전반의 불평등으로 이어짐. • 낙후 지역 주민과 상대적으로 발전된 지역 주민 간의 갈등 → 사회 통합을 저해하는 요인으로 작용

12 적극적 우대 조치의 특징 이해하기 답 ①

(가), (나) 제도는 사회적 약자인 농어촌 지역의 학생과 장애인에 대한 적극적 우대 조치의 사례를 나타낸다. ㄱ. 적극적 우대 조치는 사회적 약자에게 우선적으로 기회를 제공한다. 이 과정에서 해당 제도의 혜택을 받지 못하는 이들은 역차별 문제를 제기할 수 있다. ㄴ. (가), (나) 제도 모두 사회적 약자에 대한 적극적 우대 조치이다.

|오답 체크|

ㄷ. 사회 복지 제도 중 사회 보험에 대한 설명이다. ㄹ. 제시된 제도와는 거리가 먼 내용이다.

개념 마스터 적극적 우대 조치

의미	사회적 약자에게 실질적 기회의 평등을 보장하기 위해 일정한 혜택을 우선적으로 부여하는 정책
사례	• 여성 할당제: 기존의 남성 중심적 사회 구조에서 불이익을 받았던 여성에게 채용이나 승진 및 공직 진출의 혜택을 제공하는 제도 • 장애인 의무 고용 제도: 장애인의 고용 확대를 위해 사업주가 의무적으로 장애인을 고용하도록 하는 제도 • 대입 기회균등 전형: 정원 외 특별 전형을 통해 저소득층, 장애인, 농어촌 지역 등의 학생에게 대학 진학 기회 제공
문제점	부당한 차별을 받는 쪽을 보호하기 위하여 마련한 제도로 인해 오히려 차별을 받지 않던 쪽이 또 다른 차별의 대상이 되는 역차별의 문제 발생 가능

13 각 문화권의 특징 이해하기 답 ①

A는 건조(이슬람) 문화권, B는 아프리카 문화권, C는 남부 아시아(인도) 문화권, D는 앵글로아메리카 문화권, E는 라틴 아메리카 문화권이다. (가)는 이슬람교 신자가 많아 돼지고기를 먹지 않고, 종교서인 코란을 읽으므로 건조(이슬람) 문화권 지역이다. (나)는 힌두교 신자가 많아 소를 숭배하여 소고기를 먹지 않으므로 남부 아시아(인도) 문화권 지역이다.

자료 마스터 + 세계의 다양한 문화권의 특징

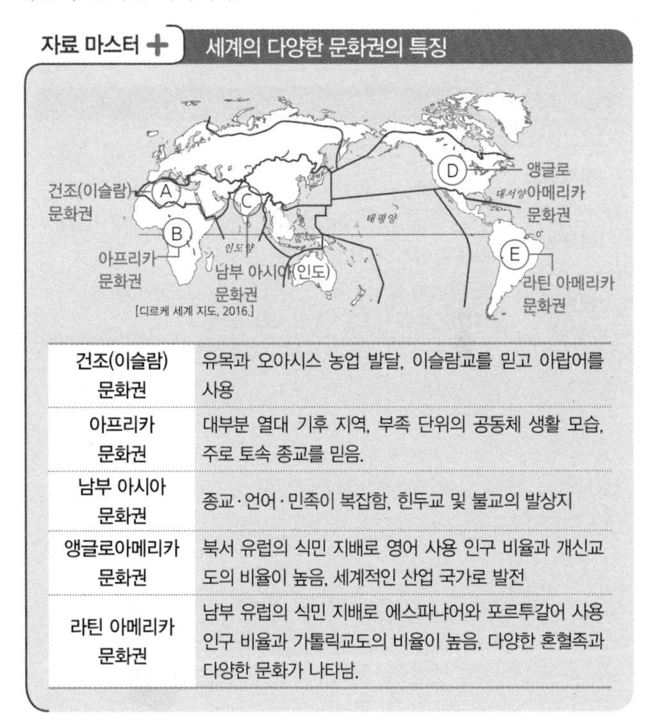

[디르케 세계 지도, 2016.]

건조(이슬람) 문화권	유목과 오아시스 농업 발달, 이슬람교를 믿고 아랍어를 사용
아프리카 문화권	대부분 열대 기후 지역, 부족 단위의 공동체 생활 모습, 주로 토속 종교를 믿음.
남부 아시아 문화권	종교·언어·민족이 복잡함, 힌두교 및 불교의 발상지
앵글로아메리카 문화권	북서 유럽의 식민 지배로 영어 사용 인구 비율과 개신교도의 비율이 높음, 세계적인 산업 국가로 발전
라틴 아메리카 문화권	남부 유럽의 식민 지배로 에스파냐어와 포르투갈어 사용 인구 비율과 가톨릭교도의 비율이 높음, 다양한 혼혈족과 다양한 문화가 나타남.

14 다양한 문화권의 특징 이해하기 답 ②

② 토속 종교와 부족 중심의 문화가 남아 있는 문화권은 아프리카 문화권(B)이다.

|오답 체크|

① 열대 기후가 나타나는 지역의 특징이다. ③ 라틴 아메리카 문화권(E)에 대한 설명이다. ④ 이슬람교의 영향을 받는 건조(이슬람) 문화권(A)에 대한 설명이다. ⑤ 앵글로아메리카 문화권(D)에 대한 설명이다.

15 문화 변동의 의미와 요인 이해하기 답 ⑤

ㄷ. 문화 변동은 새로운 문화 요소가 정착되고 받아들여져야 발생한다. ㄹ. 교역과 정복 활동을 통해 다른 사회 구성원과 직접적으로 교류하는 것은 직접 전파의 사례이다.

|오답 체크|

ㄱ. ㉠에는 '문화 변동'이 들어가야 한다. ㄴ. 한글은 발명의 사례이다.

개념 마스터 문화 전파

직접 전파	다른 사회 구성원과의 직접적인 교류를 통해 다른 사회의 문화가 전파 예 비단길(실크 로드)을 통한 동서 교역
간접 전파	인쇄물, 인터넷 등과 같은 간접적인 매개체를 통해 다른 사회의 문화가 전파 예 인터넷, 드라마를 통해 퍼져나간 한류 열풍
자극 전파	다른 사회에서 전파된 문화 요소에서 아이디어를 얻어 새로운 문화 요소를 발명 예 신라 시대의 이두 문자, 알파벳에 자극받아 체로키 문자 발명

16 문화 변동의 양상 파악하기 답 ①

(가)는 외부 문화 요소에 의해 기존의 문화가 사라졌으므로 문화 동화, (나)는 기존의 문화와 외부 문화 요소가 결합하여 새로운 것을 만들어 냈으므로 문화 융합, (다)는 유입된 문화 요소가 기존의 문화와 함께 공존하고 있으므로 문화 병존에 해당한다.

개념 마스터 문화 변동의 양상

문화 동화	기존의 문화 요소가 다른 사회에서 전파된 문화 체계에 흡수되거나 대체되는 현상 → 고유문화의 정체성 상실
문화 병존	기존의 문화 요소와 전파된 다른 사회의 문화 요소가 고유한 정체성을 유지하면서 함께 공존하는 현상
문화 융합	기존의 문화 요소와 외래의 문화 요소가 결합하여 이전의 두 문화와는 다른 새로운 문화가 나타나는 현상

제4회 모의고사

189~192쪽

01 ③	02 ②	03 ①	04 ⑤	05 ③
06 ⑤	07 ②	08 ⑤	09 ②	10 ④
11 ⑤	12 ①	13 ⑤	14 ⑤	15 ④
16 ②				

01 문화를 이해하는 태도 파악하기 답 ③

문화를 평가하는 절대적 기준이 있다고 보고, 그 기준에 비추어 문화의 선악이나 우열을 가릴 수 있다고 여기는 태도를 문화 절대주의라고 한다. 문화 절대주의 관점에는 자신의 문화만이 우수하다고 여겨 그것을 기준으로 다른 문화를 평가하고 우열을 가리는 태도인 자문화 중심주의와 타 문화를 맹목적으로 동경하며 자신의 문화를 열등하게 여기는 태도인 문화 사대주의가 있다. 학생의 일기에는 영어가 우수하며 한글을 열등하다고 여기는 문화 사대주의가 나타나 있다.

|오답 체크|

①, ②, ⑤는 문화 상대주의 입장이다. ④는 자문화 중심주의 입장이다.

02 보편 윤리의 관점에서 문화 성찰하기 답 ②

문화 상대주의의 태도를 극단적으로 추구하다 보면, 어떤 문화가 지닌 윤리적인 문제점을 제대로 성찰하기 어렵다. 인간의 존엄성을 훼손하고 기본권을 침해하는 문화를 인정해서는 안 되며, 보편 윤리의 관점에서 자문화와 타 문화를 비판적으로 성찰해야 한다. 제시문의 전족 문화는 여성의 기본권과 인간으로서의 존엄성을 침해하는 것이므로, 보편 윤리의 관점에서 정당화되기 어렵다.

03 관용과 문화 다양성 존중 이해하기 답 ①

제시문은 문화 다양성을 존중하는 관용의 태도가 필요함을 주장하고 있다. 문화 다양성을 존중하는 태도는 차이와 차별을 구별하여 인식하는 데서 출발하므로, 다른 사람이나 집단의 문화가 자기 집단의 문화와 다를지라도 이를 존중하는 관용의 태도를 바탕으로 문화 다양성을 존중해야 한다.

04 동화주의와 다문화주의 관점 이해하기 답 ⑤

갑은 동화주의 관점(용광로 이론), 을은 다문화주의 관점(샐러드 볼 이론)이다. 동화주의는 사회 통합을 위해 이민자들이 기존 문화(종교, 사회적 질서, 가치, 언어 등)를 받아들이도록 해야 한다는 관점이고, 다문화주의는 이민자들이 자신의 문화를 유지하면서도 기존 사회의 구성원으로 살아갈 수 있도록 해야 한다는 관점이다. 갑은 주류와 비주류 문화를 구분하여 이민자가 주류 문화인 기존 문화에 동화되도록 해야 한다고 보고, 을은 그러한 구분 없이 문화의 고유성과 다양성을 인정해야 한다고 본다.

|오답 체크|

① 문화적 다양성보다 사회 통합을 우선하는가?
→ 갑은 '예', 을은 '아니요'

② 기존 문화와 동일한 문화만을 받아들여야 하는가?
→ 을은 '아니요'

③ 다양한 문화의 공존은 사회 갈등의 원인으로 작용하는가?
→ 갑은 '예', 을은 '아니요'
④ 기존 문화를 버리고 이민자의 우수한 문화를 수용해야 하는가?
→ 갑, 을 모두 '아니요'

개념 마스터 다문화 정책

동화주의 관점	• 기존 문화에 이주민의 문화를 융화·흡수하여 단일한 정체성을 이루어야 한다는 관점 • 이주민이 자신의 언어, 문화, 사회적 특성을 포기하고 기존 사회의 일원이 되는 것을 목표로 함.
다문화주의 관점	• 기존 문화와 이주민 문화가 평등하게 인정되어 조화를 이루어야 한다는 관점 • 이주민이 자신의 문화를 유지하면서도 기존 문화와 어우러져서 새로운 문화를 형성해 나가야 한다고 봄.

05 세계화에 따른 변화 이해하기 답 ③

세계화가 가속화되면서 세계는 경제적·공간적·문화적 측면 등에서 다양한 변화가 나타나고 있다. 세계화에 따라 지역 간 교류와 협력이 강화되면서 뉴욕, 런던 등과 같은 세계 도시들이 등장하기도 하고(④), 세계적 범위에서 활동하는 다국적 기업이 성장하기도 하였다. 제시된 글에 나타나 있는 □□ 햄버거 회사는 국경을 넘어 세계적으로 생산과 판매 활동을 하는 다국적 기업이다(①). 이 기업은 현지화 전략을 통해 세계 각지에 햄버거를 판매하고 있다(②). 막대한 자본력을 가지고 전 세계에서 활동하는 □□ 햄버거 회사의 영향으로 음식 문화가 획일화되고 있다(⑤).

③ 간판과 점원의 서비스는 기업의 핵심 기술이 아니다. 또한 다국적 기업이 판매 지점을 유치할 때 핵심 기술을 전달하지 않는다.

06 세계화에 따른 문제의 해결 방안 이해하기 답 ⑤

그래프에는 빈부 격차가 심화되고 있음이 나타난다. 세계화에 따른 자유 무역으로 경쟁에 유리한 선진국과 기업은 부를 더욱 증가시키는데 반해, 상대적으로 경쟁력을 갖추지 못한 개발 도상국과 기업은 경쟁에서 밀려 빈부 격차가 심화되었다. 병, 정. 세계의 빈부 격차를 해소하기 위해 공정 무역, 공적 개발 원조, 국제기구를 통한 경제적 자립 지원 등이 필요하다.

|오답 체크|

갑. 빈부 격차 해소를 위해서는 개발 도상국의 자율적 노력뿐만 아니라 국제기구 및 선진국의 지원과 노력도 필요하다. 을. 농업 등의 1차 산업보다 2·3차 산업이 부가 가치가 높다.

07 국제 사회의 행위 주체의 역할 이해하기 답 ②

㉠은 국제기구, ㉡은 국가이다. 국제 사회의 행위 주체는 크게 국가, 국제기구, 국제 비정부 기구 등으로 나눌 수 있다. 국가는 일정한 영역과 국민을 바탕으로 주권을 가진 국제 사회의 가장 대표적인 행위 주체이다. 국제기구는 평화 유지, 경제 협력 등의 국제적 목적을 위해 활동하며, 두 국가 이상으로 구성된 조직체이다. 국제 비정부 기구는 인류 공동의 이익을 위해 개인이나 민간단체 주도로 만들어진 조직이다.

|오답 체크|

① 국가에 대한 설명이다. ③ 국가가 자국의 이익을 추구하는 경향이 높다. ④ 국제 비정부 기구에 대한 설명이다. ⑤ 국제기구에 해당하는 설명이다.

08 소극적 평화와 적극적 평화 이해하기 답 ⑤

(가)의 갑은 소극적 평화를 지지하는 입장, 을은 적극적 평화를 지지하는 입장이다. 소극적 평화는 전쟁, 테러, 범죄, 폭행 등의 물리적 폭력이 발생하지 않아 직접적인 폭력의 사용이나 위협이 없는 상태를 의미한다. 적극적 평화는 직접적 폭력뿐만 아니라 빈곤, 기아, 정치적 억압, 종교와 사상의 차별 등과 같은 구조적·문화적 폭력까지 제거하여 모든 사람들이 인간답게 살아갈 삶의 조건이 조성된 상태를 의미한다. ⑤ 소극적 평화를 진정한 평화라고 보는 입장은 갑에게만 해당된다.

개념 마스터 평화의 의미

소극적 평화	전쟁, 테러 등 물리적 폭력이 발생하지 않아 직접적인 폭력의 사용이나 위협이 없는 상태
적극적 평화	직접적 폭력뿐만 아니라 빈곤, 기아, 정치적 억압, 종교와 사상의 차별 등과 같은 구조적·문화적 폭력까지 제거된 상태 → 모든 사람이 인간답게 살아갈 삶의 조건 조성

09 통일의 필요성 이해하기 답 ②

강연자는 경제적 차원에서 통일에 찬성하고 있다. 따라서 소모적인 분단 비용을 절감하고, 남북한의 생산 요소를 잘 결합하여 경제 성장을 이루자는 입장을 지지할 것이다.

|오답 체크|

ㄴ. 통일에 따른 비용은 통일 한국의 발전을 위한 밑거름이라고 주장할 것이다. ㄷ. 통일의 긍정적인 측면에 초점을 맞춰 통일의 필요성을 역설할 것이다.

10 국제 평화를 위한 우리나라의 노력 이해하기 답 ④

형성 평가의 제시문에는 우리나라가 국가적 차원에서 노력할 뿐만 아니라 개인과 민간단체도 다양한 차원에서 국제 사회의 평화를 위해 노력하고 있음이 나타나 있다. 한반도 통일은 우리 민족의 평화뿐만 아니라 세계 평화에 이바지할 수 있는 좋은 방법이다. 또한 제3 세계의 기아, 빈부 격차 해소를 위해 다양한 지원을 해야 하며, 주변국의 갈등을 중재하고 소통에 이바지하는 것도 좋은 방법이라 할 수 있다.

|오답 체크|

㉠은 아니요, ㉢은 예에 표시해야 한다.

11 세계의 인구 분포 특징 파악하기 답 ⑤

적도 주변의 브라질 아마존 열대 우림 지역에는 인구가 적게 분포하며, 서부 유럽과 같이 경제 활동의 기회가 풍부한 곳은 인구가 많이 분포한다.

|오답 체크|

ㄱ. 중위도 지역에 인구가 집중하여 분포하고, 저위도와 고위도 지역은 인구가 적게 분포한다. ㄴ. 세계의 인구는 대륙별로 불균등하게 분포한다. 아시아에 세계 인구의 약 60%가, 오세아니아에 약 0.5%가 분포한다.

자료 마스터 + 세계의 인구 분포

아시아에 인구 밀집
오세아니아에 인구 희박
태평양
대서양
인도양
1점당 10만 명 [최신 세계 지도, 2015.]

- 서부 유럽: 기후가 온화하고 일자리가 많아 인구 밀집
- 사하라 사막: 기후가 건조하여 인구 희박
- 아시아: 벼농사와 산업이 발달한 지역에 인구 밀집
- 알래스카: 기온이 낮아 인구 희박

12 인구 구조 및 인구 문제 파악하기 답 ①

(가)는 선진국인 일본, (나)는 개발 도상국인 니제르이다.

|오답 체크|

병. (가)가 (나)보다 국민들의 평균 기대 수명이 길다. 정. (가)가 노년층 인구 비중이 크므로, 노인 복지 비용이 더 많이 들 것이다.

자료 마스터 + 선진국과 개발 도상국의 인구 구조

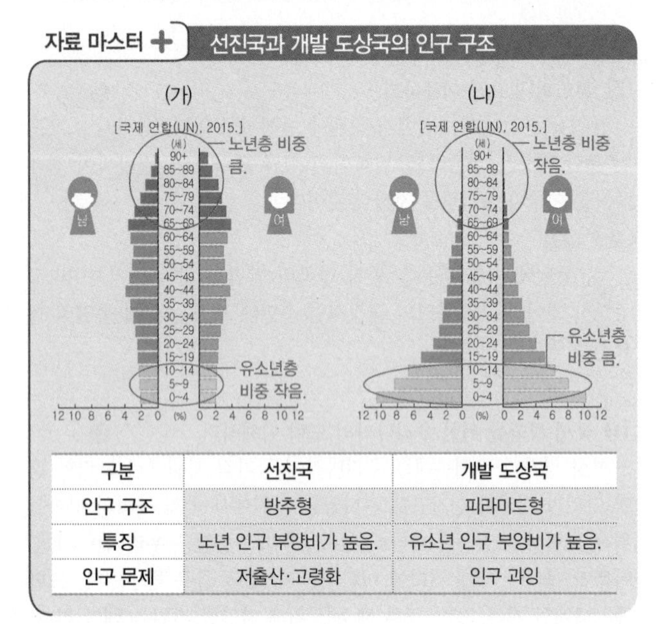

구분	선진국	개발 도상국
인구 구조	방추형	피라미드형
특징	노년 인구 부양비가 높음.	유소년 인구 부양비가 높음.
인구 문제	저출산·고령화	인구 과잉

13 세계의 인구 문제와 인구 정책 파악하기 답 ⑤

(가)는 말리, (나)는 일본이다. (가)는 출산율이 매우 높아 인구 과잉 문제가 나타나며 이를 해결하기 위해 인구 부양력을 키워야 한다. (나)는 저출산 문제가 심각하여 노동력 부족 문제가 나타날 것이며, 이를 해결하기 위해 출산 장려 정책을 펼 것이다. ⑤ (가)보다 (나)가 노년 인구 부양비가 높으므로 노인 일자리 창출에 더 많은 예산을 집행할 것이다.

14 석유, 석탄의 분포 및 특성 파악하기 답 ⑤

(가)는 서남아시아에 많이 분포하고 이동량이 많은 것으로 보아 석유이고, (나)는 비교적 넓은 범위에 분포하므로 석탄이다. ⑤ 석유, 석탄은 모두 화석 연료로, 연소 시 온실가스인 이산화 탄소를 배출한다.

|오답 체크|

①은 (나), ②는 (가)에 대한 설명이다. ③ (가)는 (나)보다 편재성이 커서 국제 이동량이 많은 편이다. ④ (가)는 (나)보다 세계 에너지 소비 구조에서 차지하는 비중이 크다. 세계 에너지 소비량(2015년 기준)은 '석유 > 석탄 > 천연가스 > 수력 > 원자력 > 기타'의 순서로 많다.

자료 마스터 + 주요 에너지 자원의 분포와 특징

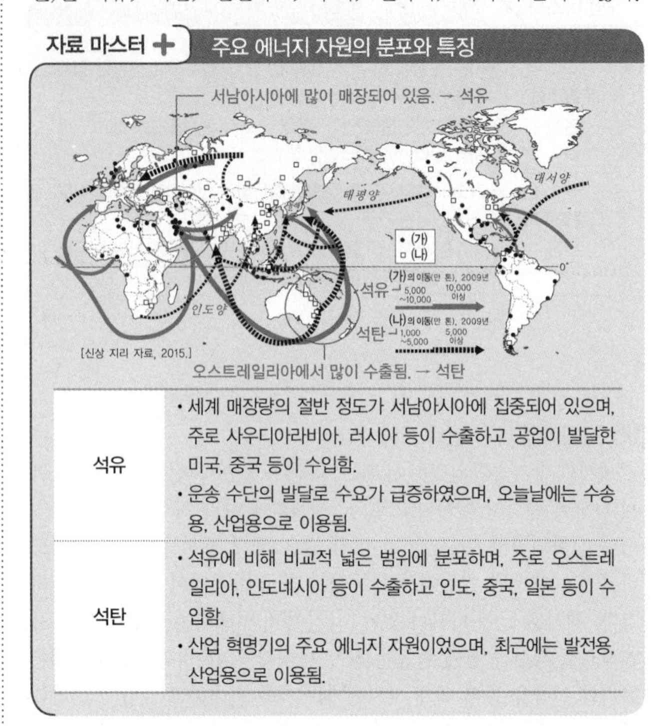

석유	• 세계 매장량의 절반 정도가 서남아시아에 집중되어 있으며, 주로 사우디아라비아, 러시아 등이 수출하고 공업이 발달한 미국, 중국 등이 수입함. • 운송 수단의 발달로 수요가 급증하였으며, 오늘날에는 수송용, 산업용으로 이용됨.
석탄	• 석유에 비해 비교적 넓은 범위에 분포하며, 주로 오스트레일리아, 인도네시아 등이 수출하고 인도, 중국, 일본 등이 수입함. • 산업 혁명기의 주요 에너지 자원이었으며, 최근에는 발전용, 산업용으로 이용됨.

15 지속 가능한 발전을 위한 생활 방식 이해하기 답 ④

자료는 '로하스족'의 생활 방식을 보여 준다. 로하스족의 생활 방식을 따르면 지속 가능한 발전에 이바지할 수 있다.

|오답 체크|

ㄷ. 로하스족은 경제 정책에서 효율성을 가장 중시하기보다는, 형평성을 고려할 것이다.

16 미래 삶의 자세 성찰하기 답 ②

지구촌 시대는 다문화 사회이므로, 단일 민족 의식에서 벗어나 다른 민족의 문화를 인정하고 포용하는 세계 시민 의식을 함양해야 한다.

Memo.

Memo.

배움으로 행복한 내일을 꿈꾸는

천재교육 커뮤니티 안내

교재 안내부터 구매까지 한 번에!

천재교육 홈페이지

자사가 발행하는 참고서, 교과서에 대한 소개는 물론
도서 구매도 할 수 있습니다. 회원에게 지급되는 별을 모아
다양한 상품 응모에도 도전해 보세요!

다양한 교육 꿀팁에 깜짝 이벤트는 덤!

천재교육 인스타그램

천재교육의 새롭고 중요한 소식을 가장 먼저 접하고 싶다면?
천재교육 인스타그램 팔로우가 필수!
깜짝 이벤트도 수시로 진행되니 놓치지 마세요!

수업이 편리해지는

천재교육 ACA 사이트

오직 선생님만을 위한, 천재교육 모든 교재에 대한 정보가 담긴
아카 사이트에서는 다양한 수업자료 및 부가 자료는 물론
시험 출제에 필요한 문제도 다운로드하실 수 있습니다.

https://aca.chunjae.co.kr

천재교육을 사랑하는 샘들의 모임

천사샘

학원 강사, 공부방 선생님이시라면 누구나 가입할 수 있는 천사샘!
교재 개발 및 평가를 통해 교재 검토진으로 참여할 수 있는 기회는 물론
다양한 교사용 교재 증정 이벤트가 선생님을 기다립니다.

아이와 함께 성장하는 학부모들의 모임공간

튠맘 학습연구소

튠맘 학습연구소는 초·중등 학부모를 대상으로 다양한 이벤트와 함께
교재 리뷰 및 학습 정보를 제공하는 네이버 카페입니다.
초등학생, 중학생 자녀를 둔 학부모님이라면 튠맘 학습연구소로 오세요!

내신 다품

정답과 해설

고등 통합사회